LITTÉRATURE ET SOCIÉTÉ
anthologie préparée par Jacques Pelletier
avec la collaboration de
Jean-François Chassay et Lucie Robert
est le cinq cent sixième ouvrage
publié chez
VLB ÉDITEUR
et le septième de la collection
«Essais critiques».

D0543933

LITTÉRATURE ET SOCIÉTÉ

autres titres parus dans la même collection

Francine Couture (dir.), LES ARTS VISUELS AU QUÉBEC DANS LES ANNÉES SOIXANTE. LA RECONNAISSANCE DE LA MODERNITÉ

Bertrand Gervais, À L'ÉCOUTE DE LA LECTURE

Philippe Haeck, PARLER LOIN. PAPIERS D'ÉCOLIER 1

Philippe Haeck, PRÉPARATIFS D'ÉCRITURE. PAPIERS D'ÉCOLIER 2

Philippe Haeck, LE SECRET DU MILIEU

Jacques Pelletier, LE ROMAN NATIONAL, NÉO-NATIONALISME ET ROMAN QUÉBÉCOIS CONTEMPORAIN

à paraître

Jean-Marie Fecteau, Gilles Breton et Jocelyn Létourneau, LA CONDITION QUÉBECOISE. ENJEUX ET HORIZONS D'UNE SOCIÉTÉ EN DEVENIR

La collection «Essais critiques» réunit des ouvrages ayant pour but de dégager les enjeux théoriques et sociaux inscrits dans les productions culturelles et littéraires de nos sociétés.
Elle privilégie les études et les analyses portant un regard critique sur ces manifestations culturelles et sur la société qui leur sert de cadre de production.
S'adressant à un large public informé, les essais sont écrits dans une langue précise visant à éviter le double piège de l'académisme abstrait et de la vulgarisation primaire.
La collection «Essais critiques» est dirigée par Jacques Pelletier.

Littérature et société

Anthologie
préparée par Jacques Pelletier

avec la collaboration de Jean-François Chassay
et Lucie Robert

vlb éditeur

VLB ÉDITEUR
Une division du groupe Ville-Marie Littérature
1010, rue de la Gauchetière Est
Montréal, Québec
H2L 2N5
Téléphone: (541) 523-1182
Télécopieur: (514) 282-7530

Maquette de la couverture: Gaétan Venne
En couverture: Diane Tétreault, *Lever de lune*, mosaïque, 1981.

DISTRIBUTEURS EXCLUSIFS:

• Pour le Québec, le Canada et les États-Unis:
LES MESSAGERIES ADP*
955, rue Amherst, Montréal, Québec H2L 3K4
Tél.: (514) 523-1182
Télécopieur: (514) 939-0406
* Filiale de Sogides Ltée

•Pour la Belgique et le Luxembourg:
PRESSES DE BELGIQUE S.A.
Boulevard de l'Europe, 117, B-1301 Wavre
Tél.: (10) 41-59-66
        (10) 41-78-50
Télécopieur: (10) 41-20-24

• Pour la Suisse:
TRANSAT S.A.
Route des Jeunes, 4 Ter, C.P. 125, 1211 Genève 26
Tél.: (41-22) 342-77-40
Télécopieur: (41-22) 343-46-46

• Pour la France et les autres pays:
INTER FORUM
Immeuble ORSUD, 3-5, avenue Galliéni, 94251, Gentilly Cédex
Tél.: (1) 47.40.66.07
Télécopieur: (1) 47.40.63.66
Commandes: Tél.: (16) 38.32.71.00
                    Télécopieur: (16) 38.32.71.28
                    Télex: 780372

Dépôt légal — 1er trimestre 1994
Bibliothèque nationale du Québec
ISBN 2-89005-568-X

Présentation

Cette anthologie a été conçue en fonction d'un objectif d'abord *pédagogique*: mettre à la disposition des étudiants un certain nombre de textes importants concernant la problématique très générale des rapports littérature et société. Par-delà cet objectif spécifique, il n'est pas exclu que ce recueil — par la qualité des contributions qu'il réunit — puisse intéresser également des étudiants plus avancés, des chercheurs et des professeurs dont «l'approche sociohistorique» de la littérature ne constitue pas le principal domaine de spécialisation; ce serait là un heureux prolongement «culturel» d'un ouvrage à vocation d'abord didactique.

Il n'existe pas présentement d'instrument équivalent à celui que nous proposons ici. On dispose cependant, grâce à une publication du CIADEST[1], d'un historique de la discipline et d'un tableau d'ensemble des principaux domaines de recherche où elle s'applique. On possède aussi un *Manuel de sociocritique*[2] publié par Pierre V. Zima en 1985. Cet ouvrage comprend un rappel historique utile, insistant notamment sur l'apport de l'école de Francfort (Adorno, Benjamin), une description de travaux de recherche dans les domaines de la sociologie des genres littéraires et de la réception des textes et quelques analyses sociocritiques faites par l'auteur. Bien

---

1. Marc Angenot et Régine Robin, *La sociologie de la littérature: un historique*, Montréal, CIADEST, 1991.
2. Pierre V. Zima, *Manuel de sociocritique*, Paris, Picard, coll. «Connaissance des langues», 1985.

qu'intéressant, ce *Manuel de sociocritique*, contrairement à ce que laisse entendre son titre, n'en est pas vraiment un: il ne couvre pas tous les champs de la discipline, il est très «coloré» par les choix personnels de son auteur et, enfin, il n'est guère accessible. Au Québec, on peut se reporter depuis peu à un ouvrage qui correspond de plus près à ce qu'on définit habituellement comme un manuel: Marie-Claude Leclercq et Claude Lizé, dans *Littérature et société québécoise*[3], proposent en effet un outil didactique conçu explicitement pour les étudiants du niveau collégial. En raison de ce créneau très spécifique, ce livre est fortement limité à la fois sur le plan théorique et sur celui de l'objet: il ne traite que de la littérature québécoise.

Notre ouvrage se présente pour sa part comme une contribution de portée plus générale dans la mesure où il propose un tableau des principaux courants de la discipline, où il présente un corpus de textes très diversifié, où enfin il s'adresse à un public large, non cantonné à un niveau d'enseignement particulier.

Cela dit, il m'apparaît important de rappeler que l'approche sociohistorique de la littérature ne désigne pas une *méthode*, une *démarche* précise et rigoureuse, un *corpus de doctrines* constitué et stable possédant un *modèle opératoire* universel (un «mode d'emploi») mais bien un *questionnement* possible parmi d'autres sur la littérature dont la spécificité est de considérer les textes en lien avec le contexte historique dans lequel ils apparaissent et dont ils forment une composante.

Cette approche n'est donc pas réductible à la sociocritique et encore moins à l'analyse politique, idéologique des textes. Elle place au centre de ses intérêts aussi bien les phénomènes dits *institutionnels* — la littérature comme œuvre de communication, comme organisation économique (fait d'édition, de diffusion), comme fondement d'un champ social spécifique avec ses divers appareils (journalisme, critique, écoles, etc.) — que les questions liées au *sens*, aux enjeux littéraires, culturels et sociaux des œuvres.

---

3. Marie-Claude Leclercq et Claude Lizé, *Littérature et société québécoise*, Québec, Le Griffon d'argile, 1991.

Dans cette perspective, pour des fins de commodité, on peut distinguer:

1. Une *sociologie du fait littéraire* dont les principaux objets sont:
    a) les *écrivains*: on s'intéressera à leur statut économique, à leur situation professionnelle, à leur appartenance de classe, à leurs positions idéologiques, politiques, à leur mentalité, etc;
    b) les *œuvres* prises globalement en tant que très vaste corpus dans lequel on étudiera en fonction de la (des) période(s) historique(s) considérée(s):
    - les genres, les formes privilégiées;
    - les thèmes retenus;
    - le type de personnages représentés (dans le roman, au théâtre);
    - les styles dominants, etc;
    c) les *publics* et l'accueil qu'ils réservent aux œuvres — c'est là l'objet des théories sociologiques de la réception;
    d) les *appareils* (journalisme, critique, école, jurys, etc.) en tant que mécanismes de sélection, de légitimisation, de consécration des œuvres.

Ce programme de recherche d'une sociologie du *fait littéraire* est formulé pour une large part dans le texte de Robert Escarpit repris ici. En ce qui concerne plus particulièrement ce que l'on appelle souvent l'approche (ou l'analyse) institutionnelle, ses objets d'étude ont été définis par Pierre Bourdieu dans de nombreux articles et dans un récent ouvrage de synthèse, *Les règles de l'art*. Cette tradition nouvelle — elle n'a pas vingt ans — a inspiré plusieurs travaux en France comme au Québec; songeons notamment aux recherches sur la paralittérature dirigées par Denis Saint-Jacques de l'Université Laval, au projet d'histoire de la *Vie littéraire au Québec* animé par Maurice Lemire de la même université et aux études sur la réception et l'édition menées par l'équipe de Richard Giguère et Jacques Michon à l'Université de Sherbrooke.

2. Une *sociocritique* proprement dite, c'est-à-dire un type de discours critique privilégiant la dimension, la teneur sociale des textes, leur poids historique, leur signification culturelle, idéologique, politique, s'intéressant d'abord et surtout:

    a) à la *représentation de la société* dans les œuvres, à son inscription pour ce qui est du «contenu»;

    b) aux *formes*, aux manifestations proprement textuelles qu'emprunte cette représentation: type de narration privilégié, mode de description, genre littéraire choisi, etc.;

    c) aux *rapports* de cette représentation — tant sur le plan du contenu que sur celui de la forme — et de la société connue par ailleurs (au moyen de l'histoire, de l'enquête économique, des recherches sociologiques, etc.);

    d) à la *fonction idéologique* de l'œuvre, à la manière dont l'écart entre la réalité et sa représentation stylisée trouve une signification;

    e) aux *groupes sociaux* par conséquent qui, à des degrés divers — par le relais des auteurs individuels —, infléchissent l'œuvre, la structurent, la «produisent».

Ce type de critique, en somme, traite l'œuvre comme une *production de la société* et comme une *intervention* génératrice d'effets à prendre en compte. Cela implique une démarche dans deux directions, différentes mais complémentaires: de la société comme condition de production à l'œuvre, de celle-ci en tant qu'univers second, parallèle, à la société. L'analyse, en tant que processus dialectique, prend en considération ces deux variables dans leur interaction.

Signalons qu'une sociocritique conséquente ne saurait ignorer ce qui relève conventionnellement de la sociologie du fait littéraire comme s'il y avait d'un côté l'Institution et ses appareils, voire la société elle-même, et de l'autre des textes singuliers, fermés sur eux-mêmes. En réalité, les textes apparaissent et circulent toujours dans un état donné de la littérature et de la culture, donc dans un cadre institutionnel lui-même lié à un état donné de développement et d'organisation d'une société. Les œuvres sont marquées, sillonnées, pour reprendre une expression de Bakhtine, par ce contexte d'énonciation qui leur sert à la fois de *cadre* et de *principe* interne de structuration.

Notre anthologie regroupe des textes représentatifs de ces deux grands domaines de recherche et d'analyse.

Dans la première partie, on prendra connaissance de quelques contributions particulièrement significatives des «pères fondateurs» de cette tradition qui, incidemment, sauf Auerbach, ne sont pas des «littéraires» sur le plan des appartenances disciplinaires. Lukács, Goldmann, Sartre ont d'abord une formation et des préoccupations d'historiens et de philosophes. C'est à partir de ce regard ex-centré, si l'on ose dire, qu'ils abordent la littérature et développent des concepts et des démarches pour en rendre compte. C'est cependant dans leur sillage que les sociocritiques d'appartenance plus directement littéraire se situeront par la suite, prolongeant et reprenant à leur manière les intuitions et les réflexions de ces pionniers.

La seconde partie réunit des analyses relevant de la sociocritique proprement dite, courant apparu au tournant des années soixante-dix en France et qui coiffe des lectures et des interprétations particulièrement stimulantes du corpus romanesque «réaliste» tant au Québec qu'en France même. Les travaux s'inscrivant dans cette perspective sont en effet très nombreux et intéressants au Québec depuis quelques années surtout; on s'en rendra compte en lisant le bilan que j'en dresse dans le premier texte de cette partie. Les articles qui suivent constituent, par ailleurs, autant de témoignages éloquents de cet essor et de cette vitalité.

La troisième partie s'ouvre sur un texte du «père» de l'analyse institutionnelle, Pierre Bourdieu, qui y expose les grandes lignes de la démarche qu'il utilise dans ses études des productions symboliques, et notamment des œuvres littéraires. Suit un texte de Robert Escarpit qui se présente comme une sorte de programme de recherche de sociologie empirique du champ littéraire. Enfin Lucie Robert, historienne de la littérature, examine quel profit on pourrait éventuellement tirer de ces approches dans le cadre d'une interprétation synthétique, globalisante d'une tradition littéraire nationale comme celle du Québec.

La quatrième et dernière partie comprend des contributions qui représentent des avancées récentes, de nouveaux développements dans la discipline. On y trouvera notamment un texte de Bakhtine dont l'apport dans l'ébullition qui a caractérisé la dernière décennie ne saurait être surestimé. On y prendra connaissance de percées intéressantes du côté de l'étude de la poésie, genre peu pris en considération jusqu'à tout récemment, du côté de l'analyse du discours social, chantier ouvert par Marc Angenot et Régine Robin déjà générateur de nombreuses études effectuées pour l'essentiel dans un centre de recherche placé sous leur direction, du côté enfin d'une critique féministe soucieuse d'intégrer l'histoire et la société dans ses analyses de la représentation littéraire de la femme et des productions écrites «au féminin». C'est sur ces ouvertures, ces nouvelles perspectives qui s'annoncent singulièrement encourageantes, prometteuses que se referme notre anthologie.

Une comparaison avec la première édition de ce travail[4], publiée en 1984 dans les cahiers du Département d'études littéraires de l'UQAM, permettrait de mettre en lumière le développement rapide de la discipline. Les nouveaux apports évoqués dans la quatrième partie datent pour l'essentiel de la deuxième moitié des années quatre-vingt; les textes retenus témoignent ainsi de la recherche qui se fait *maintenant*. En outre, plusieurs de ces nouvelles percées sont attribuables, au moins en partie, à des chercheurs et critiques québécois. Notre anthologie en prend acte en accordant une place plus importante aux contributions significatives des sociocritiques autochtones, assurant ainsi un meilleur équilibre entre textes de provenance «étrangère» et productions «locales».

En terminant, je tiens à remercier vivement les auteurs qui nous ont permis généreusement de reprendre leurs textes,

---

4. Jacques Pelletier, *Le social et le littéraire*, Montréal, Cahiers du Département d'études littéraires, n° 2, UQAM, 1984.

les éditeurs qui ont fait de même et l'UQAM qui a accordé une subvention pour la préparation du manuscrit de cet ouvrage et a ainsi facilité sa publication.

JACQUES PELLETIER

I

Textes fondateurs

Introduction

par Jacques Pelletier

La sociologie et la critique sociale de la littérature, comme l'ensemble des sciences humaines, émergent dans la seconde moitié du XIXe siècle et connaissent un essor décisif au début du XXe siècle. Dans le développement de la discipline, certains textes produits durant cette période s'avéreront des textes fondateurs auxquels on se reportera souvent dans les recherches ultérieures. Nous en présentons ici quelques-uns qui nous paraissent particulièrement significatifs.

Le premier texte est de Georg Lukács, philosophe, historien et critique de la littérature, né en Hongrie en 1885 et formé en Allemagne où il poursuit de longues études dans les «sciences de l'esprit» de 1906 à 1914. Influencé par la pensée historique allemande qui procède alors à l'étude des sociétés au moyen de grandes catégories abstraites — les «types idéaux» —, il écrit d'abord des ouvrages d'inspiration philosophique (*L'âme et les formes, La théorie du roman*) qui comprennent toutefois les premiers germes d'une réflexion qui deviendra plus empirique après sa «conversion» au marxisme au moment de la révolution russe de 1917.

Dans *La théorie du roman*, qu'il écrit au cours de la Première Guerre mondiale, Lukács constate que les formes littéraires correspondent à des états donnés de société. Dans le genre narratif par exemple, il fait remarquer que l'épopée classique et le roman se présentent comme des expressions de sociétés essentiellement différentes. L'épopée apparaît comme une symbolisation de ce qu'il appelle une «civilisation close», homogène, dans laquelle on ne rencontre pas de séparation entre l'individu et le monde mais une union profonde reposant sur des valeurs communes partagées par l'ensemble de la collectivité. Le roman, à l'inverse, est l'expression d'une civilisation fragmentée, divisée, dans laquelle le rapport de l'individu au monde est devenu fondamentalement problématique. L'épopée met en scène un héros collectif (symbole de la communauté) ou un groupe accomplissant une action dans un temps qui sert d'abord de cadre à l'entreprise, qui en signale la portée, la dimension mais qui n'agit pas vraiment sur le héros qui la conduit. Le roman, au contraire, représente un héros fortement individualisé, en quête de sa vérité dans le monde et qui évolue et se transforme au fil du temps et de l'expérience. Si la description de Lukács dans cet ouvrage est phénoménologique, il n'en reste pas moins qu'elle relève déjà d'une vision sociale et historique qui ne cessera de s'approfondir dans ses travaux ultérieurs.

Devenu marxiste, Lukács interroge la littérature à la lumière de la théorie de la «réification» qu'il expose dans *Histoire et conscience de classe*, ouvrage majeur écrit au début des années vingt. C'est à partir de ce phénomène central, le devenir-chose du monde, qu'il analyse les textes littéraires: ceux-ci, se demande-t-il, se bornent-ils à reproduire cette réalité ou la donnent-ils à voir dans une perspective critique? S'appuyant sur le postulat que l'art et la littérature ont une fonction sociale, qu'ils doivent rendre compte du réel et indiquer des perspectives, il estime que la littérature réaliste est celle qui exprime le mieux la nature changeante, contradictoire, du monde. On comprend que, dans cette perspective, il ait préféré Balzac et la tradition du réalisme critique à celle de Flaubert et de l'avant-garde contemporaine (de Joyce à Dos Passos) tenue pour décadente.

Si ces appréciations sont discutables, il n'en reste pas moins que l'apport global de Lukács demeure important, notamment pour les liens qu'il suggère entre formes littéraires et sociétés dans *La théorie du roman*, pour les analyses stimulantes qu'il propose dans ses ouvrages consacrés au réalisme, pour la contribution qu'il apporte à la question de la critique idéologique, politique des textes. Le texte retenu, s'il appartient à la période «idéaliste» de Lukács, est, on le notera, déjà imprégné d'une vision radicalement dialectique du monde et, en cela, il nous apparaît très représentatif de son œuvre.

Le second texte est de Lucien Goldmann, un «disciple» de Lukács, d'origine roumaine, qui comme celui-ci, a reçu une formation d'abord philosophique. Important théoricien marxiste, on lui doit des ouvrages majeurs sur des questions d'ordre épistémologique et éthique, dont *Marxisme et sciences humaines* publié en 1970. Sociologue de profession, Goldmann s'est surtout intéressé aux productions culturelles, abordant des objets aussi différents que le théâtre classique dans *Le dieu caché*, le roman contemporain dans *Pour une sociologie du roman*, les pratiques d'avant-garde dans *La création culturelle dans la société moderne*.

Se situant dans les traces de Lukács, Goldmann reprend sa théorie de la réification, insistant sur les conséquences culturelles désastreuses de ce phénomène dans le champ de l'art et de la littérature. Contrairement à celui-ci, il estime cependant que les pratiques et les œuvres de l'avant-garde comportent une dimension critique et il les accueille en conséquence avec beaucoup d'intérêt et d'ouverture.

On lui doit une première tentative de mise au point d'une méthode, d'une démarche opératoire, pouvant guider l'analyse sociologique des textes littéraires. Cette méthode, fondée sur une profonde réflexion épistémologique qu'il serait trop long de rappeler ici, s'articule à partir d'un concept central, celui de «vision du monde».

La vision du monde, c'est, pour Goldmann, un concept, un instrument de travail théorique, une construction de l'analyste qui lui sert à comprendre et à interpréter des comportements ou des textes selon les domaines où sa recherche s'applique. Ce concept désigne une réalité qui est essentiellement d'ordre collectif, l'ensemble des sentiments, des façons de voir, des désirs et aspirations qui caractérisent les comportements et les attitudes des membres d'un groupe social donné.

Or c'est cette vision du monde qui, selon lui, est déterminante dans la structuration des textes littéraires. C'est elle qu'il faut dégager par une étude immanente, interne, des œuvres, dans une étape qu'il qualifie de «compréhension» (interne) des textes. Il s'agira par la suite de l'«expliquer» à la lumière de la situation à laquelle l'œuvre s'offre comme «réponse»: il faut donc la considérer comme une production d'un groupe social spécifique.

C'est cette démarche que, dans *Le dieu caché*, Goldmann applique très rigoureusement au théâtre de Racine et aux *Pensées* de Pascal en montrant que la «vision tragique» du monde qui imprègne ces œuvres peut être expliquée par la situation particulière d'un groupe social, la noblesse de robe, dans la société française du XVIIe siècle. Opprimé, déclassé, écarté du pouvoir, ce groupe aurait trouvé dans le jansénisme, dans sa vision tragique du monde, une représentation servant de rationalisation à sa condition d'exclusion.

La méthode n'est toutefois pas utilisée de manière aussi systématique dans les études que Goldmann propose des œuvres contemporaines où son approche relève généralement d'une analyse assez classique des «contenus». Fines, souvent pénétrantes, ses études s'écartent de la visée théorique qui inspirait *Le dieu caché* tout en étant particulièrement intéressantes lorsqu'elles mettent en lumière les fonctions — d'intégration ou de contestation — qu'exercent les productions culturelles dans un monde qui cherche à les uniformiser, à les banaliser, à les réduire à l'insignifiance. C'est par cette dimension critique que ces analyses conservent aujourd'hui toute leur actualité.

Le troisième texte est extrait de *Qu'est-ce que la littérature?* de Jean-Paul Sartre. Philosophe de formation et de métier, romancier et dramaturge, celui-ci est également l'auteur de nombreux articles et ouvrages consacrés à la littérature et à ses rapports à l'histoire. Publié dans l'immédiat après-guerre, *Qu'est-ce que la littérature?* se présente comme une réflexion sur la nature, le statut et la fonction de l'écriture.

Dans la première partie de l'ouvrage — *Qu'est-ce qu'écrire?* —, Sartre propose une distinction, qui deviendra célèbre, entre la poésie et la prose, fondée sur le caractère plus ou moins fonctionnel de l'un et l'autre type d'écriture, la poésie étant rangée du côté d'un usage ludique, non immédiatement fonctionnel du langage, la prose au contraire relevant d'une finalité immédiate en tant que véhicule d'une signification, d'un «message». Dans la seconde partie — *Pourquoi écrire?* —, il prône une conception de la littérature comme praxis, engagement, action de dévoilement de l'homme et du monde par quoi l'écrivain se révèle essentiel: en montrant le réel, il contribue à sa manière à le transformer.

Dans la troisième partie, qui contient le passage retenu ici, Sartre se demande: *Pour qui écrit-on?* Et il se livre à une étude de l'évolution du statut et de la figure de l'écrivain de la période classique jusqu'à l'immédiat après-guerre. Il met en lumière les principales étapes du long parcours emprunté par l'écrivain depuis sa condition initiale de fonctionnaire de la culture jusqu'à sa situation d'agent libre sur le marché de la littérature qui le définit aujourd'hui. Cette reconstitution historique opérée, il s'interroge enfin sur *La situation de l'écrivain en 1947* et plaide pour son engagement en faveur d'une société nouvelle, délivrée de l'aliénation dont elle est actuellement prisonnière.

Sa réflexion sur le caractère social de la littérature va trouver un prolongement théorique et méthodologique dans un grand ouvrage, *Critique de la raison dialectique*, publié en 1960, dont les *Questions de méthode* constituent un chapitre essentiel. Écrit durant les années cinquante, ce livre se présente comme une discussion avec les intellectuels marxistes orthodoxes de l'époque, dont Lukács et Roger Garaudy notamment. La question centrale abordée par Sartre pourrait être formulée comme suit: comment peut-on comprendre et expliquer un phénomène historique, culturel et littéraire? Avec quels moyens, par quelle démarche?

C'est cette question qui sert de fil conducteur à l'ouvrage. Tout en se situant à l'intérieur du marxisme perçu comme l'horizon intellectuel indépassable de l'époque, Sartre se démarque des philosophes et critiques marxistes qui pratiquent une approche réductrice et volontariste des phénomènes qu'ils étudient et se montre partisan d'une attitude ouverte et souple dans l'analyse des réalités culturelles. Il entend conduire ses études dans le cadre d'une conception d'ensemble visant à réconcilier nécessité et liberté, prenant en compte le *projet* par lequel se définit un individu ou un groupe à travers un *univers de possibles* et de contraintes, objectif qui s'oppose à l'exercice entier de sa liberté.

C'est dans cette perspective qu'il met au point une méthode qualifiée de «progressive-régressive». Dans le moment régressif de la recherche, il s'agit d'intégrer les déterminations qui s'exercent, dans la longue durée, sur un individu ou un ensemble dont on reconstituera l'histoire à partir du cadre familial, social où il surgit et s'épanouit. Dans le moment progressif, on décrit et on interprète les actes, les discours, les œuvres comme des *dépassements* des déterminations originaires à travers lesquels s'affirment des libertés, ainsi par exemple Flaubert échappant d'une certaine manière à la petite bourgeoisie par le choix de l'écriture.

Sartre, par sa méthode, aspire à la totalisation, entend donner une explication globalisante des phénomènes étudiés en intégrant dans un cadre synthétique les divers apports des sciences humaines, de la linguistique à la sociologie en passant par l'histoire et la psychologie. Dans les faits, cependant, il s'avère que sa démarche est d'abord biographique comme en témoignent ses ouvrages sur Baudelaire et Flaubert, étant en effet centrée sur la singularité d'une trajectoire replacée bien sûr dans son contexte social et culturel. En dépit de cette limite, il reste que sa contribution demeure encore aujourd'hui fort stimulante dans la mesure même où elle appelle un dépassement.

Le cinquième et dernier texte de cette partie constitue un chapitre de *Mimesis*, l'ouvrage monumental d'Erich Auerbach consacré à la représentation de la réalité dans la littérature occidentale d'Homère à Virginia Woolf.

Les analyses d'Auerbach sont centrées sur la question des rapports du langage comme produit d'un travail d'écriture, de stylisation et du réel historique et social. L'étude est conduite à partir de la théorie des niveaux stylistiques qui distingue une «grande» littérature traitant de sujets «nobles» dans un langage épuré et élitaire et une «petite» littérature concernée par les sujets «triviaux», les exprimant dans un langage grossier et populaire.

L'interprétation d'Auerbach met en évidence la progressive contamination de la «haute» littérature par la réalité vulgaire du monde qui accède à sa pleine reconnaissance et à son institutionnalisation à l'époque contemporaine. À travers ses analyses, il semble bien que l'avancée de la représentation littéraire corresponde à une avancée équivalente sinon préalable de la conscience historique, et donc à la marche en avant de la société.

Cette interprétation très générale sert de toile de fond, d'horizon englobant, aux analyses très fines qu'Auerbach consacre aux productions majeures de la littérature occidentale lues à partir d'extraits significatifs, représentatifs des œuvres en question. Ainsi, dans le chapitre retenu pour cette anthologie, on remarquera que son étude prend appui sur trois fragments exprimant, de manière condensée, les diverses formes que prend le réalisme français au XIXe siècle: réalisme «tragique» chez Stendhal, «d'atmosphère» chez Balzac, «sérieux objectif» chez Flaubert sont autant d'expressions, de variantes du réalisme moderne qui témoigne de l'ascension irrésistible des classes populaires à la pleine représentation littéraire.

En terminant, je tiens à signaler une absence majeure dans cette reprise de «textes fondateurs». J'aurais bien voulu y faire figurer une contribution d'un membre de ce que l'on a pris l'habitude d'appeler l'école de Francfort (Adorno, Horkheimer, Benjamin, etc.). Mes démarches avec les éditeurs de ces auteurs n'ayant pas abouti, l'anthologie souffre donc d'un manque qu'on est prié de combler en se reportant aux ouvrages de ces critiques. Pour le reste, ce tableau me paraît, sinon exhaustif, du moins représentatif de l'apport des «pères fondateurs» à cette tradition de recherche, d'analyse et de critique.

Bibliographie sommaire

ADORNO, T. W., *Théorie esthétique*, Paris, Klincksieck, coll. «d'Esthétique», 1924.

BENJAMIN, Walter, *Charles Baudelaire, un poète lyrique à l'apogée du capitalisme*, Paris, Payot, coll. «Petite bibliothèque Payot», 1924.

GOLDMANN, Lucien, *Marxisme et sciences humaines*, Paris, Gallimard, coll. «Idées», 1970.

—, *Pour une sociologie du roman*, Paris, Gallimard, coll. «Idées», 1964.

LUKÁCS, Georg, *Balzac et le réalisme français*, Paris, François Maspero, coll. «Petite collection Maspero», 1967.

MARX, Engels, *L'idéologie allemande*, Paris, Éditions sociales, coll. «Classiques du marxisme», 1966.

SARTRE, Jean-Paul, *L'idiot de la famille*, Paris, Gallimard, coll. «Bibliothèque de philosophie», 1971.

Conditionnement et signification historico-philosophique du roman*

par Georg Lukács

La composition romanesque est une fusion paradoxale d'éléments hétérogènes et discontinus appelés à se constituer en une unité organique toujours remise en question. Les relations qui donnent cohérence à ces éléments abstraits ne sont, dans leur pureté abstraite, que de nature formelle; aussi l'ultime principe unifiant ne saurait y être que l'éthique de la subjectivité créatrice, éthique devenue évidente dans les contenus mêmes. Mais il faut que cette dernière s'abolisse afin que puisse se réaliser l'objectivité normative du créateur épique et elle est cependant incapable de pénétrer entièrement les objets qu'elle doit mettre en forme; elle ne peut se dépouiller entièrement de son aspect subjectif pour apparaître comme le sens immanent au monde des objets; aussi il est nécessaire que, pour atteindre au tact créateur d'équilibre, elle se corrige elle-même au moyen d'une nouvelle éthique, déterminée à son tour par les contenus. C'est cette interaction entre deux complexes éthiques, cette dualité dans la création et cette unité dans la forme qui fait la substance de l'ironie, cette intention normative propre au roman, que la structure de ses données condamne à une extrême complexité.

---

* Extrait de *La théorie du roman*, Paris, Éditions Gonthier (traduction de Jean Clairevoye), 1963.

Pour toute forme qui exprime l'idée comme incarnée dans la réalité, le destin de l'idée dans le réel n'a aucun besoin de devenir l'objet d'une réflexion dialectique. La relation entre l'idée et le réel s'épuise dans la mise en forme sensible; il ne reste entre eux aucun vide qui les distancierait l'un de l'autre et qui ne pourrait être comblé que par la sagesse de l'écrivain, intervenant de façon consciente et manifeste; cette sagesse, par conséquent, peut jouer son rôle avant l'acte créateur; elle peut se dissimuler derrière les formes et n'est aucunement tenue de se dépasser elle-même, en tant qu'ironie, dans la création littéraire. Car la réflexion de l'individu qui fait œuvre d'écrivain, son attitude éthique à l'égard du contenu, présente un double caractère: elle concerne avant tout la structuration réflexive du destin qui, dans la vie, échoit à l'idéal, le caractère de simple fait de cette relation, et le jugement de valeur porté sur sa réalité; mais cette réflexion devient à son tour l'objet d'une autre réflexion pour laquelle elle n'est elle-même qu'un idéal, quelque chose de subjectif, une simple postulation, à elle aussi s'annonce, dans une réalité qui lui demeure étrangère, un destin qui, cette fois-ci purement réfléchi et ne subsistant que dans la personne du narrateur, exige de recevoir figure.

Cette nécessité de réflexion constitue la très profonde mélancolie de tout grand roman authentique. La naïveté de l'écrivain— formule qui traduit seulement le caractère intimement inartistique de la pure réflexion — subit une contrainte qui la transforme en son contraire; et le compromis désespérément obtenu, l'équilibre incertain entre deux réflexions qui se suppriment l'une l'autre, la seconde naïveté, à savoir l'objectivité du romancier, ne constitue qu'un succédané formel de la première: elle permet la structuration et clôt la forme, mais le monde même de cette clôture renvoie par un geste éloquent au sacrifice qu'il a fallu d'abord consentir, au paradis à jamais perdu qu'on a cherché et qu'on n'a pas trouvé, dont la quête inutile et l'abandon résigné ont permis de parfaire le cercle de la forme.

Le roman est la forme de la virilité mûrie; son auteur ne peut plus croire, avec la jeune foi rayonnante qui est celle de toute poésie, que destin et sentiment sont deux noms pour une même chose, un seul et même concept; à mesure que s'enracine en lui, de façon plus douloureuse et plus profonde, la nécessité d'opposer à la vie, à titre d'exigence, cette profession de foi essentielle à toute création littéraire, il lui faut apprendre, de la façon la plus douloureuse et la plus profonde, à saisir que c'est là une pure exigence et non une réalité effective. Et ce discernement qui est ironie se retourne aussi bien contre ses héros qui, avec la juvénilité qu'exige toute poésie, échouent à faire passer cette croyance sur le plan de la réalité, que contre sa propre sagesse, forcée de regarder en face la vanité d'un tel combat et la victoire finale du réel.

Plus encore, l'ironie se dédouble dans chacune de ces deux directions. Elle saisit non seulement ce que cette lutte a de désespéré, mais ce que sa cessation a de plus désespéré encore, le bas échec que représente le fait de s'adapter à un monde pour qui tout idéal est chose étrangère et, pour triompher du réel, de renoncer à l'irréelle idéalité de l'âme. Et l'ironie, en donnant forme à la réalité, en tant que puissance victorieuse, ne se contente pas de révéler l'inanité de cette réalité en face de ce qu'elle a vaincu, de montrer que jamais cette victoire ne saurait être définitive, que de nouveaux soulèvements de l'idée ne cesseront de l'ébranler, mais elle montre aussi que la supériorité du monde tient beaucoup moins à sa force propre, bien trop brutalement privée de toute orientation pour lui permettre de l'emporter, qu'à une problématique interne et pourtant nécessaire de l'âme lestée d'idéal.

La mélancolie de l'âge adulte vient de ce qu'il tient à cette déchirante expérience vécue par laquelle il voit disparaître ou décroître sa juvénile confiance en la voix intérieure de sa vocation, mais constate en même temps qu'il a beau scruter ce monde extérieur auquel il se voue désormais pour apprendre de lui les moyens de le dominer; jamais il ne perçoit cette autre voix qui, sans équivoque, lui montrerait le chemin à suivre, la fin vers laquelle il doit tendre. Les héros de la jeunesse ont les dieux mêmes pour compagnon de route: qu'ils rencontrent, au terme du voyage, l'éclair du désastre ou l'éclat du triomphe, ou les deux ensemble, jamais ils ne vont seuls, ils sont toujours guidés. D'où la profonde assurance de leur marche; ils peuvent, abandonnés de tous, sur des îles désertes, verser des larmes de désolation; ils peuvent, fourvoyés par le pire aveuglement, tituber jusqu'aux portes des enfers; ils ne laissent jamais de baigner dans une atmosphère de sécurité: celle du dieu qui trace d'avance les voies du héros et le précède sur sa route.

Les dieux déchus et ceux qui n'ont pas encore d'empire reconnu deviennent des démons; leur pouvoir est agissant et vivant, mais il ne pénètre plus, ou pas encore, le monde. Le monde a reçu une cohérence signifiante et obéit à une causalité incompréhensible à la force vivante et efficace du dieu devenu démon et qui, de leur point de vue, font apparaître ces menées comme pure absurdité; mais la force de son efficacité n'est pas détruite pour autant ni ne peut l'être parce que l'être du nouveau dieu repose sur la disparition de l'ancien, en sorte qu'ils possèdent tous deux, dans la sphère du seul être essentiel, l'être métaphysique, le même degré de réalité. Goethe disait du démon:

> Il n'était pas divin, puisqu'il semblait dénué de raison, il n'était pas humain puisqu'il manquait d'entendement; ni diabolique puisqu'il était bienfaisant; ni angélique, puisqu'il laissait souvent percer une joie maligne de détruire. Il ressemblait au hasard, car il n'avait aucune logique; il n'était pas sans affinité avec la Providence, car il établissait des rapports. Tout ce qui, pour nous, était limité, il semblait pouvoir le traverser de part en part; il semblait disposer à sa guise des éléments nécessaires à notre existence, il contractait le temps et dilatait l'espace; il semblait ne se plaire que dans l'impossible et rejeter le possible avec mépris.

Mais il existe une aspiration essentielle de l'âme à qui n'importe que l'essentiel, d'où qu'il vienne et quelles que soient ses fins; il existe une nostalgie de l'âme en qui l'appel de la patrie est si fort qu'il lui faut à tout prix avancer — dans une impétuosité aveugle — par le premier chemin qui semble le conduire chez elle; et si grande est cette ardeur qu'une telle âme peut poursuivre sa route jusqu'au bout; pour elle, en effet, il n'est voie qui ne conduise à l'essence, à la demeure, car c'est sa propre adéquation à soi-même qui est sa vraie patrie. C'est pourquoi la tragédie ne connaît aucune véritable différence entre dieu et démon, alors que, pour l'épopée, s'il advient jamais qu'un démon foule son champ, il ne peut s'agir que d'un être plus élevé que l'homme, mais subordonné et sans pouvoir, d'une divinité débile.

La tragédie abolit la hiérarchie des mondes supérieurs; il n'existe pour elle ni dieu ni démon, car le monde extérieur n'est rien de plus que l'occasion donnée à l'âme de se trouver elle-même, de devenir héroïque. En soi et pour soi, le monde ne présente ni un sens parfait ni un sens défectueux; il reste indifféremment objectif, amas confus d'événements aveugles, face à toutes les significations; mais il n'est événement que l'âme ne métamorphose en destin: elle seule opère cette transformation, et elle l'opère sur tout ce qui advient. C'est seulement lorsque la tragédie a disparu, lorsque la perspective dramatique est devenue transcendante, que les dieux et les démons apparaissent sur la scène: avec le drame de la grâce, la table rase du monde supérieur se peuple à nouveau de figures hiérarchisées.

Le roman est l'épopée d'un monde sans dieux; la psychologie du héros romanesque est démoniaque, l'objectivité du roman, la virile et mûre constatation que jamais le sens ne saurait pénétrer de part en part la réalité et que pourtant, sans lui, celle-ci succomberait au néant et à l'inessentialité. Toutes ces formules reviennent au même: elles caractérisent les limites productives imposées du dedans aux virtualités structurantes du roman en même temps qu'elles renvoient sans équivoque à cet instant historico-philosophique où sont possibles les grands romans, où ils deviennent aptes à symboliser l'essentiel de ce qui est à dire. L'esprit du roman est la virilité mûrie, et sa structure caractéristique, son mode discontinu, la coupure qu'il implique entre l'intériorité et l'aventure. «*I go to prove my soul*», déclare le Paracelse de Browning, mot admirable qui n'a contre lui que d'être prononcé par un héros dramatique. Car le héros du drame ignore toute aventure et l'événement qui devrait devenir pour lui aventure se transforme en destin au seul contact d'une âme qui s'est trouvée elle-même et a reçu le sacrement du destin; il devient pure occasion de donner sa mesure, de manifester ce qui se trouvait déjà préfiguré dans l'acte par lequel l'âme s'est trouvée. Le héros du drame ignore toute intériorité, car l'intériorité est fille de l'hostile dualité de l'âme et du monde, de la douloureuse distance qui sépare la psyché de l'âme. Or, le héros tragique a retrouvé son âme et ne connaît, par conséquent, aucune réalité qui lui soit étrangère; tout ce qui est extérieur lui devient occasion d'un destin prédéterminé et fait à sa mesure. Le héros du drame n'a pas besoin, pour s'éprouver, de courir une aventure; il est héros parce que sa sécurité intérieure est assurée *a priori* au-delà de toute mise à l'épreuve; l'événement qui donne figure au destin n'est pour lui qu'une objectivation symbolique, qu'une profonde et auguste cérémonie. Ce qui prive de style, essentiellement et du dedans, le drame moderne, surtout celui d'Ibsen, c'est que ses personnages principaux ont besoin d'être mis à l'épreuve, qu'ils sentent en eux la distance qui les sépare de leur âme et qu'ils veulent surmonter cette distance dans un effort désespéré pour triompher de l'épreuve à laquelle les événements les soumettent; les héros du drame moderne vivent comme expérience ce qui n'est pour le drame qu'une condition préalable: le drame lui-même passe à travers le processus de stylisation que l'auteur aurait dû effectuer avant le drame décrit comme présupposé phénoménologique de son acte créateur.

Le roman est la forme de l'aventure, celle qui convient à la valeur propre de l'intériorité; le contenu en est l'histoire de cette âme qui va dans le monde pour apprendre à se connaître, cherche des aventures pour s'éprouver en elles et, par cette preuve, donne sa mesure et découvre sa propre essence. La sécurité intérieure du monde épique exclut toute aventure dans le sens rigoureux du terme: les héros de l'épopée traversent une suite bigarrée d'aventures, mais il est hors de doute qu'ils sont destinés à en venir à bout dans leur corps et dans leur âme; il est impossible que les dieux qui dominent le monde ne l'emportent sur les démons — que la mythologie indienne appelle «divinités de l'obstacle». D'où la passivité requise, ainsi que le notent Goethe et Schiller, pour tout héros épique: la ronde d'aventures qui orne et comble sa vie donne figure à la totalité objective et extensive du monde; lui-même n'est que le centre lumineux autour duquel ce déploiement tourne et, au-dedans de lui-même, le point le plus immobile dans le mouvement rythmique du monde. Mais la passivité du héros de roman n'est pas une nécessité formelle, elle caractérise la relation du héros avec son âme et sa relation avec le monde environnant. Lui-même ne doit pas nécessairement être passif et c'est pourquoi la passivité est pour lui une qualité psychologique et sociologique particulière et définit, parmi les possibilités structurelles du roman, un certain type déterminé.

La psychologie du héros de roman est le champ d'activité du démonique. La vie biologique et sociale incline très profondément à se fixer en sa propre immanence: les hommes aspirent simplement à vivre et les structures sociales à demeurer intactes; et l'éloignement, l'absence d'un Dieu actif rendrait omnipotente l'inertie de cette vie qui se suffit à soimême et s'abandonne en paix à son propre croupissement, s'il n'advenait aux hommes, saisis par la puissance du démon, de s'élever parfois au-dessus d'eux-mêmes — d'une manière infondée et infondable — et de renoncer aux fondements psychologiques et sociologiques de leur propre existence. C'est alors que ce monde abandonné de Dieu se dévoile tout à coup comme privé de substance, mélange irrationnel, dense et poreux à la fois; ce qui semblait le plus ferme se brise comme de l'argile sèche sous les coups de l'individu possédé du démon, et la vide transparence qui laissait entrevoir des paysages de rêve se change brusquement en une paroi de verre à laquelle, victime d'une vaine et incompréhensible torture, on se heurte comme l'abeille à la vitre, sans réussir à la percer, sans même percevoir qu'il n'est pas ici de chemin.

L'ironie de l'écrivain est la mystique négative des époques sans Dieu: par rapport au sens, une docte ignorance, une manifestation de la malfaisante et bienfaisante activité des démons, le renoncement à saisir de cette activité plus que sa simple réalité de fait, et la profonde certitude, inexprimable par d'autres moyens que ceux de la création artistique, d'avoir réellement atteint, aperçu et saisi, dans cette renonciation et cette impuissance à savoir, l'ultime réel, la vraie substance, le Dieu présent et inexistant. C'est à ce titre que l'ironie constitue bien l'objectivité du roman.

«Dans quelle mesure, se demande Hebbel, les créatures de l'écrivain sont-elles objectives?» Et il répond: «Dans la mesure où, dans son rapport à Dieu, l'homme est libre.» La liberté du mystique vient de ce qu'il s'est renoncé et pleinement anéanti en Dieu. Celle du héros, de ce que, dans un défi luciférien, il s'est parfait en lui-même, de ce que, pour accomplir la geste de son âme, il a banni toute demi-mesure de ce monde où son désastre règne en maître. Si l'homme normatif a conquis sa liberté à l'égard de Dieu, c'est que les normes altières des œuvres et de l'éthique substantielle prennent racine dans l'être d'un Dieu dispensateur de toute perfection, dans l'idée de rédemption. C'est que, sur ces normes, le maître du moment, qu'il soit dieu ou démon, n'a aucune prise. Mais la réalisation du normatif dans l'âme ou dans l'œuvre ne saurait être dissociée de son substrat, c'est-à-dire de l'actuel — entendu au sens historico-philosophique — sans que se trouve aussitôt menacée sa vertu propre, son incidence constitutive sur son objet.

Même le mystique qui, par-delà les dieux qui ont une forme, s'efforce d'atteindre et atteint effectivement, dans son existence, à l'unique et définitive Déité, reste lié cependant au Dieu actuel, dans le vécu de cette expérience; et, dans la mesure où pareille expérience s'achève en œuvre, elle ne saurait s'achever que dans les catégories que lui assigne la situation historico-philosophique sur l'horloge du monde. Cette liberté dépend, par conséquent, d'une double dialectique qui se situe à la fois sur le plan de la théorie et sur celui de la philosophie de l'histoire: ce qui forme en elle l'essence la plus spécifique de la liberté — sa référence constitutive à la rédemption — demeure inexprimable; rien ne peut trouver expression, rien ne peut assumer forme, qui ne parle le langage de cette double dépendance.

Mais il est impossible d'éviter, sur la voie qui conduit au silence, le détour par le langage, sur la voie qui conduit à l'essence, le détour par les catégories — sur la voie qui conduit à la Déité, le détour par Dieu: prétendre aboutir au silence hors de toute médiation, c'est se condamner à balbutier dans les catégories que l'histoire n'a pas mûries. À travers la forme parfaitement achevée, l'écrivain trouve sa liberté par rapport à Dieu, car c'est en elle, et en elle seule, que Dieu, devenu pour la structuration un substrat de même genre et de même valeur que toutes les autres matières présentées à la forme sur le mode normatif, se laisse entièrement englober dans le système de catégories correspondant à cette forme: l'existence de Dieu et la qualité de cette existence sont conditionnées par le rapport normatif que, devenu possibilité de structuration, celui-ci entretient avec les formes structurantes, et par la valeur qui lui revient, sur le plan technique, pour l'édification et l'articulation de l'ouvrage.

Mais cette subsomption de Dieu, sous le concept technique de l'authenticité du matériau correspondant aux différentes formes, révèle le double visage de l'achèvement artistique et son insertion parmi les œuvres métaphysiquement significatives: cette parfaite immanence technique suppose une relation constitutive normativement et non psychologiquement préalable, avec l'Être absolu transcendant: la forme transcendantale de l'œuvre, forme créatrice de réalité, ne saurait surgir que si une véritable transcendance est devenue immanente en elle. L'immanence vide, celle qui ne prend appui que sur l'expérience vécue de l'écrivain et non, en même temps, sur son retour à la patrie de toutes choses, n'est que l'immanence d'une couche superficielle qui couvre les fissures mais ne saurait pas même, en sa qualité de surface, retenir cette immanence et comme telle doit devenir, elle aussi, lacunaire.

Pour le roman, l'ironie, cette liberté de l'écrivain à l'égard de Dieu, est la condition transcendantale qui confère l'objectivité à la structuration. L'ironie qui, par double vision, distingue à la fois le monde privé de Dieu et toute la richesse dont Dieu le comble, qui voit la patrie utopique de l'idée devenue idéal et qui saisit cependant cet idéal sous son conditionnement subjectif psychologique, sous sa seule forme possible d'existence; l'ironie qui, elle-même démonique, appréhende le démon dans le sujet comme essentialité métasubjective et, de la sorte, dans un pressentiment inexprimé, parle des dieux passés et à venir lorsqu'elle parle de l'aventure des âmes égarées au sein d'une réalité inessentielle et vide; l'ironie qui, sur la voie douloureuse de l'intériorité, doit chercher un monde à sa mesure sans jamais le trouver; qui figure tout ensemble la joie maligne du Dieu créateur à voir échouer toutes les misérables révoltes contre son imposant et vain décor en trompe-l'œil et la douleur que ressent, au-delà de toute expression, le Dieu rédempteur de ne pouvoir encore venir en ce monde. En tant qu'autodéferrement de la subjectivité arrivée à ses dernières limites, l'ironie est, dans un monde sans Dieu, la plus haute liberté possible.

Aussi bien n'est-elle pas seulement l'unique condition *a priori* possible d'une objectivité véritable créatrice de totalité, mais, grâce à l'adéquation constitutive de ses catégories structurelles sur la situation même du monde, elle exhausse cette totalité — le roman — jusqu'à faire de lui la forme représentative de toute une époque.

Le tout et les parties*

par Lucien Goldmann

La présente étude s'insère dans un travail philosophique
d'ensemble; bien que l'érudition soit une condition nécessaire
de toute pensée philosophique sérieuse, elle ne sera donc ni
une étude exhaustive ni un travail d'érudition pure. Philosophes et historiens érudits travaillent sans doute sur les mêmes
faits[1], mais les perspectives dans lesquelles ils les abordent et
les buts qu'ils se proposent sont totalement différents[2].

L'historien érudit reste sur le plan du *phénomène empirique abstrait* qu'il s'efforce de connaître dans ses moindres
détails, faisant ainsi un travail non seulement valable et utile,
mais encore indispensable à l'historien-philosophe qui veut,
à partir de ces mêmes *phénomènes empiriques abstraits*, arriver
à leur *essence conceptuelle.*

Ainsi, les deux domaines de la recherche se complètent,
l'érudition fournissant à la pensée philosophique les connaissances empiriques indispensables, la pensée philosophique à

---

* Extrait de *Le dieu caché*, Paris, Gallimard, coll. «Bibliothèque des idées»,
1959.
1. Qu'ils doivent bien entendu, l'un et l'autre, connaître autant que cela
leur est possible, compte tenu de l'état des recherches, et aussi du temps et
des forces dont ils disposent.
2. Il va sans dire que le travail d'érudition et la recherche philosophique
peuvent être effectués par un seul et même homme.

son tour orientant les recherches érudites et les éclairant sur l'importance plus ou moins grande des multiples faits qui constituent la masse inépuisable des données individuelles.

Malheureusement, la division du travail favorise les idéologies et on arrive trop souvent à méconnaître l'importance de l'un ou l'autre de ces deux aspects de la recherche; l'historien érudit croit que seul importe l'établissement précis de tel détail biographique ou philologique concernant la vie de l'écrivain ou le texte, le philosophe regarde avec un certain dédain les purs érudits qui amoncellent les faits sans tenir compte de leur importance et de leur signification.

N'insistons pas sur ces malentendus. Contentons-nous d'établir que les *faits empiriques isolés et abstraits sont l'unique point de départ de la recherche,* et aussi que la possibilité de les comprendre et d'en dégager les lois et la signification est *le seul critère valable pour juger de la valeur d'une méthode ou d'un système philosophique.*

Reste à savoir si on peut arriver à ce résultat, lorsqu'il s'agit de faits humains, autrement qu'en les concrétisant par une conceptualisation dialectique.

Le présent travail veut contribuer à l'éclaircissement de ce problème par l'étude de plusieurs écrits qui sont, pour l'historien de la pensée et de la littérature, un ensemble précis et limité de faits empiriques; en l'occurrence, par l'étude des *Pensées* de Pascal et des quatre tragédies de Racine, *Andromaque, Britannicus, Bérénice* et *Phèdre.* Nous essayerons de montrer comment le contenu et la structure de ces œuvres se comprennent mieux à la lumière d'une analyse matérialiste et dialectique. Inutile de dire que c'est là un travail limité et partiel qui ne prétend pas décider, à lui seul, de la validité de notre méthode; la valeur et les limites de cette dernière ne pouvant être mises en lumière que par un ensemble de travaux en partie déjà écrits par les divers historiens matérialistes depuis Marx, en partie encore à écrire.

La science se constitue pas à pas, bien qu'on puisse espérer que chaque résultat acquis permette, par la suite, une marche accélérée. Convaincus que le travail scientifique (comme la conscience en général) est un phénomène social qui suppose la coopération de nombreux efforts individuels, nous espérons apporter une contribution à la compréhension, d'une part, de l'œuvre de Pascal et de Racine, d'autre part, à celle de la structure des faits de conscience et de leur expression philosophique et littéraire; contribution qui sera, cela va de soi, complétée et dépassée par d'autres travaux ultérieurs.

Soulignons, cependant, que les lignes qui précèdent, loin d'être une simple protestation subjective de modestie, sont l'expression d'une position philosophique précise, radicalement opposée à toute philosophie analytique admettant l'existence de premiers principes rationnels ou de points de départ sensibles, absolus. Le rationalisme partant d'idées innées ou évidentes, l'empirisme partant de la sensation ou de la perception, admettent, l'un et l'autre, à tout moment de la recherche, un ensemble de connaissances acquises, à partir duquel la pensée scientifique *avance en ligne droite* avec plus ou moins de certitude sans cependant avoir à revenir *normalement et nécessairement*[3] sur les problèmes déjà résolus. La pensée dialectique affirme, par contre, qu'il n'y a jamais de points de départ certains, ni de problèmes définitivement résolus, que la pensée n'avance jamais en ligne droite puisque toute vérité partielle ne prend sa véritable signification que par sa place dans l'ensemble, de même que l'ensemble ne peut être connu que par le progrès dans la connaissance des vérités partielles. La marche de la connaissance apparaît ainsi comme une oscillation perpétuelle entre les parties et le tout qui doivent s'éclairer mutuellement.

Sur ce point, comme sur beaucoup d'autres, l'œuvre de Pascal représente le grand tournant dans la pensée occidentale de l'atomisme rationaliste ou empiriste vers la pensée dialectique. Lui-même en est d'ailleurs conscient et le dit dans deux fragments qui éclairent particulièrement l'opposition radicale entre sa position philosophique et toute espèce de rationalisme ou d'empirisme. Ces fragments nous sem-

---

3. Le retour sur les résultats acquis est toujours *possible* et *probable* et *fréquent* pour la pensée rationaliste ou empiriste. Il n'en est pas moins *accidentel* et, *en principe,* évitable.

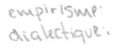

blent exprimer de la manière la plus claire l'essentiel, aussi bien de la pensée pascalienne que de toute pensée dialectique, qu'il s'agisse des grands auteurs représentatifs comme Kant, Hegel, Marx, Lukács, ou plus modestement d'études partielles et limitées comme le présent ouvrage.

Nous les citons dès maintenant en rappelant que nous y reviendrons dans le cours de l'ouvrage et que c'est entre autres à partir de ces fragments que l'on pourrait et devrait comprendre l'ensemble de l'œuvre de Pascal et le sens des tragédies de Racine.

> Si l'homme s'étudiait le premier, il verrait combien il est incapable de passer outre. Comment se pourrait-il qu'une partie connût le tout? Mais il aspirera peut-être à connaître au moins les parties avec lesquelles il a de la proportion. Mais les parties du monde ont toutes un tel rapport et un tel enchaînement l'une avec l'autre, que je crois impossible de connaître l'une sans l'autre et sans le tout (fr. 72).

> Donc toutes choses étant causées et causantes, aidées et aidantes, médiatement et immédiatement, et toutes s'entretenant par un lien naturel et insensible qui lie les plus éloignées et les plus différentes, je tiens impossible de connaître les parties sans connaître le tout, non plus que de connaître le tout sans connaître particulièrement les parties (fr. 72[4]).

Pascal sait combien il s'oppose par là au rationalisme cartésien. Descartes pensait que si nous ne pouvons comprendre l'infini, nous avons, tout au moins, pour notre pensée, des points de départ, des premiers principes évidents. Il ne voyait pas que le problème est le même pour les éléments et pour l'ensemble, que dans la mesure où l'on ne connaît pas l'un il est impossible de connaître les autres.

> Mais l'infinité en petitesse est bien moins visible — les philosophes ont bien plutôt prétendu d'y arriver et c'est là

---

4. Nous citons les *Pensées* d'après l'édition Brunschvicg.

où tous ont achoppé. C'est ce qui a donné lieu à ces titres si ordinaires: *Des principes des choses, Des principes de la philosophie,* et aux semblables aussi fastueux en effet quoique moins en apparence que cet autre qui crève les yeux: *De omni scibili* (fr. 72).

C'est à partir de cette manière d'envisager les relations entre les parties et le tout qu'il faut prendre *rigoureusement à la lettre* en lui donnant son sens le plus fort le fragment 19: «La dernière chose qu'on trouve en faisant un ouvrage est de savoir celle qu'il faut mettre la première.»

Cela signifie que l'étude d'un problème n'est jamais achevée ni dans son ensemble, ni dans ses éléments. D'une part, *il est évident qu'en recommençant l'ouvrage, on trouvera encore, et en dernier lieu seulement, ce qu'on aurait dû mettre au commencement* et, d'autre part, ce qui vaut pour l'ensemble ne vaut pas moins pour ses parties qui, n'étant pas des éléments premiers, sont à leur échelle des ensembles relatifs. La pensée est une démarche vivante dont le progrès est *réel* sans être cependant linéaire ni surtout jamais achevé.

On comprend maintenant pourquoi, en dehors de tout jugement subjectif, nous ne pouvons, pour des raisons épistémologiques, voir dans le présent travail autre chose qu'une étape dans l'étude d'un problème, un apport à une démarche qui ne peut ni être ni se vouloir individuelle ou définitive.

Le principal objet de toute pensée philosophique est l'homme, sa conscience et son comportement. À la limite, toute philosophie est une anthropologie. Nous ne pouvons pas, bien entendu, exposer dans un ouvrage consacré à l'étude d'un groupe de faits partiels l'ensemble de notre position philosophique; cependant comme les faits que nous étudions sont des œuvres philosophiques et littéraires, on nous permettra de dire quelques mots sur notre conception de la conscience en général et de la création littéraire et philosophique en particulier.

Partant du principe fondamental de la pensée dialectique, que la connaissance des faits empiriques reste abstraite et superficielle, tant qu'elle n'a pas été concrétisée par son intégration à l'ensemble qui seule permet de dépasser le phénomène partiel et abstrait pour arriver à son *essence concrète*, et implicitement à sa signification, nous ne croyons pas que la pensée et l'œuvre d'un auteur puissent se comprendre par elles-mêmes en restant sur le plan des écrits et même sur celui des lectures et des influences. La pensée n'est qu'un aspect partiel d'une réalité moins abstraite: l'homme vivant et entier; et celui-ci n'est à son tour qu'un élément de l'ensemble qu'est le groupe social. Une idée, une œuvre ne reçoit sa véritable signification que lorsqu'elle est intégrée à l'ensemble d'une vie et d'un comportement. De plus, il arrive souvent que le comportement qui permet de comprendre l'œuvre n'est pas celui de l'auteur, mais celui d'un groupe social (auquel il peut ne pas appartenir) et notamment, lorsqu'il s'agit d'ouvrages importants, celui d'une classe sociale.

Car l'ensemble multiple et complexe de relations humaines dans lesquelles est engagé tout individu crée très souvent des ruptures entre sa vie quotidienne d'une part, sa pensée conceptuelle et son imagination créatrice d'autre part, ou bien il ne laisse subsister entre elles qu'une relation trop médiatisée pour être *pratiquement* accessible à toute analyse quelque peu précise. Dans de pareils cas (et ils sont nombreux), l'œuvre est difficilement intelligible si on veut la comprendre uniquement ou en premier lieu à travers la personnalité de son auteur. Plus encore, l'intention d'un écrivain et la signification *subjective* qu'a pour lui son œuvre ne coïncident pas toujours avec la signification *objective* de celle-ci qui intéresse en premier lieu l'historien-philosophe. Hume n'est pas rigoureusement sceptique, mais l'empirisme l'est; Descartes est croyant, mais le rationalisme cartésien est athée. C'est en replaçant l'œuvre dans l'ensemble de l'évolution historique et en la rapportant à l'ensemble de la vie sociale, que le chercheur peut en dégager la signification *objective*, souvent même peu consciente pour son propre créateur.

Les différences entre la doctrine calviniste de la prédestination et celle des jansénistes sont peu visibles (quoique réelles), tant que la recherche reste sur le plan de la conscience. L'étude du comportement social et économique des groupes jansénistes et calvinistes rend la différence éclatante. L'ascèse intramondaine des groupes calvinistes étudiés par Max

Weber — ascèse qui a si puissamment contribué à l'accumulation des capitaux et à l'essor du capitalisme moderne d'une part — le refus de toute vie intramondaine (sociale, économique, politique et même religieuse) qui caractérise le groupe des jansénistes radicaux d'autre part, nous permettent d'entrevoir d'emblée une opposition qui a trouvé son expression dans l'anticalvinisme des jansénistes, anticalvinisme réel et profond, malgré les ressemblances apparentes entre ces deux doctrines. De même, les tragédies de Racine, si peu éclairées par sa vie, s'expliquent, en partie tout au moins, en les rapprochant de la pensée janséniste et aussi de la situation sociale et économique des gens de robe sous Louis XIV.

Précisons: l'historien de la philosophie ou de la littérature se trouve au départ devant un groupe de faits empiriques: les textes qu'il se propose d'étudier. Ces textes, il peut les aborder, soit avec l'ensemble de méthodes purement philologiques que nous appellerons positivistes, soit avec des méthodes intuitives et affectives fondées sur l'affinité, la sympathie, soit enfin avec des méthodes dialectiques. Éliminant pour l'instant le second groupe qui à notre avis tout au moins n'a pas de caractère proprement scientifique, nous constatons qu'un seul critère peut départager les partisans des méthodes dialectiques et ceux des méthodes positivistes: la possibilité de comprendre l'ensemble des textes dans leur signification plus ou moins cohérente, ces textes étant, pour les uns comme pour les autres, le *point de départ* et le *point d'aboutissement* de leur travail scientifique.

La conception, déjà mentionnée, du rapport entre le tout et les parties sépare cependant d'emblée la méthode dialectique des méthodes habituelles de l'histoire érudite qui le plus souvent ne tiennent pas suffisamment compte des données évidentes de la psychologie et de la connaissance des faits sociaux[5]. Les écrits d'un auteur ne constituent, en effet, qu'une partie de son comportement, lequel dépend d'une structure physiologique et psychologique extrêmement complexe qui est loin de demeurer identique et constante tout au long de l'existence individuelle.

---

5. Nous voudrions éviter le mot *sociologie* qui pose une foule de problèmes que nous ne pouvons pas aborder ici.

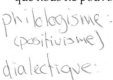

Phil[l]ologisme :
(positivisme)

dialectique :

De plus, une variété analogue se manifeste, *a fortiori*, dans la multiplicité infinie des situations concrètes où se trouve l'individu au cours de son existence. Sans doute si nous avions une connaissance exhaustive de la structure psychologique de l'auteur étudié et de l'histoire de ses relations quotidiennes avec son milieu social et naturel, pourrions-nous comprendre, sinon entièrement, du moins en grande partie, son œuvre à travers sa biographie. Une telle connaissance est cependant pour l'instant, et probablement pour toujours, du domaine de l'utopie. Même lorsqu'il s'agit d'individus contemporains que le psychologue peut étudier dans le laboratoire, soumettre à toutes sortes d'expériences et de tests, interroger sur leurs sentiments actuels et sur leur vie passée, il obtiendra à peine autre chose qu'une vue plus ou moins fragmentaire de l'individu étudié: à plus forte raison cela vaut-il pour un homme disparu depuis plusieurs siècles, et que nous ne pouvons, même à travers les recherches les plus sérieuses, connaître que d'une manière au plus haut point superficielle et fragmentaire. Il y a quelque chose de paradoxal à essayer de comprendre l'œuvre de Platon, de Kant, de Pascal, à travers leur biographie à une époque où nous venons, grâce à la psychanalyse, à la psychologie de la forme et aux travaux de Jean Piaget, de connaître mieux que jamais l'extrême complexité de l'individu humain. Malgré toute l'érudition et la rigueur scientifique apparentes, les conclusions de pareilles tentatives resteront nécessairement plus ou moins arbitraires. Bien entendu, il ne s'agit pas d'exclure l'étude de la biographie du travail de l'historien. Très souvent, elle lui apporte des éclaircissements qui pour ne concerner que des points de détail n'en sont pas moins du plus haut intérêt. Elle restera cependant toujours un procédé de recherche auxiliaire et partiel dont il faudra contrôler les résultats par des méthodes différentes et dont surtout il ne faut à aucun prix faire le fondement de l'explication.

Ainsi l'essai de dépassement du texte écrit par l'intégration à la biographie de son auteur se révèle difficile et ses résultats apparaissent incertains. Ne vaut-il pas mieux dans ce cas revenir aux méthodes positivistes, au texte lui-même et à son étude philologique dans le sens le plus vaste du mot?

Nous ne le croyons pas, car toute étude philologique se heurte à deux obstacles difficilement surmontables tant qu'on n'intègre pas l'œuvre à l'ensemble historique dont elle fait partie.

Tout d'abord, comment délimiter cette œuvre? Est-ce tout ce que l'auteur étudié a écrit, y compris les lettres et les moindres brouillons et publications posthumes? Est-ce seulement ce qu'il a publié ou destiné à la publication?

On connaît les arguments qui plaident en faveur de l'une et de l'autre de ces deux solutions. La difficulté de choisir réside dans le fait que tout ce qu'un auteur a écrit n'est pas d'égale importance pour la compréhension de son œuvre. Il y a des textes qui s'expliquent par les accidents individuels de sa vie et qui comme tels présentent tout au plus un intérêt biographique; il y a des textes *essentiels* sans lesquels l'œuvre est incompréhensible. Et ce qui rend la tâche de l'historien encore plus difficile est le fait que les uns et les autres se trouvent aussi bien dans les ouvrages publiés que dans les lettres et les notes personnelles. Nous nous trouvons devant une des manifestations de la difficulté fondamentale de tout travail scientifique: la distinction entre l'essence et l'accident, problème qui a préoccupé les philosophes depuis Aristote jusqu'à Husserl et auquel il s'agit de donner une réponse *positive*[6] et *scientifique.*

Deuxième difficulté non moins importante que la première: au premier abord, la signification d'un texte est loin d'être certaine et univoque.

Des mots, des phrases, des fragments en apparence semblables et même identiques peuvent avoir des significations différentes lorsqu'ils se trouvent intégrés à des ensembles différents. Pascal le savait mieux que personne: «Les mots diversement rangés font un divers sens, et les sens diversement rangés font différents effets» (fr. 23).

---

6. Ce qui, nous essayerons de le montrer, est précisément le contraire d'une réponse *scientiste* et *positiviste.*

> Qu'on ne dise pas que je n'ai rien dit de nouveau; la disposition des matières est nouvelle; quand on joue à la paume, c'est une même balle dont jouent l'un et l'autre, mais l'un la place mieux.
>
> J'aimerais autant qu'on me dît que je me suis servi de mots anciens. Et comme si les mêmes pensées ne formaient pas un autre corps de discours par une disposition différente, aussi bien que les mêmes mots forment d'autres pensées par leur différente disposition (fr. 22).

Or, il est pratiquement impossible d'insérer les pensées dans le «corps du discours» tant qu'on n'a pas fait le départ dans l'œuvre entre l'essentiel et l'accessoire, entre les éléments qui forment ce «corps du discours» et les textes non essentiels qu'il faut laisser de côté.

Tout ceci semble plus ou moins évident. Cependant, de nombreux historiens n'en continuent pas moins à isoler arbitrairement certains éléments d'une œuvre pour les rapprocher d'autres éléments analogues d'une autre œuvre radicalement différente. Qui ne connaît les légendes si répandues et persistantes du «romantisme» de Rousseau et de Hölderlin, le rapprochement entre Pascal et Kierkegaard, etc., ou bien la tentative (sur laquelle nous reviendrons au cours de cet ouvrage) faite par Laporte et son école pour identifier les positions opposées de Pascal et de Descartes.

Dans tous ces cas, il s'agit du même procédé: on isole de leur contexte certains éléments partiels d'une œuvre, on en fait des totalités autonomes et l'on constate ensuite l'existence d'éléments analogues dans une autre œuvre, avec laquelle on établit un rapprochement. On crée ainsi une analogie factice, laissant de côté consciemment ou non le contexte qui, lui, est entièrement autre et qui donne même à ces *éléments semblables une signification différente ou opposée.*

Il y a sans doute chez Rousseau et chez Hölderlin une certaine sensibilité affective, une accentuation du moi subjectif, un amour de la nature qui, isolés du contexte, peuvent les rapprocher, *en apparence*, des écrivains romantiques. Il suffit cependant de se rappeler le *Contrat social*, l'idée de volonté générale, l'absence de toute idée d'élite opposée à la communauté universelle, le peu d'importance qu'a le Moyen Âge aux yeux de ces deux écrivains, l'enthousiasme de Hölderlin pour la Grèce, pour voir à quel point leur œuvre se situe à l'opposé du romantisme[7].

De même nous trouverons sans doute chez Pascal une attitude à la fois positive et négative à l'égard de la raison. Mais l'élément positif ne le rapproche pas plus de Descartes que l'élément négatif ne le rapproche de Kierkegaard, à moins d'oublier que ces deux éléments *coexistent* de manière permanente et qu'on ne peut même pas parler de deux attitudes ou éléments, à moins d'aborder les *Pensées* dans une perspective cartésienne ou kierkegaardienne. Pour Pascal, il y a une seule position, la dialectique tragique qui répond à la fois *oui* et *non* à tous les problèmes fondamentaux que posent la vie de l'homme et ses relations avec les autres hommes et l'univers.

Nous pourrions multiplier les exemples. Ce sont là deux écueils auxquels doit se heurter toute *méthode positiviste purement philologique* et en face desquels elle est *totalement désarmée*, faute de posséder un critère *objectif* qui lui permettrait de juger de l'importance des différents textes et de leur signification dans l'ensemble de l'œuvre. Ces difficultés ne sont que l'expression visible et immédiate dans la sphère particulière de l'histoire de la littérature et de la philosophie, de l'impossibilité générale de comprendre dans le domaine des sciences humaines les phénomènes empiriques abstraits et immédiats sans les rattacher à leur essence conceptuelle concrète.

La méthode dialectique préconise un chemin différent. Les difficultés que présentait l'insertion de l'œuvre dans la biographie de son auteur, loin de nous inciter à revenir aux méthodes philologiques et à nous limiter au texte immédiat, auraient dû nous pousser, au contraire, à avancer dans la première direction en allant, non seulement du texte à l'individu, mais encore de celui-ci aux groupes sociaux dont il fait partie.

---

7. Kant qui admirait Rousseau, tout en refusant l'exaltation et les débordements affectifs, ne s'y est pas trompé.

Car, à la réflexion, les difficultés de l'étude philologique et celles de l'étude biographique se révèlent être du même ordre et avoir le même fondement épistémologique. La multiplicité et la variété des faits individuels étant inépuisables, leur étude scientifique et positive présuppose la séparation des éléments essentiels et accidentels qui sont intimement liés dans la réalité immédiate telle qu'elle s'offre à notre intuition sensible. Or, sans aborder ici la discussion du fondement épistémologique des sciences physico-chimiques pour lesquelles la situation nous paraît différente, nous croyons que, dans les sciences humaines, la séparation entre l'essentiel et l'accidentel ne peut se faire que par l'intégration des éléments à l'ensemble, des parties au tout. C'est pourquoi, bien qu'on ne puisse jamais arriver à une totalité qui ne soit elle-même élément ou partie, le problème de la méthode en sciences humaines est celui du découpage du donné empirique en *totalités relatives suffisamment autonomes pour servir de cadre à un travail scientifique*[8].

Si cependant, pour les raisons que nous venons d'énoncer, ni l'œuvre ni l'individu ne sont des totalités suffisamment autonomes pour fournir le cadre d'une étude scientifique et explicative de faits intellectuels et littéraires, il nous reste à savoir si le groupe, envisagé notamment sous la perspective de sa structuration en classes sociales, ne pourrait constituer une réalité qui nous permettrait de surmonter les difficultés rencontrées sur le plan du texte isolé ou rattaché uniquement à la biographie.

Abordons les deux difficultés, mentionnées plus haut, dans l'ordre inverse pour des raisons d'exposition. Comment

---

8. L'effort principal de la pensée dialectique en sciences humaines a porté sur la critique des domaines traditionnels de la science universitaire, droit, histoire politique, psychologie expérimentale, sociologie, etc. D'après elle, ces disciplines n'ont pas pour objet des domaines suffisamment autonomes pour permettre une compréhension scientifique réelle des phénomènes. On oublie trop souvent que le *Capital* n'est pas un traité d'économie politique dans le sens traditionnel du mot, mais, comme l'indique son titre, une «critique de l'économie politique». (Voir aussi Lukács: *Histoire et conscience de classe*, Berlin, 1923.)

définir la signification d'un écrit ou d'un fragment? La réponse découle des analyses précédentes: *en l'intégrant à l'ensemble cohérent de l'œuvre.*

L'accent est mis ici sur le mot *cohérent.* Le sens valable est celui qui permet de retrouver *la cohérence entière* de l'œuvre, à moins que cette cohérence n'existe pas[9], auquel cas, pour les raisons que nous exposerons plus loin, l'écrit étudié n'a pas d'intérêt philosophique ou littéraire fondamental. Pascal en était conscient. Parlant de l'interprétation de l'Écriture sainte, il écrit:

> On ne peut faire une bonne physionomie qu'en accordant toutes nos contrariétés, et il ne suffit pas de suivre une suite de qualités accordantes sans accorder les contraires. Pour entendre le sens d'un auteur, il faut accorder tous les passages contraires. Ainsi, pour entendre l'Écriture, il faut avoir un sens dans lequel tous les passages contraires s'accordent. Il ne suffit pas d'en avoir un qui convienne à plusieurs passages accordants, mais d'en avoir un qui accorde les passages même contraires. Tout auteur a un sens auquel tous les passages contraires s'accordent, ou il n'a point de sens du tout. On ne peut pas dire cela de l'Écriture et des prophètes; ils avaient assurément trop bon sens. Il faut donc en chercher un qui accorde toutes les contrariétés (fr. 684).

Le sens d'un élément dépend de l'ensemble cohérent de l'œuvre entière. L'affirmation d'une foi absolue dans la vérité des Évangiles n'a ni la même signification ni la même importance lorsque nous la trouvons chez saint Augustin, chez saint Thomas d'Aquin, chez Pascal et chez Descartes; elle est essentielle, quoique dans un sens très différent, pour chacun des trois premiers, et entièrement accidentelle et même négligeable chez le dernier. Dans la célèbre querelle de l'athéisme,

---

9. La cohérence dont nous parlons n'est cependant pas — sauf peut-être pour des ouvrages de philosophie rationaliste — une cohérence logique. (Voir à ce sujet L. Goldmann: *Sciences humaines et philosophie*, PUF, 1952.)

Fichte avait probablement raison en affirmant sa foi personnelle, mais ses adversaires avaient aussi certainement raison
en affirmant que cette foi était un élément accidentel dans
l'ensemble d'une philosophie *objectivement* athée; de même,
dans le célèbre fragment 77, Pascal a mieux compris la philosophie cartésienne (et même son prolongement ultérieur chez
Malebranche) que Laporte dans son volumineux ouvrage
dont l'interprétation se fonde souvent sur des textes accidentels dans les écrits du philosophe.

Si cependant le critère de la cohérence nous apporte une
aide importante et même décisive lorsqu'il s'agit de comprendre la signification d'un élément, il va de soi que ce critère ne s'applique que très rarement, et seulement lorsqu'il
s'agit d'une œuvre vraiment exceptionnelle, à l'ensemble des
écrits et des textes d'un auteur.

Le fragment 684 se réfère à un ouvrage exceptionnel et
sans pareil pour un croyant. Dans la perspective de Pascal, il
n'y a rien d'accidentel dans l'Écriture; sa cohérence doit em-
brasser la moindre ligne, le moindre mot. L'historien de la
philosophie et de la littérature, en revanche, se trouve dans
une situation moins favorisée et plus complexe. D'une manière *immédiate*, l'œuvre qu'il étudie est écrite par un individu
qui n'est pas à chaque instant de son existence au même niveau de conscience et de force créatrice; de plus, cet individu
est toujours plus ou moins ouvert à des influences extérieures
et accidentelles. Dans la plupart des cas, le critère de cohérence ne peut s'appliquer qu'aux textes *essentiels* de son
œuvre, ce qui nous ramène à la première des difficultés que
nous avons mentionnées en parlant des écueils auxquels doit
se heurter toute méthode purement philologique ou biographique.

Sur ce point, l'historien de la littérature et de l'art a, sans
doute, un premier critère *immédiat*: *la valeur esthétique*. Il est
évident que tout essai de compréhension de l'œuvre de Goethe ou de Racine peut laisser de côté *Les énervés* ou *Le général
citoyen*, pour le premier, *Alexandre* ou *La Thébaïde* pour le
second. Mais, sans même parler du fait qu'isolé de tout complément conceptuel et explicatif ce critère de la valeur esthé-

tique reste subjectif et arbitraire[10], il présente encore le dé-
savantage de ne pouvoir s'appliquer presque jamais aux
œuvres philosophiques et théologiques.

L'histoire de la philosophie et de la littérature ne
pourra ainsi devenir *scientifique* que le jour où sera forgé
un instrument *objectif et contrôlable* permettant de départager l'essentiel d'avec l'accidentel dans une œuvre, instrument dont on pourra, *par ailleurs, contrôler* la validité et
l'emploi par le fait que son application ne devra jamais
éliminer comme non essentielles des œuvres esthétique-
ment réussies. Or, cet instrument nous semble être la
notion de vision du monde.

Le concept en lui-même n'est même pas d'origine
dialectique. Dilthey et son école l'ont employé abondam-
ment. Malheureusement, ils l'ont fait d'une manière très
vague, sans jamais réussir à lui donner un statut *positif* et *rigoureux.* Le mérite de l'avoir employé avec la précision indispensable pour en faire un instrument de travail revient,
en premier lieu, à Georg Lukács, qui l'a fait dans plusieurs
ouvrages dont nous nous sommes efforcés ailleurs de dégager la méthode[11].

Qu'est-ce qu'une vision du monde? Nous l'avons déjà
écrit ailleurs: ce n'est pas une donnée empirique immédiate,
mais au contraire, un instrument *conceptuel* de travail indispensable pour comprendre les expressions immédiates de la
pensée des individus. Son importance et sa réalité se manifestent même sur le plan empirique dès qu'on dépasse la

10. Et cela pour des raisons qui sont elles aussi en grande partie sociales. À
chaque époque, la sensibilité des membres de telle ou telle classe sociale et
aussi des intellectuels est aiguisée pour certaines œuvres et émoussée pour
d'autres. La plupart des études contemporaines sont *pour cette raison* sujettes à
caution lorsqu'elles parlent de Corneille, Hugo ou Voltaire. La situation est
différente pour les écrits irrationalistes et même pour les écrits tragiques dont
les intellectuels contemporains sentent mieux la valeur *esthétique* même lorsqu'ils ne saisissent pas, d'une manière très claire, la signification objective.
11. Voir L. Goldmann: «Matérialisme dialectique et histoire de la philosophie», *Revue philosophique de France et de l'étranger,* 1948, n° 46 et *Sciences humaines et philosophie,* PUF, 1952.

pensée ou l'œuvre d'un seul écrivain. On a, depuis longtemps, signalé les parentés qui existent entre certains ouvrages philosophiques et certaines œuvres littéraires: Descartes
et Corneille, Pascal et Racine, Schelling et les romantiques
allemands, Hegel et Goethe. D'autre part, nous le montre-
rons au cours du présent ouvrage, des positions analogues
dans la structure d'ensemble, et non pas seulement dans le
détail, se retrouvent lorsqu'on rapproche des textes en
apparence aussi différents que les écrits critiques de Kant et
les *Pensées* de Pascal.

Or, sur le plan de la psychologie individuelle, il n'y a
rien de plus différent qu'un poète qui crée des êtres et des
choses particulières, et un philosophe qui pense et s'exprime par concepts généraux. De même, on peut à peine
imaginer deux individus plus différents dans tous les aspects de leur vie et de leur comportement que ne l'étaient
Kant et Pascal. Si, donc, la plupart des éléments *essentiels*
qui composent la structure schématique des écrits de Kant,
Pascal et Racine sont analogues *malgré* les différences qui
séparent ces écrivains en tant qu'individus empiriques vi-
vants, nous sommes obligés de conclure à l'existence d'une
réalité qui n'est plus purement individuelle et qui s'exprime à travers leurs œuvres. C'est précisément la vision
du monde, et, dans le cas précis des auteurs que nous venons de citer, la *vision tragique* dont nous parlerons dans les
chapitres suivants.

Il ne faut cependant pas voir dans la vision du monde
une réalité métaphysique ou d'ordre purement spéculatif.
Elle constitue, au contraire, le *principal* aspect *concret* du phénomène que les sociologues essaient de décrire depuis des dizaines d'années sous le terme de *conscience collective* et son
analyse nous permettra de préciser la notion de cohérence
que nous avons déjà rencontrée.

Le comportement psychomoteur de tout individu résulte de ses relations avec le milieu ambiant. Jean Piaget a dé-
composé l'effet de ces relations en deux processus complémentaires: assimilation du milieu aux schèmes de pensée et
d'action du sujet, et accommodation de ces schèmes à la

structure du monde ambiant lorsque celui-ci ne se laisse pas assimiler[12].

Le grand défaut de la plupart des travaux de psychologie a été de traiter trop souvent l'individu comme sujet absolu, et de considérer les autres hommes par rapport à lui uniquement comme *objet* de sa pensée ou de son action. C'était la position *atomiste* commune au Je cartésien ou fichtéen, à l'«Ego transcendantal» des néo-kantiens et des phénoménologues, à la statue de Condillac, etc. Or, ce postulat implicite ou explicite de la philosophie et de la psychologie non dialectiques modernes est tout simplement faux. Son inexactitude se révèle à la plus simple observation empirique. Presque aucune action humaine n'a pour sujet un individu isolé. *Le sujet* de l'action est un *groupe,* un «Nous», même si la structure actuelle de la société tend par le phénomène de la réification à voiler ce «Nous» et à le transformer en une somme de plusieurs individualités distinctes et fermées les unes aux autres. Il y a entre les hommes une autre relation possible que celle de sujet à objet, de Je à Tu, une relation de communauté que nous appellerons le «Nous», expression d'une action *commune* sur un objet physique ou social.

Il va de soi que dans la société actuelle chaque individu est engagé dans une multitude d'actions communes de ce genre, actions dans lesquelles le groupe sujet n'est pas identique et qui, prenant toutes une importance plus ou moins grande pour l'individu, auront une influence proportionnelle à cette importance sur l'ensemble de sa conscience et de son

---

12. Marx disait la même chose dans un passage du *Capital* que Piaget a repris dans son dernier ouvrage: «Le travail est avant tout un processus entre l'homme et la nature, un processus dans lequel l'homme, par son activité, réalise, règle et contrôle ses échanges avec la nature. Il y joue lui-même vis-à-vis de la nature le rôle d'une puissance naturelle. Il met en mouvement les forces naturelles qui appartiennent à sa nature corporelle, bras et jambes, tête et mains, pour s'approprier les substances naturelles sous une forme utilisable pour sa propre vie. En agissant ainsi, par ses mouvements sur la nature extérieure, et en la transformant, il transforme en même temps sa propre nature.» (*Das Capital*, t. 1, troisième partie, chap. V., Berlin, Dietz-Verlag, 1955, p. 185.)

comportement. De tels groupes, sujets d'actions communes, peuvent être des associations économiques ou professionnelles, des familles, des communautés intellectuelles ou religieuses, des nations, etc., enfin et surtout les groupes qui nous semblent, pour des raisons purement positives que nous avons exposées ailleurs[13], les plus importants pour la vie et la création intellectuelle et artistique: *les classes sociales* reliées par un fondement économique qui, jusqu'à aujourd'hui, a une importance primordiale pour la vie idéologique des hommes, simplement parce que ceux-ci sont obligés de consacrer la plus grande partie de leurs préoccupations et de leurs activités à assurer leur existence, ou, lorsqu'il s'agit des classes dominantes, à conserver leurs privilèges, à gérer et à accroître leur fortune.

Les individus peuvent sans doute — nous l'avons déjà dit plus haut et ailleurs — séparer leur pensée et leurs aspirations de leur activité quotidienne; le fait est cependant *exclu* lorsqu'il s'agit de groupes sociaux.

Pour le groupe, la concordance entre la pensée et le comportement est *rigoureuse.* La thèse centrale du matérialisme historique se borne à affirmer cette concordance et à exiger qu'on lui donne un contenu concret jusqu'au jour où l'homme parviendra à se libérer *en fait* sur le plan du *comportement* quotidien de son asservissement aux besoins économiques.

Tous les groupes fondés sur des intérêts économiques communs ne constituent cependant pas des classes sociales. Il faut encore que ces intérêts soient orientés vers une transformation globale de la structure sociale (ou, pour les classes «réactionnaires», vers le maintien global de la structure actuelle), et qu'ils s'expriment ainsi sur le plan idéologique par une vision d'ensemble de l'homme actuel, de ses qualités, de ses défauts et, par un idéal, de l'humanité future, de ce que doivent être les relations de l'homme avec les autres hommes et avec l'univers.

Une vision du monde, c'est précisément cet ensemble d'aspirations, de sentiments et d'idées qui réunit les mem-

---

13. Voir L. Goldmann: *Sciences humaines et philosophie*, PUF, 1952.

bres d'un groupe (le plus souvent, d'une classe sociale) et les oppose aux autres groupes.

C'est, sans doute, une schématisation, une extrapolation de l'historien, mais l'extrapolation d'une tendance *réelle* chez les membres d'un groupe qui réalisent tous cette conscience de classe d'une manière plus ou moins consciente et cohérente. Plus ou moins, disons-nous, car si l'individu n'a que rarement une conscience vraiment entière de la signification et de l'orientation de ses aspirations, de ses sentiments, de son comportement, il n'en a pas moins toujours une *conscience relative*. Rarement, des individus exceptionnels atteignent, ou tout au moins sont près d'atteindre, la cohérence intégrale. Dans la mesure où ils parviennent à l'exprimer, sur le plan conceptuel ou imaginatif, ce sont des philosophes ou des écrivains et leur œuvre est d'autant plus importante qu'elle se rapproche plus de la cohérence schématique d'une vision du monde, c'est-à-dire du *maximum de conscience possible* du groupe social qu'ils expriment.

Ces quelques considérations nous montrent déjà en quoi une conception dialectique de la vie sociale diffère des conceptions traditionnelles de la psychologie et de la sociologie.

D'une part, l'individu n'apparaît plus comme un atome, qui s'oppose en tant que *moi isolé* aux autres hommes et au monde physique, et, d'autre part, la «conscience collective» n'est pas non plus une entité statique supraindividuelle qui s'oppose de l'extérieur aux individus. La conscience collective n'existe que dans les consciences individuelles, mais elle n'est pas la somme de celles-ci. Le terme même est d'ailleurs malheureux et prête à confusion; nous lui préférons celui de «conscience de groupe» accompagné, autant que possible, de la spécification de celui-ci: conscience familiale, professionnelle, nationale, conscience de classe, etc. Cette dernière est la tendance *commune* aux sentiments, aspirations et pensées des membres de la classe, tendance se développant précisément à partir d'une situation économique et sociale qui engendre une activité dont le sujet est la communauté, réelle ou virtuelle, constituée par la classe sociale. La prise de conscience varie d'un homme à l'autre et n'atteint son maximum que chez certains individus exceptionnels ou chez la majorité des membres du groupe dans certaines situations privilégiées (guerre pour la conscience nationale, révolution pour la conscience de classe, etc.). Il en résulte que les individus exceptionnels expriment *mieux* et d'une manière plus précise la conscience collective que les autres membres du groupe et que, par conséquent, il faut entièrement renverser la manière traditionnelle des historiens de poser le problème des rapports entre l'individu et la société. À titre d'exemple: on s'est souvent demandé dans quelle mesure Pascal était ou n'était pas janséniste. Mais aussi bien ceux qui l'affirmaient que leurs adversaires, étaient d'accord *sur la manière de poser la question.* Demander si Pascal était janséniste, *c'était pour les uns comme pour les autres* demander dans quelle mesure sa pensée était semblable ou analogue à celle d'Arnauld, de Nicole et des autres jansénistes notoires. Il nous semble au contraire qu'il faut renverser le problème, en établissant d'abord ce qu'est le jansénisme en tant que phénomène social et idéologique, ensuite ce que serait un jansénisme entièrement conséquent, pour juger enfin par rapport à ce jansénisme *conceptuel* et *schématique* les écrits de Nicole, d'Arnauld et de Pascal. On les comprendra alors beaucoup mieux dans leur signification *objective* et aussi dans les limites de chacun d'entre eux, et il s'avérera que Pascal, Racine, et à la limite Barcos, sont sur le plan idéologique et littéraire les *seuls* jansénistes conséquents, et que c'est par rapport *à leur œuvre* qu'il faut mesurer le jansénisme d'Arnauld et de Nicole.

Cette méthode n'est-elle pas arbitraire? Ne pourrions-nous pas laisser de côté le jansénisme, Nicole, Arnauld et surtout le concept de vision du monde?

À cette question, nous ne connaissons qu'une seule réponse: une méthode se justifie dans la mesure où elle nous permettra de mieux comprendre les œuvres que nous nous proposons d'étudier dans le cas qui nous occupe: les *Pensées* de Pascal et les tragédies de Racine.

Nous voici ainsi revenus au point de départ: toute grande œuvre littéraire ou artistique est l'expression d'une vision du monde. Celle-ci est un phénomène de conscience collective qui atteint son maximum de clarté conceptuelle ou sensible dans la conscience du penseur ou du poète. Ces derniers l'expriment à leur tour dans l'œuvre qu'étudie l'historien en se servant de l'instrument conceptuel qui est la vision du monde: appliquée au texte, celle-ci lui permet de dégager:

a) l'essentiel dans les ouvrages qu'il étudie;

b) la signification des éléments partiels dans l'ensemble de l'œuvre.

Ajoutons enfin que l'historien de la philosophie et de la littérature doit étudier non seulement les visions du monde, mais aussi et surtout leurs expressions concrètes. C'est-à-dire que, dans la mesure de ses possibilités bien entendu, il ne doit pas se limiter dans l'étude d'une œuvre, à ce qui s'explique par telle ou telle vision. Il doit encore se demander quelles sont les raisons sociales ou individuelles qui font que cette vision (qui est un schème général) s'est exprimée dans cette œuvre à cet endroit et à cette époque, précisément de telle ou telle manière; d'autre part, il ne doit pas non plus se contenter de *constater* les inconséquences, les écarts, qui séparent encore l'œuvre étudiée d'une expression cohérente de la vision du monde qui lui correspond.

Il va de soi que pour l'historien, l'existence de ces inconséquences, et de ces écarts, ne constitue pas un simple fait, mais un problème qu'il doit résoudre et dont la solution aboutit parfois à des facteurs historiques et sociaux mais très souvent aussi à des facteurs relevant de la biographie et de la psychologie individuelle, facteurs qui trouvent *ici* leur véritable domaine privilégié d'application. L'accident est une réalité que l'historien n'a pas le droit d'ignorer, mais qu'il peut seulement comprendre par rapport à la structure *essentielle* de l'objet étudié.

Ajoutons que la méthode dont nous venons de tracer les grandes lignes et que nous avons appelée dialectique a déjà été employée spontanément, sinon par des historiens professionnels de la philosophie, du moins par les philosophes eux-mêmes lorsqu'ils voulaient comprendre la pensée de leurs devanciers. C'est le cas de Kant, qui sait très bien, et le dit explicitement, que Hume n'est pas rigoureusement empiriste et sceptique, mais qui discute sa position *comme s'il l'était*, car, derrière l'œuvre individuelle, il veut atteindre la doctrine philosophique (la vision du monde, dirions-nous) qui lui donne sa signification. De même, dans l'entretien entre Pascal et M. De Saci, (qui, tout en n'étant qu'une transcription de Fontaine, est probablement très près du texte original), nous trouvons deux déformations analogues. Pascal savait, sans doute, que Montaigne n'était pas rigoureusement et uniquement sceptique. Il l'affirme néanmoins en appliquant le même principe implicite car il s'agit, là encore, de retrouver des positions philosophiques et non pas de faire une exégèse philologique. De même, nous le voyons attribuer à Montaigne l'hypothèse du malin génie, ce qui est philologiquement erroné, mais philosophiquement juste, car cette hypothèse n'était pour Descartes, son auteur réel, qu'une supposition *provisoire* destinée précisément à résumer et à pousser à ses dernières conséquences la position sceptique qu'il réfutera par la suite.

Ainsi, la méthode qui consiste à aller du texte empirique immédiat à la vision conceptuelle et médiate pour revenir ensuite à la signification concrète du texte dont on était parti, n'est pas une innovation du matérialisme dialectique. Le grand mérite de cette dernière méthode consiste néanmoins dans le fait d'avoir apporté, par l'intégration de la pensée des individus à l'ensemble de la vie sociale et notamment par l'analyse de la fonction historique des classes sociales, le fondement positif et scientifique au concept de vision du monde, lui enlevant tout caractère arbitraire, spéculatif et métaphysique.

Ces quelques pages étaient nécessaires pour dégager les lignes générales de la méthode que nous nous proposons d'employer dans cette étude. Ajoutons seulement que les visions du monde étant l'expression *psychique* de la relation entre certains groupes humains et leur milieu social et naturel, leur nombre est, pour une longue période historique tout au moins, nécessairement limité.

Si multiples et si variées que soient les situations historiques concrètes, les visions du monde n'expriment pas moins la réaction d'un groupe d'êtres *relativement constants* à cette multiplicité de situations réelles. La possibilité d'une philosophie et d'un art qui gardent leur valeur au-delà du lieu et de l'époque où ils sont nés, repose précisément sur le fait qu'ils expriment toujours la situation historique *transposée* sur le plan des grands problèmes *fondamentaux* que posent les relations de l'homme avec les autres hommes et avec l'univers. Or, le nombre de réponses humainement *cohérentes* à cet ensemble de problèmes étant limité[14] par la structure même de la personne humaine, chacune de ces réponses correspond à des situations historiques différentes et souvent contraires. Cela implique, d'une part, les renaissances qui se produisent constamment dans l'histoire de l'art et de la philosophie et, d'autre part, le fait que la même vision peut, à des siècles différents, avoir une fonction différente, être révolutionnaire, apologétique, conservatrice ou décadente.

Il va de soi que cette typologie d'un nombre limité de visions du monde n'est valable que pour le schème essentiel, pour la réponse à un certain nombre de problèmes fondamentaux et pour l'importance accordée à chacun d'entre eux dans l'ensemble. Plus nous allons cependant du schème général, de l'essence, aux manifestations empiriques, plus les détails de ces manifestations sont reliés aux situations historiques localisées dans le temps et dans l'espace, et même à la personnalité individuelle du penseur et de l'écrivain.

Les historiens de la philosophie sont en droit d'accepter la notion de platonisme, valable pour Platon, saint Augustin, Descartes, etc. (et on peut de même parler de mysticisme, d'empirisme, de rationalisme, de vision tragique, etc.) à condition de retrouver à partir des traits généraux du platonisme comme vision du monde et des éléments communs aux situations historiques du IVe siècle avant Jésus-Christ, du IVe siècle après Jésus-Christ et du XVIIe siècle, les traits spécifiques de ces trois situations, leurs répercussions sur l'œuvre

---

14. Bien que nous soyons aujourd'hui encore très loin d'avoir dégagé scientifiquement cette limite. L'élaboration positive d'une typologie des visions du monde se trouve en effet à peine au stade des travaux préparatoires.

des trois penseurs, et enfin, s'ils veulent être complets, les éléments spécifiques de l'individualité des penseurs et leur expression dans l'œuvre.

Ajoutons que la *typologie des visions du monde*, qui nous semble être la tâche principale de l'historien de la philosophie et de l'art et qui, une fois établie, sera une contribution capitale à toute anthropologie philosophique, est encore à peine entamée. Elle sera, comme les grands systèmes physiques d'ailleurs, le *couronnement* d'une longue série d'études partielles, qu'elle éclairera et précisera à son tour.

C'est dans la série de ces études partielles et préparatoires que s'insère le présent travail consacré à la vision tragique dans l'œuvre de Pascal et de Racine. Et c'est pourquoi, après ces lignes d'introduction méthodologique sur les visions du monde en général, nous aborderons dans les chapitres qui suivent l'étude de *la vision tragique* qui sera l'instrument conceptuel dont nous nous servirons pour comprendre les œuvres que nous voulons étudier.

Pour qui écrit-on?*

par Jean-Paul Sartre

À cette époque la laïcisation de l'écrivain et de son public est en voie d'achèvement. Elle a certainement pour origine la force expansive de la chose écrite, son caractère monumental et l'appel à la liberté que recèle toute œuvre de l'esprit. Mais des circonstances extérieures y contribuent telles que le développement de l'instruction, l'affaiblissement du pouvoir spirituel, l'apparition d'idéologies nouvelles expressément destinées au temporel. Cependant laïcisation ne veut pas dire universalisation. Le public de l'écrivain reste strictement limité. Pris dans son ensemble, on l'appelle *la société* et ce nom désigne une fraction de la cour, du clergé, de la magistrature et de la bourgeoisie riche. Considéré singulièrement, le lecteur s'appelle «honnête homme» et il exerce une certaine fonction de censure que l'on nomme *le goût*. En un mot, c'est à la fois un membre des classes supérieures et un spécialiste. S'il critique l'écrivain, c'est qu'il sait lui-même écrire. Le public de Corneille, de Pascal, de Descartes, c'est Madame de Sévigné, le chevalier de Méré, Madame de Grignan, Madame de Rambouillet, Saint-Évremond. Aujourd'hui le public est, par rapport à l'écrivain, en état de passivité: il attend qu'on lui impose des idées ou une forme d'art nouvelle. Il est la masse inerte dans laquelle l'idée va prendre corps. Son moyen de contrôle

* Extrait de *Qu'est-ce que la littérature?*, Paris, Gallimard, 1948.

est indirect et négatif; on ne saurait dire qu'il donne son avis; simplement, il achète ou n'achète pas le livre; le rapport de l'auteur au lecteur est analogue à celui du mâle à la femelle: c'est que la lecture est devenue un simple moyen d'information et l'écriture un moyen très général de communication. Au XVIIIe siècle savoir écrire c'est déjà savoir bien écrire. Non que la Providence ait également partagé le don du style entre tous les hommes, mais parce que le lecteur, s'il ne s'identifie plus rigoureusement à l'écrivain, est demeuré écrivain en puissance. Il fait partie d'une élite parasitaire pour qui l'art d'écrire est, sinon un métier, du moins la marque de sa supériorité. On lit parce qu'on sait écrire; avec un peu de chance, on aurait pu écrire ce qu'on lit. Le public est actif: on lui *soumet* vraiment les productions de l'esprit; il les juge au nom d'une table de valeurs qu'il contribue à maintenir. Une révolution analogue au romantisme n'est même pas concevable à l'époque, parce qu'il y faut le concours d'une masse indécise qu'on surprend, qu'on bouleverse, qu'on anime soudain en lui révélant des idées ou des sentiments qu'on ignorait et qui, faute de convictions fermes, réclame perpétuellement qu'on la viole et qu'on la féconde. Au XVIIe siècle, les convictions sont inébranlables: l'idéologie religieuse s'est doublée d'une idéologie politique que le temporel a sécrétée lui-même: personne ne met publiquement en doute l'existence de Dieu, ni le droit divin du monarque. La «société» a son langage, ses grâces, ses cérémonies qu'elle entend retrouver dans les livres qu'elle lit. Sa conception du temps, aussi. Comme les deux faits historiques qu'elle médite sans relâche — la faute originelle et la rédemption — appartiennent à un passé lointain; comme c'est aussi de ce passé que les grandes familles dirigeantes tirent leur orgueil et la justification de leurs privilèges: comme l'avenir ne saurait rien apporter de neuf, puisque Dieu est trop parfait pour changer et puisque les deux grandes puissances terrestres, l'Église et la Monarchie, n'aspirent qu'à l'immuabilité, l'élément actif de la temporalité c'est le passé, qui est lui-même une dégradation phénoménale de l'Éternel; le présent est un péché perpétuel qui ne peut se trouver d'excuse que s'il reflète, le moins mal possible, l'image d'une époque révolue; une idée, pour être reçue, doit prouver son ancienneté; une œuvre d'art, pour plaire, doit s'inspirer d'un modèle antique. Cette idéologie, nous trouvons encore des écrivains qui s'en font expressément les gardiens. Il y a encore de grands clercs qui sont d'Église et qui n'ont d'autre souci que de défendre le dogme. À eux s'ajoutent les «chiens de garde» du temporel, historiographes, poètes de cour, juristes et philosophes qui se préoccupent d'établir et de maintenir l'idéologie de la monarchie absolue. Mais nous voyons paraître à leur côté une troisième catégorie d'écrivains, proprement laïcs, qui, pour la plus grande part, *acceptent* l'idéologie religieuse et politique de l'époque sans se croire tenus de la prouver ni de la conserver. Ils n'en écrivent pas; ils l'adoptent implicitement; pour eux c'est ce que nous appelions tout à l'heure le contexte ou ensemble des présuppositions communes aux lecteurs et à l'auteur et qui sont nécessaires pour rendre intelligible à ceux-là ce qu'écrit celui-ci. Ils appartiennent en général à la bourgeoisie; ils sont pensionnés par la noblesse; comme ils consomment sans produire et que la noblesse ne produit pas non plus mais vit du travail des autres, ils sont parasitaires d'une classe parasite. Ils ne vivent plus en collège, mais, dans cette société fortement intégrée, ils forment une corporation implicite et, pour leur rappeler sans cesse leur origine collégiale et l'ancienne cléricature, le pouvoir royal choisit certains d'entre eux et les groupe en une sorte de collège symbolique: l'Académie. Nourris par le roi, lus par une élite, ils se soucient uniquement de répondre à la demande de ce public restreint. Ils ont aussi bonne conscience ou presque que les clercs du XIIᵉ siècle; il est impossible à cette époque de mentionner un public virtuel distinct du public réel. Il arrive à La Bruyère de parler *des* paysans mais il ne *leur* parle pas et s'il fait état de leur misère, ce n'est pas pour en tirer un argument contre l'idéologie qu'il accepte, mais c'est au nom de cette idéologie: c'est une honte pour des monarques éclairés, pour de bons chrétiens. Ainsi s'entretient-on des masses par-dessus leur tête et sans qu'il soit même concevable qu'un écrit puisse les aider à prendre conscience d'elles-mêmes. Et l'homogénéité du public a banni toute contradiction de l'âme des auteurs. Ils ne sont point écartelés entre des lecteurs réels mais détestables et des lecteurs virtuels, souhaitables, mais hors d'atteinte; ils ne se posent pas de questions sur le rôle qu'ils ont à jouer dans le monde, car l'écrivain ne s'interroge sur sa mission que dans les époques où elle n'est pas clairement tracée et où il doit l'inventer ou la réinventer, c'est-à-dire lorsqu'il aperçoit, par delà les lecteurs d'élite, une masse amorphe de lecteurs possibles qu'il peut choisir ou non de gagner et lorsqu'il doit, au cas où il lui serait donné de les atteindre, décider lui-même de ses rapports avec eux. Les auteurs du XVIIe siècle ont une fonction définie parce qu'ils s'adressent à un public éclairé, rigoureusement délimité et actif, qui exerce sur eux un contrôle permanent; ignorés du peuple, ils ont pour métier de renvoyer son image à l'élite qui les entretient. Mais il est plusieurs façons de renvoyer une image: certains portraits sont par eux-mêmes des contestations; c'est qu'ils sont faits du dehors et sans passion par un peintre qui refuse toute complicité avec son modèle. Seulement, pour qu'un écrivain conçoive seulement l'idée de tracer un portrait-contestation de son lecteur réel, il faut qu'il ait pris conscience d'une contradiction entre lui-même et son public, c'est-à-dire qu'il vienne *du dehors* à ses lecteurs et qu'il les considère avec étonnement ou qu'il sente peser sur la petite société qu'il forme avec eux le regard étonné de consciences étrangères (minorités ethniques, classes opprimées, etc.). Mais, au XVIIe siècle, puisque le public virtuel n'existe pas, puisque l'artiste accepte sans la critiquer l'idéologie de l'élite, il se fait complice de son public, nul regard étranger ne vient le troubler dans ses jeux. Ni le prosateur n'est maudit, ni même le poète. Ils n'ont point à décider à chaque ouvrage du sens et de la valeur de la littérature, puisque ce sens et cette valeur sont fixés par la tradition; fortement intégrés dans une société hiérarchisée, ils ne connaissent ni l'orgueil ni l'angoisse de la singularité; en un mot ils sont *classiques*. Il y a classicisme en effet lorsqu'une société a pris une forme relativement stable et qu'elle s'est pénétrée du mythe de sa pérennité, c'est-à-dire lorsqu'elle confond le présent avec l'éternel et l'historicité avec le traditionalisme, lorsque la hiérarchie des classes est telle que le public virtuel ne déborde jamais le public réel et que chaque lecteur est, pour l'écrivain, un critique qualifié et un censeur, lorsque la puissance de l'idéologie religieuse et politique est si forte et les interdits si rigoureux, qu'il ne s'agit en aucun cas de découvrir des terres nouvelles à la pensée, mais seulement de mettre en forme *les lieux communs* adoptés par l'élite, de façon que la lecture — qui est, nous l'avons vu, la relation concrète entre l'écrivain et son public — soit une cérémonie de *reconnaissance* analogue au salut, c'est-à-dire l'affirmation cérémonieuse qu'auteur et lecteur sont du même monde et ont sur toute chose les mêmes opinions. Ainsi chaque production de l'esprit est en même temps un acte de politesse et le style est la suprême politesse de l'auteur envers son lecteur; et le lecteur, de son côté, ne se lasse pas de retrouver les mêmes pensées dans les livres les plus divers, parce que ces pensées sont les siennes et qu'il ne demande point à en acquérir d'autres, mais seulement qu'on lui présente avec magnificence celles qu'il a déjà. Dès lors le portrait que l'auteur présente à son lecteur est nécessairement abstrait et complice; s'adressant à une classe parasitaire, il ne saurait montrer l'homme au travail ni, en général, les rapports de l'homme avec la nature extérieure. Comme d'autre part, des corps de spécialistes s'occupent, sous le contrôle de l'Église et de la Monarchie, de maintenir l'idéologie spirituelle et temporelle, l'écrivain ne soupçonne même pas l'importance des facteurs économiques, religieux, métaphysiques et politiques dans la constitution de la personne; et comme la société où il vit confond le présent avec l'éternel, il ne peut même imaginer le plus léger changement dans ce qu'il nomme la nature humaine; il conçoit l'histoire comme une série d'accidents qui affectent l'homme éternel en surface sans le modifier profondément et s'il devait assigner un sens à la durée historique il y verrait à la fois une éternelle répétition, telle que les événements antérieurs puissent et doivent fournir des leçons à ses contemporains, et, à la fois, un processus de légère involution, puisque les événements capitaux de l'histoire sont *passés* depuis longtemps et puisque, la perfection dans les lettres ayant été atteinte dès l'Antiquité, ses modèles anciens lui paraissent inégalables. Et, en tout cela, derechef, il s'accorde pleinement à son public qui considère le travail comme une malédiction, qui *n'éprouve* pas sa situation dans l'histoire et dans le monde par cette simple raison qu'elle est privilégiée et dont l'unique affaire est la foi, le respect du monarque, la passion, la guerre, la mort et la politesse. En un mot l'image de l'homme classique est purement psychologique parce que le public classique n'a conscience que de sa psychologie. Encore faut-il entendre que cette psychologie est, elle-même, traditionaliste; elle n'a pas souci de découvrir des vérités profondes et neuves sur le cœur humain, ni d'échafauder des hypothèses: c'est dans les sociétés instables et quand le public s'étage sur plusieurs couches sociales, que l'écrivain, déchiré et mécontent, invente des explications à ses angoisses. La psychologie du XVIIᵉ siècle est purement descriptive; elle ne se base pas tant sur l'expérience personnelle de l'auteur, qu'elle n'est l'expression esthétique de ce que l'élite pense sur elle-même. La Rochefoucauld emprunte la forme et le contenu de ses maximes aux divertissements des salons; la casuistique des Jésuites, l'étiquette des précieuses, le jeu des portraits, la morale de Nicole, la conception religieuse des passions sont à l'origine de cent autres ouvrages; les comédies s'inspirent de la psychologie antique et du gros bon sens de la haute bourgeoisie. La société s'y mire avec ravissement parce qu'elle reconnaît les pensées qu'elle forme sur elle-même; elle ne demande pas qu'on lui révèle ce qu'elle est mais qu'on lui reflète ce qu'elle croit être. Sans doute se permet-on quelques satires, mais à travers les pamphlets et les comédies, c'est l'élite tout entière qui opère, au nom de sa morale, les nettoyages et les purges nécessaires à sa santé; ce n'est jamais d'un point de vue *extérieur* à la classe dirigeante qu'on moque les marquis ridicules ou les plaideurs ou les Précieuses; il s'agit toujours de ces originaux inassimilables par une société policée et qui vivent en marge de la vie collective. Si l'on raille le Misanthrope c'est qu'il manque de politesse; Cathos et Madelon, c'est qu'elles en ont trop. Philaminte va à l'encontre des idées reçues sur la femme; le bourgeois gentilhomme est odieux aux riches bourgeois qui ont la modestie altière et qui connaissent la grandeur et l'humilité de leur condition et, à la fois, aux gentilhommes, parce qu'il veut forcer l'accès de la noblesse. Cette satire interne et pour ainsi dire physiologique, est sans rapport avec la grande satire de Beaumarchais, de P.-L. Courier, de J. Vallès, de Céline: elle est moins courageuse et beaucoup plus dure car elle traduit l'action répressive que la collectivité exerce sur le faible, le malade, l'inadapté; c'est le rire impitoyable d'une bande de gamins devant les maladresses de leur souffre-douleur.

D'origine et de mœurs bourgeoises, plus semblable, en son foyer, à Oronte et à Chrysale qu'à ses confrères brillants et agités de 1780 ou de 1830, reçu pourtant dans la société des grands et pensionné par eux, légèrement déclassé par en haut, convaincu pourtant que le talent ne remplace pas la naissance, docile aux admonestations des prêtres, respectueux du pouvoir royal, heureux d'occuper une place modeste dans l'immense édifice dont l'Église et la Monarchie sont les piliers, quelque part au-dessus des commerçants et des universitaires, au-dessous des nobles et du clergé, l'écrivain fait son métier avec une bonne conscience, convaincu qu'il vient trop tard, que tout est dit et qu'il convient seulement de redire agréablement; il conçoit la gloire qui l'attend comme une image affaiblie des titres héréditaires et s'il compte qu'elle sera éternelle c'est parce qu'il ne soupçonne même pas que la société de ses lecteurs puisse être bouleversée par des changements sociaux; ainsi la permanence de la maison royale lui semble une garantie de son renom.

Pourtant, presque en dépit de lui-même, le miroir qu'il présente modestement à ses lecteurs est magique: il captive et compromet. Quand même tout a été fait pour ne leur offrir qu'une image flatteuse et complice, plus subjective qu'objective, plus intérieure qu'extérieure, cette image n'en demeure pas moins une œuvre d'art, c'est-à-dire qu'elle a son fondement dans la liberté de l'auteur et qu'elle est un appel à la liberté du lecteur. Puisqu'elle est belle, elle est de glace, le recul esthétique la met hors de portée. Impossible de s'y complaire, d'y retrouver une chaleur confortable, une indulgence discrète; bien qu'elle soit faite des lieux communs de l'époque et de ces complaisances chuchotées qui unissent les contemporains comme un lien ombilical, elle est soutenue par une liberté et, de ce fait, elle gagne une autre espèce d'objectivité. C'est bien *elle-même* que l'élite retrouve dans le miroir: mais elle-même telle qu'elle se verrait si elle se portait aux extrêmes de la sévérité. Elle n'est pas figée en objet par le regard de l'Autre, car ni le paysan, ni l'artisan ne sont encore l'*Autre* pour elle, et l'acte de présentation réflexive qui caractérise l'art du XVIIᵉ siècle est un processus strictement interne: seulement il pousse aux limites l'effort de chacun pour voir clair en soi; il est un cogito perpétuel. Sans doute ne met-il en question ni l'oisiveté, ni l'oppression, ni le parasitisme; c'est que ces aspects de la classe dirigeante ne se révèlent qu'aux observateurs qui se sont placés en dehors d'elle; aussi l'image qu'on lui renvoie est-elle strictement psychologique. Mais les conduites spontanées en passant à l'état réflexif perdent leur innocence et l'excuse de l'immédiateté: il faut les assumer ou les changer. Et c'est bien un monde de politesse et de cérémonies qu'on offre au lecteur, mais déjà il émerge hors de ce monde puisqu'on l'invite à le connaître, à s'y reconnaître. En ce sens Racine n'a pas tort, quand il dit à propos de Phèdre que «les passions n'y sont présentées aux yeux que pour montrer tout le désordre dont elles sont cause». À la condition que l'on n'entende point par là que son propos fut expressément d'inspirer l'horreur de l'amour. Mais peindre la passion, c'est la dépasser déjà, déjà s'en dépouiller. Ce n'est pas un hasard si, vers le même temps, les philosophes se proposaient de s'en guérir par la connaissance. Et comme on décore ordinairement du nom de *morale* l'exercice réfléchi de la liberté en face des passions, il faut avouer que l'art du XVIIᵉ siècle est éminemment moralisateur. Non qu'il ait le dessein avoué d'enseigner la vertu ni qu'il soit empoisonné par les bonnes intentions qui font la mauvaise littérature, mais, du seul fait qu'il propose en silence au lecteur son image, il la lui rend insupportable. Moralisateur: c'est à la fois une définition et une limitation. Il n'est *que* moralisateur; s'il propose à l'homme de transcender le psychologique vers le moral, c'est qu'il prend pour résolus les problèmes religieux, métaphysiques, politiques et sociaux mais son action n'en est pas moins «catholique». Comme il confond l'homme universel avec les hommes singuliers qui détiennent le pouvoir, il ne se dévoue à la libération d'aucune catégorie concrète d'opprimés; pourtant l'écrivain, bien que totalement assimilé par la classe d'oppression, n'en est aucunement complice; son œuvre est incontestablement libératrice puisqu'elle a pour effet, à l'intérieur de cette classe, de libérer l'homme de lui-même.

Nous avons envisagé jusqu'ici le cas où le public virtuel de l'écrivain était nul ou à peu près et où nul conflit ne déchirait son public réel. Nous avons vu qu'il pouvait alors accepter avec une bonne conscience l'idéologie en cours et qu'il lançait ses appels à la liberté à l'intérieur même de cette idéologie. Si le public virtuel apparaît soudain ou si le public réel se fragmente en factions ennemies, tout change. Il nous faut envisager à présent ce qu'il advient de la littérature quand l'écrivain est amené à refuser l'idéologie des classes dirigeantes.

Le XVIIIe siècle reste la chance, unique dans l'histoire, et le paradis bientôt perdu des écrivains français. Leur condition sociale n'a pas changé: originaires, à peu d'exceptions près, de la classe bourgeoise, les faveurs des grands les déclassent. Le cercle de leurs lecteurs réels s'est sensiblement élargi, parce que la bourgeoisie s'est mise à lire, mais les classes «inférieures» les ignorent toujours et, s'ils en parlent plus souvent que La Bruyère et Fénelon, ils ne s'adressent jamais à elles, même en esprit. Pourtant un bouleversement profond a cassé leur public en deux; il faut à présent qu'ils satisfassent à des demandes contradictoires; c'est la *tension* qui caractérise, dès l'origine, leur situation. Cette tension se manifeste d'une façon très particulière. La classe dirigeante, en effet, a perdu confiance en son idéologie. Elle s'est mise en position de défense; elle essaie, dans une certaine mesure, de retarder la diffusion des idées nouvelles mais elle ne peut faire qu'elle n'en soit pénétrée. Elle a compris que ses principes religieux et politiques étaient les meilleurs outils pour asseoir sa puissance, mais justement, comme elle n'y voit que des outils, elle a cessé d'y croire tout à fait; la vérité *pragmatique* a remplacé la vérité révélée. Si la censure et les interdits sont plus visibles, ils dissimulent une faiblesse secrète et un cynisme de désespoir. Il n'y a plus de *clercs*; la littérature d'église est une vaine apologétique, un poing serré sur des dogmes qui s'échappent; elle se fait contre la liberté, elle s'adresse au respect, à la crainte, à l'intérêt et, en cessant d'être un libre appel aux hommes libres, elle cesse d'être littérature. Cette élite égarée se tourne vers le véritable écrivain et lui demande l'impossible: qu'il ne lui ménage pas, s'il y tient, sa sévérité mais qu'il insuffle au moins un peu de liberté à une idéologie qui s'étiole, qu'il s'adresse à la raison de ses lecteurs et qu'il la persuade d'adopter des dogmes qui sont, avec le temps, devenus irrationnels. Bref qu'il se fasse propagandiste sans cesser d'être écrivain. Mais elle joue perdant: puisque ses principes ne sont plus des évidences immédiates et informulées et qu'elle doit les *proposer* à l'écrivain pour qu'il prenne leur défense, puisqu'il ne s'agit plus de les sauver pour eux-mêmes mais pour maintenir l'ordre, elle conteste leur validité par l'effort même qu'elle fait pour les rétablir. L'écrivain qui consent à raffermir cette idéologie branlante, du moins y *consent-il*: et cette adhésion volontaire à des principes qui gouvernaient autrefois les esprits sans être aperçus, le délivre d'eux; déjà il les dépasse, il émerge, en dépit de lui-même, dans la solitude et dans la liberté. La bourgeoisie, d'autre part, qui constitue ce qu'on nomme en termes marxistes la classe montante, aspire simultanément à se dégager de l'idéologie qu'on lui impose et à s'en constituer une qui lui soit propre. Or cette «classe montante» qui revendiquera bientôt de participer aux affaires de l'État ne subit qu'une oppression *politique*. En face d'une noblesse ruinée, elle est en train d'acquérir tout doucement la prééminence économique; elle possède déjà l'argent, la culture, les loisirs. Ainsi, pour la première fois, une classe opprimée se présente à l'écrivain comme un public réel. Mais la conjoncture est plus favorable encore: car cette classe qui s'éveille, qui lit et qui cherche à penser n'a pas produit de parti révolutionnaire organisé et sécrétant sa propre idéologie comme l'Église sécrétait la sienne au Moyen Âge. L'écrivain n'est pas encore, comme nous verrons qu'il sera plus tard, coincé entre l'idéologie en voie de liquidation d'une classe descendante et l'idéologie rigoureuse de la classe montante. La bourgeoisie souhaite des lumières, elle sent obscurément que sa pensée est aliénée et elle voudrait prendre conscience d'elle-même. Sans doute peut-on découvrir en elle quelques traces d'organisation: sociétés matérialistes, sociétés de pensée, franc-maçonnerie. Mais ce sont surtout des associations de recherches qui attendent les idées plutôt qu'elles ne les produisent. Sans doute voit-on se répandre une forme d'écriture populaire et spontanée: le tract clandestin et anonyme. Mais cette littérature d'amateurs, plutôt qu'elle ne concurrence l'écrivain professionnel, l'aiguillonne et le sollicite en le renseignant sur les aspirations confuses de la collectivité. Ainsi, en face d'un public de demi-spécialistes qui se maintient encore péniblement et qui se recrute toujours à la cour et dans les hautes sphères de la société, la bourgeoisie offre l'ébauche d'un public de masse: elle est, par rapport à la littérature, en état de *passivité* relative puisqu'elle ne pratique aucunement l'art d'écrire, qu'elle n'a pas d'opinion préconçue sur le style et les genres littéraires, qu'elle attend tout, fond et forme, du génie de l'écrivain.

Sollicité de part et d'autre l'écrivain se trouve entre les deux fractions ennemies de son public et comme l'arbitre de leur conflit. Ce n'est plus un clerc; la classe dirigeante n'est pas seule à l'entretenir: il est vrai qu'elle le pensionne encore mais la bourgeoisie achète ses livres, il touche des deux côtés. Son père était bourgeois, son fils le sera: on pourrait donc être tenté de voir en lui un bourgeois mieux doué que les autres mais pareillement opprimé, parvenu à la connaissance de son état sous la pression des circonstances historiques, bref un miroir intérieur à travers lequel la bourgeoisie tout entière prend conscience d'elle-même et de ses revendications. Mais ce serait une vue superficielle: on n'a pas assez dit qu'une classe ne pouvait acquérir sa conscience de classe que si elle se voyait à la fois du dedans et du dehors; autrement dit, si elle bénéficiait de concours extérieurs: c'est à quoi servent les intellectuels, perpétuels déclassés. Et justement le caractère essentiel de l'écrivain du XVIIIe siècle c'est un déclassement objectif et subjectif. S'il garde le souvenir de ses attaches bourgeoises, la faveur des grands l'a tiré hors de son milieu: il ne se sent plus de solidarité concrète avec son cousin l'avocat, son frère, le curé du village, parce qu'il a des privilèges qu'ils n'ont pas. C'est à la cour, à la noblesse qu'il emprunte ses manières et jusqu'aux grâces de son style. La gloire, son espoir le plus cher et sa consécration, est devenue pour lui une notion glissante et ambiguë: une jeune idée de gloire se lève, selon laquelle la véritable récompense d'un écrivain c'est qu'un obscur médecin de Bourges, c'est qu'un avocat sans causes de Reims dévorent presque secrètement ses livres. Mais la reconnaissance diffuse de ce public qu'il connaît mal ne le touche qu'à demi: il a reçu de ses aînés une conception traditionnelle de la célébrité. Selon cette conception, c'est le monarque qui doit consacrer son génie. Le signe visible de sa réussite, c'est que Catherine ou Frédéric l'invitent à leur table; les récompenses qu'on lui donne, les dignités qu'on lui confère d'en haut n'ont pas encore l'impersonnalité officielle des prix et des décorations de nos républiques: elles gardent le caractère quasi féodal des relations d'homme à homme. Et puis surtout, consommateur éternel dans une société de producteurs, parasite d'une classe parasitaire, il en use avec l'argent comme un parasite. Il ne le *gagne* pas, puisqu'il n'y a pas de commune mesure entre son travail et sa rémunération: il le *dépense* seulement. Donc, même s'il est pauvre, il vit dans le luxe. Tout lui est un luxe, même et surtout ses écrits. Pourtant, jusque dans la chambre du roi, il garde une force fruste, une vulgarité puissante: Diderot, dans le feu d'un entretien philosophique, pinçait au sang les cuisses de l'impératrice de Russie. Et puis, s'il va trop loin, on peut lui faire sentir qu'il n'est qu'un grimaud: depuis sa bastonnade, son embastillement, sa fuite à Londres jusqu'aux insolences du roi de Prusse, la vie de Voltaire est une suite de triomphes et d'humiliations. L'écrivain jouit parfois de bontés passagères d'une marquise mais il épouse sa bonne, ou la fille d'un maçon. Aussi sa conscience, comme son public, est-elle déchirée. Mais il n'en souffre pas; il tire son orgueil, au contraire, de cette contradiction originelle: il pense qu'il n'a partie liée avec personne, qu'il peut choisir ses amis et ses adversaires, et qu'il lui suffit de prendre la plume pour s'arracher au conditionnement des milieux, des nations et des classes. Il plane, il survole, il est pensée pure et pur regard: il choisit d'écrire pour revendiquer son déclassement, qu'il assume et transforme en solitude; il contemple les grands du dehors, avec les yeux des bourgeois et du dehors les bourgeois avec les yeux de la noblesse et il conserve assez de complicité avec les uns et les autres pour les comprendre également de l'intérieur. Du coup la littérature, qui n'était jusque-là qu'une fonction conservatrice et purificatrice d'une société intégrée, prend conscience en lui et par lui de son autonomie. Placée, par une chance extrême, entre des aspirations confuses et une idéologie en ruine, comme l'écrivain entre la bourgeoisie, l'Église et la cour, elle affirme soudain son indépendance; elle ne reflétera plus les lieux communs de la collectivité, elle s'identifie à l'Esprit, c'est-à-dire au pouvoir permanent de former et de critiquer des idées. Naturellement cette reprise de la littérature par elle-même est abstraite et presque purement formelle, puisque les œuvres littéraires ne sont l'expression concrète d'aucune classe; et même, comme les écrivains commencent par repousser toute solidarité profonde avec le milieu dont ils émanent aussi bien qu'avec celui qui les adopte, la littérature se confond avec la Négativité, c'est-à-dire avec le doute, le refus, la critique, la contestation. Mais, de ce fait même, elle aboutit à poser, contre la spiritualité ossifiée de l'Église, les droits d'une spiritualité nouvelle en mouvement, qui ne se confond plus avec aucune idéologie et se manifeste comme le pouvoir de dépasser perpétuellement le donné, quel qu'il soit. Lorsqu'elle imitait de merveilleux modèles, bien à l'abri dans l'édifice de la monarchie très chrétienne, le souci de la vérité ne la tracassait guère parce que la vérité n'était qu'une qualité très grossière et très concrète de l'idéologie qui la nourrissait: être vrais ou tout simplement *être*, c'était tout un pour les dogmes de l'Église et l'on ne pouvait concevoir la vérité à part du système. Mais à présent que la spiritualité

est devenue ce mouvement abstrait qui traverse et laisse ensuite sur sa route, comme des coquilles vides, toutes les
idéologies, la vérité se dégage à son tour de toute philosophie concrète et particulière, elle se révèle dans son indépendance abstraite, c'est elle qui devient l'idée régulatrice de la
littérature et le terme lointain du mouvement critique. Spiritualité, littérature, vérité: ces trois notions sont liées dans ce
mouvement abstrait et négatif de la prise de conscience; leur
instrument c'est l'analyse, méthode négative et critique qui
dissout perpétuellement les données concrètes en éléments
abstraits et les produits de l'histoire en combinaisons de
concepts universels. Un adolescent choisit d'écrire pour
échapper à une oppression dont il souffre et à une solidarité
qui lui fait honte; aux premiers mots qu'il trace, il croit
échapper à son milieu et à sa classe, à tous les milieux et à
toutes les classes et faire éclater sa situation historique par le
seul fait d'en prendre une connaissance réflexive et critique:
au-dessus de la mêlée de ces bourgeois et de ces nobles que
leurs préjugés enferment dans une époque particulière, il se
découvre, dès qu'il prend la plume, comme conscience sans
date et sans lieu, bref comme *l'homme universel*. Et la littérature, qui le délivre, est une fonction abstraite et un pouvoir *a
priori* de la nature humaine; elle est le mouvement par lequel, à chaque instant, l'homme se libère de l'histoire: en un
mot c'est l'exercice de la liberté. Au XVIIᵉ siècle, en choisissant d'écrire, on embrassait un métier défini avec ses recettes, ses règles et ses usages, son rang dans la hiérarchie des
professions. Au XVIIIᵉ, les moules sont brisés, tout est à faire,
les ouvrages de l'esprit, au lieu d'être confectionnés avec
plus ou moins de bonheur et selon des normes établies, sont
chacun une invention particulière et comme une décision de
l'auteur touchant la nature, la valeur et la portée des Belles-
Lettres; chacun apporte avec lui ses propres règles et les
principes sur lesquels il veut être jugé; chacun prétend engager la littérature tout entière et lui frayer de nouveaux chemins. Ce n'est pas par hasard que les pires ouvrages de
l'époque sont aussi ceux qui se réclament le plus de la tradition: la tragédie et l'épopée étaient les fruits exquis d'une

société intégrée; dans une collectivité déchirée, elles ne peuvent subsister qu'à titre de survivances et de pastiches.

Ce que l'écrivain du XVIIIe siècle revendique inlassablement dans ses œuvres, c'est le droit d'exercer contre l'histoire une raison antihistorique et, en ce sens, il ne fait que mettre au jour les exigences essentielles de la littérature abstraite. Il n'a cure de donner à ses lecteurs une conscience plus claire de leur classe: tout au contraire, l'appel pressant qu'il adresse à son public bourgeois, c'est une invite à oublier les humiliations, les préjugés, les craintes; celui qu'il lance à son public noble, c'est une sollicitation à dépouiller son orgueil de caste et ses privilèges. Comme il s'est fait universel, il ne peut avoir que des lecteurs universels et ce qu'il réclame de la liberté de ses contemporains, c'est qu'ils brisent leurs attaches historiques pour le rejoindre dans l'universalité. D'où vient donc ce miracle que, dans le moment même où il dresse la liberté abstraite contre l'oppression concrète et la Raison contre l'Histoire, il aille dans le sens même du développement historique? C'est d'abord que la bourgeoisie, par une tactique qui lui est propre et qu'elle renouvellera en 1830, et en 1848, a fait cause commune, à la veille de prendre le pouvoir, avec celles des classes opprimées qui ne sont pas encore en état de le revendiquer. Et comme les liens qui peuvent unir des groupes sociaux si différents ne sauraient être que fort généraux et fort abstraits, elle n'aspire pas tant à prendre une conscience claire d'elle-même, ce qui l'opposerait aux artisans et aux paysans, qu'à se faire reconnaître le droit de diriger l'opposition parce qu'elle est mieux placée pour faire connaître aux pouvoirs constitués les revendications de la nature humaine universelle. D'autre part la révolution qui se prépare est *politique*; il n'y a pas d'idéologie révolutionnaire, pas de parti organisé, la bourgeoisie veut qu'on l'éclaire, qu'on liquide au plus vite l'idéologie qui, des siècles durant, l'a mystifiée et aliénée: il sera temps plus tard de la remplacer. Pour l'instant elle aspire à la liberté d'opinion comme à un degré d'accès vers le pouvoir politique. Dès lors en réclamant *pour lui* et *en tant qu'écrivain* la liberté de penser et d'exprimer sa pensée l'auteur sert nécessairement les intérêts de la classe bourgeoise.

On ne lui demande pas plus et il ne peut faire davantage; à d'autres époques, nous le verrons, l'écrivain peut réclamer sa liberté d'écrire avec une mauvaise conscience, il peut se rendre compte que les classes opprimées souhaitent tout autre chose que cette liberté-là: alors la liberté de penser peut apparaître comme un privilège, passer aux yeux de certains pour un moyen d'oppression et la position de l'écrivain risque de devenir intenable. Mais, à la veille de la Révolution, il jouit de cette chance extraordinaire qu'il lui suffit de défendre son métier pour servir de guide aux aspirations de la classe montante.

Il le sait. Il se considère comme un guide et un chef spirituel, il prend ses risques. Comme l'élite au pouvoir, de plus en plus nerveuse, lui prodigue un jour ses grâces pour le faire embastiller le jour suivant, il ignore la tranquillité, la médiocrité fière dont jouissaient ses prédécesseurs. Sa vie glorieuse et traversée, avec des crêtes ensoleillées et des chutes vertigineuses, est celle d'un aventurier. Je lisais, l'autre soir, ces mots que Blaise Cendrars met en exergue à *Rhum*: «Aux jeunes gens d'aujourd'hui fatigués de la littérature pour leur prouver qu'un roman peut être aussi un acte» et je pensais que nous sommes bien malheureux et bien coupables puisqu'il nous faut prouver aujourd'hui ce qui allait de soi au XVIIIe siècle. Un ouvrage de l'esprit était alors un acte doublement puisqu'il produisait des idées qui devaient être à l'origine de bouleversements sociaux et puisqu'il mettait en danger son auteur. Et cet acte, quel que soit le livre considéré, se définit toujours de la même manière: il est *libérateur*. Et, sans doute, au XVIIe siècle aussi la littérature a une fonction libératrice mais qui demeure voilée et implicite. Au temps des encyclopédistes, il ne s'agit plus de libérer l'honnête homme de ses passions en les lui reflétant sans complaisance, mais de contribuer par sa plume à la libération politique de l'homme tout court. L'appel que l'écrivain adresse à son public bourgeois, c'est, qu'il le veuille ou non, une incitation à la révolte; celui qu'il lance dans le même temps à la classe dirigeante c'est une invite à la lucidité, à l'examen critique de soi-même, à l'abandon de ses privilèges. La condition de Rousseau ressemble beaucoup à celle de Richard Wright écrivant à la fois pour les Noirs éclairés et pour les Blancs: devant la noblesse il *témoigne* et dans le même temps il invite ses frères roturiers à prendre conscience d'eux-mêmes. Ses écrits et ceux de Diderot, de Condorcet, ce n'est pas seulement la prise de la Bastille qu'ils ont préparée de longue main: c'est aussi la nuit du 4 août.

Et comme l'écrivain croit avoir brisé les liens qui l'unissaient à sa classe d'origine, comme il parle à ses lecteurs du haut de la nature humaine universelle, il lui paraît que l'appel qu'il leur lance et la part qu'il prend à leurs malheurs sont dictés par la pure générosité. Écrire, c'est donner. C'est par là qu'il assume et sauve ce qu'il y a d'inacceptable dans sa situation de parasite d'une société laborieuse, par là aussi qu'il prend conscience de cette liberté absolue, de cette gratuité qui caractérisent la création littéraire. Mais, bien qu'il ait perpétuellement en vue l'homme universel et les droits abstraits de la nature humaine, il ne faudrait pas croire qu'il incarne le clerc tel que Benda l'a décrit. Car, puisque sa position est *critique* par essence, il faut bien qu'il ait *quelque chose* à critiquer; et les objets qui s'offrent d'abord à ses critiques ce sont les institutions, les superstitions, les traditions, les actes d'un gouvernement traditionnel. En d'autres termes, comme les murs de l'Éternité et du Passé qui soutenaient l'édifice idéologique du XVIIe siècle se lézardent et s'écroulent, l'écrivain perçoit dans sa pureté une nouvelle dimension de la temporalité: le Présent. Le Présent que les siècles antérieurs concevaient tantôt comme une figuration sensible de l'Éternel, et tantôt comme une émanation dégradée de l'Antiquité. De l'avenir, il ne possède encore qu'une notion confuse, mais cette heure-ci, qu'il est en train de vivre et qui fuit, il sait qu'elle est unique et qu'elle est à lui, qu'elle ne le cède en rien aux heures les plus magnifiques de l'Antiquité attendu que celles-ci ont commencé comme elle par être présentes: il sait qu'elle est sa chance et qu'il ne faut pas qu'il la laisse perdre; c'est pourquoi il n'envisage pas tant le combat qu'il doit mener comme une préparation de la société future que comme une entreprise à court terme et d'immédiate efficacité. C'est cette institutionci qu'il faut dénoncer — et sur l'heure — cette superstition-ci qu'il faut détruire tout de suite; c'est cette injustice particulière qu'il faut réparer. Ce sens passionné du présent le préserve de l'idéalisme: il ne se borne pas à contempler les idées éternelles de la Liberté ou de l'Égalité: pour la première fois depuis la Réforme, les écrivains interviennent dans la vie publique, protestent contre un décret inique, demandent la révision d'un procès, décident en un mot que le spirituel est dans la rue, à la foire, au marché, au tribunal et qu'il ne s'agit point de se détourner du temporel, mais d'y revenir sans cesse, au contraire, et de le dépasser en chaque circonstance particulière.

Ainsi le bouleversement de son public et la crise de la conscience européenne ont investi l'écrivain d'une fonction nouvelle. Il conçoit la littérature comme l'exercice permanent de la générosité. Il se soumet encore au contrôle étroit et rigoureux de ses pairs mais il entrevoit, au-dessous de lui, une attente informe et passionnée, un désir plus féminin, plus indifférencié qui le délivre de leur censure; il a désincarné le spirituel et a séparé sa cause de celle d'une idéologie agonisante; ses livres sont de libres appels à la liberté des lecteurs.

Le triomphe politique de la bourgeoisie, que les écrivains avaient appelé de tous leurs vœux, bouleverse leur condition de fond en comble et remet en question jusqu'à l'essence de la littérature; on dirait qu'ils n'ont fait tant d'efforts que pour préparer plus sûrement leur perte. En assimilant la cause des Belles-Lettres à celle de la démocratie politique, ils ont sans aucun doute aidé la bourgeoisie à s'emparer du pouvoir, mais du même coup ils s'exposaient, en cas de victoire, à voir disparaître l'objet de leurs revendications, c'est-à-dire le sujet perpétuel et presque unique de leurs écrits. En un mot, l'harmonie miraculeuse qui unissait les exigences propres de la littérature à celles de la bourgeoisie opprimée s'est rompue dès que les unes et les autres se sont réalisées. Tant que des millions d'hommes enrageaient de ne pouvoir exprimer leur sentiment, il était beau de réclamer le droit d'écrire librement et de tout examiner, mais dès que la liberté de pensée, de confession et l'égalité des droits politiques sont acquises, la défense de la littérature devient un jeu purement formel qui n'amuse plus personne; il faut trouver autre chose. Or, dans le même moment les écrivains ont perdu leur situation privilégiée: elle avait son origine dans la cassure qui déchirait leur public et qui leur permettait de jouer sur deux tableaux. Ces deux moitiés se sont recollées; la bourgeoisie a absorbé la noblesse ou peu s'en faut. Les auteurs doivent répondre aux demandes d'un public unifié. Tout espoir est perdu pour eux de sortir de leur classe d'origine. Nés de parents bourgeois, lus et payés par des bourgeois, il faudra qu'ils restent bourgeois, la bourgeoisie, comme une prison, s'est refermée sur eux. De la classe parasitaire et folle qui les nourrissait par caprice et qu'ils minaient sans remords, de leur rôle d'agent double, ils gardent un regret cuisant dont ils mettront un siècle à se guérir; il leur semble qu'ils ont tué la poule aux œufs d'or. La bourgeoisie inaugure des formes d'oppression nouvelles; cependant elle n'est pas parasitaire: sans doute elle s'est approprié les instruments de travail mais elle est fort diligente à régler l'organisation de la production et la répartition des produits. Elle ne conçoit pas l'œuvre littéraire comme une création gratuite et désintéressée, mais comme un service payé.

Le mythe justificateur de cette classe laborieuse et improductive c'est *l'utilitarisme*: d'une manière ou d'une autre le bourgeois fait fonction d'intermédiaire entre le producteur et le consommateur, il est le *moyen terme* élevé à la toute-puissance; il a donc dans le couple indissoluble du moyen et de la fin, choisi de donner la première importance au moyen. La fin est sous-entendue, on ne la regarde jamais en face, on la passe sous silence; le but et la dignité d'une vie humaine c'est de se consumer dans l'agencement des moyens; il n'est pas *sérieux* de s'employer sans intermédiaire à produire une fin absolue; c'est comme si l'on prétendait voir Dieu face à face sans le secours de l'Église. On ne fera crédit qu'aux entreprises dont la fin est l'horizon en perpétuel recul d'une série infinie de moyens. Si l'œuvre d'art entre dans la ronde utilitaire, si elle prétend qu'on la prenne au sérieux, il faudra qu'elle descende du ciel des fins inconditionnées et qu'elle se résigne à devenir utile à son tour, c'est-à-dire qu'elle se présente comme un moyen d'agencer des moyens. En particulier, comme le bourgeois n'est pas tout à fait sûr de soi, parce que sa puissance n'est pas assise sur un décret de la Providence, il faudra que la littérature l'aide à se sentir bourgeois de droit divin. Ainsi risque-t-elle, après avoir été au XVIIIᵉ siècle, la mauvaise conscience des privilégiés, de devenir, au XIXᵉ siècle, la bonne conscience d'une classe d'oppression. Passe encore si l'écrivain pouvait garder cet esprit de libre critique qui fit sa fortune et son orgueil au siècle précédent. Mais son public s'y oppose: tant que la bourgeoisie luttait contre le privilège de la noblesse, elle s'accommodait de la négativité destructrice. À présent qu'elle a le pouvoir, elle passe à la construction et demande qu'on l'aide à construire. Au sein de l'idéologie religieuse, la contestation demeurait possible parce que le croyant rapportait ses obligations et les articles de sa foi à la volonté de Dieu. Par là il établissait entre lui et le Tout-Puissant un lien concret et féodal de personne à personne. Ce recours au libre arbitre divin introduisait, encore que Dieu fût tout parfait et enchaîné à sa perfection, un élément de gratuité dans la morale chrétienne et, en conséquence, un peu de liberté dans la littérature. Le héros chrétien, c'est toujours Jacob en lutte avec l'ange, le saint *conteste* la volonté divine, même si c'est pour s'y soumettre encore plus étroitement. Mais l'éthique bourgeoise ne dérive pas de la Providence: ses règlements universels et abstraits sont inscrits dans les choses; ils ne sont pas l'effet d'une volonté souveraine et tout aimable, mais personnelle, ils ressembleraient plutôt aux lois incréées de la physique. Du moins on le suppose, car il n'est pas prudent d'y regarder de si près. Précisément parce que leur origine est obscure, l'homme sérieux se défend de les examiner. L'art bourgeois sera moyen ou il ne sera pas; il s'interdira de toucher aux principes de peur qu'ils ne s'effondrent[1] et de sonder trop avant le cœur humain de peur d'y trouver le désordre. Son public ne redoute

---

1. Le fameux «Si Dieu n'existe pas, tout est permis» de Dostoïevski est la révélation terrible que la bourgeoisie s'est efforcée de se cacher pendant les 150 ans de son règne.

rien tant que le talent, folie menaçante et heureuse, qui découvre le fond inquiétant des choses par des mots imprévisibles et, par des appels répétés à la liberté, remue le fond plus inquiétant encore des hommes. La *facilité* se vend mieux: c'est le talent enchaîné, tourné contre lui-même, l'art de rassurer par des discours harmonieux et prévus, de montrer, sur le ton de la bonne compagnie, que le monde et l'homme sont médiocres, transparents, sans surprises, sans menaces et sans intérêt.

Il y a plus: comme le bourgeois n'a de rapport avec les forces naturelles que par personnes interposées, comme la réalité matérielle lui apparaît sous forme de produits manufacturés, comme il est entouré, à perte de vue, d'un monde déjà humanisé qui lui renvoie sa propre image, comme il se borne à glaner à la surface des choses les significations que d'autres hommes y ont déposées, comme sa tâche consiste essentiellement à manier des symboles abstraits, mots, chiffres, schémas, diagrammes pour déterminer par quelles méthodes ses salariés répartiront les biens de consommation, comme sa culture tout aussi bien que son métier le disposent à penser sur de la pensée, il s'est convaincu que l'univers était réductible à un système d'idées; il dissout en idées l'effort, la peine, les besoins, l'oppression, les guerres: il n'y a pas de mal, mais seulement un pluralisme; certaines idées vivent à l'état libre, il faut les intégrer au système. Ainsi conçoit-il le progrès humain comme un vaste mouvement d'assimilation: les idées s'assimilent entre elles et les esprits entre eux. Au terme de cet immense processus digestif, la pensée trouvera son unification et la société son intégration totale. Un tel optimisme est à l'extrême opposé de la conception que l'écrivain se fait de son art: l'artiste a besoin d'une matière inassimilable parce que la beauté ne se résout pas en idées; même s'il est prosateur et s'il assemble des signes, il n'y aura ni grâce ni force dans son style s'il n'est sensible à la matérialité du mot et à ses résistances irrationnelles. Et s'il veut fonder l'univers dans son œuvre et le soutenir par une inépuisable liberté, c'est précisément parce qu'il distingue radicalement les choses de la pensée; sa liberté n'est homogène à la chose qu'en ceci que toutes deux sont insondables et, s'il veut réapproprier le désert ou la forêt vierge à l'Esprit, ce n'est pas en les transformant en idées de désert et de forêt, mais en faisant éclairer l'Être en tant qu'Être, avec son opacité, et son coefficient d'adversité, par la spontanéité indéfinie de l'Existence. C'est pourquoi l'œuvre d'art ne se réduit pas à l'idée: d'abord parce qu'elle est production ou reproduction d'un *être*, c'est-à-dire de quelque chose qui ne se laisse jamais tout à fait *penser;* ensuite parce que cet être est totalement pénétré par une *existence,* c'est-à-dire par une liberté qui décide du sort même et de la valeur de la pensée. C'est pourquoi aussi l'artiste a toujours eu une compréhension particulière du Mal, qui n'est pas l'isolement provisoire et remédiable d'une idée, mais l'irréductibilité du monde et de l'homme à la Pensée.

On reconnaît le bourgeois à ce qu'il nie l'existence des classes sociales et singulièrement de la bourgeoisie. Le gentilhomme veut commander parce qu'il appartient à une caste. Le bourgeois fonde sa puissance et son droit de gouverner sur la maturation exquise que donne la possession séculaire des biens de ce monde. Il n'admet d'ailleurs de rapports synthétiques qu'entre le propriétaire et la chose possédée; pour le reste il démontre par l'analyse que tous les hommes sont semblables parce qu'ils sont les éléments invariants des combinaisons sociales et parce que chacun d'eux, quel que soit le rang qu'il occupe, possède entièrement la *nature humaine.* Dès lors les inégalités apparaissent comme des accidents fortuits et passagers qui ne peuvent altérer les caractères permanents de l'atome social. Il n'y a pas de prolétariat, c'est-à-dire pas de classe synthétique dont chaque ouvrier soit un mode passager; il y a seulement des prolétaires, isolés chacun dans sa nature humaine, et qui ne sont pas unis entre eux par une solidarité interne, mais seulement par des liens externes de ressemblance. Entre les individus que sa propagande analytique a circonvenus et séparés, le bourgeois ne voit que des relations *psychologiques.* Cela se conçoit: comme il n'a pas de prise directe sur les choses, comme son travail s'exerce essentiellement sur des hommes, il s'agit uniquement pour lui de plaire

et d'intimider; la cérémonie, la discipline et la politesse règlent ses conduites, il tient ses semblables pour des marion-
nettes et s'il veut acquérir quelque connaissance de leurs
affections et de leur caractère, c'est que chaque passion lui
semble une ficelle qu'on peut tirer, le bréviaire du bourgeois
ambitieux et pauvre, c'est un «Art de Parvenir», le bréviaire
du riche c'est «l'Art de Commander». La bourgeoisie considère donc l'écrivain comme un expert; s'il se lance dans des
méditations sur l'ordre social, il l'ennuie et l'effraie: elle lui
demande seulement de lui faire partager son expérience pratique du cœur de l'homme. Voilà la littérature réduite,
comme au XVIIᵉ siècle, à la psychologie. Encore la psychologie
de Corneille, de Pascal, de Vauvenargues, était-elle un appel
cathartique à la liberté. Mais le commerçant se méfie de la liberté de ses pratiques et le préfet de celle du sous-préfet. Ils
souhaitent seulement qu'on leur fournisse des recettes in-
faillibles pour séduire et pour dominer. Il faut que l'homme
soit gouvernable à coup sûr et par de petits moyens, en un
mot il faut que les lois du cœur soient rigoureuses et sans exceptions. Le chef bourgeois ne croit pas plus à la liberté humaine que le savant ne croit au miracle. Et comme sa morale
est utilitaire, le ressort principal de sa psychologie sera l'intérêt. Il ne s'agit plus pour l'écrivain d'adresser son œuvre,
comme un appel, à des libertés absolues, mais d'exposer les
lois psychologiques qui le déterminent à des lecteurs déterminés comme lui.

Idéalisme, psychologisme, déterminisme, utilitarisme,
esprit de sérieux, voilà ce que l'écrivain bourgeois doit refléter d'abord à son public. On ne lui demande plus de restituer
l'étrangeté et l'opacité du monde mais de le dissoudre en impressions élémentaires et subjectives qui en rendent la digestion plus aisée — ni de retrouver au plus profond de sa liberté les plus intimes mouvements du cœur, mais de confronter son «expérience» avec celle de ses lecteurs Ses ouvrages
sont tout à la fois des inventaires de la propriété bourgeoise,
des expertises psychologiques tendant invariablement à fonder les droits de l'élite et à montrer la sagesse des institutions,
des manuels de civilité. Les conclusions sont arrêtées d'avance;

d'avance on a établi le degré de profondeur permis à l'investigation, les ressorts psychologiques ont été sélectionnés, le style même est réglementé. Le public ne craint aucune surprise, il peut acheter les yeux fermés. Mais la littérature est assassinée. D'Émile Augier à Marcel Prévost et à Edmond Jaloux en passant par Dumas fils, Pailleron, Ohnet, Bourget, Bordeaux, il s'est trouvé des auteurs pour conclure l'affaire et, si j'ose dire, faire honneur jusqu'au bout à leur signature. Ce n'est pas par hasard qu'ils ont écrit de mauvais livres: s'ils ont eu du talent, il a fallu le cacher.

Les meilleurs ont refusé. Ce refus sauve la littérature mais il en fixe les traits pour cinquante ans. À partir de 1848, en effet, et jusqu'à la guerre de 1914, l'unification radicale de son public amène l'auteur à écrire par principe *contre tous ses lecteurs*. Il vend pourtant ses productions, mais il méprise ceux qui les achètent et s'efforce de décevoir leurs vœux; c'est chose entendue qu'il vaut mieux être méconnu que célèbre, que le succès, s'il va jamais à l'artiste de son vivant, s'explique par un malentendu. Et si d'aventure le livre qu'on publie ne heurte pas assez, on y ajoutera une préface pour insulter. Ce conflit fondamental entre l'écrivain et son public est un phénomène sans précédent dans l'histoire littéraire. Au XVIIᵉ siècle l'accord entre littérateur et lecteurs est parfait; au XVIIIᵉ siècle, l'auteur dispose de deux publics également réels et peut à son gré s'appuyer sur l'un ou sur l'autre; le romantisme a été, à ses débuts, une vaine tentative pour éviter la lutte ouverte en restaurant cette dualité et en s'appuyant sur l'aristocratie contre la bourgeoisie libérale. Mais après 1850 il n'y a plus moyen de dissimuler la contradiction profonde qui oppose l'idéologie bourgeoise aux exigences de la littérature. Vers le même moment un public virtuel se dessine déjà dans les couches profondes de la société: déjà il attend qu'on le révèle à lui-même; c'est que la cause de l'instruction gratuite et obligatoire a fait des progrès: bientôt la troisième République consacrera pour tous les hommes le droit de lire et d'écrire. Que va faire l'écrivain? Optera-t-il pour la masse contre l'élite et tentera-t-il de recréer à son profit la dualité des publics?

Il le semblerait à première vue. À la faveur du grand mouvement d'idées qui brasse de 1830 à 1848 les zones marginales de la bourgeoisie, certains auteurs ont la révélation de leur public virtuel. Ils le parent, sous le nom de «Peuple», de grâces mystiques: le salut viendra par lui. Mais, pour autant qu'ils l'aiment, ils ne le connaissent guère et surtout ils n'émanent pas de lui. Sand est baronne Dudevant, Hugo, fils d'un général d'Empire. Même Michelet, fils d'un imprimeur, est encore bien éloigné des canuts lyonnais ou des tisseurs de Lille. Leur socialisme — quand ils sont socialistes — est un sous-produit de l'idéalisme bourgeois. Et puis surtout le peuple est bien plutôt le sujet de certaines de leurs œuvres que le public qu'ils ont élu. Hugo, sans doute, a eu la rare fortune de pénétrer partout; c'est un des seuls, peut-être le seul de nos écrivains qui soit vraiment populaire. Mais les autres se sont attiré l'inimitié de la bourgeoisie sans se créer, en contrepartie, un public ouvrier. Pour s'en convaincre, il n'est que de comparer l'importance que l'Université bourgeoise accorde à Michelet, génie authentique et prosateur de grande classe, et à Taine, qui ne fut qu'un cuistre ou à Renan dont le «beau style» offre tous les exemples souhaitables de bassesse et de laideur. Ce purgatoire où la classe bourgeoise laisse végéter Michelet est sans compensation: le «peuple» qu'il aimait, l'a lu pendant quelque temps et puis le succès du marxisme l'a rejeté dans l'oubli. En somme la plupart de ces auteurs sont les vaincus d'une révolution ratée; ils y ont attaché leur nom et leur destin. Aucun d'eux, sauf Hugo, n'a vraiment marqué la littérature.

Les autres, tous les autres, ont reculé devant la perspective d'un déclassement par en bas, qui les eût fait couler à pic, comme une pierre à leur cou. Ils ne manquent pas d'excuses: il était trop tôt, aucun lien réel ne les attachait au prolétariat, cette classe opprimée ne pouvait pas les absorber, elle ne connaissait pas le besoin qu'elle avait d'eux; leur décision de la défendre fût restée abstraite; quelle qu'eût été leur sincérité, ils se fussent «penchés» sur des malheurs qu'ils eussent compris avec leur tête sans les ressentir dans leur cœur. Déchus de leur classe d'origine, hantés par la mémoire d'une aisance qu'ils eussent dû s'interdire, ils couraient le risque de constituer, en marge du vrai prolétariat, un «prolétariat en faux col», suspect aux ouvriers, honni par les bourgeois, dont les revendications eussent été dictées par l'aigreur et le ressentiment plutôt que par la générosité, et qui se fût, pour finir, tourné à la fois contre les uns et contre les autres[2]. En outre, au XVIIIe siècle, les libertés nécessaires que réclame la littérature ne se distinguent pas des libertés politiques que le citoyen veut conquérir, il suffit à l'écrivain d'explorer l'essence arbitraire de son art et de se faire l'interprète de ses exigences formelles pour devenir révolutionnaire: la littérature est naturellement révolutionnaire, quand la révolution qui se prépare est bourgeoise parce que la première découverte qu'elle fait de soi lui révèle ses liens avec la démocratie politique. Mais les libertés formelles que défendront l'essayiste, le romancier, le poète, n'ont plus rien de commun avec les exigences profondes du prolétariat. Celui-ci ne songe pas à réclamer la liberté politique, dont il jouit après tout et qui n'est qu'une mystification[3]; de la liberté de penser, il n'a que faire, pour l'instant; ce qu'il demande est fort différent de ces libertés abstraites: il souhaite l'amélioration matérielle de son sort et, plus profondément, plus obscurément aussi, la fin de l'exploitation de l'homme par l'homme. Nous verrons plus tard que ces revendications sont homogènes à celles que pose l'art d'écrire conçu comme phénomène historique et concret, c'est-à-dire comme l'appel singulier et daté qu'un homme, en acceptant de s'historialiser, lance à propos de l'homme tout entier à tous les hommes de son époque. Mais, au XIXe siècle, la littérature vient de se dégager de l'idéologie religieuse et refuse de servir l'idéologie bourgeoise. Elle se pose donc comme indépendante par principe de toute espèce d'idéologie. De ce fait, elle garde son aspect abstrait de pure négati-

---

2. C'est un peu le cas de Jules Vallès, encore qu'une générosité naturelle ait perpétuellement lutté chez lui contre l'amertume.
3. Je n'ignore pas que les ouvriers ont défendu, bien plus que le bourgeois, la démocratie politique contre Louis-Napoléon Bonaparte, mais c'est qu'ils croyaient pouvoir réaliser, à travers elle, des réformes de structure.

vité. Elle n'a pas encore compris qu'elle *est elle-même* l'idéologie; elle s'épuise à affirmer son autonomie, que personne ne lui conteste. Cela revient à dire qu'elle prétend n'avoir aucun sujet privilégié et pouvoir traiter de toute matière également: il n'est pas douteux qu'on puisse écrire avec bonheur de la condition ouvrière; mais le choix de ce sujet dépend des circonstances, d'une libre décision de l'artiste; un autre jour on parlera d'une bourgeoise de province, un autre jour des mercenaires carthaginois. De temps en temps, un Flaubert affirmera l'identité du fond et de la forme, mais il n'en tirera aucune conclusion pratique. Comme tous ses contemporains, il reste tributaire de la définition que les Winckelmann et les Lessing, près d'un siècle plus tôt, ont donnée de la beauté et qui, d'une manière ou d'une autre, revient à la présenter comme la multiplicité dans l'unité. Il s'agit de capter le chatoiement du divers et de lui imposer une unification rigoureuse par le style. Le «style artiste» des Goncourt n'a pas d'autre signification: c'est une méthode formelle pour unifier et embellir toutes les matières, même les plus belles. Comment pourrait-on concevoir alors qu'il puisse y avoir un rapport interne entre les revendications des classes inférieures et les principes de l'art d'écrire? Proudhon semble être le seul à l'avoir deviné. Et Marx bien entendu. Mais ils n'étaient pas littérateurs. La littérature, tout absorbée encore par la découverte de son autonomie, est à elle-même son propre objet. Elle est passée à la période réflexive; elle éprouve ses méthodes, brise ses anciens cadres, tente de déterminer expérimentalement ses propres lois et de forger des techniques nouvelles. Elle avance tout doucement vers les formes actuelles du drame et du roman, le vers libre, la critique du langage. Si elle découvrait un contenu spécifique, il lui faudrait s'arracher à sa méditation sur soi et dégager ses normes esthétiques de la nature de ce contenu. En même temps les auteurs, en choisissant d'écrire pour un public virtuel, devraient adapter leur art à l'ouverture des esprits, ce qui revient à le déterminer d'après des exigences extérieures et non d'après son essence propre; il faudrait renoncer à des formes de récit, de poésie, de raisonnement même, pour le seul motif qu'elles ne seraient pas accessibles aux lecteurs sans culture. Il semble donc que la littérature courrait le risque de retomber dans l'aliénation. Aussi l'écrivain refuse-t-il, de bonne foi, d'asservir la littérature à un public et à un sujet déterminés. Mais il ne s'aperçoit pas du divorce qui s'opère entre la révolution concrète qui tente de naître et les jeux abstraits auxquels il se livre. Cette fois, ce sont les masses qui veulent le pouvoir et comme les masses n'ont pas de culture ni de loisirs, toute prétendue révolution littéraire, en raffinant sur la technique, met hors de leur portée les ouvrages qu'elle inspire et sert les intérêts du conservatisme social.

Il faut donc en revenir au public bourgeois. L'écrivain se vante d'avoir rompu tout commerce avec lui, mais, en refusant le déclassement par en bas, il condamne sa rupture à rester symbolique: il la joue sans relâche, il l'indique par son vêtement, son alimentation, son ameublement, les mœurs qu'il se donne, mais il ne la fait pas. C'est la bourgeoisie qui le lit, c'est elle seule qui le nourrit et qui décide de sa gloire. En vain fait-il semblant de prendre du recul pour la considérer d'ensemble: s'il veut la juger, il faudrait d'abord qu'il en sorte et il n'est pas d'autre façon d'en sortir que d'éprouver les intérêts et la manière de vivre d'une autre classe. Comme il ne s'y décide pas, il vit dans la contradiction et dans la mauvaise foi puisqu'il sait à la fois et ne veut pas savoir *pour qui* il écrit. Il parle volontiers de sa *solitude* et, plutôt que d'assumer le public qu'il s'est sournoisement choisi, il invente qu'on écrit pour soi seul ou pour Dieu, il fait de l'écriture une occupation métaphysique, une prière, un examen de conscience, tout sauf une communication. Il s'assimile fréquemment à un possédé, parce que, s'il vomit les mots sous l'empire d'une nécessité intérieure, au moins ne les *donne*-t-il pas. Mais cela n'empêche qu'il corrige soigneusement ses écrits. Et d'autre part il est si loin de vouloir du mal à la bourgeoisie qu'il ne lui conteste même pas le droit de gouverner. Bien au contraire. Flaubert le lui a reconnu nommément et sa correspondance abonde, après la Commune qui lui fit si grand-peur, en injures ignobles contre les ouvriers[4]. Et comme l'artiste, enfoncé dans son milieu, ne peut le juger du dehors, comme ses refus sont des états d'âme sans effet, il ne s'aperçoit pas même que la bourgeoisie est classe d'oppression; au vrai il ne la tient pas du tout pour une classe mais pour une espèce naturelle et, s'il se risque à la décrire, il le fera en termes strictement psychologiques. Ainsi l'écrivain bourgeois et l'écrivain maudit se meuvent sur le même plan; leur seule différence c'est que le premier fait de la psychologie blanche et le second de la psychologie noire. Lorsque Flaubert déclare, par exemple, qu'il «appelle bourgeois tout ce qui

---

4. On m'a si souvent reproché d'être injuste pour Flaubert que je ne puis résister au plaisir de citer les textes suivants, que chacun peut vérifier dans la Correspondance:

«Le néo-catholicisme d'une part et le socialisme de l'autre ont abêti la France. Tout se meut entre l'Immaculée Conception et les gamelles ouvrières.» (1868.)

«Le premier remède serait d'en finir avec le suffrage universel, la honte de l'esprit humain.» (8 septembre 1871.)

«Je vaux bien vingt électeurs de Croisset...» (1871.)

«Je n'ai aucune haine pour les communeux, pour la raison que je ne hais pas les chiens enragés.» (Croisset, 1871.)

«Je crois que la foule, le troupeau, sera toujours haïssable. Il n'y a d'important qu'un petit groupe d'esprits, toujours les mêmes, qui se repassent le flambeau.» (Croisset, 8 septembre 1871.)

«Quant à la Commune, qui est en train de râler, c'est la dernière manifestation du Moyen Âge.»

«Je hais la démocratie (telle du moins qu'on l'entend en France), c'est-à-dire l'exaltation de la grâce au détriment de la justice, la négation du droit, en un mot l'antisociabilité.»

«La Commune réhabilite les assassins...»

«Le peuple est un éternel mineur, et il sera toujours au dernier rang, puisqu'il est le nombre, la masse, l'illimité.»

«Peu importe que beaucoup de paysans sachent lire et n'écoutent plus leur curé, mais il importe infiniment que beaucoup d'hommes comme Renan ou Littré puissent vivre et soient écoutés! Notre salut est maintenant dans une *aristocratie légitime*, j'entends par là une majorité qui se composera d'autre chose que de chiffres.» (1871.)

«Croyez-vous que si la France, au lieu d'être gouvernée, en somme, par la foule, était au pouvoir des mandarins, nous en serions là? Si, au lieu d'avoir voulu éclairer les basses classes, on se fût occupé d'instruire les hautes... (Croisset, mercredi 3 août 1870.)

pense bassement», il définit le bourgeois en termes psychologiques et idéalistes, c'est-à-dire dans la perspective de l'idéologie qu'il prétend refuser. Du coup il rend un signalé service à la bourgeoisie: il ramène au bercail les révoltés, les désadaptés qui risqueraient de passer au prolétariat, en les persuadant qu'on peut dépouiller le bourgeois en soi-même par une simple discipline intérieure; si seulement ils s'exercent dans le privé à penser noblement, ils peuvent continuer à jouir, la conscience en paix, de leurs biens et de leurs prérogatives; ils habitent encore bourgeoisement, jouissent encore bourgeoisement de leurs revenus et fréquentent des salons bourgeois, mais tout cela n'est plus qu'une apparence, ils se sont élevés au-dessus de leur espèce par la noblesse de leurs sentiments. Du même coup il donne à ses confrères le truc qui leur permettra de garder en tout cas une bonne conscience: car la magnanimité trouve son application privilégiée dans l'exercice des arts.

La solitude de l'artiste est truquée doublement: elle dissimule non seulement un rapport réel au grand public mais encore la reconstitution d'un public de spécialistes. Puisqu'on abandonne au bourgeois le gouvernement des hommes et des biens, le spirituel se sépare à nouveau du temporel, on voit renaître une sorte de cléricature. Le public de Stendhal c'est Balzac, celui de Baudelaire, c'est Barbey d'Aurevilly et Baudelaire à son tour se fait public de Poe. Les salons littéraires ont pris un vague aspect collégial, on y «parle littérature» à mi-voix, avec un infini respect, on y débat si le musicien tire plus de jouissance esthétique de sa musique que l'écrivain de ses livres; à mesure qu'il se détourne de la vie, l'art redevient sacré. Il s'est même institué une sorte de communion des saints: on donne la main par-dessus les siècles à Cervantès, à Rabelais, à Dante, on s'intègre à cette société monastique; la cléricature au lieu d'être un organisme concret et, pour ainsi dire, géographique, devient une institution successive, un club dont tous les membres sont morts, sauf un, le dernier en date qui représente les autres sur terre et résume en lui tout le collège. Ces nouveaux croyants, qui ont leurs saints dans le passé, ont aussi leur vie future. Le divorce du temporel et du spirituel amène une modification profonde de l'idée de gloire:

du temps de Racine, elle n'était pas tant la revanche de l'écrivain méconnu que le prolongement naturel du succès dans une société immuable. Au XIXᵉ siècle, elle fonctionne comme un mécanisme de surcompensation. «Je serai compris en 1880», «Je gagnerai mon procès en appel», ces mots fameux prouvent que l'écrivain n'a pas perdu le désir d'exercer une action directe et universelle dans le cadre d'une collectivité intégrée. Mais comme cette action n'est pas possible dans le présent, on projette, dans un avenir indéfini, le mythe compensateur d'une réconciliation entre l'écrivain et son public. Tout cela reste d'ailleurs fort vague: aucun de ces amateurs de gloire ne s'est demandé dans quelle espèce de société il pourrait trouver sa récompense; ils se plaisent seulement à rêver que leurs petits-neveux bénéficieront d'une amélioration intérieure, pour être venus plus tard et dans un monde plus vieux. C'est ainsi que Baudelaire, qui ne s'embarrasse pas des contradictions, panse souvent les plaies de son orgueil par la considération de sa renommée posthume, quoiqu'il tienne que la société soit entrée dans une période de décadence qui ne se terminera qu'avec la disparition du genre humain.

Pour le présent donc, l'écrivain recourt à un public de spécialistes; pour le passé il conclut un pacte mystique avec les grands morts; pour le futur il use du mythe de la gloire. Il n'a rien négligé pour s'arracher symboliquement à sa classe. Il est en l'air, étranger à son siècle, dépaysé, maudit. Toutes ces comédies n'ont qu'un but: l'intégrer à une société symbolique qui soit comme une image de l'aristocratie d'ancien régime. La psychanalyse est familière avec ces processus d'identification dont la pensée artistique offre de nombreux exemples: le malade qui, pour s'évader, a besoin de la clé de l'asile, arrive à croire qu'il est lui-même cette clé. Ainsi l'écrivain qui a besoin de la faveur des grands pour se déclasser finit par se prendre pour l'incarnation de toute la noblesse. Et comme celle-ci se caractérisait par son parasitisme, c'est l'ostentation de parasitisme qu'il choisira pour style de vie. Il se fera le martyr de la consommation pure. Il ne voit, nous l'avons dit, aucun inconvénient à user des biens de la bourgeoisie, mais c'est à condition de les dépenser, c'est-à-dire de les transformer en objets improductifs et inutiles; il les brûle, en quelque sorte, parce que le feu purifie tout. Comme, d'ailleurs, il n'est pas toujours riche et qu'il faut bien vivre, il se compose une vie étrange, prodigue et besogneuse à la fois, où une imprévoyance calculée symbolise la folle générosité qui lui demeure interdite. En dehors de l'art, il ne trouve de noblesse qu'en trois sortes d'occupations. Dans l'amour d'abord, parce que c'est une inutile passion et parce que les femmes sont, comme dit Nietzsche, le jeu le plus dangereux. Dans les voyages aussi, parce que le voyageur est un perpétuel témoin, qui passe d'une société à une autre sans jamais demeurer dans aucune et parce que, consommateur *étranger* dans une collectivité laborieuse, il est l'image même du parasitisme. Parfois aussi dans la guerre, parce que c'est une immense consommation d'hommes et de biens.

Le discrédit où l'on tenait les métiers dans les sociétés aristocratiques et guerrières, on le retrouve chez l'écrivain: il ne lui suffit pas d'être inutile, comme les courtisans de l'Ancien Régime, il veut pouvoir fouler aux pieds le travail utilitaire, casser, brûler, détériorer, imiter la désinvolture des seigneurs qui faisaient passer leurs chasses à travers les blés mûrs. Il cultive en lui ces impulsions destructrices dont Baudelaire a parlé dans *Le vitrier*. Un peu plus tard, il aimera entre tous les ustensiles malfaçonnés, ratés ou hors d'usage, déjà à moitié repris par la nature, et qui sont comme des caricatures de l'ustensilité. Sa propre vie, il n'est pas rare qu'il la considère comme un outil à détruire, il la risque en tout cas et joue à perdre: l'alcool, les drogues, tout lui est bon. La perfection dans l'inutile, bien entendu, c'est la beauté. De «l'art pour l'art» au symbolisme, en passant par le réalisme et le Parnasse, toutes les écoles sont d'accord en ceci que l'art est la forme la plus élevée de la consommation pure. Il n'enseigne rien, il ne reflète aucune idéologie, il se défend surtout d'être moralisateur: bien avant que Gide l'ait écrit, Flaubert, Gautier, les Goncourt, Renard, Maupassant ont dit à leur manière que «c'est avec les bons sentiments qu'on fait la mauvaise littérature». Pour les uns la littérature est la subjectivité portée à l'absolu, un feu de joie où se tordent les sarments noirs de leurs souffrances et de leurs vices; gisant au fond du monde comme dans un cachot, ils le dépassent et le dissipent par leur insatisfaction révélatrice des «ailleurs». Il leur paraît que leur cœur est assez singulier pour que la peinture qu'ils en font demeure résolument stérile. D'autres se constituent les témoins impartiaux de leur époque. Mais ils ne témoignent aux yeux de personne; ils élèvent à l'absolu témoignage et témoins; ils présentent au ciel vide le tableau de la société qui les entoure. Circonvenus, transposés, unifiés, pris au piège d'un style artiste, les événements de l'univers sont neutralisés et, pour ainsi dire, mis entre parenthèses; le réalisme est une «épochè». L'impossible vérité rejoint ici l'inhumaine Beauté «belle comme un rêve de pierre». Ni l'auteur, tant qu'il écrit, ni le lecteur, tant qu'il lit, ne sont plus de ce monde; ils se sont mués en pur regard; ils considèrent l'homme du dehors, ils s'efforcent de prendre sur lui le point de vue de Dieu, ou, si l'on veut, du vide absolu. Mais après tout je puis encore me reconnaître dans la description que le plus pur des lyriques fait de ses particularités; et, si le roman expérimental imite la science, n'est-il pas utilisable comme elle, ne peut-il avoir, lui aussi, ses *applications* sociales? Les extrémistes souhaitent, par terreur de servir, que leurs ouvrages ne puissent pas même éclairer le lecteur sur son propre cœur, ils refusent de transmettre leur expérience. À la limite l'œuvre ne sera tout à fait gratuite que si elle est tout à fait inhumaine. Au bout de cela, il y a l'espoir d'une création absolue, quintessence du luxe et de la prodigalité, inutilisable en ce monde parce qu'elle *n'est pas du monde* et qu'elle n'en rappelle rien: l'imagination est conçue comme faculté inconditionnée de *nier* le réel et l'objet d'art s'édifie sur l'effondrement de l'univers. Il y a l'artificialisme exaspéré de Des Esseintes, le dérèglement systématique de tous les sens et, pour finir, la destruction concertée du langage. Il y a aussi le silence: ce silence de glace, l'œuvre de Mallarmé — ou celui de M. Teste pour qui toute communication est impure.

L'extrême pointe de cette littérature brillante et mortelle, c'est le néant. Sa pointe extrême et son essence profonde: le nouveau spirituel n'a rien de positif, il est négation pure et simple du temporel; au Moyen Âge c'est le temporel qui est l'inessentiel par rapport à la Spiritualité; au XIXᵉ siècle l'inverse se produit: le temporel est premier, le spirituel est le parasite inessentiel qui le ronge et tente de le détruire. Il s'agit de nier le monde ou de le consommer. De le nier en le consommant. Flaubert écrit pour se débarrasser des hommes et des choses. Sa phrase cerne l'objet, l'attrape, l'immobilise et lui casse les reins, se referme sur lui, se change en pierre et le pétrifie avec elle. Elle est aveugle et sourde, sans artères; pas un souffle de vie, un silence profond la sépare de la phrase qui suit; elle tombe dans le vide, éternellement, et entraîne sa proie dans cette chute infinie. Toute réalité, une fois décrite, est rayée de l'inventaire: on passe à la suivante. Le réalisme n'est rien d'autre que cette grande chasse morne. Il s'agit de se tranquilliser avant tout. Partout où il a passé, l'herbe ne pousse plus. Le déterminisme du roman naturaliste écrase la vie, remplace l'action humaine par des mécanismes à sens unique. Il n'a guère qu'un sujet: la lente désagrégation d'un homme, d'une entreprise, d'une famille, d'une société; il faut retourner à zéro, on prend la nature en état de déséquilibre productif et l'on efface ce déséquilibre, on revient à un équilibre de mort par l'annulation des forces en présence. Lorsqu'il nous montre, par hasard, la réussite d'un ambitieux c'est une apparence: Bel Ami ne prend pas d'assaut les redoutes de la bourgeoisie, c'est un ludion dont la montée témoigne seulement de l'effondrement d'une société. Et lorsque le symbolisme découvre l'étroite parenté de la beauté et de la mort, il ne fait qu'expliciter le thème de toute la littérature du demi-siècle. Beauté du passé, parce qu'il n'est plus, beauté des jeunes mourantes et des fleurs qui se fanent, beauté de toutes les érosions et de toutes les ruines, suprême dignité de la consommation, de la maladie qui mine, de l'amour qui dévore, de l'art qui tue; la mort est partout, devant nous, derrière nous, jusque dans le soleil et les parfums de la terre. L'art de Barrès est une méditation de la mort: une chose n'est belle que lorsqu'elle est «consommable», c'est-à-dire qu'elle meurt quand on en jouit. La structure temporelle qui convient particulièrement à ces jeux de princes, c'est l'instant. Parce qu'il passe et parce qu'il est, en lui-même, l'image de l'éternité, il est la négation du temps humain, ce temps à trois dimensions du travail et de l'histoire. Il faut beaucoup de temps pour édifier, un instant suffit à tout jeter par terre. Lorsqu'on considère dans cette perspective l'œuvre de Gide, on ne peut s'empêcher d'y voir une éthique, strictement réservée à l'écrivain-consommateur. Son acte gratuit, qu'est-il, sinon l'aboutissement d'un siècle de comédie bourgeoise et l'impératif de l'auteur-gentilhomme. Il est frappant que les exemples en soient tous empruntés à la consommation: Philoctète donne son arc, le millionnaire dilapide ses billets de banque, Bernard vole, Lafcadio tue, Ménalque vend ses meubles. Ce mouvement destructeur ira jusqu'à ses conséquences extrêmes: «L'acte surréaliste le plus simple, écrira Breton, vingt ans plus tard, consiste, revolver au poing, à descendre dans la rue et à tirer au hasard, tant qu'on peut, dans la foule.» C'est le terme dernier d'un long processus dialectique: au XVIIIe siècle la littérature était négativité; sous le règne de la bourgeoisie, elle passe à l'état de Négation absolue et hypostasiée, elle devient un processus multicolore et chatoyant d'anéantissement. «Le surréalisme n'est pas intéressé à tenir grand compte… de tout ce qui n'a pas pour fin l'anéantissement de l'être en un brillant intérieur et aveugle qui ne soit pas plus l'âme de la glace que celle du feu», écrit encore Breton. À la limite il ne reste plus à la littérature qu'à se contester elle-même. C'est ce qu'elle fait sous le nom de surréalisme: on a écrit pendant soixante-dix ans pour consommer le monde; on écrit après 1918 pour consommer la littérature; on dilapide les traditions littéraires, on gaspille les mots, on les jette les uns contre les autres pour les faire éclater. La littérature comme Négation absolue devient l'Antilittérature; jamais elle n'a été *plus littéraire:* la boucle est bouclée.

Dans le même temps l'écrivain, pour imiter la légèreté gaspilleuse d'une aristocratie de naissance, n'a pas de plus grand souci que d'établir son irresponsabilité. Il a commencé par poser les droits du génie, qui remplacent le droit divin de la monarchie autoritaire. Puisque la Beauté, c'est le luxe porté à l'extrême, puisqu'elle est un bûcher aux flammes froides qui éclaire et consume toute chose, puisqu'elle se nourrit de toutes les formes de l'usure et de la destruction, en particulier de la souffrance et de la mort, l'artiste, qui est son prêtre, a le droit d'exiger en son nom et de provoquer au besoin le malheur de ses proches. Quant à lui, depuis longtemps il brûle, il est en cendres; il faut d'autres victimes pour alimenter la flamme. Des femmes en particulier; elles le feront souffrir et il le leur rendra bien; il souhaite pouvoir porter malheur à tout ce qui l'entoure. Et s'il n'a pas le moyen de provoquer les catastrophes, il se contentera d'accepter les offrandes. Admirateurs, admiratrices sont là pour qu'il incendie leurs cœurs ou qu'il dépense leur argent sans gratitude ni remords. Maurice Sachs rapporte que son grand-père maternel, qui avait pour Anatole France une admiration maniaque, dépensa une fortune à meubler la villa Saïd. À sa mort, France prononça cet éloge funèbre: «Dommage! Il était meublant.» En prenant l'argent du bourgeois l'écrivain exerce son sacerdoce puisqu'il distrait une part des richesses pour l'anéantir en fumée. Et, du même coup, il se place au-dessus de toutes les responsabilités: devant qui donc serait-il responsable? Et au nom de quoi? Si son œuvre visait à construire, on pourrait lui demander des comptes. Mais puisqu'elle s'affirme destruction pure, il échappe au jugement. Tout cela demeure, à la fin du siècle, passablement confus et contradictoire. Mais lorsque la littérature, avec le surréalisme, se fera provocation au meurtre, on verra l'écrivain, par un enchaînement paradoxal mais logique, poser explicitement le principe de sa totale irresponsabilité. À vrai dire, il n'en donne pas clairement les raisons, il se réfugie dans les maquis de l'écriture automatique. Mais les motifs sont évidents: une aristocratie parasitaire de pure consommation dont la fonction est de brûler sans relâche les biens d'une société laborieuse et productive ne saurait être justiciable de la collectivité qu'elle détruit. Et comme cette destruction systématique ne va jamais plus loin que le *scandale,* cela revient à dire, au fond, que l'écrivain a pour premier devoir de provoquer le scandale et pour droit imprescriptible d'échapper à ses conséquences.

La bourgeoisie laisse faire; elle sourit de ces étourderies. Peu lui importe que l'écrivain la méprise: ce mépris n'ira pas loin, puisqu'elle est son seul public; il n'en parle qu'à elle, il lui en fait la confidence; c'est en quelque sorte le lien qui les unit. Et même s'il obtenait l'audience populaire, quelle apparence qu'il puisse attiser le mécontentement des masses en leur exposant que le bourgeois pense bassement? Il n'y a aucune chance qu'une doctrine de la consommation absolue puisse circonvenir les classes laborieuses. Au reste la bourgeoisie sait bien que l'écrivain a pris secrètement son parti: il a besoin d'elle pour justifier son esthétique d'opposition et de ressentiment; c'est d'elle qu'il reçoit les biens qu'il consomme; il souhaite conserver l'ordre social pour pouvoir s'y sentir un étranger à demeure: en bref, c'est un révolté, non pas un révolutionnaire. Des révoltés, elle fait son affaire. En un sens, même, elle se fait leur complice: il vaut mieux contenir les forces de négation dans un vain esthétisme, dans une révolte sans effet; libres, elles pourraient s'employer au service des classes opprimées. Et puis les lecteurs bourgeois entendent à leur façon ce que l'écrivain nomme la *gratuité* de son œuvre: pour celui-ci c'est l'essence même de la spiritualité et la manifestation héroïque de sa rupture avec le temporel; pour ceux-là un ouvrage gratuit est foncièrement inoffensif, c'est un divertissement; ils préféreront sans doute la littérature de Bordeaux, de Bourget, mais ils ne trouvent pas mauvais qu'il y ait des livres inutiles qui détournent l'esprit des préoccupations sérieuses et lui donnent la récréation dont il a besoin pour se refaire. Ainsi, même en reconnaissant que l'œuvre d'art ne peut servir à rien, le public bourgeois trouve encore moyen de l'utiliser. Le succès de l'écrivain est bâti sur ce malentendu: comme il se réjouit d'être méconnu, il est normal que ses lecteurs se méprennent. Puisque la littérature, entre ses mains, est devenue cette négation abstraite, qui se nourrit d'elle-même, il doit s'attendre à ce qu'ils sourient de ses plus vives in sultes en disant: «Ce n'est que de la littérature»; et puisqu'elle est pure contestation de l'esprit de sérieux il doit trouver bon qu'ils refusent par principe de le prendre au sérieux. Enfin ils se retrouvent, fût-ce même avec scandale et sans s'en rendre tout à fait compte, dans les œuvres les plus «nihilistes» de l'époque. C'est que l'écrivain, eût-il mis tous ses soins à se masquer ses lecteurs, n'échappera jamais complètement à leur insidieuse influence. Bourgeois honteux, écrivant pour les bourgeois sans se l'avouer, il peut bien lancer les idées les plus folles: les idées ne sont souvent que des bulles qui naissent à la surface de l'esprit. Mais sa technique le trahit parce qu'il ne la surveille pas avec le même zèle, elle exprime un choix plus profond et plus vrai, une obscure métaphysique, une relation authentique avec la société contemporaine. Quel que soit le cynisme, quelle que soit l'amertume du sujet choisi, la technique romanesque du XIXᵉ siècle offre au public français une image rassurante de la bourgeoisie. À vrai dire, nos auteurs l'ont héritée, mais c'est à eux qu'il revient de l'avoir mise au point. Son apparition, qui remonte à la fin du Moyen Âge, a coïncidé avec la première médiation réflexive par laquelle le romancier a pris connaissance de son art. Au commencement il racontait sans se mettre en scène ni méditer sur sa fonction, parce que les sujets de ses récits étaient presque tous d'origine folklorique ou, en tout cas, collective et qu'il se bornait à les mettre en œuvre; le caractère social de la matière qu'il travaillait comme aussi le fait qu'elle existât avant qu'il vint à s'en occuper lui conféraient un rôle d'intermédiaire et suffisaient à le justifier: il était l'homme qui savait les plus belles histoires et qui, au lieu de les conter oralement, les couchait par écrit; il inventait peu, il fignolait, il était l'historien de l'imaginaire. Quand il s'est mis à forger lui-même les fictions qu'il publiait, il s'est vu: il a découvert à la fois sa solitude presque coupable et la gratuité injustifiable, la subjectivité de la création littéraire. Pour les masquer aux yeux de tous et à ses propres yeux, pour fonder son droit d'écrire, il a voulu donner à ses inventions les apparences du vrai. Faute de pouvoir garder à ses récits l'opacité presque matérielle qui les caractérisait quand ils émanaient de l'imagination collective, il a feint tout au moins qu'ils ne vinssent pas de lui et il a tenu à les donner comme des souvenirs. Pour cela, il s'est fait représenter dans ses ouvrages par un narrateur de tradition orale, en même temps qu'il y introduisait un auditoire fictif qui représentait son public réel. Tels ces personnages du *Décaméron*, que leur exil temporaire rapproche curieusement de la condition des clercs et qui tiennent tour à tour le rôle de narrateurs, d'auditeurs, de critiques. Ainsi, après le temps du réalisme objectif et métaphysique où les mots du récit étaient pris pour les choses mêmes qu'ils nommaient et où sa substance était l'univers, vient celui de l'idéalisme littéraire où le mot n'a d'existence que dans une bouche ou sous une plume et renvoie par essence à un parleur dont il atteste la présence, où la substance du récit est la subjectivité qui perçoit et pense l'univers, et où le romancier, au lieu de mettre le lecteur directement en contact avec l'objet, est devenu conscient de son rôle de médiateur et incarne la médiation dans un récitant fictif. Dès lors l'histoire qu'on livre au public a pour caractère principal d'être déjà pensée, c'est-à-dire classée, ordonnée, émondée, clarifiée, ou plutôt de ne se livrer qu'à travers les pensées qu'on forme rétrospectivement sur elle. C'est pourquoi, alors que le temps de l'épopée, qui est d'origine collective, est fréquemment le présent, celui du roman est presque toujours le passé. En passant de Boccace à Cervantès puis aux romans français du XVIIe et du XVIIIe siècles, le procédé se complique et devient à tiroirs, parce que le roman ramasse en route et s'incorpore la satire, la fable et le portrait[5]: le romancier apparaît au premier chapitre, il annonce, il interpelle ses lecteurs, les admoneste, les assure de la vérité de son histoire; c'est ce que je nommerai la subjectivité première; puis, en cours de route, des personnages secondaires interviennent, que le premier narrateur a rencontrés et qui interrompent le cours de l'intrigue pour raconter leurs propres infortunes: ce sont les subjectivités secondes, soutenues et restituées par la subjectivité première: ainsi certaines histoires sont repensées et intellectualisées au

---

5. Dans *Le diable boiteux*, par exemple. Le Sage *romance* les caractères de La Bruyère et les maximes de La Rochefoucauld, c'est-à-dire qu'il les relie par le fil ténu d'une intrigue.

second degré[6]. Les lecteurs ne sont jamais débordés par l'événement: si le narrateur en a été surpris au moment qu'il s'est produit, il ne leur *communique* pas sa surprise; il leur en *fait part*, simplement. Quant au romancier, comme il est persuadé que la seule réalité du mot est d'être dit, comme il vit en un siècle poli où il existe encore un art de causer, il introduit des causeurs dans son livre pour justifier les mots qu'on y lit; mais comme il figure par des mots les personnages dont la fonction est de parler, il n'échappe pas au cercle vicieux[7]. Et, certes, les auteurs du XIXe siècle ont fait porter leur effort sur la narration de l'événement, ils ont tenté de rendre à celui-ci une partie de sa fraîcheur et de sa violence, mais ils ont pour la plupart repris la technique idéaliste qui correspondait parfaitement à l'idéalisme bourgeois. Des auteurs aussi dissemblables que Barbey d'Aurevilly et Fromentin l'emploient constamment. Dans *Dominique,* par exemple, on trouve une subjectivité première qui étaye une subjectivité seconde et c'est cette dernière qui fait le récit. Nulle part le procédé n'est plus manifeste que chez Maupassant. La structure de ses nouvelles est presque immuable: on nous y présente d'abord l'auditoire, en général société brillante et mondaine qui s'est réunie dans un salon, à l'issue d'un dîner. C'est la nuit, qui abolit tout, fatigues et passions. Les opprimés dorment, les révoltés aussi: le monde est enseveli, l'histoire reprend haleine. Il reste, dans une bulle de lumière entourée de néant, cette élite qui veille, tout occupée de ses cérémonies. S'il existe des intrigues entre ses membres, des amours, des haines, on ne nous le dit pas et, d'ailleurs, les désirs et les colères se sont tus: ces hommes et ces femmes sont occupés à *conserver* leur

---

6. Le procédé du roman par lettres n'est qu'une variété de celui que je viens d'indiquer. La lettre est récit subjectif d'un événement; elle renvoie à celui qui l'a écrite, qui devient à la fois acteur et subjectivité témoin. Quant à l'événement lui-même, bien qu'il soit récent, il est déjà repensé et expliqué: la lettre suppose toujours un décalage entre le fait (qui appartient à un passé proche) et son récit, qui est fait ultérieurement et dans un moment de loisir.

7. C'est l'inverse du cercle vicieux des surréalistes qui tentent de détruire la peinture par la peinture; ici on veut faire donner par la littérature les lettres de créance de la littérature.

culture et leurs manières et à se *reconnaître* par les rites de la politesse. Ils figurent l'ordre dans ce qu'il a de plus exquis: le calme de la nuit, le silence des passions, tout concourt à symboliser la bourgeoisie stabilisée de la fin du siècle, qui pense que rien n'arrivera plus et qui croit à l'éternité de l'organisation capitaliste. Là-dessus, le narrateur est introduit: c'est un homme d'âge, qui a «beaucoup vu, beaucoup lu et beaucoup retenu», un professionnel de l'expérience, médecin, militaire, artiste ou Don Juan. Il est parvenu à ce moment de la vie où, selon un mythe respectueux et commode, l'homme est libéré des passions et considère celles qu'il a eues avec une indulgente lucidité. Son cœur est calme comme la nuit, l'histoire qu'il raconte, il en est dégagé; s'il en a souffert, il a fait du miel avec sa souffrance, il se retourne sur elle et la considère en vérité, c'est-à-dire *sub specie æternitatis*. Il y a eu trouble, c'est vrai, mais ce trouble a pris fin depuis longtemps: les acteurs sont morts ou mariés ou consolés. Ainsi l'aventure est un bref désordre qui s'est annulé. Elle est racontée du point de vue de l'expérience et de la sagesse, elle est écoutée du point de vue de l'ordre. L'ordre triomphe, l'ordre est partout, il contemple un très ancien désordre aboli comme si l'eau dormante d'un jour d'été conservait la mémoire des rides qui l'ont parcourue. D'ailleurs y eût-il même jamais trouble? L'évocation d'un brusque changement effrayerait cette société bourgeoise. Ni le général ni le docteur ne livrent leurs souvenirs à l'état brut: ce sont des expériences, dont ils ont tiré le suc et ils nous avertissent, dès qu'ils prennent la parole, que leur récit comporte une moralité. Aussi l'histoire est-elle explicative: elle vise à produire sur un exemple une loi psychologique. Une loi, ou, comme dit Hegel, l'image calme du changement. Et le changement lui-même, c'est-à-dire l'aspect individuel de l'anecdote, n'est-ce pas une apparence? Dans la mesure où on l'explique, on réduit l'effet entier à la cause entière, l'inopiné à l'attendu et le neuf à l'ancien. Le narrateur opère sur l'événement humain ce travail que, selon Meyerson, le savant du XIXe siècle a opéré sur le fait scientifique: il réduit le divers à l'identique. Et si, de temps en temps, par malice, il veut garder à son histoire une allure un peu inquiétante, il dose soigneusement l'irréductibilité du changement, comme dans ces nouvelles fantastiques où, derrière l'inexplicable, l'auteur laisse soupçonner tout un ordre causal qui ramènerait la rationalité dans l'univers. Ainsi, pour le romancier issu de cette société stabilisée, le changement est un non-être, comme pour Parménide, comme le Mal pour Claudel. Existât-il d'ailleurs, il ne serait jamais qu'un bouleversement individuel dans une âme inadaptée. Il ne s'agit pas d'étudier dans un système en mouvement — la société, l'univers — les mouvements relatifs de systèmes partiels mais de considérer du point de vue du repos absolu le mouvement absolu d'un système partial relativement isolé; c'est dire qu'on dispose de repères absolus pour le déterminer et qu'on le connaît, en conséquence, dans son absolue vérité. Dans une société en ordre, qui médite son éternité et la célèbre par des rites, un homme évoque le fantôme d'un désordre passé, le fait miroiter, le pare de grâces surannées et, au moment qu'il va inquiéter, le dissipe d'un coup de baguette magique, lui substitue la hiérarchie éternelle des causes et des lois. On reconnaît en ce magicien, qui s'est délivré de l'histoire et de la vie en les comprenant et qui s'élève par ses connaissances et par son expérience au-dessus de son auditoire, l'aristocrate de survol dont nous parlions plus haut[8].

Si nous nous sommes étendus sur le procédé de narration qu'utilise Maupassant, c'est qu'il constitue la technique de base pour tous les romanciers français de sa génération, de la génération immédiatement antérieure et des générations suivantes. Le narrateur interne est toujours présent. Il peut se réduire à une abstraction, souvent même il n'est pas explicitement désigné, mais, de toute façon, c'est à travers sa subjectivité que nous apercevons l'événement. Quand il ne paraît

---

8. Quand Maupassant écrit *Le horla*, c'est-à-dire quand il parle de la folie qui le menace, le ton change. C'est qu'enfin quelque chose — quelque chose d'horrible — va arriver. L'homme est bouleversé, débordé; il ne comprend plus, il veut entraîner le lecteur dans sa terreur. Mais le pli est pris: faute d'une technique adaptée à la folie, à la mort, à l'histoire, il n'arrive pas à émouvoir.

pas du tout, ce n'est pas qu'on l'ait supprimé comme un ressort inutile: c'est qu'il est devenu la personnalité seconde de l'auteur. Celui-ci, devant sa feuille blanche, voit ses imaginations se transmuer en expériences, il n'écrit plus en son propre nom mais sous la dictée d'un homme mûr et de sens rassis qui fut témoin des circonstances relatées. Daudet, par exemple, est visiblement possédé par l'esprit d'un conteur de salon qui communique à son style les tics et l'aimable laisser-aller de la conversation mondaine, qui s'exclame, ironise, interroge, interpelle son auditoire: «Ah! qu'il était déçu, Tartarin! Et savez-vous pourquoi? Je vous le donne en mille...» Même les écrivains réalistes qui veulent être les historiens objectifs de leur temps conservent le schème abstrait de la méthode, c'est-à-dire qu'il y a un milieu commun, une trame commune à tous leurs romans, qui n'est pas la subjectivité individuelle et historique du romancier, mais celle, idéale et universelle, de l'homme d'expérience. D'abord le récit est fait au passé: passé de cérémonie, pour mettre une distance entre les événements et le public, passé subjectif, équivalant à la mémoire du conteur, passé social puisque l'anecdote n'appartient pas à l'histoire sans conclusion qui est en train de se faire mais à l'histoire déjà faite. S'il est vrai, comme le prétend Janet, que le souvenir se distingue de la résurrection somnambulique du passé en ce que celle-ci reproduit l'événement avec sa durée propre, tandis que celui-là indéfiniment compressible, peut se raconter en une phrase ou en un volume, selon les besoins de la cause, on peut bien dire que les romans de cette espèce, avec leurs brusques contractions du temps suivies de longs étalements sont très exactement des souvenirs. Tantôt le narrateur s'attarde à décrire une minute décisive, tantôt il saute par-dessus plusieurs années: «Trois ans s'écoulèrent, trois ans de morne souffrance...» Il ne s'interdit pas d'éclairer le présent de ses personnages au moyen de leur avenir: «Ils ne se doutaient pas alors que cette brève rencontre aurait des suites funestes» et, de son point de vue, il n'a pas tort, puisque ce présent et cet avenir sont tous les deux passés, puisque le temps de la mémoire a perdu son irréversibilité et qu'on peut le parcourir d'arrière en avant ou d'avant en arrière. Au reste les souvenirs qu'il nous livre, déjà travaillés, repensés, appréciés, nous offrent un enseignement immédiatement assimilable: les sentiments et les actes sont souvent présentés comme des exemples typiques des lois du cœur: «Daniel, comme tous les jeunes gens...» «Ève était bien femme en ceci que...» «Mercier avait ce tic fréquent chez les bureaucrates...» Et comme ces lois ne peuvent être déduites *a priori*, ni saisies par l'intuition, ni fondées sur une expérimentation scientifique et susceptible d'être reproduite universellement, elles renvoient le lecteur à la subjectivité qui a induit ces recettes des circonstances d'une vie mouvementée. En ce sens on peut dire que la plupart des romans français, sous la Troisième République, prétendent, quel que soit l'âge de leur auteur réel et d'autant plus vivement que cet âge est plus tendre, à l'honneur d'avoir été écrits par des quinquagénaires.

Pendant toute cette période, qui s'étend sur plusieurs générations, l'anecdote est racontée du point de vue de l'absolu, c'est-à-dire de l'ordre; c'est un changement local dans un système en repos; ni l'auteur ni le lecteur ne courent de risques, aucune surprise n'est à craindre: l'événement est passé, catalogué, compris. Dans une société stabilisée, qui n'a pas encore conscience des dangers qui la menacent, qui dispose d'une morale, d'une échelle de valeurs et d'un système d'explications pour intégrer ses changements locaux, qui s'est persuadée qu'elle est au-delà de l'Historicité et qu'il n'arrivera plus jamais rien d'important, dans une France bourgeoise, cultivée jusqu'au dernier arpent, découpée en damier par des murs séculaires, figée dans ses méthodes industrielles, sommeillant sur la gloire de sa Révolution, aucune autre technique romanesque ne peut être concevable; les procédés nouveaux qu'on a tenté d'acclimater n'ont eu qu'un succès de curiosité ou sont demeurés sans lendemain: ils n'étaient réclamés ni par les auteurs ni par les lecteurs ni par la structure de la collectivité ni par ses mythes[9].

---

9. Je citerai d'abord, parmi ces procédés, le recours curieux au style de théâtre qu'on trouve à la fin du siècle dernier et au début de celui-ci chez Gyp, Lavedan, Abel Hermant, etc. Le roman s'écrit en dialogues; les gestes des personnages, leurs actes sont rapportés en italique et entre parenthèses. Il s'agit évidemment de rendre le lecteur contemporain de l'action comme

Ainsi, alors que les lettres, à l'ordinaire, représentent dans la société une fonction intégrée et militante, la société bourgeoise, au XIXe siècle finissant, offre ce spectacle sans antécédents: une collectivité laborieuse et groupée autour du drapeau de la production, d'où émane une littérature qui, loin de la refléter, ne lui parle jamais de ce qui l'intéresse, prend le contre-pied de son idéologie, assimile le Beau à l'improductif, refuse de se laisser intégrer, ne souhaite même pas être lue et pourtant, du sein de sa révolte, reflète encore les classes dirigeantes dans ses structures les plus profondes et dans son «style».

Il ne faut pas blâmer les auteurs de cette époque: ils ont fait ce qu'ils ont pu et l'on trouve parmi eux quelques-uns de

---

le spectateur l'est pendant la représentation. Ce procédé manifeste certainement la prédominance de l'art dramatique dans la société policée des années 1900; il cherche aussi, à sa manière, à échapper au mythe de la subjectivité première. Mais le fait qu'on y ait renoncé sans retour marque assez qu'il ne donnait pas de solution au problème. D'abord, c'est un signe de faiblesse que de demander secours à un art voisin: preuve qu'on manque de ressources dans le domaine même de l'art qu'on pratique. Ensuite l'auteur ne se privait pas pour autant d'entrer dans la conscience de ses personnages et d'y faire entrer avec lui son lecteur. Simplement il divulguait le contenu intime de ces consciences entre parenthèses et en italique, avec le style et les procédés typographiques que l'on emploie en général pour les indications de mise en scène. En fait, il s'agit d'une tentative sans lendemain; les auteurs qui l'ont faite, pressentaient obscurément qu'on pouvait renouveler le roman en l'écrivant au présent. Mais ils n'avaient pas encore compris que ce renouvellement n'était pas possible si l'on ne renonçait pas d'abord à l'attitude *explicative*.

Plus sérieuse fut la tentative pour introduire en France le monologue intérieur de Schnitzler (je ne parle pas de celui de Joyce qui a des principes métaphysiques tout différents. Larbaud qui se réclame, je le sais, de Joyce, me paraît s'inspirer surtout de *Les lauriers sont coupés* et de *Mademoiselle Else*). Il s'agit, en somme, de pousser jusqu'au bout l'hypothèse d'une subjectivité première et de passer au réalisme en menant jusqu'à l'absolu l'idéalisme.

La réalité qu'on montre sans intermédiaire au lecteur ce n'est plus la chose elle-même, arbre ou cendrier, mais la conscience qui voit la chose; le «réel» n'est plus qu'une représentation, mais la représentation devient une réalité absolue puisqu'on nous la livre comme donnée immédiate. L'inconvénient de ce procédé c'est qu'il nous enferme dans une subjectivité individuelle et qu'il manque par là l'univers intermonadique, c'est en outre qu'il dilue nos écrivains les plus grands et les plus purs. Et puis comme chaque conduite humaine nous découvre un aspect de l'univers, leur attitude nous a enrichis en dépit d'eux-mêmes en nous révélant la gratuité comme une des dimensions infinies du monde et un but possible de l'activité humaine. Et comme ils ont été des artistes, leur œuvre recèle un appel désespéré à la liberté de ce lecteur qu'ils feignent de mépriser. Elle a poussé la contestation jusqu'à l'extrême, jusqu'à se contester elle-même; elle nous a fait entrevoir un silence noir par-delà le massacre des mots, et, par-delà l'esprit de sérieux, le ciel vide et nu des équivalences; elle nous invite à émerger dans le néant par destruction de tous les mythes et de toutes les tables de valeur, elle nous découvre en l'homme, en place du

---

l'événement et l'action dans la perception de l'un et de l'autre. Or la caractéristique commune du fait et de l'acte, c'est qu'ils échappent à la représentation subjective: elle en saisit les résultats mais non le mouvement vivant. Enfin ce n'est pas sans quelque truquage qu'on peut réduire le fleuve de la conscience à une succession de mots, même déformés. Si le mot est donné comme intermédiaire signifiant une réalité transcendante, par essence, au langage rien de mieux: il se fait oublier, il décharge la conscience sur l'objet. Mais s'il se donne comme *la réalité psychique*, si l'auteur, en écrivant, prétend nous donner une réalité ambiguë qui soit signe, en son essence objective, c'est-à-dire en tant qu'elle se rapporte au-dehors, et chose en son essence formelle, c'est-à-dire comme donnée psychique immédiate, alors on peut lui reprocher de n'avoir pas pris parti et de méconnaître cette loi rhétorique qui pourrait se formuler ainsi: en littérature, où l'on use de signes, il ne faut user *que* de signes; et si la réalité que l'on veut signifier est *un mot*, il faut la livrer au lecteur par d'autres mots. On peut lui reprocher en outre d'avoir oublié que les plus grandes richesses de la vie psychique sont *silencieuses*. On sait le sort du monologue intérieur: devenu *rhétorique*, c'est-à-dire transposition poétique de la vie intérieure, aussi bien comme silence que comme parole, il est devenu aujourd'hui un procédé *parmi d'autres* du romancier. Trop idéaliste pour être vrai, trop réaliste pour être complet, il est le couronnement de la technique subjectiviste; c'est en lui et par lui que la littérature d'aujourd'hui a pris conscience d'elle-même; c'est-à-dire qu'elle est un double dépassement, vers l'objectif et vers la rhétorique, de la technique du monologue intérieur. Mais il fallait pour cela que la circonstance historique changeât.
Il va de soi que le romancier continue, aujourd'hui à écrire au passé. Ce n'est pas en changeant le temps du verbe mais en bouleversant les techniques du récit qu'on parviendra à rendre le lecteur contemporain de l'histoire.

rapport intime avec la transcendance divine, une relation étroite et secrète avec le Rien; c'est la littérature de l'adolescence, de cet âge où, encore pensionné et nourri par ses parents, le jeune homme, inutile et sans responsabilité, gaspille l'argent de sa famille, juge son père et assiste à l'effondrement de l'univers sérieux qui protégeait son enfance. Si l'on se rappelle que la fête est, comme Caillois l'a bien montré, un de ces moments négatifs où la collectivité consume les biens qu'elle a amassés, viole les lois de sa morale, dépense pour le plaisir de dépenser, détruit pour le plaisir de détruire, on verra que la littérature, au XIXᵉ siècle, fut, en marge d'une société laborieuse qui avait la mystique de l'épargne, une grande fête somptueuse et funèbre, une invitation à brûler dans une immoralité splendide, dans le feu des passions, jusqu'à mourir. Quand je dirai qu'elle a trouvé son accomplissement tardif et sa fin dans le surréalisme trotzkysant, on comprendra mieux la fonction qu'elle assumait dans une société trop fermée: c'était une soupape de sûreté. Après tout, de la fête perpétuelle à la révolution permanente, il n'y a pas si loin.

Et pourtant le XIXᵉ siècle a été pour l'écrivain le temps de la faute et de la déchéance. S'il eût accepté le déclassement par en bas et donné un contenu à son art, il eût poursuivi avec d'autres moyens et sur un autre plan l'entreprise de ses prédécesseurs. Il eût contribué à faire passer la littérature de la négativité et de l'abstraction à la construction concrète; tout en lui conservant cette autonomie que le XVIIIᵉ siècle lui avait conquise et qu'il n'était plus question de lui retirer, il l'eût intégrée de nouveau à la société, en éclairant et en appuyant les revendications du prolétariat il eût approfondi l'essence de l'art d'écrire et compris qu'il y a coïncidence, non seulement entre la liberté formelle de penser et la démocratie politique, mais aussi entre l'obligation matérielle de choisir l'homme comme perpétuel sujet de méditation et la démocratie sociale; son style eût retrouvé une tension interne parce qu'il se fût adressé à un public déchiré. Tâchant à éveiller la conscience ouvrière tandis qu'il témoignait devant les bourgeois de leur iniquité, ses œuvres eussent reflété le monde entier; il eût appris à distinguer la générosité, source originelle de l'œuvre d'art, appel inconditionné au lecteur, de la prodigalité, sa caricature, il eût abandonné l'interprétation analytique et psychologique de la «nature humaine» pour l'appréciation synthétique des *conditions*. Sans doute était-ce difficile, peut-être impossible: mais il s'y est mal pris. Il ne fallait pas se guinder dans un vain effort pour échapper à toute détermination de classe, ni non plus «se pencher» sur le prolétaire, mais se penser au contraire comme un bourgeois au ban de sa classe, uni aux masses opprimées par une solidarité d'intérêt. La somptuosité des moyens d'expression qu'il a découverts ne doit pas nous faire oublier qu'il a trahi la littérature. Mais sa responsabilité s'étend plus loin: si les auteurs eussent trouvé audience auprès des classes opprimées, peut-être la divergence de leurs points de vue et la diversité de leurs écrits eussent contribué à produire dans les masses ce qu'on nomme très heureusement un *mouvement* d'idées, c'est-à-dire une idéologie ouverte, contradictoire, dialectique. Sans aucun doute le marxisme eût triomphé, mais il se fut teinté de mille nuances, il lui eût fallu absorber les doctrines rivales, les digérer, rester ouvert. On sait ce qui s'est produit: deux idéologies révolutionnaires au lieu de cent; les Proudhoniens en majorité dans l'Internationale ouvrière avant 70, puis écrasés par l'échec de la Commune, le marxisme triomphant de son adversaire, non par la puissance de cette négativité hégélienne qui conserve en dépassant, mais parce que des forces extérieures ont supprimé purement et simplement un des termes de l'antinomie. On ne saurait trop dire ce que ce triomphe sans gloire a coûté au marxisme: faute de contradicteurs, il a perdu la vie. S'il eût été le meilleur, perpétuellement combattu et se transformant pour vaincre et volant leurs armes à ses adversaires, il se fût identifié à l'esprit; seul, il est devenu l'Église, pendant que des écrivains-gentilshommes, à mille lieues de lui, se faisaient les gardiens d'une spiritualité abstraite.

La méthode progressive-régressive*

par Jean-Paul Sartre

Supposons que je veuille étudier Flaubert — qu'on présente, dans les littératures, comme le père du réalisme. J'apprends qu'il a dit «Mme Bovary, c'est moi». Je découvre que les contemporains les plus subtils — et d'abord Baudelaire, tempérament «féminin» — avaient pressenti cette identification. J'apprends que le «père du réalisme» rêvait, pendant le voyage en Orient, d'écrire l'histoire d'une vierge mystique, dans les Pays-Bas, rongée par le rêve et qui eût été le symbole de son propre culte de l'art. Remontant à sa biographie, je découvre sa dépendance, son obéissance, son «être relatif», en un mot tous les caractères qu'on a coutume de nommer, à l'époque, «féminins». Enfin, il m'apparaît que, sur le tard, ses médecins le traitaient de vieille femme nerveuse et qu'il se sentait vaguement flatté. Nul doute, pourtant: ce n'est *à aucun degré* un inverti[1]. Il s'agira donc — sans quitter l'œuvre, c'est-à-dire les significations littéraires —, de nous demander pourquoi l'auteur (c'est-à-dire, ici, la pure activité synthétique qui engendre Mme Bovary) a pu se métamorphoser en femme, quelle signification possède *en elle-même* la métamor-

---

* Extrait de: *Questions de méthode*, Paris, Gallimard, 1960.
1. Ses lettres à Louise Colet le révèlent narcissiste et onaniste; mais il se vante d'exploits amoureux qui doivent être vrais puisqu'il s'adresse à la seule personne qui peut en être témoin et juge.

phose (ce qui suppose une étude phénoménologique d'Emma Bovary dans le livre), quelle est cette femme (dont Baudelaire dit qu'elle a la folie et la volonté d'un homme), ce que veut dire, au milieu du XIXᵉ siècle, la transformation de mâle en femelle par l'art (on étudiera le contexte «Mˡˡᵉ de Maupin», etc.) et enfin *qui doit être* Gustave Flaubert pour qu'il ait eu, dans le champ de ses possibles, la possibilité de se peindre en femme. La réponse est indépendante de toute biographie puisque ce problème pourrait être posé en termes kantiens: «À quelles conditions la féminisation de l'expérience est-elle possible?» Pour y répondre, nous ne devrons jamais oublier que le style d'un auteur est directement lié à une conception du monde: la structure des phrases, des paragraphes, l'usage et la place du substantif, du verbe, etc., la constitution des paragraphes et les caractéristiques du récit — pour ne citer que ces quelques particularités — traduisent des présuppositions secrètes qu'on peut déterminer *différentiellement* sans recourir encore à la biographie. Toutefois, nous n'arriverons encore qu'à des *problèmes*. Il est vrai que les intentions des contemporains nous aideront: Baudelaire a affirmé l'identité du sens profond de *La tentation de saint Antoine*, ouvrage furieusement «artiste» dont Bouilhet disait «c'est une foirade de perles» et qui traite dans la plus complète confusion des grands thèmes métaphysiques de l'époque (le destin de l'homme, la vie, la mort, Dieu, la religion, le néant, etc.) et de celui de *Madame Bovary*, ouvrage sec (en apparence) et objectif. Qui donc peut et doit être Flaubert pour pouvoir exprimer sa propre réalité sous forme d'un idéalisme forcené et d'un réalisme encore plus méchant qu'impassible? Qui donc peut et doit être Flaubert pour s'objectiver dans son œuvre à quelques années de distance sous la forme d'un moine mystique et d'une femme décidée et «un peu masculine»? À partir de là, il faut passer à la biographie, c'est-à-dire aux faits *ramassés* par les contemporains et *vérifiés* par les historiens. L'œuvre pose des questions à la vie. Mais il faut comprendre en quel sens: l'œuvre comme objectivation de la personne est, en effet, *plus complète, plus totale* que la vie. Elle s'y enracine certes, elle l'éclaire mais elle ne trouve son explication totale qu'en elle-même. Seulement, il est trop tôt encore pour que cette explication nous apparaisse. La vie est éclairée par l'œuvre comme une réalité dont la détermination totale se trouve hors d'elle, à la fois dans les conditions qui la produisent et dans la création artistique qui l'achève et *la complète en l'exprimant*. Ainsi l'œuvre — quand on l'a fouillée — devient hypothèse et méthode de recherche pour éclairer la biographie: elle interroge et retient des épisodes concrets comme des réponses à ses questions[2]. Mais ces réponses *ne comblent pas*: elles sont insuffisantes et bornées dans la mesure où l'objectivation dans l'art est irréductible à l'objectivation dans les conduites quotidiennes: il y a un hiatus entre l'œuvre et la vie. Toutefois l'homme, avec ses relations humaines, ainsi éclairé, nous apparaît à son tour comme ensemble synthétique de questions. L'œuvre a révélé le narcissisme de Flaubert, son onanisme, son idéalisme, sa solitude, sa dépendance, sa féminité, sa passivité. Mais ces caractères, à leur tour, sont pour nous des problèmes: ils nous font deviner *à la fois* des structures sociales (Flaubert est propriétaire foncier, il touche des coupons de rente, etc.) et un drame *unique* de l'enfance. En un mot, ces questions régressives nous donnent un moyen d'interroger son groupe familial comme réalité vécue et niée par l'enfant Flaubert, à travers une double source d'information (témoignages objectifs sur la famille: caractères de classe, type familial, aspect individuel; déclarations furieusement

---

2. Je ne me rappelle pas qu'on se soit étonné que le géant normand se soit projeté en femme dans son œuvre. Mais je ne me rappelle pas non plus qu'on ait étudié la féminité de Flaubert (son côté truculent et «gueulard» a égaré; or, ce n'est qu'un trompe-l'œil et Flaubert l'a répété cent fois). L'ordre est visible pourtant: le *scandale logique*, c'est Mme Bovary, femme masculine et homme féminisé, ouvrage lyrique et réaliste. C'est ce scandale avec ses contradictions propres, qui doit attirer l'attention sur la vie de Flaubert et sur sa féminité vécue. Il faudra le voir dans ses conduites, et d'abord dans ses conduites sexuelles; or, ses lettres à Louise Colet sont d'abord des conduites, elles sont chacune des moments de la diplomatie de Flaubert vis-à-vis de cette envahissante poétesse. Nous ne trouverons pas *Madame Bovary* en germe dans la correspondance mais nous éclairerons intégralement la correspondance par Mme Bovary (et, bien entendu, les autres ouvrages).

subjectives de Flaubert sur ses parents, son frère, sa sœur, etc.). À ce niveau, il faut pouvoir sans cesse remonter jusqu'à l'œuvre et savoir qu'elle contient une vérité de la biographie que la correspondance elle-même (truquée par son auteur) ne peut contenir. Mais il faut savoir aussi que l'œuvre ne révèle *jamais* les secrets de la biographie: elle peut être simplement le schème ou le fil conducteur qui permet de les découvrir dans la vie elle-même. À ce niveau, en touchant la petite enfance comme manière de vivre obscurément des conditions générales nous faisons apparaître, comme le sens du vécu, la petite-bourgeoisie intellectuelle qui s'est formée sous l'Empire et sa manière de vivre l'évolution de la société française. Ici, nous repassons dans le pur objectif, c'est-à-dire dans la totalisation historique: c'est l'Histoire même, l'essor comprimé du capitalisme familial, le retour des fonciers, les contradictions du régime, la misère d'un prolétariat encore insuffisamment développé que nous devons interroger. Mais ces interrogations sont *constituantes* au sens où les concepts kantiens sont dits «constitutifs»: car elles permettent de réaliser des synthèses concrètes là où nous n'avions encore que des conditions abstraites et générales: à partir d'une enfance obscurément vécue, nous pouvons reconstituer les vrais caractères des familles petites-bourgeoises. Nous comparons celle de Flaubert à celles de Baudelaire (d'un niveau social plus «élevé»), des Goncourt (petits-bourgeois anoblis vers la fin du xviiie par la simple acquisition d'une terre «noble»), de Louis Bouilhet, etc.; nous étudions à ce propos les relations réelles entre les savants et praticiens (le père Flaubert) et les industriels (le père de son ami Le Poittevin). En ce sens, l'étude de Flaubert enfant, comme universalité vécue dans la particularité, enrichit l'étude générale de la petite-bourgeoisie en 1830. À travers les structures qui commandent le groupe familial singulier, nous enrichissons et concrétisons les caractères toujours trop généraux de la classe considérée, nous saisissons des «collectifs» inconnus par exemple, le rapport complexe d'une petite-bourgeoisie de fonctionnaires et d'intellectuels avec l'«élite» des industriels et la propriété foncière; ou les *racines* de cette petite-bourgeoisie, son origine paysanne, etc., ses relations avec des nobles déchus[3]. C'est à ce niveau que nous allons découvrir la contradiction majeure que cet enfant a vécue à sa manière: l'opposition de l'esprit d'analyse bourgeois et des mythes synthétiques de la religion. Ici encore un va-et-vient s'établit entre les anecdotes singulières qui éclairent ces contradictions diffuses (parce qu'elles les rassemblent en un seul et les font éclater) et la détermination générale des conditions de vie qui nous permet de reconstituer *progressivement* (parce qu'elles ont été déjà étudiées) l'existence matérielle des groupes considérés. L'ensemble de ces démarches, la régression et le va-et-vient nous ont révélé ce que j'appellerai la profondeur du vécu. Un essayiste écrivait l'autre jour, croyant réfuter l'existentialisme: «Ce n'est pas l'homme qui est profond, c'est le monde.» Il avait parfaitement raison et nous sommes d'accord avec lui sans réserve. Il faut seulement ajouter que le monde est humain, que la profondeur de l'homme, c'est le monde, donc que la profondeur vient au monde par l'homme. L'exploration de cette profondeur est une descente du concret absolu *(Madame Bovary* dans les mains d'un lecteur contemporain de Flaubert, que ce soit Baudelaire ou l'impératrice ou le procureur) à son conditionnement le plus abstrait (c'est-à-dire aux conditions matérielles, au conflit des forces productives et des rapports de production en tant que ces conditions apparaissent dans leur universalité et qu'elles se donnent comme vécues par tous les membres d'un groupe indéfini[4], c'est-à-dire pratiquement, par des sujets *abstraits).* À travers *Madame Bovary* nous devons et pouvons entrevoir le mouvement de la rente foncière, l'évolution des classes montantes, la lente maturation du prolétariat: tout est là. Mais les significations les plus concrètes

---

3. Le père de Flaubert, fils d'un vétérinaire (royaliste) de village et «distingué» par l'administration impériale, épouse une jeune fille apparentée à des nobles. Il fréquente de riches industriels, il achète des terres.
4. Réellement, la petite-bourgeoisie en 1830 est un groupe numériquement défini (bien qu'il existe évidemment des intermédiaires inclassables qui l'unissent aux paysans, aux bourgeois, aux fonciers). Mais, *méthodologiquement,* cet universel concret restera toujours indéterminé parce que les statistiques sont insuffisantes.

sont radicalement irréductibles aux significations les plus abstraites, le «différentiel» en chaque couche signifiante reflète en l'appauvrissant et en le contractant le différentiel de la couche supérieure; il éclaire le différentiel de la couche inférieure et sert de rubrique à l'unification synthétique de nos connaissances plus abstraites. Le *va-et-vient* contribue à enrichir l'objet de toute la profondeur de l'Histoire, il détermine, dans la totalisation historique, l'emplacement vide encore de l'objet.

À ce niveau de la recherche, nous n'avons pourtant réussi qu'à dévoiler une hiérarchie de significations hétérogènes: *Madame Bovary,* la «féminité» de Flaubert, l'enfance dans un bâtiment de l'hôpital, les contradictions de la petite-bourgeoisie contemporaine, l'évolution de la famille, de la propriété, etc.[5] Chacune éclaire l'autre mais leur irréductibilité crée une discontinuité véritable entre elles; chacune sert de cadre à la précédente mais la signification enveloppée est plus riche que la signification enveloppante. En un mot nous n'avons que les traces du mouvement dialectique, non le mouvement lui-même.

C'est alors et seulement alors que nous devons user de la méthode progressive: il s'agit de retrouver le mouvement d'enrichissement totalisateur qui engendre chaque moment à partir du moment antérieur, l'élan qui part des obscurités vécues pour parvenir à l'objectivation finale, en un mot le *projet* par lequel Flaubert pour échapper à la petite-bourgeoisie se lancera, à travers les divers champs de possibles, vers l'objectivation aliénée de lui-même et se constituera inéluctablement et indissolublement comme l'auteur de *Madame Bovary* et comme ce petit-bourgeois qu'il refusait d'être. Ce projet a *un sens,* ce n'est pas la simple négativité, la fuite: par lui

---

5. La fortune de Flaubert consiste exclusivement en biens immeubles; ce rentier de naissance sera ruiné par l'industrie: il vendra ses terres, à la fin de sa vie, pour sauver son gendre (commerce extérieur, liaisons avec l'industrie scandinave). Entre-temps, nous le verrons souvent se plaindre que ses rentes foncières soient inférieures aux revenus que lui rapporteraient les mêmes placements si son père les eût faits dans l'industrie.

l'homme vise la production de soi-même dans le monde comme une certaine totalité objective. Ce n'est pas le pur et simple choix abstrait d'écrire qui fait le propre de Flaubert mais le choix d'écrire d'une certaine manière pour se manifester dans le monde de telle façon, en un mot c'est la signification singulière — dans le cadre de l'idéologie contemporaine — qu'il donne à la littérature comme négation de sa condition originelle et comme solution objective de ses contradictions. Pour retrouver le sens de cet «arrachement vers...» nous serons aidés par la connaissance de toutes les couches signifiantes qu'il a traversées, que nous avons déchiffrées comme ses traces et qui l'ont mené jusqu'à l'objectivation finale. Nous avons la série: du conditionnement matériel et social jusqu'à l'œuvre, il s'agit de trouver la *tension* qui va de l'objectivité à l'objectivité, de découvrir la loi d'épanouissement qui dépasse une signification *par* la suivante et qui maintient celle-ci dans celle-là. En vérité, il s'agit d'inventer un mouvement, de le recréer: mais l'hypothèse est immédiatement vérifiable: seule peut être valable celle qui réalisera dans un mouvement créateur l'unité transversale de *toutes* les structures hétérogènes.

Toutefois le projet risque d'être dévié, comme celui de Sade, par les instruments collectifs, ainsi l'objectivation terminale ne correspond peut-être pas exactement au choix originel. Il conviendra de reprendre l'analyse régressive en la serrant de plus près, d'étudier le champ instrumental pour déterminer les déviations possibles, d'utiliser nos connaissances générales sur les techniques contemporaines du Savoir, de revoir le déroulement de la vie pour examiner l'évolution des choix et des actions, leur cohérence ou leur incohérence apparente. *Saint Antoine* exprime Flaubert tout entier dans la pureté et dans toutes les contradictions de son projet originel: mais *Saint Antoine* est un échec; Bouilhet et Maxime du Camp le condamnent sans appel; on lui impose de «raconter une histoire». La déviation est là: Flaubert raconte une anecdote mais il y fait tout tenir, le ciel et l'enfer, lui-même, saint Antoine, etc. L'ouvrage monstrueux et splendide qui en résulte et où il s'objective et s'aliène, c'est *Madame Bovary*. Ainsi le retour sur la biographie nous montre les hiatus, les fissures et les accidents en même temps qu'il confirme l'hypothèse (du projet original) en révélant la courbe de la vie et sa continuité. Nous définirons la méthode d'approche existentialiste comme une méthode régressive-progressive et analytico-synthétique; c'est en même temps un va-et-vient enrichissant entre l'objet (qui contient toute l'époque comme significations hiérarchisées) et l'époque (qui contient l'objet dans sa totalisation); en effet, lorsque l'objet est *retrouvé* dans sa profondeur et dans sa singularité, au lieu de rester extérieur à la totalisation (comme il était jusque-là, ce que les marxistes prenaient pour son intégration à l'histoire) il entre immédiatement en contradiction avec elle: en un mot la simple juxtaposition inerte de l'époque et de l'objet fait place brusquement à un conflit vivant. Si l'on a paresseusement défini Flaubert comme un réaliste et si l'on a décidé que le réalisme convenait au public du Second Empire (ce qui permettra de faire une théorie brillante et parfaitement fausse sur l'évolution du réalisme entre 1857 et 1957), on ne parviendra à comprendre ni cet étrange monstre qu'est *Madame Bovary* ni l'auteur, ni le public. Bref, une fois de plus, on jouera avec des ombres. Mais si l'on a pris la peine — par une étude qui doit être longue et difficile — de montrer dans ce roman l'objectivation du subjectif et son aliénation, bref si on le saisit dans le sens concret qu'il conserve encore au moment où il échappe à son auteur et *en même temps,* du dehors, comme un objet qu'on laisse se développer en liberté, il entre brusquement en opposition avec la réalité objective qu'il aura pour l'opinion, pour les magistrats, pour les écrivains contemporains. C'est le moment de revenir à l'époque et de nous poser, par exemple, cette question très simple: il y avait alors une école réaliste; Courbet, en peinture, Duranty, en littérature, en étaient les représentants. Duranty avait fréquemment exposé sa doctrine et rédigé des manifestes; Flaubert détestait le réalisme et l'a répété toute sa vie, il n'aimait que la pureté absolue de l'art; *pourquoi* le public a-t-il décidé d'emblée que c'était Flaubert le réaliste et pourquoi a-t-il aimé en lui *ce réalisme-là*, c'est-à-dire cette admirable confession truquée, ce lyrisme masqué, cette métaphysique sous-entendue; pourquoi a-t-il apprécié comme un admirable caractère de femme (ou comme une impitoyable description de la femme) ce qui n'était au fond qu'un pauvre homme déguisé? Il faut alors se demander *quelle espèce de réalisme* ce public réclamait ou, si l'on préfère, quelle espèce de littérature il réclamait sous ce nom et pourquoi il la réclamait. Ce dernier moment est capital: c'est tout simplement celui de l'aliénation. Par le succès que lui fait son époque, Flaubert se voit voler son œuvre, il ne la reconnaît plus, elle lui est étrangère; du coup il perd sa propre existence objective. Mais en même temps son œuvre éclaire l'époque d'un jour neuf; elle permet de poser une question neuve à l'Histoire: quelle pouvait donc être cette époque pour qu'elle réclamât *ce* livre et pour qu'elle y retrouvât mensongèrement sa propre image? Ici nous sommes au véritable moment de l'action historique ou de ce que j'appellerai volontiers le malentendu. Mais ce n'est pas le lieu de développer cette nouvelle démarche. Il suffit de dire, pour conclure, que l'homme et son temps seront intégrés dans la totalisation dialectique quand nous aurons montré comment l'Histoire dépasse cette contradiction.

À l'hôtel de La Mole*

par Erich Auerbach

Julien Sorel, le héros du roman de Stendhal *Le rouge et le noir* (1830), jeune homme ambitieux et passionné, fils d'un petit-bourgeois franc-comtois, est conduit par un enchaînement de circonstances du séminaire de Besançon, où il étudiait la théologie, à Paris où il devient le secrétaire d'un grand seigneur, le marquis de La Mole, dont il obtient la confiance. Mathilde, la fille du marquis, est une jeune fille de dix-neuf ans, spirituelle, choyée, romanesque, et si hautaine que sa propre situation et son milieu commencent à l'ennuyer. La naissance de son amour pour le «domestique» de son père est un chef-d'œuvre très admiré de Stendhal. L'épisode qui suit (t. 11, chap. IV) est une des scènes préliminaires où l'intérêt de Mathilde pour Julien commence à s'éveiller:

> Un matin que l'abbé travaillait avec Julien, dans la bibliothèque du marquis, à l'éternel procès de Frilair:
>
> — Monsieur, dit Julien tout à coup, dîner tous les jours avec madame la marquise, est-ce un de mes devoirs, ou est-ce une bonté que l'on a pour moi?

---

* Extrait de *Mimesis*, Paris, Gallimard, coll. «Bibliothèque des idées» (traduction: Cornelius Heim), 1968.

— C'est un honneur insigne! reprit l'abbé, scandalisé. Jamais M. N... l'académicien, qui, depuis quize ans, fait une cour assidue, n'a pu l'obtenir pour son neveu M. Tanbeau.

— C'est pour moi, monsieur, la partie la plus pénible de mon emploi. Je m'ennuyais moins au séminaire. Je vois bâiller quelquefois jusqu'à mademoiselle de La Mole, qui pourtant doit être accoutumée à l'amabilité des amis de la maison. J'ai peur de m'endormir. De grâce, obtenez-moi la permission d'aller dîner à quarante sous dans quelque auberge obscure.

L'abbé, véritable parvenu, était fort sensible à l'honneur de dîner avec un grand seigneur. Pendant qu'il s'efforçait de faire comprendre ce sentiment par Julien, un léger bruit leur fit tourner la tête. Julien vit mademoiselle de La Mole qui écoutait. Il rougit. Elle était venue chercher un livre et avait tout entendu; elle prit quelque considération pour Julien. Celui-là n'est pas né à genoux, pensa-t-elle, comme ce vieil abbé, Dieu! qu'il est laid.

À dîner, Julien n'osait pas regarder mademoiselle de La Mole, mais elle eut la bonté de lui adresser la parole. Ce jour-là, on attendait beaucoup de monde, elle l'engagea à rester...

La scène, nous l'avons dit, est là pour préparer une intrigue amoureuse passionnée et tragique. Nous ne discuterons pas ici sa fonction et sa valeur psychologique; un tel examen serait étranger à notre propos. Ce qui nous intéresse dans cette scène est ceci: elle serait presque incompréhensible sans la connaissance exacte et détaillée de la situation politique, de la structure sociale et des conditions économiques d'un moment historique bien déterminé, celui où se trouvait la France peu avant la révolution de Juillet, comme le précise le sous-titre du roman (ajouté par l'éditeur): *Chronique de 1830*. Mais l'ennui qui sévit aux dîners et dans les salons de cette maison aristocratique, et dont Julien se plaint, n'est pas un ennui ordinaire; il ne résulte pas de la lourdeur fortuite et individuelle des personnes qui s'y rencontrent: au contraire, cette société comprend aussi des hommes cultivés, spirituels, quelquefois supérieurs, et le maître de ces lieux est intelligent et

aimable; cet ennui est plutôt une caractéristique politico-
culturelle de la Restauration. Au XVIIᵉ siècle et plus encore au
XVIIIᵉ, les salons du même type étaient tout autre chose qu'ennuyeux. Mais le régime bourbonien, en tentant par des
moyens inadéquats de restaurer des conditions définitivement caduques et condamnées par les événements, créait
dans les milieux officiels et dans la classe dirigeante où se re-
crutaient leurs membres une atmosphère de convention et de
contrainte contre laquelle l'esprit et la bonne volonté des personnes en cause restaient impuissants. Dans ces salons, il
n'est pas permis de parler de ce qui intéresse tout le monde,
des problèmes politiques et religieux, ni par conséquent de la
plupart des sujets littéraires du temps présent ou du passé
proche; ou alors on ne peut s'y risquer qu'en recourant à la
phraséologie officielle, laquelle est si mensongère qu'un homme
de goût et de tact préfère l'éviter. Quel contraste avec la hardiesse intellectuelle des salons du siècle précédent qui, certes,
n'avaient jamais envisagé les périls qu'ils déchaînaient contre
leur propre existence! Maintenant ces périls sont connus, et la
crainte de revoir la catastrophe de 1793 pèse lourdement sur
les existences. Conscients de ne pas croire eux-mêmes à la
cause qu'ils défendent, convaincus que toute discussion franche signifierait leur défaite, ces hommes aiment mieux ne
s'entretenir que du temps qu'il fait, de musique et des potins
de la cour. D'autre part, ils sont contraints de recevoir dans
leurs rangs des individus snobs et corrompus sortis des couches bourgeoises nouvellement enrichies, alliés douteux qui,
par l'impudente bassesse de leur zèle et leur terreur de perdre des fortunes mal acquises, empoisonnent définitivement
l'atmosphère sociale.

Voilà pour l'ennui. Pour ce qui concerne la réaction
de Julien, et, d'une façon générale, sa présence à l'hôtel de
La Mole ainsi que celle de son ancien directeur de séminaire, l'abbé Pirard, elles ne s'expliquent elles aussi que
par la configuration politique et sociale du moment. Depuis son adolescence l'être passionné et romanesque
qu'est Julien s'est enthousiasmé pour les grandes idées de
la Révolution et de Rousseau, pour les grands événements

de l'époque napoléonienne; dès son adolescence il n'a que dégoût et mépris pour l'hypocrisie mesquine, la corruption basse et menteuse des couches sociales qui gouvernent depuis la chute de l'empereur. Il est trop romanesque, trop ambitieux et dominateur pour se contenter d'une existence médiocre au sein de la bourgeoisie, comme son ami Fouquet le lui suggère. Ayant compris qu'un homme d'origine petite-bourgeoise ne peut parvenir à une situation en vue que par l'intermédiaire de la presque toute-puissante Église, il s'est mué consciemment en hypocrite. Et ses grands dons lui assureraient une éclatante carrière ecclésiastique, si ses vrais sentiments personnels et ses opinions politiques, son caractère spontané et passionné ne se trahissaient dans des moments décisifs. La scène que nous avons citée nous montre Julien dans un de ces moments, lorsqu'il confie à l'abbé Pirard, son ex-maître et protecteur, ses sentiments sur le salon de la marquise, car la liberté d'esprit dont ils font preuve ne va pas sans un orgueil intellectuel et un sentiment intime de supériorité qui conviennent mal à un jeune ecclésiastique et à un protégé de la maison. (Dans le cas particulier sa franchise ne dessert pas Julien; l'abbé Pirard est son ami, et le propos fait sur celle qui l'entend par hasard un effet tout différent de celui que Julien doit prévoir et craindre.) L'abbé Pirard est qualifié, dans notre passage, de *vrai parvenu*, qui apprécie hautement l'honneur de manger à la table d'un grand seigneur et qui, par là, désapprouve la remarque de Julien. Pour légitimer cette désapprobation, Stendhal aurait pu ajouter que la soumission sans réserve au mal qui est dans le monde, dans la pleine conscience de ce mal, constitue une attitude typique du jansénisme rigoureux; et l'abbé Pirard est janséniste. Les chapitres précédents nous apprennent qu'il eut à subir nombre de persécutions et de vexations, en tant que directeur du séminaire de Besançon, à cause de son jansénisme et de sa stricte piété, ennemie de toutes les intrigues; car le clergé de la province était soumis à l'influence des jésuites. Dans un procès que son puissant adversaire, l'abbé de Frilair, vicaire général de l'évêque, avait intenté au marquis de La Mole, celui-ci avait pris l'abbé Pirard comme homme de confiance. Par la même occasion il avait appris à apprécier son intelligence et sa probité; de sorte qu'en fin de compte, pour l'arracher à sa situation intenable au séminaire de Besançon, il lui avait procuré un bénéfice à Paris et qu'un peu plus tard il avait aussi reçu chez lui, comme secrétaire privé, l'élève préféré de l'abbé, Julien Sorel.

Les caractères et les attitudes des personnages mis en œuvre ainsi que les relations qu'ils entretiennent entre eux sont donc intimement accordés aux circonstances de l'époque. Les conditions politiques et sociales du temps sont intégrées à l'action d'une manière plus exacte et réaliste que dans aucun roman et même dans aucune œuvre littéraire antérieure, à l'exception des écrits essentiellement politiques et satiriques. Une œuvre qui situe si logiquement et systématiquement dans l'histoire contemporaine la plus concrète l'existence, envisagée tragiquement, d'un individu subalterne par son rang social (ici celle de Julien Sorel), et qui se développe sur ces prémisses, constitue un fait nouveau et singulièrement important. Les autres milieux où Julien évolue — la famille de son père, la maison de M. De Rênal, maire de Verrières, le séminaire de Besançon — sont aussi déterminés sociologiquement en conformité avec le moment historique et avec non moins d'exactitude que l'hôtel de La Mole. Et pas une seule figure secondaire — comme par exemple le vieux curé Chélan ou Valenod, le directeur du dépôt de mendicité — ne serait concevable telle qu'elle est représentée, en dehors de la situation politique particulière de la Restauration. Dans les autres romans de Stendhal, l'histoire en cours sert aussi d'assise à l'action: c'est encore imparfaitement le cas dans *Armance,* qui se limite à un cadre étroit, mais non plus dans les œuvres postérieures, aussi bien dans *La Chartreuse de Parme* (qui se déroule toutefois dans des lieux encore peu touchés par les événements politiques, de sorte qu'on a quelquefois l'impression de lire un roman historique), que dans *Lucien Leuwen,* roman du temps de Louis-Philippe que Stendhal laissa inachevé. Dans cette dernière œuvre, du moins sous la forme où elle nous est parvenue, l'élément d'actualité politique occupe même une place excessive; il n'est pas toujours pleinement intégré au cours de l'action et comporte trop de détails par rapport au thème principal (mais en revoyant son texte Stendhal serait peut-être parvenu à conférer une articulation organique à l'ensemble). Enfin, les écrits autobiographiques, en dépit de l'«égotisme» primesautier et capricieux de leur style, sont liés eux aussi à la politique, à la société et à la vie économique du temps d'une façon bien plus étroite, essentielle, consciente et concrète que, par exemple, les écrits analogues de Rousseau ou de Goethe. On sent que les grands événements de l'histoire contemporaine ont affecté Stendhal tout autrement que ces derniers; Rousseau n'avait pas connu les secousses de l'histoire, et Goethe préféra se tenir intellectuellement à distance.

Nous avons désigné du même coup l'événement qui fit naître à ce moment, dans l'esprit d'un homme de ce temps, le réalisme tragique moderne fondé sur l'histoire en cours: la Révolution française, premier des grands mouvements modernes auquel des masses humaines considérables participèrent consciemment, avec tous les bouleversements qu'elle entraîna en Europe. La Révolution française se distingue de la Réforme, mouvement qui ne fut pas moins violent et ne souleva pas moins les masses, par la vitesse bien plus grande avec laquelle elle se propagea, agit sur les masses et changea pratiquement la vie sur une aire relativement étendue. Car les progrès techniques réalisés à la même époque dans les transports et dans l'information, ainsi que la diffusion de l'instruction primaire qui résultait des tendances de la révolution elle-même, permirent de mobiliser les peuples d'une manière relativement bien plus rapide et dans une direction déterminée; chacun fut atteint plus vite, plus consciemment et plus uniformément par les mêmes idées et les mêmes événements. En Europe, commença ce processus de concentration temporelle des événements historiques aussi bien que de leur prise de conscience par chacun qui, depuis, a fait de gigantesques progrès et laisse présager l'uniformisation de la vie des hommes sur la terre, s'il ne l'a pas déjà réalisée dans une certaine mesure. Une telle évolution ébranle ou ruine les structures sociales qui avaient passé pour légitimes; le rythme des changements exige un effort constant et très pénible d'adaptation intérieure et provoque des crises quand cette adaptation ne se produit pas. Celui qui veut comprendre son existence réelle et la place qu'il occupe au sein de la société humaine est obligé de le faire sur une base pratique bien plus large et dans un contexte bien plus étendu qu'auparavant; et il ne doit jamais oublier que le fondement social sur lequel il vit n'est pas stable un instant, car les séismes de toutes sortes ne cessent de l'ébranler.

On peut se demander pourquoi la conscience moderne de la réalité trouva pour la première fois son expression littéraire chez le Grenoblois Henri Beyle. Beyle-Stendhal fut un homme spirituel, vif et spontané, un esprit libre et courageux, mais non pas à proprement parler une grande figure. Ses idées ont souvent de la force et de l'inspiration, mais elles sont capricieuses, arbitrairement avancées et, en dépit de leur hardiesse de parade, dépourvues de certitude intérieure. Sa nature a quelque chose d'instable. Ses fluctuations entre franchise réaliste (dans son comportement général) et sotte dissimulation (dans les cas particuliers), entre froide maîtrise de soi, abandon impétueux aux plaisirs des sens et vanité mal assurée, quelquefois sentimentale, ne sont pas toujours aisément supportables. Son style littéraire ne manque jamais de produire son effet et son originalité ne permet pas de le confondre avec aucun autre; mais il manque de souffle, il est inégal dans ses réussites, il ne parvient que rarement à prendre pleinement possession d'un sujet et à le fixer. Mais tel qu'il fut Stendhal s'offrit au moment; les circonstances s'emparèrent de lui, pour le jeter deçà et delà, lui imposer un destin particulier et inattendu. Elles le façonnèrent de telle sorte qu'il fut contraint de répondre au défi de la réalité d'une manière qui n'avait été celle de personne avant lui.

Lorsque la Révolution éclata, Stendhal était un enfant de six ans. Il avait seize ans lorsqu'il quitta Grenoble, sa ville natale, et sa famille d'esprit bourgeois, réactionnaire, encore fort riche à l'époque mais brouillée avec le nouvel ordre social, pour se rendre à Paris. Il y arriva tout de suite après le coup d'État de Napoléon. Un parent à lui, Pierre Daru, était un collaborateur influent du Premier consul.

Après quelques hésitations et interruptions, Stendhal fit une brillante carrière dans l'administration napoléonienne. Il vit l'Europe au cours des campagnes de l'empereur; il devint quelqu'un, et même un homme du monde fort élégant; il devint, semble-t-il, un fonctionnaire capable et dévoué, un organisateur efficace qui, même dans le danger, ne perdait pas son sang-froid. Lorsque la chute de Napoléon le prive de ses fonctions, il se trouve dans sa trente-deuxième année. La première partie de sa carrière, la partie active, heureuse et brillante, est passée. Depuis ce temps il n'a plus d'emploi et mène une vie errante. Il peut se rendre où il veut, tant qu'il a suffisamment d'argent et que les méfiantes autorités de l'époque post-napoléonienne n'ont rien à redire contre sa présence en tel ou tel lieu. Mais sa situation matérielle se détériore peu à peu. En 1821, la police de Metternich le chasse de Milan où il s'était établi. Il retourne à Paris où il passe neuf ans sans profession, seul, avec des ressources très modestes. Après la révolution de Juillet, ses amis lui procurent un poste dans le service diplomatique; comme les Autrichiens refusent l'*exequatur* pour Trieste, il doit aller comme consul dans le petit port de Civitavecchia. C'est un triste séjour et on lui fait quelquefois des ennuis lorsqu'il prolonge trop ses voyages à Rome; il est vrai qu'il est autorisé à passer quelques années à Paris, aussi longtemps qu'un de ses protecteurs est ministre des Affaires étrangères. À la fin il tombe sérieusement malade à Civitavecchia, et on lui accorde un nouveau congé à Paris. C'est dans cette ville qu'il meurt, en 1842, quelques mois avant son soixantième anniversaire, terrassé en pleine rue par une attaque d'apoplexie. Telle est la deuxième partie de sa vie, au cours de laquelle il se fait la réputation d'un homme spirituel, excentrique, politiquement et moralement douteux; c'est en ce temps qu'il commence à écrire. Il écrit d'abord sur la musique, sur l'Italie et l'art italien, sur l'amour. À Paris seulement, âgé de quarante-trois ans, alors que s'épanouit le mouvement romantique (auquel il contribua à sa manière), il publie son premier roman.

Par cet abrégé de sa vie je veux montrer que Stendhal ne prit conscience de lui-même et ne devint un écrivain réaliste qu'au moment où il chercha un port pour sa barque «secouée par la tempête» et qu'il découvrit en même temps qu'il n'existait pour elle aucun havre adéquat et sûr, au moment où, nullement fatigué ni découragé, mais déjà quadragénaire, ayant derrière lui sa première et brillante carrière, seul et passablement démuni, il comprit pleinement qu'il n'avait sa place nulle part. C'est alors seulement que le monde social qui l'environnait devint un problème pour lui; le sentiment qu'il était différent des autres hommes, sentiment qu'il avait supporté jusque-là aisément et avec orgueil, devint alors quelque chose qu'il lui fallut légitimer et en fin de compte exprimer littérairement. Le réalisme littéraire de Stendhal procéda de sa situation inconfortable dans le monde post-napoléonien et de sa conscience de ne pas lui appartenir, de n'y avoir aucune place. Vivre en état de malaise dans le monde existant et se sentir incapable de s'y conformer, voilà certes des traits caractéristiques du romantisme rousseauiste, et il est probable que Stendhal en présentait déjà des symptômes dans sa jeunesse. Il était prédisposé à un tel malaise et ses années de jeunesse ne peuvent qu'avoir renforcé des tendances qui répondaient pour ainsi dire à une mode de sa génération. D'autre part, il n'a rédigé ses souvenirs de jeunesse, la *Vie d'Henri Brulard*, que dans les années 1830 et il faut tenir compte du fait que dans la perspective de son évolution ultérieure, dans la perspective de 1832, il a accentué ces motifs d'isolement individualiste. Quoi qu'il en soit, il est certain que ces expressions de son isolement et de sa relation problématique à la société sont tout à fait différents des phénomènes correspondants chez Rousseau et ses disciples préromantiques.

À l'inverse de Rousseau, Stendhal avait le goût de l'action pratique et les dispositions requises pour cela. Il aspirait à jouir sensuellement de la vie telle qu'elle s'offrait; il ne s'est pas soustrait d'emblée à la réalité pratique, pas plus qu'il ne l'a condamnée du premier coup; il s'est au contraire efforcé de la dominer, et d'abord avec succès. Le succès matériel et la jouissance matérielle lui paraissaient des choses désirables; il admire l'énergie et la capacité de maîtriser la vie, et les rêves auxquels il se complaît *(le silence du bonheur)* sont plus sensuels, plus concrets, plus dépendants de la société humaine et des œuvres humaines (Cimarosa, Mozart, Shakespeare, l'art italien) que ceux du «promeneur solitaire». Ce n'est qu'au moment où le succès et la jouissance commencèrent à lui échapper, lorsque les circonstances menacèrent de lui retirer le sol sous les pieds, que la société de son temps devint un problème et un sujet pour lui. Rousseau ne se sentait pas à l'aise dans le monde social de son temps, qui ne se modifia pas notablement durant son existence; il s'y éleva sans en devenir plus heureux et sans se rallier à un ordre des choses qui semblait solidement établi. Stendhal vécut à une époque où un séisme après l'autre ébranlait les fondations de la société. Un de ces séismes arracha sa vie au cours qui semblait prescrit aux individus de son milieu pour le jeter, ainsi que nombre de ses semblables, dans des aventures, des événements, des responsabilités, des épreuves, dcs expériences de liberté et de pouvoir qui étaient inconcevables auparavant; un autre le ramena dans une nouvelle quotidienneté qui lui parut plus ennuyeuse, plus stupide, plus insipide que l'ancienne. Et celle-ci, c'était là son aspect le plus intéressant, ne promettait rien de durable non plus; de nouvelles convulsions étaient dans l'air et elles se produisirent ici et là, bien qu'elles fussent moins violentes que les premières. Comme l'intérêt de Stendhal procédait des expériences de sa propre vie, il ne s'adressa pas à la structure que la société pouvait avoir, mais aux mutations de la société existante. La perspective temporelle demeure toujours présente à son esprit, le sentiment que les formes et les modes de vie changent continuellement domine ses pensées. D'autant plus que, pour lui, ces changements recèlent un espoir: en 1880 ou en 1930, j'aurai des lecteurs qui me comprendront!

Je citerai à ce propos quelques exemples. Parlant de l'esprit de La Bruyère (*Henri Brulard*, chap. XXX), il se rend compte que ce type de formulation a perdu de sa valeur depuis 1789: *L'esprit, si délicieux pour qui le sent, ne dure pas. Comme une pêche passe en quelques jours, l'esprit passe en deux cents ans, et bien plus vite s'il y a révolution dans les rapports que les classes d'une société ont entre elles.* Les *Souvenirs d'égotisme* contiennent

une foule de remarques analogues, le plus souvent prophé-
tiques, fondées sur les changements d'appréciation qu'entraî-
nent les changements d'époque. Il prévoit (chap. VII, *in fine*)
qu'à *l'époque où on lira ce bavardage,* ce sera un lieu commun
que de rendre les classes dirigeantes responsables des crimes
des voleurs et des assassins. Au début du chapitre IX, il a bien
peur que toutes ses affirmations audacieuses, qu'il risque
avec crainte, ne soient déjà des platitudes dix ans après sa
mort, si toutefois le ciel lui accorde une longévité à peu près
décente de quatre-vingts ou quatre-vingt-dix ans. Au chapitre suivant, il parle d'un de ses amis qui paie très cher les
faveurs d'une *honnête femme du peuple,* et il ajoute, en guise de
commentaire: *cinq cents francs en 1832, c'est comme mille en
1872* — c'est-à-dire quarante ans après le moment où il écrit
et trente ans après sa mort. Et quelques pages plus loin, on
rencontre une phrase également très éclairante, mais que son
caractère elliptique rend difficilement intelligible; il y affirme
qu'il serait injuste de sa part de parler en mauvais termes
d'une femme encore très jeune car il se pourrait que ses propos fussent imprimés déjà dix ans après sa mort; *si je mets
vingt,* ajoute-t-il, *toutes les* nuances de la vie *seront changées, le
lecteur ne verra plus que les masses. Et où diable sont les* masses
dans ses jeux de la plume? C'est une chose à examiner. Si je com-
prends bien, «les masses» signifient ici «les grandes lignes». Il
craint donc que la vie ait tellement changé vingt ans après sa
mort que toutes ses nuances seront devenues incompréhensi-
bles, de sorte que le lecteur ne distinguera plus que les grandes lignes de ses écrits.

Je pourrais citer bien d'autres passages analogues, mais
ce n'est pas nécessaire, car l'élément de perspective temporelle
se manifeste partout dans le traitement même des sujets. Partout dans ses œuvres réalistes, Stendhal puise dans la réalité
qui se présente à lui: *je prends au hasard ce qui se trouve sur la
route,* dit-il non loin du passage que nous venons de citer.
Dans son effort de Connaissance des hommes, il n'opère,
affirme-t-il, aucun choix parmi eux; cette méthode que Montaigne pratiquait déjà, est celle qui permet le mieux d'éliminer les constructions arbitraires et de se livrer entièrement à

la réalité donnée. Or la réalité à laquelle Stendhal se trouva confronté était ainsi faite qu'on ne pouvait la représenter sans référence aux énormes changements qu'avait introduits le proche passé et sans quelque pressentiment des changements à venir. Toutes les figures humaines, tous les événements humains de l'œuvre stendhalienne apparaissent sur un substrat politiquement et socialement instable. Pour bien saisir ce que cela signifie, comparons Stendhal avec les plus célèbres auteurs réalistes du XVIIIe siècle prérévolutionnaire, avec Lesage ou l'abbé Prévost, avec le grand Henry Fielding ou avec Goldsmith; observons comme il pénètre profondément dans la réalité contemporaine et comme il la décrit exactement; il va bien plus loin dans ce sens que Voltaire, Rousseau ou le jeune Schiller, et son monde est bien plus ample que celui de Saint-Simon qu'il a beaucoup lu dans l'édition, à vrai dire fort incomplète, dont le public disposait en son temps. Dans la mesure où le réalisme sérieux des temps modernes ne peut représenter l'homme autrement qu'engagé dans une réalité globale politique, économique et sociale en constante évolution — comme c'est le cas aujourd'hui dans n'importe quel roman ou film —, Stendhal est son fondateur.

Néanmoins l'esprit dans lequel il envisage les événements et tente d'en reproduire l'engrenage est encore à peine influencé par l'historisme. Celui-ci pénétra en France à l'époque où il vivait, mais il eut encore peu d'effet sur lui. C'est pourquoi nous avons parlé dans les pages précédentes de perspective temporelle et de *conscience* des changements et des cataclysmes sans affirmer pour autant qu'il y ait eu *compréhension* de l'évolution. Il n'est pas facile de décrire l'attitude intime de Stendhal en face des phénomènes sociaux. Il s'applique à en saisir toutes les nuances, il évoque très exactement la structure particulière de chaque milieu, il ne possède ni système rationaliste préconçu en ce qui concerne les facteurs généraux qui déterminent la vie sociale ni conception idéale de ce que devrait être la société. Dans le détail sa représentation des événements est fondée sur une «analyse du cœur humain» tout à fait conforme à la psychologie morale classique, elle ne découvre ni ne pressent l'existence de forces historiques. On trouve chez lui des motifs rationalistes, empiriques, sensualistes, mais guère ceux de l'historisme romantique. Mathilde de La Mole et sa famille sont fiers de leur origine, elle-même voue un culte romanesque à un de ses ancêtres exécuté au XVIᵉ siècle pour avoir comploté. Stendhal introduit ce trait comme un élément qui a son importance du point de vue sociologique et psychologique, mais il ne saisit pas génétiquement, comme les romantiques, la nature et la fonction de la noblesse. La manière dont il considère l'absolutisme, la religion et l'Église, les privilèges attachés à un rang, ne diffère pas essentiellement de celle qu'on trouve chez un adepte moyen de la philosophie des Lumières, c'est-à-dire qu'il y voit un tissu de superstitions, d'impostures et d'intrigues. D'ailleurs l'intrigue habilement emmanchée joue, à côté de la passion, un rôle déterminant dans l'action du roman, alors que les forces historiques qui se trouvent à son principe ne se manifestent guère. Tout cela s'explique évidemment par les convictions démocratiques et républicaines de Stendhal, convictions qui suffisaient à l'immuniser contre l'historisme romantique; en outre l'emphase d'écrivains comme Chateaubriand lui déplaisait au plus haut point (de même, il s'éloigna toujours plus de Rousseau qu'il avait aimé dans sa jeunesse). D'autre part, il traite même les classes de la société qui devraient avoir sa sympathie du fait de ses opinions d'une manière extrêmement critique et sans qu'on trouve la moindre trace, sous sa plume, des valeurs sentimentales que le romantisme associait au mot «peuple». La bourgeoisie qui se voue à une activité pratique et gagne honnêtement de l'argent lui inspire un ennui insurmontable, il a horreur de la *vertu républicaine* des États-Unis d'Amérique et en dépit de son aversion de la sentimentalité, il regrette la ruine de la structure sociale de l'Ancien Régime. *Ma foi, l'esprit manque,* lit-on dans le chapitre XXX de *Henri Brulard, chacun réserve toutes ses forces pour un métier qui lui donne un rang dans le monde.* Ce n'est plus la naissance, ni l'esprit, ni l'éducation *d'honnête homme* qui sont déterminants, mais la capacité professionnelle. Dans un tel monde Stendhal-Dominique ne peut vivre ni respirer. Certes, comme ses héros, il sait aussi travailler, et travailler efficacement,

quand il le faut. Mais comment prendre au sérieux, à la longue, quelque chose comme le travail professionnel! L'amour,
la musique, la passion, l'intrigue, l'héroïsme, voilà des choses
qui rendent la vie digne d'être vécue...

Stendhal est un grand bourgeois aristocrate fils de l'Ancien Régime, il ne veut ni ne peut devenir un bourgeois du
XIXᵉ siècle. Il ne cesse de le répéter lui-même: dès ma jeunesse
mes opinions ont été républicaines, mais ma famille m'a lé-
gué ses instincts aristocratiques (H. Brulard, XIV); depuis la
Révolution le public du théâtre s'est abêti (ibid., XXII); j'ai moi-
même été libéral (en 1821), tout en trouvant les libéraux ou-
trageusement niais (Souvenirs d'égotisme, VI); une conversation
avec un gros marchand de province m'assombri t et me rend
malheureux pour toute la journée (Égotisme, VII et passim). Les
déclarations de ce genre, qui font allusion quelquefois à sa
complexion physique (La nature m'a donné les nerfs délicats et la
peau sensible d'une femme, H. Brulard, XXXII), foisonnent chez
Stendhal. Il a parfois de vrais accès de socialisme: en 1811, selon lui, l'énergie ne s'est trouvée que dans la classe qui est en
lutte avec les vrais besoins (H. Brulard, II), et cette remarque ne
s'applique pas seulement à l'année 1811. Mais l'odeur et le
bruit de la masse lui sont insupportables, et si radicalement
réalistes que soient ses œuvres sous d'autres aspects, nous
n'y trouvons le peuple ni au sens romantique et folklorique
du terme ni au sens socialiste; nous trouvons seulement des
petits-bourgeois ou, à l'occasion, des figurants tels que des
soldats, des valets et des cabaretières. Il aime à s'étendre sur
des particularités régionales ou nationales, par exemple sur
ce qui différencie Paris de la province, les Français des Ita-
liens, ou sur le caractère des Anglais; en ces matières, où il se
fonde sur son expérience, il ne manque pas de pénétration,
quelquefois aussi il écoute trop son humeur et se montre partial. Mais bien qu'il s'agisse toujours de faits observés, non
d'exemples illustrant des structures collectives, comme chez
Montesquieu, ceux-ci ne sont guère interprétés génétiquement et historiquement, mais mis au service d'une psychologie des peuples anecdotique et morale. On pourrait parler de
réalisme géographique (qu'on lise par exemple, pour mieux

saisir ce que nous entendons, les notes des 1er et 4 janvier
1817 dans *Rome, Naples et Florence)*. Enfin, il voit bien moins
dans l'individu le produit d'une situation historique, à laquelle il participe, qu'un atome perdu en son sein. L'individu
semble presque fortuitement jeté dans le milieu où il vit, et ce
milieu est une résistance dont il peut venir à bout avec plus
ou moins de bonheur, non pas un humus auquel il est organiquement lié. En outre, la conception stendhalienne de l'homme
est dans l'ensemble éminemment matérialiste et sensualiste;
on en trouve une excellente illustration dans *Henri Brulard*
(chap. XXVI): *J'appelle* caractère *d'un homme sa manière habituelle
d'aller à la chasse au bonheur, en termes plus clairs, mais moins
qualificatifs, l'ensemble de ses habitudes morales.* Or ce bonheur,
même si les individus supérieurs peuvent le trouver dans
l'esprit, dans l'art, dans la passion ou dans la gloire, garde
toujours chez lui une coloration bien plus sensuelle et terres-
tre que chez les romantiques. Son aversion de l'efficacité phi-
listine, du type bourgeois qui était en train de se constituer
pourrait aussi être romantique, mais un romantique ne termi-
nerait guère un passage exprimant son dégoût de l'affairisme
par ces mots: *J'ai eu le rare plaisir de faire toute ma vie à peu près
ce qui me plaisait (H. Brulard*, XXXII). Sa conception de l'esprit et
de la liberté est encore tout à fait celle du XVIIIe siècle prérévolutionnaire, bien qu'il ne réussisse plus à la réaliser que difficilement et un peu laborieusement dans sa propre personne.
Il doit payer sa liberté au prix de la pauvreté et de la solitude,
et son esprit devient légèrement paradoxal, amer et blessant:
une gaieté qui fait peur (H. Brulard, VI). Son esprit ne possède
plus l'assurance que connaissait l'époque de Voltaire. Stendhal ne domine plus son existence sociale, ni la partie si importante de cette existence que sont ses relations amoureuses,
avec la souveraineté d'un grand seigneur de l'Ancien Régime. Ne va-t-il pas jusqu'à prétendre que s'il est devenu spirituel ç'a été pour cacher la passion que lui inspirait une
femme qu'il n'a pas possédée — *cette peur, mille fois répétée, a
été, dans le fait, le principe dirigeant de ma vie pendant dix ans
(Égotisme,* I)? De tels traits le font apparaître comme un homme
venu trop tard qui s'efforce vainement de réaliser le mode de

vie d'une époque révolue; d'autres particularités de son être, l'objectivité intransigeante de son réalisme, sa courageuse affirmation de lui-même contre la trivialité du *juste milieu* qui allait triompher, et bien d'autres traits, font de lui le précurseur de certaines attitudes intellectuelles et de certaines formes de vie qui s'épanouiront plus tard; mais toujours il ressent et vit la réalité de son temps comme une résistance. C'est pourquoi son réalisme, bien qu'il ne procède pas, ou très peu, d'une sympathie qui saisit la genèse des évolutions, donc d'une attitude d'historien, se lie si fortement et si étroitement à son existence. Le réalisme de ce *cheval ombrageux* est le produit de la lutte qu'il a dû mener pour s'affirmer, et c'est ce qui explique que le niveau stylistique de ses grands romans réalistes se rapproche bien plus du vieux concept héroïque de tragédie que ceux de la plupart des écrivains réalistes qui l'ont suivi: Julien Sorel est bien plus un «héros» que les personnages de Balzac ou de Flaubert.

Toutefois, à un autre point de vue auquel nous avons déjà fait allusion, il est très proche de ses contemporains romantiques: dans sa lutte contre les frontières stylistiques que le classicisme avait tracées entre réalisme et tragique. En cette matière il les surpasse même, car il est bien plus conséquent et vrai, et c'est parce qu'il s'accordait sur ce point avec ses cadets qu'il put faire figure, en 1822, de partisan de la nouvelle tendance.

On sait que la règle stylistique en honneur dans l'art classique, règle qui excluait tout réalisme matériel des œuvres tragiques et sérieuses, s'était déjà assouplie dans le cours du XVIIIe siècle; nous en avons traité dans les deux chapitres précédents. Même en France on constate un tel assouplissement dès la première moitié du XVIIIe siècle; dans la seconde ce fut surtout Diderot qui se fit le défenseur, aussi bien en théorie qu'en pratique, d'un niveau stylistique intermédiaire, sans dépasser toutefois les limites du pathétique bourgeois. Dans les romans de Diderot, notamment dans *Le neveu de Rameau*, des personnages de la vie de tous les jours et de rang moyen, sinon inférieur, sont représentés avec un certain sérieux; ce sérieux, néanmoins, rappelle davantage l'attitude

morale et satirique des Lumières que le réalisme du XIXᵉ siècle. Dans la figure et l'œuvre de Rousseau on trouve indiscu-
tablement le germe de l'évolution ultérieure. Rousseau pouvait, comme le dit Meinecke dans son livre sur l'historisme
(II, p. 390), «malgré l'insuffisance de sa pensée historique,
contribuer à éveiller un sens nouveau de l'individualité par le
seul accomplissement de son propre individu». Meinecke
parle ici de la pensée historique; on peut faire une remarque
analogue à propos du réalisme. Rousseau n'est pas à proprement parler un réaliste; il porte à ses sujets, et aussi à sa vie,
un intérêt si fortement apologétique et éthico-critique, les jugements qu'il exprime sur les événements sont tellement déterminés par ses principes de droit naturel que la réalité du
monde social ne devient pas directement l'objet de ses
œuvres. Il n'en reste pas moins que les *Confessions,* où il tente
de représenter sa propre existence dans sa situation réelle par
rapport au temps où il vécut, ont été un important modèle
stylistique pour des écrivains qui possédaient plus que lui le
sens de la réalité donnée. Sa politisation du concept idyllique
de Nature a peut-être été plus importante encore par son influence directe sur le réalisme sérieux: Rousseau a créé l'image
d'une vie idéale qui, comme on sait, exerça un immense pouvoir de suggestion et que l'on croyait pouvoir réaliser pro-
chainement. Cette image idéale s'opposait à la réalité historique existante, et une telle opposition devint toujours plus
violente et tragique à mesure qu'il devenait évident que la réalisation de l'idéal avortait. Ainsi la réalité historique pratique
devint un problème dans une mesure encore jamais vue — d'une
manière bien plus concrète et directe que jamais auparavant.

Au cours des premières décennies qui suivirent la mort
de Rousseau, dans le préromantisme français, l'effet de cette
immense désillusion fut à vrai dire exactement opposé: ce qui
se manifesta chez les écrivains les plus marquants ce fut une
tendance à la fuite devant la réalité contemporaine. La Révolution, l'Empire et encore la Restauration sont pauvres en
œuvres littéraires réalistes. Les héros des romans préromantiques trahissent une aversion quelquefois presque maladive
pour tout ce qui pourrait les mêler à la vie de leur temps.

Pour Rousseau déjà la contradiction entre le naturel qu'il appelait de ses vœux, et la réalité historique où il plongeait était devenue tragique; mais il avait invoqué cette contradiction même pour lutter en faveur du naturel. Il ne vivait plus lorsque la Révolution et Napoléon créèrent une situation qui, bien que nouvelle, n'était aucunement plus naturelle au sens qu'il donnait à ce mot, mais de nouveau grevée de contingences historiques. La génération suivante, qui avait été imprégnée des idées et des espoirs de Rousseau, vécut la résistance victorieuse du réel historique, et ceux qui avaient été le plus profondément marqués par ces idées ne se trouvèrent pas à l'aise dans le monde nouveau qui avait brisé leurs espérances. Ils prirent à son égard une attitude d'opposants ou se détournèrent de lui. De Rousseau ils ne conservèrent que la division intérieure, la propension à fuir la société, le besoin de se singulariser et de s'isoler; l'autre aspect de la personnalité de Rousseau, son aspect révolutionnaire et combattant, ne s'épanouit plus en eux. Les circonstances extérieures, qui détruisirent l'unité de la vie intellectuelle en France et la situation prépondérante de la littérature, contribuèrent également à cette évolution. De l'explosion de la Révolution à la chute de Napoléon, il ne paraît guère d'ouvrage littéraire de quelque valeur qui ne présente des symptômes de cette fuite devant la réalité du temps, et ceux-ci abondent encore dans les groupes romantiques après 1820. Ils se manifestent le plus purement et le plus complètement chez Sénancour. Mais par son caractère négatif même, l'attitude de la plupart des écrivains pré-romantiques à l'égard de la réalité sociale de leur temps est bien plus sérieusement problématique que celle de la société des Lumières. Le mouvement rousseauiste et la désillusion par laquelle il se solda fut un préalable nécessaire à la genèse de la conception moderne de la réalité. En opposant passionnément la condition naturelle de l'homme à la réalité de la vie déterminée par l'histoire, il faisait de celle-ci un problème pratique. C'est alors seulement que la représentation de la vie dans le style du XVIIIe siècle — représentation qui ne tenait pas compte des problèmes et du mouvement de l'histoire — perdit sa valeur.

Le romantisme, qui s'était constitué bien plus tôt en Allemagne et en Angleterre et dont les tendances historiques et individualistes mûrissaient depuis longtemps en France aussi, arriva à son plein épanouissement après 1820, et ce fut précisément, rappelons-le, du principe du mélange des styles que Victor Hugo et ses amis firent le mot d'ordre de leur mouvement. Dans ce principe, l'opposition de ces écrivains au traitement classique des sujets et à la langue littéraire classique s'exprimait de la manière la plus éclatante. Mais déjà la formulation qu'en donne Hugo a quelque chose d'exagérément antithétique: pour lui il s'agit du mélange du sublime et du grotesque. Ce sont là deux pôles stylistiques qui ne tiennent pas compte de la réalité. Et de fait Hugo ne vise pas à représenter la réalité donnée pour la rendre compréhensible; dans ses sujets historiques aussi bien que contemporains, il s'efforce plutôt de donner le maximum de relief aux deux pôles stylistiques du sublime et du grotesque, ou à d'autres contrastes éthiques et esthétiques. En les opposant de la sorte, il obtient certes de puissants effets — car le génie de Hugo est puissant et suggestif —, mais des effets invraisemblables et faux en tant qu'expression de la vie humaine.

Un autre écrivain de la génération romantique, Balzac, dont le pouvoir de création était tout aussi grand, et plus orienté vers le réel, a envisagé la représentation de l'époque où il vivait comme sa tâche par excellence et peut être considéré, avec Stendhal, comme le créateur du réalisme moderne. Il a seize ans de moins que ce dernier; néanmoins les premiers romans qui portent la marque de sa personnalité parurent sensiblement à la même époque que ceux de Stendhal, c'est-à-dire vers 1830. Pour illustrer sa méthode de présentation des choses, nous reproduirons d'abord le portrait de Mme Vauquer, la fameuse maîtresse de pension qui apparaît au début du *Père Goriot* (1834). Ce portrait est précédé d'une minutieuse description du quartier où se trouve la pension, de la maison elle-même, des deux pièces du rez-de-chaussée; tout cela produit une intense impression de pauvreté désespérante, de vétusté et d'usure, où la description du monde matériel suggère du même coup l'atmosphère morale. Après la peinture de la salle à manger paraît enfin la maîtresse de ces lieux:

> Cette pièce est dans tout son lustre au moment où, vers sept heures du matin, le chat de Mme Vauquer précède sa maîtresse, saute sur les buffets, y flaire le lait que contiennent plusieurs jattes couvertes d'assiettes et fait entendre son *ronron* matinal. Bientôt la veuve se montre, attifée de son bonnet de tulle sous lequel pend un tour de faux cheveux mal mis; elle marche en traînassant ses pantoufles grimacées. Sa face vieillotte, grassouillette, du milieu de laquelle sort un nez à bec de perroquet; ses petites mains potelées, sa personne dodue comme un rat d'église, son corsage trop plein et qui flotte, sont en harmonie avec cette salle où suinte le malheur, où s'est blottie la spéculation, et dont Mme Vauquer respire l'air chaudement fétide sans en être écœurée. Sa figure fraîche comme une première gelée d'automne, ses yeux ridés, dont l'expression passe du sourire prescrit aux danseuses à l'amer renfrognement de l'escompteur, enfin toute sa personne explique la pension, comme la pension implique sa personne. Le bagne ne va pas sans l'argousin, vous n'imagineriez pas l'un sans l'autre. L'embonpoint blafard de cette petite femme est le produit de cette vie, comme le typhus est la conséquence des exhalaisons d'un hôpital. Son jupon de laine tricotée, qui dépasse sa première jupe faite avec une vieille robe, et dont la ouate s'échappe par les fentes de l'étoffe lézardée, résume le salon, la salle à manger, le jardinet, annonce la cuisine et fait pressentir les pensionnaires. Quand elle est là, ce spectacle est complet. Âgée d'environ cinquante ans, Mme Vauquer ressemble à toutes les femmes *qui ont eu des malheurs.* Elle a l'œil vitreux, l'air innocent d'une entremetteuse qui va se gendarmer pour se faire payer plus cher, mais d'ailleurs prête à tout pour adoucir son sort, à livrer Georges ou Pichegru, si Georges ou Pichegru étaient encore à livrer. Néanmoins elle est *bonne femme au fond,* disent les pensionnaires, qui la croient sans fortune en l'entendant geindre et tousser comme eux. Qu'avait été M. Vauquer? Elle ne s'expliquait jamais sur le défunt. Comment avait-il perdu sa fortune? «Dans les

malheurs», répondait-elle. Il s'était mal conduit envers
elle, ne lui avait laissé que les yeux pour pleurer, cette
maison pour vivre, et le droit de ne compatir à aucune
infortune, parce que, disait-elle, elle avait souffert tout ce
qu'il est possible de souffrir.

Le portrait de la dame est rattaché à son apparition matinale dans la salle à manger; elle pénètre dans cette pièce qui
est son champ d'activité; le chat qui saute sur les buffets lui
donne quelque peu l'air d'une sorcière. Ensuite commence
une description approfondie de sa personne. Celle-ci est dominée par un thème qui revient plusieurs fois: l'harmonie qui
existe d'une part entre sa personne et la pièce où elle se trouve,
d'autre part entre la pension qu'elle dirige et la vie qu'elle
mène; bref, l'harmonie qui existe entre sa personne et ce que
nous appelons (et parfois déjà Balzac) son *milieu*. Cette harmonie est suggérée de la façon la plus impressive: d'abord
par l'usure, la flaccidité, la malpropreté chaude et sexuelle-
ment rebutante de son corps et de ses vêtements, qui s'accordent à l'air fétide de la pièce qu'elle respire sans dégoût. Un
peu plus loin ces différentes caractéristiques s'accordent avec
son visage et ses mines; le thème est alors appréhendé sous
un angle plus moral et met énergiquement en relief les relations réciproques qui unissent la personne et le milieu: *sa personne explique la pension, comme la pension implique sa personne*;
à cela s'ajoute la comparaison avec le bagne. Suit une description plus médicale où *l'embonpoint blafard* de la dame, *produit
de cette vie* est comparé au typhus, *conséquence des exhalaisons
d'un hôpital*. Enfin, le jupon est évoqué comme une sorte de
synthèse des différentes pièces de la pension, comme un
avant-goût de la cuisine et une préannonciation des pension-
naires. Un instant ce jupon devient le symbole du milieu,
après quoi le tout est encore une fois résumé par la phrase:
quand elle est là, ce spectacle est complet: il n'est donc plus même
besoin d'attendre le déjeuner et les hôtes, tout cela est déjà in-
clus dans sa personne. Il ne semble pas que les différents re-
tours du motif de l'harmonie obéissent à un ordre préconçu,
ni que Balzac suive un plan systématique dans sa description
de Mme Vauquer. La succession des objets mentionnés —

bonnet, coiffure, pantoufles, physionomie, mains, corps, encore le visage, yeux, corpulence, jupon — ne laisse deviner aucune trace de composition. On n'observe pas non plus de distinction entre corps et vêtements, entre traits physiques et signification morale. La description tout entière, jusqu'au point où nous l'avons examinée, s'adresse à l'imagination du lecteur, aux souvenirs qu'il peut avoir de personnes et de milieux analogues; la thèse de l'«unité de style» du milieu, qui inclut les gens qui s'y meuvent, n'est pas rationnellement établie, mais présentée comme un fait qui s'impose directement aux sens, d'une manière purement suggestive, sans preuve. Une phrase comme: *ses petites mains potelées, sa personne dodue comme un rat d'église* [...] *sont en harmonie avec cette salle où suinte le malheur* [...] *et dont Mme Vauquer respire l'air chaudement fétide...* présuppose déjà la thèse de l'harmonie, avec tout ce qu'elle comporte (signification sociologique et morale des meubles et des vêtements, prévisibilité des éléments du milieu qui n'ont pas encore paru d'après ceux qui ont déjà été montrés). De même la mention du bagne et celle du typhus ne constituent que des comparaisons suggestives, non pas des preuves ni même des amorces de preuves. Le défaut d'ordre et de rationalité du texte est une conséquence de la hâte avec laquelle Balzac travaillait, mais ce n'est pas pour autant un hasard, car sa hâte est pour une bonne part une conséquence des images qui le hantent. Le thème de l'unité du milieu l'a saisi lui-même avec tant de force que les choses et les gens qui le constituent prennent pour lui une sorte de signification seconde, différente de leur signification rationnelle et bien plus importante qu'elle, que l'on désignerait le mieux par l'adjectif «démonique». Dans cette salle à manger aux meubles usés et minables, mais neutres pour un regard qui ne serait pas influencé par l'imagination, *suinte le malheur* [...], *s'est blottie la spéculation.* Des sorcières allégoriques se cachent au sein de ce quotidien trivial, et au lieu d'une veuve dodue et mal mise on voit, un instant, surgir un rat. Nous avons donc affaire à une entité de lieu déterminée, ressentie comme une synthèse organique et démonique, et rendue par une suggestion entièrement sensorielle.

La seconde partie de notre texte, où le thème de l'harmonie n'apparaît plus, est consacrée au caractère et à la vie passée de Mme Vauquer. Il serait toutefois erroné de voir dans cette distinction (d'une part l'apparence, d'autre part le caractère et le passé) l'effet d'une composition intentionnelle. Des caractéristiques corporelles prennent également place dans cette seconde partie *(l'œil vitreux)*, et très souvent aussi Balzac dispose ses éléments dans un autre ordre, ou mêle inextricablement les traits physiques, moraux et biographiques de ses portraits. Dans le cas qui nous occupe, ce qui nous est dit du caractère et du passé de Mme Vauquer ne sert aucunement à les expliquer, mais bien plutôt à situer le personnage dans sa vraie lumière, dans la lumière douteuse d'un démonisme trivial et subalterne. Pour ce qui est du passé, nous apprenons que cette femme est *âgée d'environ cinquante ans* et qu'elle *a eu des malheurs* (au pluriel); Balzac ne dit rien de son existence antérieure, mais reproduit, partiellement en discours indirect, le bavardage inconsistant, plaintif et bourré de clichés par lequel elle répond à ceux qui s'intéressent à son sort. Ici encore nous rencontrons le pluriel soupçonneux, qui évite toute information claire: son mari a perdu sa fortune *dans les malheurs*; tout comme quelques pages plus loin, une autre veuve méfiante affirme de son mari, qui aurait été comte et général, qu'il est tombé sur *les* champs de bataille. Tout cela concorde avec le démonisme vulgaire de Mme Vauquer. Elle semble *bonne femme au fond,* elle semble pauvre, bien qu'elle possède, comme nous l'apprenons plus tard, une coquette fortune, et elle est capable de toutes les bassesses pour améliorer un peu son sort. La mesquinerie de cet égoïsme, son mélange de sottise, d'astuce et d'énergie cachée donnent de nouveau l'impression de quelque chose de répugnant et de fantastique; de nouveau la comparaison avec un rat, ou avec quelque autre animal qui frappe l'imagination humaine par son aspect démonique et vil, s'impose spontanément à l'esprit. La seconde partie de la description complète donc la première: tandis que la première nous présente Mme Vauquer comme la synthèse du milieu qu'elle gouverne, la seconde approfondit ce que son caractère a d'impénétrable et de bas, traits qui doivent se manifester dans ce même milieu.

Dans toute son œuvre, comme dans ce passage, Balzac a ressenti les milieux — et ceux-ci sont des plus divers — comme des entités organiques, voire démoniques, et a cherché à communiquer ce sentiment à son lecteur. Il ne s'est pas borné, comme Stendhal, à situer les individus dont il racontait le destin avec sérieux dans leur cadre historique et social exactement déterminé, il a en outre éprouvé cette relation comme nécessaire: tout milieu devient pour lui une atmosphère physique et morale qui imprègne le paysage, l'habitat, le mobilier, les objets, les vêtements, le corps, le caractère, les relations, les opinions, l'activité et le destin des individus, et en même temps la situation historique générale apparaît comme l'atmosphère globale qui enveloppe tous ces milieux particuliers. Remarquons que c'est dans sa peinture des petits-bourgeois de Paris et de province qu'il a su être le plus vrai, alors que sa représentation de la société distinguée est très souvent mélodramatique, sans vérité, et même quelquefois involontairement comique. D'une façon générale, il n'est pas exempt d'exagérations mélodramatiques, mais alors que, dans les sphères subalternes et moyennes, elles ne nuisent que rarement à la vérité de l'ensemble, il n'est pas capable de créer l'atmosphère qui convient aux sphères élevées, y compris celle de la supériorité intellectuelle.

Le réalisme d'atmosphère qui est celui de Balzac est un produit de son époque, il est lui-même un élément et un produit d'une atmosphère. La même forme d'esprit — à savoir le romantisme — qui avait commencé à éprouver si vivement et sensuellement l'unité stylistique des époques antérieures, leur unité d'atmosphère, qui avait découvert le Moyen Âge, la Renaissance et aussi la particularité historique de certaines civilisations étrangères (Espagne, Orient), cette même forme d'esprit développa aussi la compréhension organique de l'atmosphère propre au siècle, dans les nombreuses manifestations où elle se révélait. L'historisme d'atmosphère et le réalisme d'atmosphère sont étroitement liés; Michelet et Balzac sont portés par les mêmes courants. Les événements qui se déroulèrent en France entre 1789 et 1815 et les répercussions qu'ils exercèrent sur les décennies suivantes firent que ce fut

précisément en France que le réalisme contemporain s'épanouit le plus tôt et le plus vigoureusement, et l'unité politique et culturelle du pays lui donna sous ce rapport une très
grande avance sur l'Allemagne; la réalité française, dans sa
diversité, pouvait être appréhendée comme un tout. Un autre
courant romantique ne contribua pas moins au développement du réalisme moderne que l'intuition romantique de
l'atmosphère globale d'un milieu: le mélange des styles dont
nous avons déjà si souvent parlé. Par lui il devint possible
que des individus de tous rangs, avec toutes les implications
pratiques et quotidiennes de leur vie — Julien Sorel aussi
bien que le vieux père Goriot ou Mme Vauquer — fussent
l'objet d'une représentation littéraire sérieuse.

Ces considérations générales me paraissent évidentes; il
est plus malaisé de décrire avec quelque exactitude l'attitude
intellectuelle qui domine le réalisme balzacien. Les déclarations de Balzac même sont nombreuses sur ce point et donnent des indications précieuses, mais elles sont confuses et
contradictoires. Balzac a été aussi fertile en idées et en intuitions qu'il s'est montré peu apte à distinguer les différents
éléments de sa pensée, à endiguer le flux de ses images et de
ses comparaisons suggestives, mais troubles, dans des analyses intellectuelles, et, d'une manière générale, à adopter une
attitude critique à l'égard de son inspiration torrentielle. Toutes ses analyses intellectuelles, bien qu'elles soient pleines
d'observations originales et pertinentes, aboutissent à une
macroscopie fantasque qui rappelle son contemporain Hugo.
Pour expliquer son art réaliste il s'agit avant tout de distinguer soigneusement les courants qui confluent en lui.

Dans l'«Avant-propos» de la *Comédie humaine* (publié en
1842), Balzac commence par expliquer son œuvre par une
comparaison entre le règne animal et la société humaine,
dans laquelle on perçoit l'écho des théories de Geoffroy
Saint-Hilaire. Sous l'influence de la philosophie naturelle du
temps, philosophie spéculative d'origine allemande, ce biolo-
giste avait défendu l'idée qu'il existe une unité typique dans
l'organisation; il pensait, en d'autres termes, que l'organisation des plantes (et des animaux) obéit à un plan général. En

même temps, Balzac rappelle les systèmes d'autres mystiques, philosophes et biologistes (Swedenborg, Saint-Martin, Leibniz, Buffon, Bonnet, Neddham), pour en arriver à la conclusion suivante:

> Le créateur ne s'est servi que d'un seul et même patron pour tous les êtres organisés. L'animal est un principe qui prend sa forme extérieure, ou, pour parler plus exactement, les différences de sa forme, dans les milieux où il est appelé à se développer...

Ce principe est aussitôt appliqué à la société humaine:

> La Société [*avec une majuscule, comme un peu plus haut la Nature*] ne fait-elle pas de l'homme, suivant les milieux où son action se déploie, autant d'hommes différents qu'il y a de variétés en zoologie?

Après quoi il compare les différences qui existent entre un soldat, un ouvrier, un fonctionnaire, un avocat, un oisif, un savant, un homme d'État, un commerçant, un marin, un poète, un pauvre, un prêtre avec celles qui distinguent entre eux un loup, un lion, un âne, un corbeau, un requin et ainsi de suite.

Il ressort de là, tout d'abord, qu'il tente de fonder sa conception de la société humaine (le type *homme* différencié par les milieux) sur des analogies biologiques. Le terme de milieu, qui apparaît ici pour la première fois en un sens sociologique et qui était destiné à une si grande carrière (Taine semble l'avoir repris de Balzac) est emprunté à Geoffroy Saint-Hilaire, qui l'avait lui-même transféré de l'ordre physique à l'ordre biologique; il passe donc maintenant de la biologie à la sociologie. Le biologisme qui hante l'esprit de Balzac est mystique, spéculatif et vitaliste, comme il ressort des noms qu'il cite lui-même; toutefois le concept modèle, le principe «animal» ou «homme», n'est nullement conçu comme immanent, mais en quelque sorte comme une Idée platonicienne réalisée. Ses différents genres et espèces sont uniquement des «formes extérieures», et en outre ils ne sont pas donnés comme des entités qui se modifient dans le cours de l'histoire, mais comme des réalités fixes (un soldat, un ouvrier, etc., comme un lion, un âne). Balzac ne semble pas avoir compris dans ce passage le sens particulier de la notion de milieu telle qu'il l'a mise en œuvre dans ses romans. Le milieu au sens sociologique — la chose, non le mot — existait bien avant lui. Cette notion est indubitablement présente dans l'œuvre de Montesquieu. Mais alors que Montesquieu attache bien plus d'importance aux conditions naturelles (sol, climat) qu'à celles qui résultent de l'histoire humaine, alors qu'il s'efforce de distinguer les différents milieux comme autant de modèles conceptuels fixes auxquels s'appliquent les modèles constitutionnels et législatifs adéquats, Balzac s'en tient pratiquement toujours à la structure historique et perpétuellement changeante de ses milieux. Pas un lecteur n'en viendrait spontanément à l'idée qu'il semble défendre dans cet *Avant-propos*, à savoir qu'il s'intéresse au type *homme* ou même seulement à des espèces («soldat», «commerçant»); ce que nous voyons c'est, au contraire, la figure concrète et particulière, avec son physique et son histoire propres, telle qu'elle résulte de l'immanence de la situation historique, sociale, physique, etc.: non pas «le soldat», mais, par exemple, le colonel Bridau, mis en disponibilité après la chute de Napoléon, ruiné, et menant une vie d'aventurier à Issoudun *(La rabouilleuse)*.

Il est vrai qu'après cette audacieuse comparaison entre différenciation zoologique et sociologique, Balzac tente d'établir la spécificité de la Société par rapport à la Nature. Il l'aperçoit avant tout dans la bien plus grande complexité de la vie humaine et des usages humains, ainsi que dans la possibilité, inexistante dans le règne animal, de passer d'une espèce dans l'autre *(l'épicier [...] devient pair de France, et le noble descend parfois au dernier rang social)*. En outre des espèces différentes s'unissent *(la femme d'un marchand est quelquefois digne d'être celle d'un prince...; dans la Société la femme ne se trouve pas toujours la femelle d'un homme)*. Il mentionne aussi les conflits amoureux, rares chez les animaux, et le degré variable de l'intelligence chez les êtres humains. La phrase qui résume ce raisonnement affirme: *L'État social a des hasards que ne se permet pas la Nature, car il est la Nature plus la Société.* Si imprécis et macroscopique que soit ce paragraphe, si fortement qu'il pâtisse du *proton pseudos* de la comparaison sur lequel il se fonde, il contient néanmoins une instinctive intuition historique (*les habitudes, les vêtements, les paroles, les demeures* [...] *changent au gré des civilisations*); on y rencontre aussi un élément dynamique et vitaliste (*si quelques savants n'admettent pas encore que l'Animalité se transborde dans l'humanité par un immense courant de vie...*). Les possibilités particulières de compréhension entre un homme et un autre ne sont pas mentionnées, pas même en un sens négatif, à savoir qu'elles lui feraient défaut, à la différence des animaux. Au contraire, la relative simplicité de la vie sociale et psychologique des animaux est posée comme un fait objectif, et ce n'est que tout à la fin qu'apparaît une réserve concernant le caractère subjectif de tels jugements: *... les habitudes de chaque animal sont, à nos yeux du moins, constamment semblables en tout temps...*

Après cette transition de la biologie à l'histoire humaine, Balzac poursuit par une polémique contre l'historiographie courante et lui reproche d'avoir négligé jusqu'ici l'histoire des mœurs; telle est la tâche que *lui* s'est fixée. Il ne mentionne pas les tentatives d'histoire des mœurs entreprises depuis le XVIIIᵉ siècle (Voltaire); de sorte qu'il n'en vient pas non plus à analyser ce qui distingue sa peinture des mœurs de celle d'éventuels précurseurs; le seul Pétrone est nommé. Lorsqu'il considère les difficultés de sa tâche (un drame de trois ou quatre mille personnages), il se sent stimulé par l'exemple de Walter Scott; ici nous nous mouvons sans conteste dans le monde de l'historisme romantique. Dans ce développement aussi, des formulations qui visent à l'effet nuisent à la clarté de la pensée; *faire concurrence à l'état civil*, par exemple, est équivoque, et la phrase: *le hasard est le plus grand romancier du monde*, exige au moins un commentaire, lorsqu'elle est prononcée dans le cadre d'une pensée historicienne. Cependant un certain nombre de thèmes caractéristiques et importants ressortent avec netteté: avant tout, Balzac conçoit dans cet *Avant-propos* le roman de mœurs comme une histoire philosophique et sa propre activité d'écrivain comme celle d'un historien (nous reviendrons sur ce point); en outre il veut que tous les genres et tous les niveaux stylistiques soient légitimes dans des œuvres de cette sorte; enfin il aspire à aller au-delà de Walter Scott en réunissant l'ensemble de ses romans en un tout, en un tableau général de la société française du XIXᵉ siècle, tableau qu'il qualifie derechef d'œuvre historique.

Mais son plan ne s'arrête pas là; il veut encore rendre compte spécialement *des raisons ou de la raison de ces effets sociaux.* S'il est parvenu à chercher au moins *ce moteur social,* il veut aussi, en fin de compte, *méditer sur les principes naturels et voir en quoi les Sociétés s'écartent ou se rapprochent de la règle éternelle, du vrai, du beau.* Nous n'avons pas à nous étendre ici sur le fait qu'il ne lui est pas donné de réaliser ses représentations théoriques en dehors du cadre d'une narration et qu'il ne pouvait tenter de traduire ses plans théoriques que sous la forme de romans. Ce qui nous intéresse ici c'est de constater que la philosophie «immanente» de ses romans de mœurs ne lui suffisait pas et que cette insatisfaction, après toutes les assertions d'ordre biologique et historique que nous avons citées, l'induit à recourir à des concepts classiques — *la règle éternelle, le vrai, le beau* —, catégories qu'il ne peut pratiquement plus utiliser dans ses romans.

Tous ces thèmes — biologiques, historiques, de moralisme classique — sont effectivement épars dans son œuvre. Balzac affectionne particulièrement les comparaisons biologiques; il parle de physiologie ou de zoologie à propos de phénomènes sociaux, il parle également *d'anatomie du cœur,* il compare dans le passage du *Père Goriot* que nous avons reproduit l'influence d'un milieu social avec les exhalaisons qui produisent le typhus, et dans un autre endroit du même roman il affirme de Rastignac qu'il s'est adonné aux leçons et aux séductions du luxe *avec l'ardeur dont est saisi l'impatient calice d'un dattier femelle pour les fécondantes poussières de son hyménée.* Il serait superflu de citer des motifs historiques, car l'esprit de l'historisme, avec sa mise en relief des individus et des atmosphères, est l'esprit de l'œuvre balzacienne tout entière.

Parmi beaucoup d'autres je veux cependant citer un passage de ce genre pour montrer que des concepts historiques ont toujours été présents à son esprit. Il est tiré d'un roman de «mœurs de province», *La vieille fille*; il s'agit de deux hommes d'un certain âge habitant Alençon dont l'un est un ci-devant typique, l'autre un ancien profiteur de la Révolution, qui s'est ruiné depuis:

> Les époques déteignent sur les hommes qui les traversent. Ces deux personnages prouvaient la vérité de cet axiome par l'opposition des teintes historiques empreintes dans leurs physionomies, dans leurs discours, dans leurs idées et leurs costumes.

Dans un autre endroit du même roman, il parle, à propos d'une maison d'Alençon, de *l'archétype* qu'elle représente; il ne s'agit pas ici de l'archétype d'une abstraction anhistorique, mais de celui des *maisons bourgeoises* d'une grande partie de la France; la demeure, dont il vient de décrire le pittoresque caractère local, mérite, affirme-t-il, d'autant mieux d'avoir une place dans son livre qu'elle *explique des mœurs et représente des idées*. Les éléments biologiques et les éléments historiques se mêlent remarquablement dans l'œuvre de Balzac, en dépit de bien des imprécisions et exagérations, parce qu'ils se conforment les uns et les autres à son caractère romantique-dynamique, qui s'aventure quelquefois dans le romantique-magique et dans le démonique (dans les deux cas on sent l'action de «forces» irrationnelles). En revanche, l'élément de moralisme classique fait très souvent l'effet d'un corps étranger. Il se traduit le plus souvent dans le goût de Balzac pour les maximes générales à contenu moral. Celles-ci ne laissent pas, quelquefois, d'être spirituelles en tant qu'observations, mais Balzac les généralise abusivement. D'autres fois elles ne sont même pas spirituelles, et lorsqu'elles prennent une certaine extension, on a le sentiment d'avoir affaire à du verbiage. Citons ici quelques brèves sentences morales qui se trouvent dans *Le père Goriot*:

Le bonheur est la poésie des femmes comme la toilette en est le fard. — (La science et l'amour...) sont des asymptotes qui ne peuvent jamais se rejoindre. — S'il est un sentiment inné dans le cœur de l'homme, n'est-ce pas l'orgueil de la protection exercé à tout moment en faveur d'un être faible? — Quand on connaît Paris, on ne croit à rien de ce qui s'y dit, et l'on ne dit rien de ce qui s'y fait. — Un sentiment, n'est-ce pas le monde dans une pensée?

Le moins qu'on puisse dire de semblables apophtegmes, c'est qu'ils ne méritent pas la généralisation qu'on leur fait subir. Ce sont des aperçus nés de la situation du moment, aperçus parfois pénétrants, parfois absurdes, et pas toujours de très bon goût. Balzac ambitionne d'être un moraliste classique; on surprend parfois dans ses romans un écho de La Bruyère (par exemple dans un passage du *Père Goriot* qui décrit les effets physiques et moraux de la possession de l'argent, à l'occasion d'une somme que Rastignac reçoit de sa famille). Mais le moralisme ne convient ni à son style ni à son tempérament. Ses meilleures formulations se rencontrent dans le cours même de ses récits, lorsqu'il ne songe pas à faire œuvre de moraliste; ainsi dans *La vieille fille* lorsqu'il dit de Mlle Cormon, en un aperçu directement lié à la situation: *Honteuse elle-même, elle ne devinait pas la honte d'autrui.*

Sur le plan d'ensemble de *La comédie humaine,* tel qu'il se dessina peu à peu dans l'esprit de Balzac, nous avons encore d'autres indications intéressantes, notamment dans les lettres écrites autour de 1834, lorsque ce plan s'imposa définitivement à lui. Il convient de souligner trois thèmes dans cette auto-interprétation; ils apparaissent tous les trois dans une lettre à Mme Hanska *(Lettres à l'étrangère,* Paris, 1899, lettre du 26 octobre 1834), où Balzac déclare:

Les Études de Mœurs représenteront tous les effets sociaux sans que ni une situation de la vie, ni une physionomie, ni un caractère d'homme ou de femme, ni une manière de vivre, ni une profession, ni une zone sociale, ni un pays français, ni quoi que ce soit de l'enfance, de la vieillesse, de l'âge mûr, de la politique, de la justice, de la guerre ait été oublié.

Cela posé, l'histoire du cœur humain tracée fil à fil, l'histoire sociale faite dans toutes ses parties, voilà la base. Ce ne seront pas des rails imaginaires; ce sera ce qui se passe partout.

Des trois thèmes dont j'ai parlé deux apparaissent en toute clarté; d'abord l'intention encyclopédique qui doit englober tous les aspects de la vie sans qu'il en manque un seul; ensuite le caractère ordinaire de la réalité décrite: *ce qui se passe partout*. Le troisième thème est contenu dans le mot «histoire». Dans cette *histoire du cœur humain* ou *histoire sociale*, il ne s'agit pas du tout d'«histoire» au sens courant du terme, il ne s'agit ni d'un examen scientifique d'événements passés (mais d'une invention relativement libre, de *fiction* et non d'*history*, pour utiliser les termes anglais, particulièrement précis), ni d'une manière générale, du passé, mais de l'époque contemporaine, ou tout au plus des dernières décennies. Lorsque Balzac nomme «histoire» ses *Études de mœurs au dix-neuvième siècle* — comme Stendhal avait donné à son roman *Le rouge et le noir* le sous-titre de *Chronique du dix-neuvième siècle* —, cela signifie d'abord qu'il conçoit son activité créatrice et artistique comme une activité d'interprétation de l'histoire, ou même un genre de philosophie de l'histoire, ce qui ressortait déjà de l'«Avant-propos». Cela signifie en second lieu qu'il conçoit le présent en tant qu'histoire, comme quelque chose qui résulte de l'histoire. Et en effet ses personnages et ses atmosphères, si actuels qu'ils soient, nous sont montrés comme des phénomènes procédant des événements et des forces historiques; il suffit de relire la description de l'origine de la fortune des Grandet (*Eugénie Grandet*) ou la vie de Du Bousquier (*La vieille fille*) ou du père Goriot pour se convaincre qu'il n'existe rien de semblable avant l'apparition de Stendhal et de Balzac. Et le second surpasse de beaucoup le premier dans la manière dont il relie organiquement l'homme et l'histoire. Une telle conception et une telle exécution sont éminemment historistiques.

Revenons encore au second de ces trois motifs — *ce ne seront pas des faits imaginaires; ce sera ce qui se passe partout.* Cela signifie que l'invention ne puise pas sa matière dans l'imagination mais dans la vie réelle telle qu'elle se présente en tous lieux. À l'égard de cette vie multiple, saturée d'histoire, crûment représentée dans ses aspects quotidiens, pratiques, triviaux et laids, Balzac adopte une attitude analogue à celle qu'avait déjà Stendhal: il la prend au sérieux, et même au tragique, sous cette forme réelle-quotidienne-historique. Depuis que s'était imposé le goût classique, une pareille attitude ne s'était rencontrée nulle part, et même auparavant le réalisme n'avait jamais été aussi pénétré d'éléments pratiques et historiques, jamais il n'avait rendu compte à tel point de l'homme social. Depuis le classicisme et l'absolutisme français, le traitement de la réalité quotidienne n'était pas seulement devenu beaucoup plus timide et conventionnel: l'attitude même des écrivains à son égard leur interdisait d'en relever les aspects tragiques et problématiques. Nous avons essayé de le montrer dans les chapitres précédents; un sujet tiré de la réalité pratique pouvait être traité sur un mode satirique, comique ou didactico-moral; certains sujets ressortissant à certains domaines déterminés et limités de la vie quotidienne contemporaine pouvaient se hausser jusqu'au niveau stylistique intermédiaire du touchant; mais il ne leur était pas permis de franchir cette frontière. Déjà la vie quotidienne réelle des couches sociales intermédiaires relevait du style bas; un auteur aussi spirituel et éminent qu'Henry Fielding, qui touche à tant de problèmes moraux, esthétiques et sociaux, maintient toujours sa représentation dans les limites du ton satirique des moralistes et déclare dans *Tom Jones* (XIV, I): ... *that kind of novels which, like this I am writing, is of the comic class.*

L'irruption du sérieux existentiel et tragique dans le réalisme, telle que nous l'observons chez Stendhal et Balzac, est sans aucun doute en étroite relation avec le grand mouvement romantique du mélange des styles — mouvement qui se résume dans le mot d'ordre *Shakespeare contre Racine* —, et je tiens sa forme stendhalienne et balzacienne, l'association du sérieux et de la réalité quotidienne, pour bien plus importante et vraie que la forme que lui donna le groupe de Victor Hugo qui entendait associer le sublime au grotesque.

La nouveauté de cette attitude et la nouveauté des sujets qui furent traités avec sérieux, sous un angle problématique et tragique, suscitèrent peu à peu le développement d'un nouveau type de style sérieux ou, si l'on veut, élevé. Aucun niveau de conception et d'expression, qu'il fut antique, chrétien, shakespearien ou racinien, ne pouvait être simplement appliqué aux nouveaux sujets. Il en résulta d'abord une certaine incertitude dans le genre de sérieux qu'il y avait lieu d'adopter.

Stendhal, dont le réalisme était né de sa résistance à un présent qu'il méprisait, conserve encore dans son attitude bien des instincts du XVIIIe siècle. Des souvenirs de Roméo, de don Juan, de Valmont et de Saint-Preux hantent ses héros; surtout, la figure de Napoléon continue à vivre en lui; les héros de ses romans pensent et sentent contre leur temps, ils ne condescendent qu'avec dédain aux intrigues et aux machinations de la société post-napoléonienne. Bien qu'il y mêle constamment des traits qui, selon l'ancienne conception, ont un caractère de comédie, il reste vrai pour lui qu'un personnage pour lequel il ressent une sympathie tragique, et pour lequel il l'exige de la part du lecteur, doit être un véritable héros, grand et hardi dans ses pensées comme dans ses passions. Chez Stendhal, la liberté du grand cœur, la liberté de la passion tiennent encore beaucoup d'une supériorité aristocratique et d'un goût de jouer avec la vie qui sont bien plus caractéristiques de l'Ancien Régime que de la bourgeoisie du XIXe siècle.

Balzac plonge ses héros bien plus profondément dans la contingence; il n'a plus le sens des normes et des limites du tragique telles qu'on les concevait autrefois et il ne possède pas encore, à l'endroit de la réalité moderne, le sérieux objectif qui se développera plus tard. Il prend pompeusement au tragique n'importe quelle contrariété, si commune et triviale qu'elle soit; toute manie devient chez lui une grande passion; il est toujours prêt à faire un héros ou un saint de n'importe quel malheureux; s'agit-il d'une femme, il la compare à un ange ou à la Madone; tout coquin décidé et d'une manière générale tout individu un peu trouble prend les traits d'un démon; et il nomme le pauvre vieux Goriot ce *Christ de la paternité*. Il était conforme à son tempérament impétueux, chaleureux et peu critique, il était conforme aussi à la mode romantique de pressentir partout des forces démoniques cachées et de forcer l'expression jusqu'au mélodrame.

Dans la génération suivante, qui commence à occuper la scène littéraire dans les années 1850, on observe sous ce rapport une nette réaction; chez Flaubert, le réalisme devient impartial, impersonnel et objectif. Dans une étude antérieure sur «l'imitation sérieuse de la vie quotidienne», j'ai analysé de ce point de vue un paragraphe de *Madame Bovary* et je me permettrai de reprendre ici ces pages en n'y apportant que de légers changements et quelques coupures. Elles entrent exactement dans mon propos et ont d'ailleurs paru en un lieu et un temps (Istanbul, 1937) qui ne leur ont sans doute pas permis d'atteindre beaucoup de lecteurs. Le paragraphe en question figure dans le chapitre IX de la première partie de *Madame Bovary:*

> Mais c'était surtout aux heures des repas qu'elle n'en pouvait plus, dans cette petite salle au rez-de-chaussée, avec le poêle qui fumait, la porte qui criait, les murs qui suintaient, les pavés humides; toute l'amertume de l'existence lui semblait servie sur son assiette, et, à la fumée du bouilli, il montait du fond de son âme comme d'autres bouffées d'affadissement. Charles était long à manger; elle grignotait quelques noisettes, ou bien, appuyée du coude, s'amusait, avec la pointe de son couteau, de faire des raies sur la toile cirée.

Ce paragraphe constitue le point culminant d'une narration qui a pour sujet l'insatisfaction d'Emma Bovary. À Tostes où elle vit, elle a attendu longtemps l'événement qui donnerait un cours nouveau à son existence sans éclat, sans aventure et sans amour, dans un coin perdu de province, aux côtés d'un homme médiocre et ennuyeux. Elle s'y est même préparée, en prenant soin de sa personne et de sa demeure, comme pour mériter ce changement de destin et s'en rendre digne. Mais comme il ne se produit pas, elle devient nerveuse et se désespère. C'est ce que Flaubert décrit dans plusieurs tableaux qui dépeignent minutieusement l'environnement d'Emma tel qu'il apparaît aux yeux de celle-ci; ce qu'il a de déprimant, de monotone, de gris, de fade, d'asphyxiant et d'irrémédiable se manifeste en toute clarté à sa conscience au moment où elle ne voit plus aucun espoir d'échapper à ce milieu. Notre paragraphe forme le point culminant de la description de son désespoir. La suite du récit nous raconte comment elle laisse tout aller dans sa maison, se néglige elle-même et tombe malade, de sorte que son mari se résout à quitter Tostes parce qu'il croit que le climat du lieu ne convient pas à sa femme.

Le paragraphe lui-même représente une scène: deux conjoints partagent un repas. Cependant, la scène n'est pas donnée pour elle-même; elle est subordonnée au sujet principal: le désespoir d'Emma. C'est pourquoi le lecteur ne se trouve pas confronté directement à elle. Il n'y a pas deux personnes à table, et en face le lecteur qui les considère; le lecteur voit d'abord Emma, dont il a été beaucoup question dans les pages précédentes, et c'est seulement à travers ses yeux qu'il aperçoit la scène. Il ne voit directement que l'état d'âme d'Emma; il voit indirectement, à travers cet état d'âme, à la lumière de ce que ressent Emma, ce qui se passe à table. Les premiers mots du paragraphe: *Mais c'était surtout aux heures des repas qu'elle n'en pouvait plus...* annoncent le thème, et toute la suite n'en est que le développement. Non seulement les compléments dépendant de *dans* et de *avec,* qui précisent le lieu, sont, dans leur accumulation de détails pénibles, un commentaire de *elle n'en pouvait plus,* mais la phrase suivante, qui parle du dégoût qui saisit Emma à la vue des aliments, s'accorde elle aussi au dessein principal par son sens et son rythme. Le texte se poursuit avec *Charles était long à manger,* c'est là, grammaticalement, une nouvelle phrase et du point de vue du rythme un nouveau mouvement, mais seulement une reprise, une variation du thème principal; la phrase ne prend tout son sens que par le contraste qui s'établit entre cette complaisance à manger et le dégoût d'Emma, ses gestes nerveux qui sont décrits aussitôt après. Charles, qui mange sans se douter de rien, devient ridicule et quelque peu fantomatique; quand Emma le considère, tel qu'il lui apparaît en face d'elle, en train de manger, il devient la cause essentielle du *elle n'en pouvait plus*. Car tout ce qui suscite son désespoir — la tristesse de la *petite salle*, la médiocrité des mets, l'absence de nappe, la grisaille du tout — lui paraît, et au lecteur aussi, dépendre du mari, procéder de lui, au point que tout serait différent s'il était autre qu'il n'est.

La situation n'est donc pas simplement présentée sous la forme d'un tableau; on nous montre d'abord Emma et la situation à travers elle. Il ne s'agit pas, cependant, comme dans maints romans écrits à la première personne et autres ouvrages postérieurs du même genre, d'une simple transcription du contenu de la conscience d'Emma, de *ce* qu'elle éprouve *comme* elle l'éprouve. C'est d'elle que part la lumière qui éclaire le tableau, mais elle fait elle-même partie du tableau, elle est à l'intérieur. Par là elle fait penser au narrateur de Pétrone dont nous avons analysé les propos dans notre deuxième chapitre; toutefois les moyens qu'utilise Flaubert sont différents. Dans le texte cité, ce n'est pas Emma qui parle mais l'auteur. *Le poêle qui fumait, la porte qui criait, les murs qui suintaient, les pavés humides:* autant de perceptions d'Emma, mais qu'elle n'aurait pas été capable de condenser de cette manière. *Toute l'amertume de l'existence lui semblait servie sur son assiette:* voilà sans doute ce qu'elle ressent, mais non pas les mots qu'elle aurait employés pour exprimer son sentiment; elle n'a ni assez de pénétration intellectuelle ni assez de froide lucidité pour parvenir à une pareille formulation. Certes, ce n'est pas l'existence de Flaubert, mais celle d'Emma, qui s'exprime dans ces mots; Flaubert se borne à exprimer par le pouvoir du verbe, dans sa pleine subjectivité, le matériau qu'elle lui offre. Si Emma en était elle-même capable, elle ne serait plus ce qu'elle est, elle sortirait d'elle-même et se sauverait du même coup. Mais elle ne voit pas simplement de cette manière; elle est vue elle-même en tant qu'elle voit, et ainsi jugée par la caractérisation de son existence subjective telle qu'elle résulte de ses sentiments. Lorsque nous lisons plus loin (IIe partie, chap. XII, env. seconde page): *jamais Charles ne lui paraissait aussi désagréable, avoir les doigts aussi carrés, l'esprit aussi lourd, les façons si communes...*, on pense peut-être un instant que cette étrange énumération constitue l'accumulation émotionnelle des circonstances qui mettent à vif l'aversion d'Emma pour son mari, et que c'est elle-même qui prononce ces mots, en quelque sorte dans son for intérieur — autrement dit qu'il s'agit là d'un exemple de discours indirect vécu *(erlebte Rede)*. Cette énumération comporte assurément un certain nombre des causes par excellence de l'aversion d'Emma, mais elles ont été réunies d'une manière très concertée par l'écrivain; elles ne se présentent pas ainsi dans la conscience d'Emma. Car Emma éprouve bien davantage de choses et bien plus confusément. Elle voit aussi autre chose dans les manières, les vêtements, l'apparence physique de son mari. Des souvenirs se mêlent à ces perceptions, elle l'entend peut-être parler, elle perçoit le contact de sa main, le souffle de son haleine, elle le voit se déplacer, brave homme borné, peu attrayant et inconscient. Elle est assaillie d'innombrables impressions confuses. La seule chose bien définie est leur résultat: son aversion pour lui, qu'il lui faut dissimuler. Flaubert transpose cette netteté dans les impressions; il en choisit trois, apparemment au hasard, mais qui concernent le physique, l'esprit et les manières de Charles et illustrent ces trois aspects de son être. Elles sont présentées comme trois chocs qui frapperaient Emma coup sur coup; mais ce n'est pas là une représentation naturaliste de la conscience, car les chocs se produisent tout différemment en réalité. Nous apercevons dans cette énumération la main ordonnatrice de l'écrivain qui synthétise la confusion psychologique et l'oriente dans le sens où elle se dirige d'elle-même, dans le sens «aversion de Charles Bovary». Cette mise en ordre de la situation psychologique ne procède pas, il est vrai, de l'extérieur, mais du contenu même de la situation. Elle est le type de mise en ordre qui doit être utilisé pour traduire verbalement la situation, sans qu'il y ait immixtion d'éléments étrangers.

Si l'on veut comparer ce mode de représentation avec
ceux de Stendhal et de Balzac, il faut relever préalablement
que nous y rencontrons également les deux traits essentiels
du réalisme moderne. Dans notre texte aussi des événements
réels de la vie quotidienne, se produisant dans une couche
sociale inférieure — la petite-bourgeoisie de province — sont
pris très au sérieux (nous aurons encore à revenir sur le caractère particulier de ce sérieux). Et d'autre part ces événements
quotidiens sont immergés exactement et profondément dans
l'histoire contemporaine (l'époque de Louis-Philippe) —
d'une manière moins frappante, il est vrai, que chez Stendhal
et Balzac, mais néanmoins incontestable. Ces deux caractéristiques essentielles constituent le trait commun aux trois romanciers, celui qui les distingue de tous les auteurs réalistes
antérieurs; mais l'attitude de Flaubert à l'égard de son objet
est fondamentalement différente. Stendhal et Balzac nous di-
sent très souvent et presque constamment ce qu'ils pensent
de leurs personnages et des événements qu'ils racontent. Balzac notamment ne cesse d'accompagner ses récits de commentaires émus, ou ironiques, ou moraux, ou historiques, ou
économiques. Très fréquemment aussi, nous apprenons ce
que les personnages pensent et ressentent, et souvent d'une
manière qui montre que l'auteur s'identifie à eux. Ces deux
traits ne se rencontrent pour ainsi dire jamais chez Flaubert. Il
tait son opinion sur les personnages et les événements, et
lorsque ses personnages s'expriment eux-mêmes, l'auteur ne
s'identifie jamais à eux et ne fait rien non plus pour que le lecteur s'identifie à eux. Certes, nous entendons l'auteur; mais il
n'exprime aucune opinion et ne commente pas. Son rôle se
borne à sélectionner les événements et à les traduire en mots,
avec la conviction que, s'il réussit à l'exprimer purement et totalement, tout événement s'interprétera parfaitement de lui-
même ainsi que les individus qui y prennent part, que cette
interprétation sera bien meilleure et plus complète que les
opinions et les jugements qui pourraient s'y associer. C'est sur
cette conviction, sur la profonde confiance en la vérité de la
langue lorsqu'elle est utilisée d'une manière scrupuleuse, probe
et exacte, que repose la pratique artistique de Flaubert.

C'est là une très vieille tradition, celle du classicisme français. On la trouve déjà dans le vers de Boileau sur Malherbe qui *d'un mot mis à sa place enseigna le pouvoir*, des formulations similaires se rencontrent chez La Bruyère, et Vauvenargues a dit: *Il n'y a point d'erreurs qui ne périssent d'elles-mêmes, exprimées clairement.* La confiance de Flaubert dans la langue va encore plus loin que celle de Vauvenargues: il pense que la vérité de l'événement se révèle dans l'expression linguistique. Flaubert est un homme qui travaille d'une manière extrêmement consciente et qui, en matière d'art, a porté son sens critique à un degré inhabituel, même en France. Sa correspondance, surtout celle des années 1852 à 1854, au cours desquelles il écrivit *Madame Bovary (Troisième série, in Nouvelle édition augmentée de la correspondance,* 1927), comporte un grand nombre de déclarations qui nous éclairent sur ses intentions esthétiques. Elles convergent toutes vers une théorie, mystique en dernière analyse, mais pratiquement fondée (comme toute vraie mystique) sur la raison, l'expérience et la discipline, une théorie, disons-nous, qui veut que l'esprit s'absorbe en s'oubliant lui-même dans les choses de la réalité, pour les transformer *par une chimie merveilleuse* et les faire venir à leur pleine maturité dans l'ordre du langage. Ainsi l'écrivain se satisfait entièrement de son objet; il s'oublie, son cœur ne lui sert plus qu'à sentir celui des autres, et lorsque, au moyen d'une patience fanatique, cette condition est remplie, l'expression parfaite, qui appréhende à la fois pleinement l'objet et le juge impartialement, se présente d'elle-même; les choses sont vues comme Dieu les voit, dans leur particularité véritable. À cela s'ajoute une conception du mélange des styles qui procède de la même vue mystique et réaliste. Il n'y a pas pour Flaubert des sujets nobles et des sujets bas; pour lui, la Création est une œuvre d'art sans parti pris, l'artiste réaliste doit imiter les procédés de la Création, et tout objet contient devant Dieu, dans sa particularité, à la fois sérieux et comique, noblesse et bassesse; s'il est exactement et correctement rendu, le niveau stylistique qui lui convient sera lui aussi exactement atteint; il n'est besoin ni d'une théorie générale des niveaux stylistiques qui ordonne les sujets selon leur dignité, ni d'aucune analyse où l'auteur commente son objet après l'avoir représenté; la juste compréhension de l'objet doit résulter de sa représentation même.

On voit le contraste qu'il y a entre une telle conception esthétique et les exhibitions grandiloquentes où l'auteur exprime son propre sentiment et juge selon ses propres critères, genre d'interventions inauguré par Rousseau et continué après lui. La confrontation du mot de Flaubert: *Notre cœur ne doit être bon qu'à sentir celui des autres* et de la phrase de Rousseau qu'on trouve au début des *Confessions: Je sens mon cœur et je connais les hommes* peut illustrer le changement d'attitude qui s'est accompli. Mais la correspondance montre aussi avec quelle peine et quelle laborieuse obstination Flaubert est parvenu à ses convictions. Les grands sujets et le libre exercice de l'imagination créatrice exercent encore un vif attrait sur lui; sous ce rapport il voit Shakespeare, Cervantès et aussi Victor Hugo comme un romantique, et maudit parfois son propre sujet, étroit et petit-bourgeois, qui le contraint à la plus lassante minutie stylistique *(dire à la fois simplement et proprement des choses vulgaires);* cela va quelquefois si loin qu'il tient des propos qui sont en contradiction avec son attitude fondamentale: *... et ce qu'il y a de désolant, c'est de penser que, même réussi dans la perfection, cela* [Madame Bovary] *ne peut être que passable et ne sera jamais beau, à cause du fond même.* Ajoutons que comme beaucoup d'artistes du XIXe siècle, il déteste son temps. Il discerne avec beaucoup de pénétration ses problèmes et les crises qui se préparent. Il voit l'anarchie intérieure, *le manque de base théologique,* la menace d'un âge des masses qui s'annonce. Il sent la misère de l'historisme éclectique, il est conscient du règne de la phraséologie. Mais il n'aperçoit ni solution ni issue et sa mystique de l'art, dans son fanatisme, est pour lui presque un substitut de religion, et il s'y cramponne. De sorte que sa probité devient très souvent grincheuse, mesquine, coléreuse et nerveuse. Son amour impartial des objets, amour comparable à celui du Créateur, en pâtit quelquefois. Cependant le paragraphe que nous avons analysé ne porte pas trace de ces déficiences et de ces faiblesses de sa nature; il nous permet d'examiner la mise en œuvre de son dessein artistique dans toute sa pureté.

La scène montre deux conjoints à table, la situation la plus quotidienne qu'on puisse imaginer. Avant Flaubert, elle n'aurait été littéralement concevable qu'en tant qu'élément d'une farce, d'une satire ou d'une idylle. Ici elle constitue le tableau d'un malaise, non pas subit et momentané, mais d'un malaise chronique, qui mine une existence entière, celle d'Emma Bovary. Il est vrai que cette scène est suivie de toutes sortes d'épisodes, où l'amour notamment joue un rôle, mais il n'est pas possible de voir en elle le prélude d'un épisode amoureux ni même de qualifier *Madame Bovary* de roman d'amour. Le roman est la représentation de toute une existence sans issue et notre passage en constitue un fragment qui la contient déjà tout entière. Rien de particulier ne se produit dans cette scène, auparavant non plus il ne s'est rien produit de particulier. C'est un instant pris au hasard parmi les moments où, jour après jour, deux conjoints partagent leurs repas. Ils ne se disputent pas, nul conflit saisissable ne les sépare. Emma vit en plein désespoir, mais ce désespoir n'est pas causé par une catastrophe déterminée. Elle n'a perdu ni ne désire rien de tout à fait concret. Elle a certes bien des désirs, mais ils sont très vagues: élégance, amour, vie pleine d'imprévu. Des désespoirs aussi peu concrets ont toujours existé, mais avant Flaubert on ne songeait pas à les prendre au sérieux dans des œuvres littéraires. Un tragique aussi informe, s'il est permis de parler de tragique, qui se dissout dans une situation générale, n'est devenu matière à littérature que par le romantisme. Flaubert est sans doute le premier à l'avoir incarné dans des êtres de faible culture intellectuelle et de rang social inférieur; il est certainement le premier à avoir représenté le caractère chronique d'une telle situation. Il ne se passe rien, mais ce *rien* est devenu un *quelque chose* qui est lourd, diffus et menaçant. Nous avons déjà vu comment Flaubert crée cette impression; il ordonne verbalement les confuses sensations de malaise qui naissent en Emma à la vue de la pièce, des aliments, de son mari, et en fait un tableau homogène. Ailleurs aussi il ne raconte que rarement des événements qui font progresser l'histoire d'un seul coup. À force de tableaux qui transforment le néant de la vie quotidienne en un état oppressant de dégoût et d'ennui, où se mêlent les espoirs fallacieux, les déceptions paralysantes et les craintes pitoyables, nous voyons une grise et banale destinée humaine s'acheminer lentement vers sa fin.

L'interprétation de la situation est elle aussi contenue dans sa description même. Charles et Emma Bovary sont assis à la même table; le mari n'a aucun soupçon de ce qui se passe dans l'esprit de sa femme; ils ont si peu de choses en commun, qu'ils n'en viennent même pas à une dispute, à une discussion, à un conflit déclaré. Chacun est si bien empêtré dans son propre monde, elle dans son désespoir et ses rêves imprécis, lui dans son obtuse satisfaction de philistin, qu'ils vivent tous les deux dans une complète solitude. Car chacun dispose, pour son propre usage, d'un monde stupide et faux qu'il lui est impossible de concilier avec sa situation réelle, de sorte que l'un et l'autre laisse échapper les possibilités que lui offre la vie. On peut en dire autant de presque tous les personnages du roman; chacun des individus moyens qui s'y meuvent a son propre monde de sottise médiocre et absurde — monde d'illusions, d'habitudes, d'instincts et de clichés. Chacun est seul, personne ne comprend son prochain ni ne peut l'aider à voir plus clair. Il n'y a pas de communauté humaine, car celle-ci ne pourrait naître que si beaucoup d'entre eux trouvaient le chemin de leur propre réalité, de la réalité qui est donnée à l'individu, et qui deviendrait du même coup l'authentique réalité commune à tous. Sans doute les hommes se rencontrent-ils pour leurs affaires ou leurs plaisirs, mais de telles rencontres n'amorcent pas une communauté; elles sont ridicules, pénibles, grevées de malentendus, de vanités, de mensonges et de haines stupides. Mais que pourrait être le monde, le monde de la «sagesse»? Flaubert ne nous le dit jamais; dans son roman le monde n'est fait que de sottises sans rapport avec la réalité vraie, si bien que celle-ci semble en être absente. Elle y a place néanmoins, elle réside dans la langue de l'écrivain qui démasque la sottise en se bornant à la décrire. La langue sert donc de critère pour dénoncer la sottise, et là elle participe à cette réalité de la «sagesse», qui ne se manifeste d'aucune autre manière dans ce livre.

Emma Bovary, la figure principale du roman, est elle aussi entièrement prisonnière de la fausse réalité, de la *bêtise humaine,* semblable en cela au «héros» de l'autre roman réaliste de Flaubert, Frédéric Moreau. Comment la représentation flaubertienne de telles figures entre-t-elle dans les catégories traditionnelles du tragique et du comique? L'existence d'Emma est incontestablement saisie dans toute sa profondeur, il est hors de doute aussi que les anciennes catégories intermédiaires, celles du touchant, ou du satirique, ou du didactique, par exemple, ne sont pas applicables, et le lecteur est très souvent pris par le destin d'Emma d'une manière qui ressemble beaucoup à la pitié tragique. Pourtant elle n'est pas une vraie héroïne tragique. La manière dont le roman dénude, dans sa langue, la sottise, l'immaturité, le désordre de la vie d'Emma, la manière dont il révèle la misère de l'existence dont elle reste prisonnière *(toute l'amertume de l'existence lui semblait servie sur son assiette),* exclut l'idée de vraie tragédie, et jamais l'auteur ni le lecteur ne peuvent s'identifier à elle comme cela doit être le cas quand il s'agit d'un héros tragique. Elle est mise à l'épreuve, jugée et finalement condamnée avec le monde tout entier où elle est plongée. Mais elle n'est pas non plus comique, car elle est bien trop profondément comprise, bien trop montrée dans les impasses de sa destinée, encore que Flaubert ne témoigne d'aucune «compréhension psychologique» à son égard, mais laisse simplement parler les faits. Il a découvert une attitude à l'égard de la réalité contemporaine qui est radicalement différente des attitudes et des niveaux stylistiques antérieurs, y compris, et spécialement, ceux de Stendhal et de Balzac. On pourrait désigner très simplement cette attitude du terme de «sérieux objectif». Une telle expression rend un son insolite en tant que qualification du style d'une œuvre littéraire. Un sérieux objectif, qui cherche à pénétrer jusque dans l'intimité des passions et des égarements d'une vie humaine, sans s'émouvoir lui-même, ou tout au moins sans trahir d'émotion, voilà une attitude que l'on attend plutôt d'un prêtre, d'un éducateur ou

d'un psychologue plutôt que d'un artiste. Mais le prêtre,
l'éducateur, le psychologue veulent agir d'une manière immédiatement pratique, ambition qui est étrangère à Flaubert.
Par son attitude — *pas de cris, pas de convulsion, rien que la fixité
d'un regard pensif* — il veut contraindre la langue à rendre
dans leur vérité les objets de son observation: *le style étant à
lui tout seul une manière absolue de voir les choses (Corr.*, II, p. 346).
Par là son œuvre remplit aussi, en définitive, une fonction critique et didactique — nous ne devons pas craindre de le dire,
malgré Flaubert lui-même qui entend être un artiste et rien
qu'un artiste. Plus on pratique Flaubert, plus nettement on
voit que son œuvre réaliste comporte une intuition pénétrante de la problématique et de la précarité de la culture
bourgeoise du XIXᵉ siècle; et maints endroits de sa correspondance confirment ce sentiment. La démonisation des conditions sociales qu'on rencontre chez Balzac n'apparaît plus du
tout chez Flaubert; la vie ne déferle et n'écume plus, elle
coule obstinément et mollement. L'essence des événements
de la vie quotidienne ne réside pas, pour Flaubert, dans des
actions et des passions tumultueuses, dans des individus et
des forces démoniques, mais dans une staticité indéfiniment
prolongée dont le mouvement superficiel n'est qu'une agita-
tion vide, tandis qu'au-dessous un autre mouvement a lieu,
un mouvement presque insensible, mais universel et incessant, de sorte que la substructure politique, économique et
sociale apparaît à la fois comme stable et chargée d'intolé-
rables tensions. Les événements, quels qu'ils soient, semblent
à peine la modifier, mais dans la concrétion de la durée que
Flaubert a l'art de suggérer — qu'il s'agisse d'une circonstance
particulière, comme dans notre exemple, ou du tableau général qu'il fait de son temps — nous voyons se manifester
quelque chose comme une menace cachée: ce temps, dans sa
stupidité sans issue, est chargé comme un explosif.

   Par son niveau stylistique, son sérieux foncier et objectif — grâce auquel les choses parlent d'elles-mêmes et se
désignent elles-mêmes, selon leur valeur, comme tragiques
ou comiques, et dans la plupart des cas comme tragiques et
comiques à la fois —, Flaubert a surmonté la véhémence et

l'incertitude romantiques dans le traitement des sujets contemporains. Sa conception de l'art présente déjà nettement quelques traits positivistes, bien qu'il exprime à l'occasion un jugement très négatif sur Comte. Cette objectivité constituait le germe d'évolutions ultérieures que nous étudierons dans les chapitres suivants. Peu de ses successeurs ont envisagé la tâche de représenter la réalité contemporaine avec autant de clarté et de probité; mais il est vrai aussi qu'on trouve parmi eux des esprits plus libres, plus spontanés et plus riches.

Le traitement sérieux de la réalité contemporaine, l'ascension de vastes groupes humains socialement inférieurs au statut de sujets d'une représentation problématique et existentielle, d'une part — l'intégration des individus et des événements les plus communs dans le cours général de l'histoire contemporaine, l'instabilité de l'arrière-plan historique, d'autre part — voilà, croyons-nous, les fondements du réalisme moderne, et il est naturel que la forme ample et souple du roman en prose se soit toujours plus imposée pour rendre à la fois tant d'éléments divers. Si notre point de vue est correct, nous pouvons dire que, durant tout le XIXe siècle, la France a pris la part la plus importante à la genèse et au développement du réalisme moderne. Nous avons examiné à la fin du chapitre précédent la situation de l'Allemagne dans ce domaine. En Angleterre, l'évolution fut, en son fond, la même qu'en France, mais elle se poursuivit plus calmement et insensiblement, sans violente cassure entre 1780 et 1830; elle s'amorce déjà bien plus tôt, et conserve bien plus longtemps, jusqu'en pleine époque victorienne, des formes et une optique traditionnelles. C'est ainsi qu'on rencontre dans l'art de Fielding (*Tom Jones* paraît en 1749) bien plus de réalisme contemporain, de réalisme qui appréhende énergiquement la vie entière, que dans les romans français de la même époque; la mobilité de l'arrière-plan politico-économique, malgré le fort sentiment social qui l'imprègne et la densité suggestive des milieux qu'elle met en scène. Tandis que Thackeray, qui intègre très concrètement les événements de *Vanity Fair* (1847-1848) dans l'histoire contemporaine (les années qui précèdent et suivent Waterloo), reste fidèle dans l'ensemble au point de vue «moraliste», à demi satirique, à demi sentimental transmis par le XVIIIe siècle. Nous devons malheureusement renoncer à parler, même en termes très généraux, de la formation du réalisme moderne dans la littérature russe (*Les âmes mortes* de Gogol paraissent en 1842, *Le manteau* en 1835 déjà); cela n'est pas possible dans notre propos si on ne peut pas lire les œuvres dans leur langue originale. Nous devrons nous contenter d'étudier l'influence qu'il exerça ultérieurement.

II

Études de sociocritique

Introduction

par Jean-François Chassay

Dans le premier numéro de *Littérature*, publié en février 1971, Claude Duchet écrivait dans l'article ouvrant la revue que «le terme de sociocritique commence à se rencontrer çà et là» et, s'interrogeant sur la pertinence de ce nouveau vocable (dont on lui accorde généralement la paternité), il affirmait qu'un «entre-deux» paraissait ouvert pour une nouvelle pratique de l'analyse sociale du littéraire, «entre la sociologie de la création, à laquelle le nom de Lucien Goldmann demeure attaché, et la sociologie de la lecture, dont Bordeaux et Liège, entre autres, ont fait leur spécialité, et dont se préoccupent également des sociologues de la production littéraire comme Pierre Bourdieu et Jean-Claude Passeron[1]».

On pourrait dire que la sociocritique est née, dans les années soixante-dix, d'une volonté de s'intéresser d'abord au texte littéraire lui-même, ce dernier se voyant souvent négligé dans les analyses portant sur les rapports entre le texte et le social. Autrement dit, pour reprendre la formule qui donne son titre au livre de Pierre Zima, il s'agissait de passer d'une sociologie de la littérature à une *sociologie du texte littéraire*, réfutant les analystes pour qui la littérature n'est qu'un simple

---

1. Claude Duchet, «Pour une sociocritique ou variation sur un incipit», *Littérature*, n° 1, février 1971, p. 5-6.

reflet, sans médiation, de la société dans laquelle elle s'écrit. Régine Robin a résumé la situation de manière précise en écrivant que

> Si les entours du texte sont particulièrement bien étudiés, les choses se gâtent parfois lorsqu'il s'agit, pour le sociologue comme pour l'historien, de saisir à la fois le texte comme objet social ou la socialité dans le texte, de saisir le texte comme singularité, comme remise en question de questionnements dominants, comme problématisation des disciplines[2].

Immergé dans un contexte sociolinguistique singulier, écrit dans un espace social et historique propre à une communauté spécifique, le texte littéraire, production fictionnelle d'un auteur, est aussi une pratique sociale, et les formes qu'il prend sont indissociables de l'univers culturel dans lequel il apparaît. En ce sens, on pourrait voir dans la célèbre analyse que propose Lukács de *L'éducation sentimentale*, publiée dans *La théorie du roman* dès 1920, un exemple éminent de ce que cherche à réaliser la sociocritique puisqu'il s'agit en définitive de montrer que la forme a un sens social et comment celle-ci parvient à signifier la société.

Cette tâche d'historisation et de socialisation, la sociocritique la situe dans un double mouvement théorique. D'une part s'exprime le refus de s'enfermer dans des lectures immanentes qui ont cours à l'époque dans cette constellation qu'on nomme le structuralisme et qui tendent à fétichiser le texte. Il faut plutôt restituer à ce dernier sa dimension sociale. D'autre part se manifeste la volonté de raviver l'analyse d'obédience marxiste, peu sensible jusqu'alors à la teneur sémiotique du texte et qui fonctionne souvent de manière mécanique, se contentant d'analyses de contenus et faisant ainsi de la production littéraire un simple document sociologique.

---

2. Régine Robin, «De la sociologie de la littérature à la sociologie de l'écriture ou le projet sociocritique», dans *Écrire en France au XIXᵉ siècle*, Longueuil, Le Préambule, coll. «L'univers du discours», 1989, p. 62.

Conséquemment, la sociocritique conteste le modèle d'un «dedans» et d'un «dehors» qu'on pourrait disjoindre sans que le commentaire en souffre. Il n'existe pas d'étude autosuffisante pouvant abolir la socialité du discours ni d'études idéologiques des textes à partir desquelles on pourrait faire abstraction des dimensions langagière et structurale de ceux-ci. L'œuvre littéraire est traversée par une série de discours hétérogènes qui mettent sans cesse en relation le texte et le hors-texte. Que sait la littérature de la société dans laquelle elle est plongée? se demande la sociocritique, tout en étant consciente que la réponse est indissociable des différents processus de textualisation qui fondent son existence.

❏

Les années quatre-vingt auront permis d'assister à l'émergence réelle de la sociocritique dans le champ des études littéraires. Il faut noter — et ce n'est certainement pas un hasard — que l'année 1979 voit justement la parution chez Nathan d'un ouvrage intitulé *Sociocritique* qui réunit les actes d'un colloque s'étant tenu à Vincennes en novembre 1977, et ayant regroupé des spécialistes de la question. Ce livre venait faire le point sur des problèmes théoriques débattus jusque-là pour l'essentiel en revue et coïncidait de plus avec la publication d'un certain nombre d'ouvrages associés à la sociocritique (par exemple *Le prince et le marchand* de Pierre Barbéris en 1980, *Pour une sociologie du texte littéraire* de Pierre Zima en 1978 et *L'ambivalence romanesque: Proust, Kafka, Musil* du même auteur en 1980, sans compter la traduction française de *Esthétique et théorie du roman* de Bakhtine en 1978).

Paradoxalement, ce livre intitulé *Sociocritique* (au singulier) démontrait hors de tout doute qu'il n'y avait pas une mais *des* sociocritiques, ce que Claude Duchet avalise clairement dès les premières lignes de l'introduction en signalant qu'il s'agit d'un «exposé à plusieurs voix» et que «le terme de *sociocritique* [...] recouvre [...] bien des approches, parfois complémentaires mais distinctes[3]». Il ne s'agit pas d'exposition

---

3. Claude Duchet, «Positions et perspectives», dans *Sociocritique*, Paris, Nathan, 1979, p. 3.

de principes appliqués aux textes, principes à partir desquels tout aurait déjà été dit sur la société. Pour reprendre la formule d'André Belleau, «s'il est tout à fait légitime de parler de la "méthode sociocritique", on a bien du mal, en revanche, à parler de cette méthode "méthodiquement[4]"». La diversité des approches, selon Pierre Popovic, tient au fait que «les différents chercheurs ne conçoivent pas de la même manière le hors-texte. Pour les uns, il se confond avec les idéologies qui ont cours dans une société, pour les autres avec les luttes en vue du pouvoir symbolique dans l'ensemble du champ littéraire, pour d'autres encore avec l'état de la lutte des classes en tel moment historique[5]».

Le point de convergence de ces diverses perspectives théoriques repose sur l'attention portée en premier lieu au texte, à son organisation interne, à ses réseaux de sens, à ses modalités discursives. Il n'y a pas de mode d'emploi, mais ce qui pourrait apparaître à certains comme un flou méthodologique est d'abord un refus du réductionnisme auquel divers positivismes ont parfois ramené le texte littéraire en voulant lui appliquer certaines grilles sociologiques. On pourrait dire en ce sens que la sociocritique se situe dans une réflexion épistémologique plus large où sont convoqués aujourd'hui la plupart des grands champs de la théorie littéraire, réflexion qui conduit à récuser les frontières trop étanches entre les concepts théoriques pour permettre un élargissement du champ de la connaissance. Pour prendre un cas exemplaire, si André Belleau, dans son ouvrage intitulé *Le romancier fictif,* portant sur la représentation de l'écrivain dans le roman québécois entre 1940 et 1960, fait profiter sa problématique de concepts issus de la narratologie et de la sémiotique littéraire, la réflexion se situe néanmoins dans un cadre intellectuel à la

4. André Belleau, «La sociocritique et la littérature québécoise», dans *Y a-t-il un intellectuel dans la salle?*, Montréal, Primeur, 1984, p. 158.
5. Pierre Popovic, *La contradiction du poème. Poésie et discours social au Québec de 1948 à 1953*, Candiac, Les Éditions Balzac, coll. «L'univers du discours», 1992, p. 14.

fois social et historique, nettement marqué par la pensée sociocritique, où Lukács, Bakhtine et Adorno notamment jouent
un rôle central.

❑

Rattachés au matérialisme historique (Edmond Cros,
Claude Duchet, Frederic Jameson), à la psychanalyse (Françoise Gaillard), aux questions touchant l'institution (Jacques
Dubois), marqués théoriquement par l'école de Francfort
(Pierre Zima), les différents représentants de la réflexion sociocritique (dont ne sont mentionnés ici que quelques noms
parmi les plus connus) ont largement fait connaître leurs travaux depuis plus de quinze ans. Nous avons retenu pour les
besoins de ce volume un extrait d'un livre de Jacques Dubois
intitulé *L'assommoir de Zola, société, discours, idéologie*.

Dubois s'intéresse particulièrement ici aux rapports complexes entre idéologie et littérature dans *L'assommoir* de Zola,
posant comme hypothèse que l'idéologie n'est pas nécessairement visible dans le texte mais plutôt *sous* le texte, au prix
d'une reconstitution, et qu'il s'agit de voir comment l'auteur
compose avec celle-ci. L'analyse de l'auteur montre comment
les signes, les traces de l'idéologie se révèlent peu à peu dans
le corps du texte. L'intérêt du propos de Dubois tient notamment dans son utilisation «objective» de l'idéologie, en ce sens
que celle-ci ne se voit pas seulement opposée au texte littéraire,
considérée dans une perspective strictement néga-tive (un discours de vérité face à la polysémie et l'ambiguïté de la fiction).

Reprenant et complétant un article écrit par André Belleau au tout début de la décennie quatre-vingt, le texte de
Jacques Pelletier, publié récemment, «La critique sociologique
depuis 1965», présente une synthèse qui permet de faire le
point sur la question au Québec en démontrant notamment
comment la sociocritique s'est inscrite dans la lecture sociale
des œuvres au cours de la deuxième moitié de ce siècle.

Parmi les sociocritiques qui ont marqué jusqu'ici l'analyse littéraire sur la scène québécoise, deux noms se déta-
chent par la qualité de leur travail et nous tenions à en rendre

compte dans cette anthologie. Gilles Marcotte, avec *Le roman à l'imparfait*, offrait dès 1976 une œuvre de sociocritique. Il propose dans ce livre une lecture de quatre romanciers (Gérard Bessette, Réjean Ducharme, Marie-Claire Blais, Jacques Godbout), s'interrogeant sur «la possibilité ou l'impossibilité sociale de certaines formes romanesques depuis la fin des années cinquante» et posant «les bonnes questions, sous l'angle et au niveau qui conviennent aux objectifs et à la nature de la sociocritique[6]». Le texte reproduit ici, intitulé «Alain et Abel» (sur des romans d'André Langevin et de Victor-Lévy Beaulieu), est tiré de *Littérature et circonstances*, un ouvrage plus récent qui rassemble des études publiées par l'auteur dans diverses revues entre 1968 et 1987.

D'André Belleau ensuite, fin théoricien, brillant essayiste qui a beaucoup réfléchi et publié sur la sociocritique, nous avons conservé un texte intitulé «La dimension carnavalesque du roman québécois» qui rend compte, parmi ses multiples centres d'intérêt, de sa sensibilité à l'égard de la littérature québécoise. Ce texte permet également de constater, pour ceux qui l'ignoreraient encore, que Belleau était également un lecteur attentif de Bakhtine, théoricien qu'il admirait et à propos duquel il a amplement écrit.

Cette partie est complétée par un court texte, «La stratégie du désordre: une lecture de textes montréalais», qui donne l'occasion d'aborder une problématique singulièrement féconde au cours des dernières années, celle de l'inscription littéraire de la ville, du texte urbain (montréalais, essentiellement), que la sociocritique québécoise a souvent commentée.

L'intérêt de la sociocritique tient également à l'ouverture intellectuelle qu'elle a permise dans le champ de la théorie littéraire, en particulier bien sûr dans sa dimension sociodiscursive. Pierre Barbéris écrit à ce propos:

> Parce que le moi est toujours un moi social et socialisé
> mais aussi parce qu'il ne se réduit pas à sa dimension so-

---

6. André Belleau, «La sociocritique et la littérature québécoise», *op. cit.*, p. 162-163.

ciologique quantitative, la sociocritique est un engagement dans la recherche de confluences et de contradictions. Aussi ne tire-t-elle jamais un trait final qui ferait du texte un produit *fini*, alors qu'aboutissement il est aussi point de départ et quelque chose qui n'existait pas *avant*: tout texte, toujours déterminé, est toujours aussi un nouveau déterminant[7].

En fait, la sociocritique ne forme en aucune façon un ensemble clos et on pourrait dire que c'est à partir de là, de ses prémisses théoriques, qu'ont pu s'élaborer de nouvelles perspectives critiques dans le champ social, perspectives novatrices qui n'en sont dans certains cas qu'à leur début, et où la littérature est repensée et reformulée.

Bibliographie sommaire

BARBÉRIS, Pierre, *Le père Goriot de Balzac. Écritures, structures, significations*, Paris, Larousse, coll. «Thèmes et textes», 1972.

—, *Le prince et le marchand*, Paris, Fayard, 1980.

BELLEAU, André, *Le romancier fictif*, Montréal, PUQ, coll. «Genres et discours», 1980.

—, *Y a-t-il un intellectuel dans la salle?*, Montréal, Primeur, 1984.

COLLECTIF, *Sociocritique*, Paris, Nathan, 1979.

COLLECTIF, *Pour une politique du texte*, Lille, Presses universitaires de Lille, 1992.

CROS, Edmond, *Théorie et pratique sociocritiques*, Paris/Montpellier, Éditions sociales/CERS, 1983.

DUBOIS, Jacques, *L'assommoir de Zola, société, discours, idéologie*, Paris, Larousse, 1973.

JAMESON, Frederic, *The Political Unconscious: Narrative as a Socially Symbolic Act*, Ithaca, Cornell University Press, 1981.

MARCOTTE, Gilles, *Le roman à l'imparfait*, Montréal, La Presse, 1979.

---

7. Pierre Barbéris, «La sociocritique», dans *Introduction aux méthodes critiques pour l'analyse littéraire*, Paris, Bordas, 1990, p. 124.

MARCOTTE, Gilles, *Littérature et circonstances*, Montréal, l'Hexa-
    gone, coll. «Essais littéraires», 1989.
ZIMA, Pierre, *Pour une sociologie du texte littéraire*, Paris, UGE,
    coll. «10/18», 1978.
—, *Manuel de sociocritique*, Paris, Picard, 1985.

La critique sociologique depuis 1965*

par Jacques Pelletier

Je me propose de reprendre et de compléter ici le tableau de la sociocritique au Québec qu'esquissait André Belleau au début des années quatre-vingt, avant donc l'extraordinaire effervescence qui a caractérisé ce domaine d'études durant les années récentes, phénomène qui coïncide lui-même, et à mon sens ce n'est pas par hasard, avec la remise en marche de l'Histoire suite aux années mornes de l'après-référendum.

Belleau distinguait, en gros, cinq modes principaux d'interrogation historique des textes: 1) ce qu'il appelait un «discours sociologisant général» pratiqué depuis les débuts de la littérature québécoise par les journalistes, les critiques et les écrivains eux-mêmes: à titre d'exemple la célèbre analyse du drame de Saint-Denys Garneau par Jean Le Moyne. Ce type de discours mettant en rapport les textes littéraires et la société perçue comme un tout a constitué sans doute la pratique critique la plus universellement répandue durant des décennies; 2) la critique d'inspiration goldmannienne de Jean-Charles Falardeau; 3) les analyses — alors en gestation — s'inscrivant dans la tradition récente des études institutionnelles

---

* Extrait de *Critique et littérature québécoise*, sous la direction d'Annette Hayward et Agnès Whitfield, Montréal, Tryptique, 1992.

inspirées par Bourdieu; 4) les travaux sur la culture populaire et son rapport aux textes littéraires (d'orientation bakhtinienne); 5) le travail (à la fois narratologique et sociohistorique) de Gilles Marcotte, notamment dans *Le roman à l'imparfait*. En somme, si l'on classe Falardeau et Marcotte dans la même catégorie, c'est une typologie à quatre entrées que proposait Belleau.

Ce cadre général me paraît toujours pertinent. Je le reprendrai donc en le complétant toutefois par deux nouvelles catégories couvrant, d'une part, les études relevant de ce qu'on pourrait appeler la sociosémiotique et, d'autre part, les travaux inspirés par l'analyse du discours. La situation se présenterait de la façon suivante.

1. La tradition sociologisante

On la trouve de manière diffuse, non systématique, dans des critiques de journaux et de revues (en particulier à *Lettres québécoises* et de manière encore plus appuyée à *Québec français* dans son recours à l'idéologie nationaliste). On la rencontre aussi, de façon plus soutenue, dans des travaux de facture académique. C'est le cas notamment dans les ouvrages récents de François Ricard et d'André Brochu. Dans *La littérature contre elle-même* par exemple, l'analyse des productions romanesques de Kundera est liée à une réflexion sur le totalitarisme, et celle des œuvres de Major couplée à une interrogation sur le devenir national québécois. Et dans *La visée critique*, Brochu rappelle que son ambition d'écrivain et de critique s'est longtemps inscrite dans un projet collectif de libération nationale et sociale.

Ce propos historisant sert également de toile de fond à l'essai de Réjean Beaudoin sur les débuts de la littérature québécoise, lorsque le discours littéraire était inextricablement lié à l'ensemble des discours sociaux et n'en constituait que la composante fictionnelle. S'interroger sur cette littérature, c'est poser la question de sa fonction et de son statut dans la société dont elle relève.

Cette préoccupation d'ordre très général inspire aussi les analyses de Pierre Nepveu réunies dans *L'écologie du réel*. Il s'agit, «à partir d'une situation historique spécifique (celle du Québec des années quatre-vingt)», de «faire retour sur des figures clés dans la littérature québécoise moderne» (p. 10). J'ai, pour ma part, des réserves à la fois sur la perspective empruntée par Nepveu (celle de la postmodernité) et sur l'interprétation qu'il propose des productions modernes (comme figures du désastre), mais ce qui me paraît significatif et intéressant, au-delà de ces réserves, c'est de constater que la lecture des œuvres encore une fois apparaît indissociable d'une lecture de l'Histoire.

On peut en dire autant de l'essai de Simon Harel sur les rapports de la littérature québécoise récente et du cosmopolitisme comme phénomène social majeur devenu un enjeu culturel et politique, du moins à Montréal, au cours de la der-nière décennie.

Enfin, et ce sera provisoirement mon dernier exemple, on retrouve un tel propos historisant en filigrane de la réflexion d'abord métaphysique que poursuit Pierre Ouellet dans *Chutes*.

Bien entendu ces travaux ne se présentent pas comme des études sociocritiques et ils n'en sont pas. Il reste, et c'est à mon point de vue l'essentiel, qu'ils posent en termes généraux et globaux le rapport des textes littéraires au contexte d'énonciation social dont ils relèvent.

2. La sociologie de la littérature (et de la culture)

La littérature, on le sait, ce n'est pas que des textes: c'est aussi une institution et des appareils (de production, de légitimation, de régie) constituant un sous-champ dans un ensemble plus vaste, le champ des productions symboliques, de la culture. En tant que phénomène social, économique et symbolique, la littérature s'offre comme objet à la sociologie, comme champ d'études dont les résultats ne sauraient laisser indifférents ceux qui travaillent sur les rapports textes/Histoire.

Si certaines recherches relèvent de ce qu'on a convenu d'appeler la sociologie (et l'analyse) institutionnelle, d'autres en débordent les frontières et visent à donner une représentation d'ensemble de la littérature comme partie constitutive et intégrée de l'ensemble social dans lequel elle apparaît et fonctionne.

Dès le début des années soixante, des sociologues de l'Université Laval dressaient dans *Recherches sociographiques* un tableau (sous forme de monographie) de l'état de notre littérature, au moment où elle acquérait une véritable autonomie sur le plan institutionnel et ils montraient que ce développement coïncidait avec les réalisations de la «révolution tranquille» (dont la littérature participait à sa manière).

Dans cet ordre d'idées, des études sectorielles furent conduites à l'Université Laval sur les «habitudes de lecture des Québécois» ou encore sur les «valeurs» véhiculées dans le roman des années soixante (Bergeron, O'Neill *et al.*). Il serait trop long de rendre compte du détail de ces travaux. Je rappellerai seulement qu'il s'en dégageait nettement que la société québécoise avait «rattrapé» les grandes cultures occidentales sur le plan de la lecture et que les préoccupations éthiques des personnages de romans rejoignaient celles des individus de la société de référence: les textes littéraires, dans cette perspective, étaient utilisés comme «documents» de première main pour saisir, décrire et interpréter les transformations de la société québécoise sur le plan idéologique.

J'en dirais autant d'un ouvrage récent comme celui de Denise Lemieux sur ce qu'elle appelle *Une culture de la nostalgie.* L'objet qu'elle étudie, c'est d'abord la société dans sa dimension culturelle, la littérature étant considérée et utilisée comme réservoir de «documents», de témoignages saisissants et significatifs sur l'évolution de la famille québécoise au XXᵉ siècle. Le propos, ici, est essentiellement sociologique: il s'agit de rendre compte de la culture québécoise en utilisant les textes littéraires comme des «révélateurs». Denise Lemieux pratique ainsi une «sociologie des contenus» qui n'est pas sans affinités avec la critique sociologique d'un Jean-Charles Falardeau, méthode d'analyse à mi-chemin en quelque sorte des études littéraires et de la sociologie, à leur intersection.

Sur un plan plus spécifique, des études ont été publiées récemment sur ce que Jean-Guy Lacroix appelle «la condition d'artiste». Il en ressort que la situation socio-économique des artistes — et singulièrement des écrivains — est de manière générale affligeante, ce qui n'est pas sans conséquences, on peut aisément l'imaginer, sur leur production et par contre-coup sur la culture québécoise dans son ensemble.

D'autres études (Gruslin) ont mis en relief l'importance de l'État dans la vie culturelle en général, et plus particulière-ment dans le secteur du théâtre où son intervention est déci-sive. Ces travaux, pris globalement, sont de nature à favoriser une saisie totalisante de l'institution littéraire (et des appa-reils qui la structurent), du champ culturel dont elle relève et des enjeux qui la traversent, et enfin de la société dont ce champ constitue une composante fondamentale. On com-prendra qu'une telle connaissance — produite par des recher-ches d'ordre essentiellement sociologique — est de nature à singulièrement éclairer la lecture sociohistorique des textes, si bien que je vois mal comment une sociocritique conséquente pourrait s'en dispenser.

Cette remarque vaut *a fortiori* pour l'analyse institution-nelle, secteur de recherche particulièrement dynamique au Québec depuis le milieu des années soixante-dix.

3. L'analyse institutionnelle

En publiant en 1971 son célèbre article sur «le marché des biens symboliques», Bourdieu proposait, sans l'avoir pré-médité, une possibilité de reconversion aux littéraires mal à l'aise dans un champ critique dominé par le structuralisme. Plusieurs littéraires, suite à la lecture de cet article et plus tard de *La distinction*, recourront donc à l'analyse institution-nelle, sans toutefois prendre toujours la peine de se reporter aux fondements théoriques et méthodologiques de ce mode d'analyse exposés dans *Le sens pratique*. Je me contente ici de formuler cette constatation qu'il serait intéressant d'approfondir dans un autre contexte.

Au Québec, ce type d'analyse a été utilisé de manière très orthodoxe, voire puriste, par Pierre Milot — un sociologue de formation — dans un livre et des articles publiés récemment sur l'avant-garde littéraire des années soixante-dix. Très collé à l'esprit et à la lettre de Bourdieu, Milot conçoit le champ littéraire comme un *marché* sur lequel des acteurs sociaux (les écrivains) s'affrontent dans une lutte féroce pour la conquête de la reconnaissance des lecteurs et des instances de légitimation et de consécration du champ. Dans cette perspective, la référence à l'avant-garde est d'abord recours à une rhétorique inspirée par des choix stratégiques et le travail littéraire est avant tout un travail d'institution. On peut entretenir des réserves, bien entendu, sur la conception de la littérature qui sous-tend de telles analyses et sur la fermeture, la clôture qu'elles impliquent; reste qu'elles constituent de rigoureuses applications de la pensée du maître.

Les littéraires, en général, utilisent de manière plus libérale l'analyse institutionnelle comme source d'inspiration et toile de fond de leurs recherches. C'est l'esprit qui préside notamment, me semble-t-il, aux travaux de ce qu'on pourrait appeler «l'école de Sherbrooke». Cette orientation traverse déjà, quoique timidement, les études réunies en 1979 par Jacques Michon sur l'idéologie et la réception du roman québécois de l'après-guerre et s'affirme plus résolument dans une publication ultérieure — dirigée par Richard Giguère — sur la réception critique de textes importants du corpus national. Dans ce travail, présenté comme une application des thèses de Jauss, la référence à Bourdieu, moins explicitement revendiquée, est dans les faits tout aussi importante et elle deviendra tout à fait déterminante dans les travaux du groupe de recherche sur l'édition littéraire animé par Giguère et Michon (GRELQ). On notera que ce type d'analyse a essentiellement suscité à Sherbrooke des études sur la production (l'édition) et la réception (la critique) des textes, instances bien entendu déterminantes du champ littéraire sur le plan organisationnel. À quoi il faut ajouter les travaux animés par

Robert Giroux sur la *dimension spectaculaire* de la littérature et les enjeux idéologiques impliqués dans les lectures des textes.

À l'Université Laval on trouvera des échos et des prolongements de l'analyse institutionnelle dans les travaux en histoire littéraire dirigés par Maurice Lemire, dans les recherches d'un Clément Moisan et d'un Joseph Melançon sur le statut et la fonction de l'enseignement de la littérature dans l'appareil scolaire et dans les études animées principalement par Denis Saint-Jacques sur la littérature de masse, secteur singulièrement négligé jusque-là de la production symbolique québécoise. Ces recherches — et d'autres plus récentes — sont aujourd'hui unifiées dans le cadre d'une vaste enquête du CRELIQ sur la constitution du champ littéraire québécois.

Dans cette perspective, l'ouvrage récent de Lucie Robert sur *L'institution du littéraire au Québec* est particulièrement intéressant et stimulant. L'analyse institutionnelle est en effet ici intégrée et subordonnée à un projet global d'interprétation de la réalité historique et sociologique que constitue le Québec. L'objet de l'ouvrage n'est pas l'institution littéraire telle qu'elle s'est développée historiquement, mais bien l'apparition et la consolidation de la notion même de littérature dans notre société comme condition d'émergence d'un *champ* en tant que lieu de pratiques effectives et objet d'étude des disciplines littéraires. Si on recourt ici à l'occasion à l'analyse institutionnelle, c'est à l'intérieur d'une problématique plus vaste centrée sur les conditions concrètes, matérielles, présidant à la naissance et au développement de la littérature dans la société québécoise.

Dans un ouvrage qui vient tout juste de paraître, Bernard Andrès se situe pour sa part de *manière critique* dans ce courant, préférant parler de constitution des lettres plutôt que d'institution dans une volonté de se démarquer de ce qu'il considère l'«orientation trop normative des recherches européennes sur l'institution». Et effectivement il ne se réfère guère à Bourdieu dans ses analyses qui relèvent autant de la narratologie, des études comparées et de la sociocritique que de l'analyse institutionnelle: celle-ci n'est donc qu'un des

instruments possibles pour qui s'intéresse à la constitution
du champ littéraire au Québec.

Je termine ce rapide tour d'horizon en rappelant que
dans une recherche sur la modernité québécoise des années
soixante-dix j'ai aussi utilisé l'analyse institutionnelle pour
rendre compte d'une dimension importante des débats, des
enjeux littéraires de la période mais en n'oubliant pas que le
champ littéraire n'est pas un univers clos, refermé sur lui-
même mais qu'il est en rapport, en connexion à la fois avec
les autres sous-champs de la culture et avec l'ensemble de la
structure sociale québécoise.

4. La sociocritique

La sociocritique comme discipline littéraire est d'abord
le fait au Québec d'un sociologue, Jean-Charles Falardeau,
qui la crée en quelque sorte dans *Notre société et son roman*,
ouvrage publié en 1967. Sociologue, Falardeau, par définition, est préoccupé par l'étude de la société québécoise et le
titre de son ouvrage traduit bien cette orientation. Cependant, comme on le constate aisément en lisant son essai, c'est
d'abord la littérature qui attire son attention et qui forme le
véritable objet de ses analyses. Ce faisant, Falardeau opère un
déplacement et, tout en demeurant sociologue, se livre à une
critique littéraire du corpus romanesque privilégié: les
œuvres de Robert Charbonneau et de Roger Lemelin, perçues, bien sûr, comme des «révélateurs» de la société québécoise de référence.

Sur le plan méthodologique, il se livre d'abord à une
étude immanente, interne des textes retenus, considérés sur
le plan formel (en empruntant une démarche narratologique
classique) et sur le plan thématique et symbolique; ce n'est
qu'ensuite qu'il opère un lien avec la société, mettant en rapport l'image du monde suggérée par les textes et la réalité sociale telle que révélée par les enquêtes historiques et sociologiques. On voit que son rattachement à Goldmann est rien
moins qu'évident, puisqu'il refuse la conception de la vision

du monde mise au point et utilisée par celui-ci de même que son recours à un sujet collectif comme principe de la création littéraire; en réalité, Falardeau pratique plutôt la «sociologie des contenus» rejetée par le critique d'origine roumaine.

Gilles Marcotte est généralement considéré, et à juste titre, comme un successeur de Falardeau. Mais il s'agit, cette fois, d'un «littéraire» préoccupé avant tout par l'analyse formelle des textes. *Le roman à l'imparfait*, ne l'oublions pas, c'est d'abord cela: une étude du discours dans des œuvres romanesques contemporaines importantes. Cependant l'analyse narratologique est accompagnée d'une réflexion sur la signification des nouvelles formes apparues dans le roman depuis la révolution tranquille: c'est par là que la réflexion sur le roman appelle une réflexion sur la société, puisque le roman, comme l'écrit le critique, met en jeu «le monde dans lequel nous vivons». Cependant, dans cet essai, l'accent est surtout mis, je le répète, sur l'analyse interne — et d'abord formelle — des textes.

C'est après, dans *La littérature et le reste* et surtout dans *Littérature et circonstances* que la dimension historique du discours critique s'affirme plus nettement. Dans ce dernier ouvrage, Marcotte traite à sa manière, à la fois légère et pénétrante, de questions ayant trait à l'institution littéraire, procède à une mise en situation tout à la fois littéraire et sociale de l'Hexagone et analyse la signification historique, sociale de productions romanesques récentes. Ici, à mon sens, on peut parler d'une véritable démarche sociocritique au sens fort du terme qu'annonçait peut-être *Le roman à l'imparfait* (sans toutefois en être).

André Belleau, c'est, si j'ose dire, le troisième «ancêtre» de la tradition critique d'inspiration sociologique au Québec. Il se réclame, dans *Le romancier fictif*, à la fois de Barthes et Genette, de la narratologie structuraliste, et d'Auerbach, de Lukács, de Bakhtine et d'Adorno, d'une grande tradition donc de réflexion historique et critique sur les textes. Commenter sérieusement cet ouvrage exigerait un long détour, je me contente de rappeler que l'analyse d'un phénomène transtextuel, la représentation du personnage-écrivain, conduit Belleau à s'interroger sur le statut de la littérature dans la société québécoise et au-delà, dans un mouvement dialectique d'aller-retour, le porte à réfléchir sur cette société elle-même.

C'est sans doute la grande leçon que Belleau a tirée de Bakhtine, référence majeure de ses travaux ultérieurs sur la carnavalisation de la littérature québécoise et sur l'interpénétration de la culture populaire et de la culture dite sérieuse dans le roman québécois. Faisant résonner Bakhtine dans son œuvre, Belleau inaugure une tradition prometteuse pour la critique qui se déploiera durant les années quatre-vingt.

J'évoquerai rapidement quelques ouvrages récents qui se réclament peu ou prou de cette tradition, en commençant par quelques exemples d'analyses imprégnées d'intentions politiques (au sens large du terme). L'étude de Maurice Arguin sur *Le roman québécois de 1944 à 1965* porte, dans son sous-titre même, *Symptômes du colonialisme et signes de libération*, une telle intention: son analyse repose en effet sur l'hypothèse que le Québec constitue une société colonisée et que la production romanesque de cette société doit par suite être lue et interprétée à la lumière de cette donnée centrale. Cette optique nationaliste, avant lui, avait aussi guidé l'analyse de Gilles de La Fontaine sur *Hubert Aquin et le Québec* dans une étude peu convaincante mais révélatrice des limites de la «grille coloniale» pour une interprétation contemporaine du discours romanesque québécois. À l'autre extrémité du spectre idéologique, Philippe Haeck pratique une lecture matérialiste de la littérature se réclamant du marxisme, en lien avec une Histoire qu'elle exprime et éclaire à sa manière à partir d'une position éthique valorisant et appelant le changement social et célébrant les œuvres qui l'annoncent, l'accompagnent ou le portent. On peut ici parler d'une critique engagée qui s'assume comme telle.

D'autres ouvrages récents, dégagés de préoccupations politiques explicites, renouvellent les interprétations convenues de la littérature québécoise, et plus particulièrement du roman. C'est le cas par exemple du livre de Bernard Proulx sur *Le roman du territoire* qui remet en question les analyses de

Michel Brunet et de «l'école historique» de Montréal sur le
XIXᵉ siècle québécois. Interprétation que valide Robert Major
dans une étude sur *Jean Rivard* comme prototype non pas du
roman conservateur mais, bien au contraire, du roman progressiste et libéral tel qu'il pouvait être alors conçu et écrit. Cette
«révision» repose pour une part sur des analyses minutieuses
de la dimension idéologique des romans en cause et pour une
autre part sur une relecture de l'Histoire de cette période.

Dans *Le roman québécois de 1960 à 1975*, Jozef Kwaterko
propose une lecture bakhtinienne d'œuvres significatives de
cette période visant à révéler les conditions tant historiques
qu'idéologiques de ces productions et leur signification (aussi
bien sur le plan de la forme que sur celui du «contenu»). Les
textes sont ainsi mis en rapport dialogique avec ce que Godbout appelle le «texte national» qui leur sert de condition de
production, qu'ils expriment et qu'ils enrichissent à leur façon, les romans étant perçus comme des «pratiques idéologiques activement créatrices» donnant à voir le réel.

Ce sont là quelques exemples d'une pratique critique qui
semble parvenue à sa maturité et qui profitera sans doute dans
les années à venir des travaux poursuivis dans les champs
connexes de l'analyse du discours social et de la sociosémiotique.

5. L'analyse du discours social

La notion même de discours social est très récente, ainsi
que le signale Marc Angenot dans l'introduction de son ouvrage colossal sur l'état de ce discours dans la société française en 1889. Elle désigne

> tout ce qui se dit et s'écrit dans un état de société: tout ce
> qui s'imprime, tout ce qui se parle publiquement ou se
> représente aujourd'hui dans les médias électroniques et,
> au-delà de ce tout empirique les systèmes génériques, les
> répertoires topiques, les règles d'enchaînement d'énon-
> cés qui, dans une société donnée, organisent le dicible —
> le narrable et l'opinable — et assurent la division du tra-
> vail discursif. (p. 13)

Pour rendre compte de manière synthétique de la multiplicité complexe des discours qu'une société tient sur elle-même, Angenot les considère en fonction de leur appartenance à l'un ou l'autre des cinq grands champs suivants: 1) le journalisme; 2) la politique; 3) la littérature; 4) la philosophie; et 5) les sciences. S'inspirant de Bourdieu, il signale l'autonomie de chacun de ces champs comme lieu de pratiques et de discours spécifiques mais également les liens qui se tissent entre eux, les connexions qui s'opèrent, l'unification et l'homogénéisation qui les caractérisent, renvoyant à une sorte d'«esprit du temps», de commune appartenance à une manière très générale, universelle de penser et de parler.

Angenot qualifie d'hégémonie ce niveau le plus englobant et déterminant du discours social qui définit à la fois les règles de fonctionnement des discours spécifiques et les «thèmes» acceptables dans un état donné de société. Le discours social agit ainsi comme un opérateur, un régisseur de ce qui peut se dire et des manières acceptables (ou pas) de dire dans une société. Ne lui échappent, et encore seulement partiellement, que les discours d'opposition, de critique qui doivent, de toute manière, se démarquer par rapport à lui: pour reprendre sa formule: «dans l'hégémonie tout fait ventre» (p. 92).

La littérature, dans cette problématique, ne jouit pas d'un statut particulier: elle est le lieu d'une pratique discursive singulière, travail d'investissement, de mise à distance et de stylisation du langage mais elle est également déterminée par les règles générales qui valent pour l'ensemble du discours social. Ainsi considérée, elle perd bien entendu une partie du prestige dont ses agents — tant écrivains que critiques — l'auréolent mais trouve sa place véritable dans l'économie sociale et discursive d'une communauté. Ce qu'elle perd en spécificité, elle le regagne en ouverture, dans ses rapports avec les autres champs et l'ensemble du social.

C'est, à mon sens, ce que fait remarquablement ressortir Micheline Cambron dans son étude sur le discours culturel au Québec de 1967 à 1976. Se référant explicitement aux travaux d'Angenot, elle reprend sa notion de discours social et, en gardant la substance, préfère parler de discours culturel pour qualifier «ce qui dans le brouhaha de nos pratiques quotidiennes passe par la médiation de la parole» (p. 39).

Dans l'ensemble de ce qui s'est écrit et dit durant la période retenue (1967-1976), elle prélève des textes significatifs, représentatifs, reçus comme typiquement québécois sur lesquels portent ses analyses. Cela va des chansons de Beau Dommage à *L'hiver de force* de Ducharme en passant par les articles célèbres de Lysiane Gagnon sur l'enseignement du français, les monologues de Deschamps, *Les belles-sœurs* de Tremblay et *L'homme rapaillé* de Miron.

Dans toutes ces productions, elle retrouve ce qu'elle appelle un récit «fondamental» commun, hégémonique au sens d'Angenot, remplissant une «fonction modélisante», jouant «dans les textes le rôle d'un lieu commun cristallisant les règles d'acceptabilité du discours culturel et incarnant au plan narratif la figure de l'intertextualité» (p. 43). Ce récit hégémonique, disons pour faire vite, qu'il recouvre ce que Godbout appelle le texte national: il «raconte» l'histoire d'une communauté homogène et spécifique à conserver et à protéger. En cela il constitue un récit transhistorique, en quelque sorte, caractérisant aussi bien les productions culturelles du XIXᵉ siècle québécois que les plus contemporaines.

Mais s'il y a récit commun, hégémonique, il y a aussi des pratiques singulières se distinguant par ce que Micheline Cambron appelle des mécanismes de mise à distance: la nostalgie chez Beau Dommage, la critique chez Gagnon, l'ironie chez Deschamps, le tragique chez Tremblay, la dérision chez Ducharme, etc. Autant de pratiques distinctives qui portent la signature d'un auteur, les traces d'un genre et, ce serait à creuser — l'hypothèse n'est ici que posée —, l'empreinte de groupes, de collectivités.

J'éprouve, pour ma part, des réserves sur la pertinence du découpage historique (1967-1976) proposé dans cet ouvrage et sur la nature transhistorique du récit hégémonique mis à jour. Cela étant, il me semble qu'il offre des perspectives intéressantes pour l'analyse de la dimension sociohistorique des textes en généralisant le recours à l'intertextualité, en l'étendant aux pratiques discursives des champs connexes à la littérature et de l'ensemble de la société, en montrant comment celles-ci n'évoluent pas seulement à l'extérieur des textes mais sont profondément inscrites en eux tant sur le plan des formes que sur celui des contenus.

6. La sociosémiotique

Il s'agit d'un domaine de recherche nouveau, en émergence, en chantier. J'évoquerai rapidement à titre d'exemples les travaux récents de Javíer García Mendez et de Michel van Schendel. Dans *La dimension hylique du roman*, Mendez se propose de mettre au point une «méthode d'écoute sociopoétique du texte romanesque» qu'il qualifie lui-même de «sémiotique» (p. 11). Pour la constituer, il se réfère aux travaux en sociocritique (de Belleau, Duchet, Leenhardt), en analyse du discours (d'Angenot), en sémiotique (de van Schendel) et surtout à ce qu'il appelle la «leçon» de Bakhtine dont il entend s'approprier les enseignements de manière critique. Et effectivement son ouvrage constitue pour l'essentiel une réflexion théorique sur la dimension matérielle des textes romanesques — ce qu'il appelle le hylique — à partir de Bakhtine devenu, on l'aura noté, la grande figure référentielle de tous ceux qui œuvrent en sociologie de la littérature — toutes tendances confondues — depuis une décennie.

De manière plus concrète, Mendez définit «la spécificité parolière du roman latino-américain» (p. 31) comme étant son objet propre, condensant dans sa matérialité la poéticité et la socialité de cette production romanesque. Les textes sont ainsi saisis comme organisation, structuration d'énoncés provenant de la société de référence et énoncés nouveaux participant eux-mêmes de manière polémique aux débats de la société dont ils proviennent.

C'est là la conception très générale qui oriente ses analyses consacrées aux romanciers latino-américains et québécois considérés et évalués en fonction du statut qu'ils reconnaissent aux paroles, aux voix représentatives de groupes sociaux significatifs dans leur société de référence. Étudiant

Trente arpents par exemple, il montre comment la parole du narrateur — neutre, désincarnée, expression «d'une dépendance esthétique de type colonial» (p. 138) — recouvre progressivement et annule la parole vivante du paysan Euchariste Moisan: ce faisant le roman de Ringuet se présente comme une manifestation de ce que Mendez appelle le «roman silencieux»; «une telle écriture, affirme-t-il, fuit l'oralité ambiante, fuit le social, et se cantonne dans le diégétique» (p. 154).

Chez van Schendel, c'est l'idéologème qui fonde le lien textes-société. Plus précisément, ce sont les «idéologèmes formant réseau» qui assurent ce qu'il appelle à propos d'*Agaguk* «la forte organisation structurante» de ce roman et plus largement de ce type de production littéraire. Les idéologèmes, ce sont, pour van Schendel, des propositions d'ordre très général, se présentant le plus souvent sous forme de maximes et de préceptes, qui traversent le discours social et qui servent de principe de structuration, de construction orientant de manière décisive la constitution des textes littéraires. C'est ainsi que, selon lui, la société investit et marque les textes dans ce qu'ils ont de plus essentiel.

Les points de convergence, de rencontre sont donc étroits entre ces préoccupations et celles des analystes du discours social. Je serais tenté de dire que l'orientation générale est la même, sauf que l'accent est ici mis davantage sur l'analyse des textes eux-mêmes plutôt que sur le discours social commun qu'ils expriment à leur manière.

Terminant ce bref survol, je conclurai en notant que les travaux évoqués:

1) témoignent de la fécondité remarquable, proliférante de ce domaine de recherche qu'ils explorent en de nombreuses directions (des analyses minutieuses, serrées, de textes aux études plus englobantes sur le discours social en passant par les recherches sur l'institution);

2) traduisent des avancées, sinon des percées théoriques importantes: c'est particulièrement le cas des recherches dans les domaines de l'analyse du discours et de la sociosémiotique; c'est aussi en partie le cas pour l'analyse institutionnelle

qui, intégrée dans une perspective globalisante, présente un plus grand intérêt; l'autonomisation de notre littérature se manifeste ainsi également sur le plan de la théorie, ce dont on ne peut que se réjouir, il me semble;

3) contribuent à une meilleure saisie, *globalisante, totalisante* de notre littérature et de notre société: en intégrant les apports tant méthodologiques, théoriques qu'empiriques des recherches accomplies depuis une vingtaine d'années, nous devrions pouvoir élaborer une lecture, une interprétation d'ensemble qui puisse tout à la fois rendre compte de la spécificité des pratiques littéraires et de leur appartenance au discours social commun de la société dans laquelle elles sont produites;

4) révèlent une reprise d'intérêt pour l'histoire, pour une lecture des textes centrée sur leur signification sociale (et individuelle), remettant en question la clôture, l'enfermement des lectures structuralistes; ce regain coïncide lui-même, je le signalais au début, avec une relance du procès historique — tant ici que sur le continent européen — et cette coïncidence, cette convergence n'est probablement pas le fruit du hasard: le dynamisme des travaux de recherche dans le domaine manifeste à sa manière l'élargissement, l'approfondissement de la prise de conscience historique qui traverse nos sociétés dans cette fin de siècle.

Ouvrages cités

ANDRÈS, Bernard, *Écrire le Québec: de la contrainte à la contrariété. Essai sur la constitution des lettres*, Montréal, XYZ, 1990, 227 p.

ANGENOT, Marc, «Pour une théorie du discours social», *Littérature*, 70 (mai 1988), p. 82-98.

—, *1889, Un état du discours social*, Montréal, Le Préambule, coll. «L'univers du discours», 1989, 1168 p.

ARGUIN, Maurice, *Le roman québécois de 1944 à 1965. Symptômes du colonialisme et signes de libération*, Québec, CRELIQ, coll. «Essais», 1985, 228 p.

BEAUDOIN, Réjean, *Naissance d'une littérature. Essai sur le messianisme et les débuts de la littérature canadienne-française (1850-1890)*, Montréal, Boréal, 1989, 210 p.

BELLEAU, André, «La méthode sociocritique au Québec», *Voix et images*, vol. VIII, n° 2, hiver 1983, p. 299-310.

— , *Le romancier fictif. Essai sur la représentation de l'écrivain dans le roman québécois*, Montréal, PUQ, coll. «Genres et discours», 1980, 155 p.

— , *Surprendre les voix*, Montréal, Boréal, coll. «Papiers collés», 1986, 238 p.

BERGERON, Alain, *Les habitudes de lecture des Québécois*, Québec, Cahiers de l'ISSH, coll. «Études sur le Québec», 65 p.

BOURDIEU, Pierre, *La Distinction. Critique sociale du jugement*, Paris, Éditions de Minuit, 1970, 670 p.

—, «Le marché des biens symboliques», *L'Année sociologique* (1971), p. 49-126.

—, *Le sens pratique*, Paris, Éditions de Minuit, 1980, 475 p.

BROCHU, André, *La visée critique*, Montréal, Boréal, coll. «Papiers collés», 1980, 250 p.

CAMBRON, Micheline, *Une société, un récit. Discours culturel au Québec (1967-1976)*, Montréal, l'Hexagone, coll. «Essais littéraires», 1989, 205 p.

En collaboration, *Littérature et société canadienne-francaise*, Québec, PUL, 1964, 272 p.

FALARDEAU, Jean-Charles, *Notre société et son roman*, Montréal, HMH, 1967, 235 p.

—, *Imaginaire social et littérature*, Montréal, HMH, 1974, 152 p.

GIGUÈRE, Richard, *Réception critique de textes littéraires québécois*, Sherbrooke, Département d'études françaises, «Cahiers d'études littéraires et culturelles», n° 7, 1982, 203 p.

GIROUX, Robert, *Parcours*, Montréal, Triptyque, 1990, 491 p.

GIROUX, Robert et LEMELIN, Jean-Marc, *Le spectacle de la littérature. Les aléas et les avatars de l'institution*, Montréal, Triptyque, 1984, 251 p.

GIROUX, Robert et coll., *Quand la poésie flirte avec l'idéologie*, Montréal, Triptyque, 1983, 318 p.

GRELQ, *L'édition littéraire au Québec de 1940 à 1960*, Sherbrooke, Département d'études françaises, «Cahiers d'études littéraires et culturelles», n° 9, 1985, 217 p.

GRUSLIN, Adrien, *Le théâtre et l'État au Québec*, Montréal, VLB éditeur, 1981, 413 p.

HAECK, Philippe, *Naissances de l'écriture québécoise*, Montréal, VLB éditeur, 1979, 410 p.

—, *La table d'écriture. Poéthique et modernité*, Montréal, VLB éditeur, 1984, 385 p.

HAREL, Simon, *Le voleur de parcours. Identité et cosmopolitisme dans la littérature québécoise contemporaine*, Montréal, Le Préambule, coll. «L'univers du discours», 1989, 312 p.

KWATERKO, Jozef, *Le roman québécois de 1960 à 1975. Idéologie et représentation littéraire*, Montréal, Le Préambule, coll. «L'univers du discours», 1989, 270 p.

LACROIX, Jean-Guy, *La condition d'artiste: une injustice*, Montréal, VLB éditeur, 1981, 213 p.

LA FONTAINE, Gilles de, *Hubert Aquin et le Québec*, Montréal, Parti pris, coll. «Frères chasseurs», 1977, 157 p.

LEMIEUX, Denise, *Une culture de la nostalgie*, Montréal, Boréal Express, 1984, 244 p.

LEMIRE, Maurice (dir.), *La vie littéraire au Québec I, 1764-1805. La voix française des nouveaux sujets britanniques*, Québec, PUL, 1991, 498 p.

MAJOR, Robert, *Jean Rivard ou l'art de réussir: idéologies et utopie dans l'œuvre d'Antoine Gérin-Lajoie*, Québec, PUL, coll. «Vie des lettres québécoises», 1991, 338 p.

MARCOTTE, Gilles, *Le roman à l'imparfait*, Montréal, La Presse, 1976, 195 p.

—, *Littérature et circonstances*, Montréal, l'Hexagone, coll. «Essais littéraires», 1989, 360 p.

MARCOTTE, Gilles et BROCHU, André, *La littérature et le reste*, Montréal, Quinze, coll. «Prose exacte», 1980, 185 p.

MELANÇON, Joseph, MOISAN, Clément et ROY, Max, *Le discours d'une didactique. La formation littéraire dans l'enseignement classique au Québec (1852-1967)*, Québec, CRELIQ, coll. «Recherche», 1991, 280 p.

MENDEZ, Javíer García, *La dimension hylique du roman*, Montréal, Le Préambule, coll. «L'univers du discours», 1990, 180 p.

MICHON, Jacques, *Structure, idéologie et réception du roman québécois de 1940 à 1960*, Sherbrooke, Département d'études françaises, «Cahiers d'études littéraires et culturelles», n° 3, 1979, 111 p.

MILOT, Pierre, *La camera obscura du postmodernisme*, Montréal, l'Hexagone, coll. «Essais littéraires», 1988, 90 p.

NEPVEU, Pierre, *L'écologie du réel. Mort et naissance de la littérature québécoise contemporaine*, Montréal, Boréal Express, 1988, 245 p.

O'NEILL, Michel et coll., *Le roman québécois contemporain. Attitudes et réactions de 84 personnages*, Québec, Département de sociologie, 1975, 160 p.

OUELLET, Pierre, *Chutes. La littérature et ses fins*, Montréal, l'Hexagone, coll. «Essais littéraires», 1990, 272 p.

PELLETIER, Jacques et coll., *L'avant-garde culturelle et littéraire des années 1970 au Québec*, Montréal, UQAM, «Cahiers du Département d'études littéraires», n° 5, 1986, 195 p.

PROULX, Bernard, *Le roman du territoire*, Montréal, UQAM, «Cahiers du département d'études littéraires», n° 8, 1987, 330 p.

RICARD, François, *La littérature contre elle-même*, Montréal, Boréal Express, 1985, 193 p.

ROBERT, Lucie, *L'institution du littéraire au Québec*, Québec, PUL, coll. «Vie des lettres québécoises», 1989, 272 p.

SAINT-JACQUES, Denis et coll., «IXE-13 un cas type de roman de masse au Québec», *Études littéraires*, 12-2, numéro spécial, août 1979.

VAN SCHENDEL, Michel, «L'idéologème est un quasi-argument», *Texte*, n° 5-6, 1986-1987, p. 21-132.

—, «*Agaguk* d'Yves Thériault: roman, conte, idéologème», *Littérature*, 66, mai 1987, p. 47-77.

Alain et Abel*

par Gilles Marcotte

La juxtaposition des mots *littérature* et *société* exigerait, en bonne stratégie universitaire, des mises au point théoriques et méthodologiques qui pourraient nous retenir fort longtemps. Je me contenterai, avant d'entrer dans le vif du sujet, de formuler quelques propositions qui éclaireront le sens de ma démarche.

En premier lieu, je pose que toute œuvre littéraire — et particulièrement le roman, dont je m'occuperai exclusivement ici — parle de la société, fait parler la société, ou que la société parle en elle.

Je précise aussitôt que le rapport entre littérature et société n'est pas un rapport simple de texte à chose, entre la réalité concrète des conduites sociales et leur représentation plus ou moins fidèle dans un récit, mais qu'il est médiatisé par un autre texte, le texte social. Au niveau de généralité, d'exemplarité qu'implique la lecture sociale de la littérature, la société nue est une vue de l'esprit. Chercher dans un roman ce qu'une société dit d'elle-même, c'est d'abord, et peut-être essentiellement, essayer de découvrir le texte social auquel il se réfère.

---

* Extrait de *Littérature et circonstances*, Montréal, l'Hexagone, 1989.

Pas plus qu'il ne photographie pour ainsi dire la société nue, les conduites sociales, le roman ne se satisfait de reproduire le texte social. Le voudrait-il d'ailleurs qu'il en serait bien incapable, car son caractère de fiction le prive de la crédibilité qu'on accorde d'instinct, par exemple à l'enquête sociologique, ou même à l'éditorial du matin. Ce texte social, le roman le met en jeu, selon les exigences propres de la fiction; ou, pour reprendre la belle expression de Roland Barthes, il en fait trembler le sens; ou encore, pour citer Fernand Dumont, il traite la société et les hommes comme des «êtres du possible», il s'intéresse au possible qu'ils recèlent plutôt qu'à ce qu'ils sont[1]. On peut trouver dans un roman des renseignements précieux sur la société, puisqu'il n'est pas interdit à un romancier d'être aussi bon observateur qu'un journaliste, mais là n'est pas l'essentiel; ce que l'œuvre littéraire nous donne de plus important, et qu'elle est peut-être seule à pouvoir donner, c'est la série des possibilités, parfois contradictoires, qu'ouvre à l'imagination telle ou telle donnée du texte social, de la vision du monde ambiante.

Enfin, il va de soi — ou il devrait aller de soi — que la lecture, faite par un roman, de la réalité sociale ou du texte social est marquée de façon décisive par les formes, par les conventions qu'il adopte; et que ces formes, ces conventions portent déjà un sens, du seul fait de leur emploi. Le roman de la troisième personne et du passé simple (le *Bonheur d'occasion* de Gabrielle Roy), par exemple, implique une vision de la société qui n'est pas celle du roman à la première personne (*L'avalée des avalés* de Réjean Ducharme); et si d'aventure le romancier utilise des moyens traditionnellement réservés au conte, comme Jacques Ferron dans *Cotnoir* et Marie-Claire Blais dans *La belle bête*, il faudra prendre garde à l'effet de sens que produisent ces moyens.

C'est donc dans le mouvement commandé par ces quelques propositions que je me propose d'analyser brièvement

---

1. Fernand Dumont, dans *Littérature et société canadiennes-françaises*, Presses de l'Université Laval, 1964, p. 240.

deux romans qui mettent en jeu deux aspects, deux moments particulièrement importants du texte social québécois: *Poussière sur la ville*, d'André Langevin, paru en 1953[2]; et *Don Quichotte de la Démanche*, de Victor-Lévy Beaulieu, qui date de 1972[3]. Pourquoi ces deux romans? Sans doute parce que, en plus de différences qui sautent aux yeux, ils offrent quelques éléments convergents: dans l'un et l'autre romans, par exemple, on rencontre un personnage central qui se donne pour mission de déchiffrer la réalité, de comprendre; et, dans les deux cas, ce désir de comprendre se heurte à une opacité que symbolise le personnage féminin — Madeleine dans *Poussière sur la ville*, Judith dans *Don Quichotte de la Démanche*. Il n'en faut pas plus pour suggérer au critique la possibilité d'une comparaison pertinente, comparaison qui ferait apparaître, à partir de situations similaires, des divergences significatives.

Le désir de comprendre définit de façon particulièrement évidente le personnage principal de *Poussière sur la ville*, le Dr Alain Dubois. Il se présente lui-même, dans les premières pages du roman — car le roman est écrit à la première personne —, comme un homme qui regarde, voit (ou essaie de voir), contemple, veut interpréter, «trouver un sens». Lisons les premières lignes: «Une grosse femme, l'œil mi-clos dans la neige me dévisage froidement. Je la regarde moi aussi, sans la voir vraiment, comme si mon regard la transperçait et portait plus loin, très loin derrière elle. Je la reconnais vaguement[4].» Dans les premières pages du roman, les verbes regarder, voir, apparaîtront avec une fréquence remarquable, accompagnés de quelques autres: épier, révéler, montrer, contempler, qui appartiennent au même champ sémantique. Mais, peu à peu, c'est le thème plus intellectuel de la compréhension (déjà présent dans le premier paragraphe) qui s'impose, révélant ce que l'action de regarder ne faisait qu'impliquer. Au désir de voir et à la difficulté de bien voir

---

2. Le Cercle du Livre de France.
3. Éditions de l'Aurore, coll. «L'amélanchier».
4. *Poussière sur la ville*, p. 11.

correspond un désir de comprendre qui bute également sur une sorte d'empêchement: «[...] j'essaie de trouver un sens aux paroles de Kouri.» — «Je n'arrive pas à m'expliquer mon émoi, la chaleur intérieure qui m'a bouleversé.» — «Il ne faut surtout pas que je me laisse séduire par le jeu des images.» — «Quand même cela serait, il y aurait mille interprétations possibles [...].» — «Qu'a-t-il voulu dire le Syrien? Je ne sais pas[5].» Ainsi le narrateur, Alain Dubois, est tout entier regard, observation, besoin de comprendre. Et que veut-il, qui veut-il comprendre? Sa femme sans doute, au premier chef, cette Madeleine qui, dit-il curieusement, avec la précision un peu maniaque de l'observateur, lui «échappait par plusieurs points[6]»; mais aussi la petite ville minière de Macklin — disons-le: la société —, avec laquelle Madeleine semble avoir conclu dès son arrivée un pacte secret, cette ville qui, par les yeux de la grosse femme, le «dévisage froidement».

À la fin du roman, quand Madeleine s'est suicidée après avoir blessé son amant, quand le narrateur se trouve rejeté, condamné par la ville pour sa complaisance et sa lâcheté, le besoin de comprendre s'affirme en lui plus fort que jamais, à la mesure même de l'opacité qu'il veut traverser. «[...] je ne puis pas quitter tout cela sans avoir vu clair. J'émerge de ma stupeur enfin, je cesse de vivre au ralenti, mais tout se confond, se mêle. Arrêtez le kaléidoscope. Je veux voir les images une à une, leur donner un sens. Pour m'assurer de ma qualité de vivant, il me faut la logique de la vie. Je dois sortir du cercle, prendre plus de recul encore[7].» Voir clair, donner un sens, soumettre la vie à quelque logique, prendre du recul: voilà bien les actions typiques de l'observateur, de l'analyste. Cependant, ce projet de détachement ne dure que quelques lignes. En réalité, Alain Dubois est un observateur passionné; comprendre, pour lui, se traduit aussitôt par être compris, et il faut entendre ce verbe dans le sens le plus concret, dans le

5. *Ibid.*, p. 12-13.
6. *Ibid.*, p. 13.
7. *Ibid.*, p. 212.

sens d'une étreinte, comme il le disait en imaginant l'impossible retour de Madeleine: «Et je saurai l'étreindre pour qu'elle comprenne. Elle seule doit comprendre[8].» Il dira, semblablement, de la ville: «Je resterai, contre toute la ville. Je les forcerai à m'aimer. La pitié qui m'a si mal réussi avec Madeleine, je les en inonderai[9].» Les deux sens, antithétiques et complémentaires, du verbe *comprendre*, nous pouvons difficilement éviter de les entendre dans la petite phrase qui s'écrit quelques lignes plus loin. «Je panse des hommes[10]», dit le médecin-narrateur, et nous entendons, en même temps: je *pense* des hommes. Panser et penser, pour Alain Dubois, c'est tout un: analyser pour soigner, soigner pour comprendre, pour être compris, pour être soi-même guéri. La volonté de comprendre, ici, devient clairement volonté de rédemption; la rédemption de la ville ne pouvant être obtenue que par celle du narrateur, et vice versa, dans une circularité parfaite.

Le texte social auquel renvoie le roman d'André Langevin n'est pas très difficile à dénicher. Un indice très concret nous le donne: la petite ville minière de Macklin, en effet, évoque irrésistiblement Asbestos (ou quelque autre ville de la même région), avec sa mine d'amiante, la célèbre grève de 1949, la redéfinition de la société canadienne-française qu'elle provoque. La grève d'Asbestos ne fut pas, pour parodier Mgr Savard parlant de la folie de Menaud, une grève comme les autres. Elle mobilisa, dans une lutte qui paraissait décisive et dépassait de beaucoup les enjeux immédiats de la négociation collective, l'ensemble de la collectivité canadienne-française: la classe ouvrière, enfin révélée à elle-même, et la bourgeoisie conservatrice, nationaliste, représentée par Duplessis; l'Église, mais aussi un nouveau groupe d'intellectuels qui trouvait là l'occasion d'éprouver sa réflexion au contact de l'événement, et qui devait fonder quelques années plus tard la revue *Cité libre*. Le *penser pour panser (panser pour*

---

8. *Ibid.*, p. 211-212.
9. *Ibid.*, p. 213.
10. *Ibid.*

penser), dont nous avons fait la formule personnelle d'Alain Dubois, ce complexe d'analyse et d'action reproduit assez clairement les positions des intellectuels de *Cité libre* et de ceux qui les entourent. De quoi s'agit-il, à *Cité libre?* Il s'agit de libérer les énergies du mouvement, de l'intelligence critique, de l'analyse; de quitter les abstractions dans lesquelles se réfugiait la pensée traditionnelle, pour inviter l'intelligence à s'engager dans une «action efficace[11]». Ce travail d'analyse, de réflexion, sera lié à l'action. «Car la communauté de réflexion et de pensée, dit le liminaire du premier numéro de la revue, commande une communauté d'action[12].» Et, dans le même numéro, un collaborateur écrit: «Ce qui manque le plus au Canada français, c'est une philosophie positive de l'action. Il la faut penser en entier.» *Cité libre,* devant la société canadienne-française, adopte la même position qu'Alain Dubois devant Macklin: voir, comprendre, analyser, pour agir. Et les valeurs qu'on défend, de part et d'autre, sont les mêmes: fidélité à la «réalité concrète», engagement, respect de la liberté — la liberté qu'accorde Alain Dubois, scandaleusement, à Madeleine de poursuivre son aventure avec Richard Hétu; celle que *Cité libre* veut voir régner dans la société civile et l'investigation intellectuelle.

Que le programme de la revue se retrouve, dans *Poussière sur la ville,* sous une forme négative, ou à tout le moins équivoque — le respect, par Alain, de la liberté de Madeleine pouvant être qualifié de lâcheté, son goût de l'analyse interprété comme une faiblesse de l'action —, n'a rien d'étonnant, car le roman moderne le veut ainsi. Souvenons-nous du «héros problématique» de Lukács: mais aussi, remarquons que le roman à la première personne, le roman du «je», de l'affirmation subjective, marque une fêlure dans le tissu social, une distance entre celui qui parle et ceux dont il parle, entre l'individu et la communauté, que ne manifestait pas — ou ne manifestait pas au même degré — le roman classique,

---

11. *Cité libre,* 1/2, février 1951, p. 5.
12. *Cité libre,* 1/1, juin 1950, p. 2.

«objectif», utilisant le passé simple et la troisième personne. Par là, *Poussière sur la ville* et son narrateur Alain Dubois avouent dès l'abord une difficulté de l'action sociale, de *l'action pensée*, que le texte social masque sous l'apparente rationalité de son fonctionnement. Mais ce qui surtout, dans le roman, fait trembler le sens du discours ambiant, c'est l'identification de la ville (la société) et de la femme, de la compréhension et de l'étreinte. L'analyse et l'action, en somme, y révèlent leur source désirante. «D'une manière générale, écrivait Pierre Vadeboncœur dans *Cité libre* en 1953, notre erreur morale a été de tuer le désir[13] [...]» Mais ce qu'il ne voyait peut-être pas, c'est que le désir est équivoque: pour la mort, aussi bien que pour la vie. Dans l'ordre du pur désir, on tue ce qu'on aime — ou, plus précisément, on tue quelque chose dans ce qu'on aime. La surprise qu'apporte une relecture de *Poussière sur la ville* est précisément celle-là: nous découvrons que Madeleine est assassinée, assassinée par celui précisément qui la désire le plus, par son mari. Une petite phrase, à la deuxième page du roman, nous en avertit. Alain Dubois se trouve devant sa propre maison, devant la fenêtre illuminée qui révèle la présence de Madeleine, et il prononce ces paroles étonnantes: «Je ressentais un peu l'impression de l'automobiliste qui se jette sur la victime qu'il veut éviter[14].» Fasciné par la lumière de la fenêtre comme il l'est constamment par la chevelure rousse, la chevelure de flamme de Madeleine — sources de lumière qui sont l'envers désirant de la compréhension raisonnée —, le narrateur, par cette seule phrase, se déclare en puissance de meurtre. Qu'est-ce donc qu'Alain Dubois tue, en Madeleine? Nous avons vu que Madeleine est Macklin, et que Macklin représente la société globale; plus précisément elle est, dans cette société, l'élément anarchique, la puissance aveugle, la puissance de vie issue du plus profond de la vie collective, et qui refuse obstinément de se laisser

---

13. Pierre Vadeboncœur, «Critique de notre psychologie de l'action», dans *Cité libre*, 3/8, novembre 1953, p. 17.
14. *Poussière sur la ville*, p. 12.

mettre en coupe réglée par les stratégies de l'intelligence réfléchie — une Florentine Lacasse qui, mariée à l'idéaliste Emmanuel Létourneau, voudrait sans cesse retourner à Jean Lévesque, à ses ambitions matérialistes[15]. Alain Dubois tuant (symboliquement) Madeleine, c'est l'intellectuel, le réformateur, le démocrate, le progressiste menaçant, par son projet d'analyse et de prise de conscience, les puissances de vie obscure qui s'expriment en effet généralement de façon détournée, dégradée, dans les formes les plus étrangères à l'intelligence critique, par exemple: l'obscurantisme nationaliste d'un Duplessis ou le clinquant, les jeux de miroirs du restaurant Kouri. Sans doute Alain Dubois ne veut-il pas tuer Madeleine, pas plus qu'à *Cité libre* on ne veut se couper de la vie du peuple; c'est même tout le contraire. Mais Madeleine doit mourir, parce que sa revendication vitale est inassimilable par l'ordre que représente Alain Dubois, l'ordre du progrès raisonné, de la liberté démocratiquement assumée. Elle ne pourra survivre, ou revivre, que dans une autre forme de discours, très éloignée d'elle en apparence, mais qui peut la recevoir dans toute l'ambiguïté, toute l'anarchie de ses désirs: la poésie, qui jouera dans la décennie 1950-1960 le rôle que l'on sait. À *Cité libre*, on s'en souviendra, la poésie n'était qu'une invitée charmante que l'on traitait avec beaucoup d'égards, mais sans se compromettre avec elle.

Bien qu'il manifeste ainsi les équivoques d'une idéologie progressiste — qui sera celle de la Révolution tranquille —, le roman d'André Langevin appartient incontestablement à cet ordre, par la façon même, linéaire, éminemment réfléchie, dont il construit son discours. Dans *Don Quichotte de la Démanche*, il en va tout autrement. La situation semble s'être considérablement détériorée. Abel Beauchemin, comme Alain Dubois, se présente comme un interprète, un décrypteur de la réalité, pour tout dire un romancier, mais un romancier

---

15. On se souvient que dans le roman de Gabrielle Roy, *Bonheur d'occasion*, Florentine Lacasse se fait engrosser par Jean Lévesque, qui l'abandonne aussitôt, et qu'elle fait ensuite un mariage de raison avec Emmanuel Létourneau.

empêché: «[...] jamais plus il ne pourrait écrire de romans[16].» Son champ d'observation est d'ailleurs limité: il ne regarde que lui-même, lui-même en tant qu'écrivain, lui-même cherchant ses mots et ne les trouvant pas ou en trouvant trop, égaré dans le désordre de ses mots, «la folie du langage[17]». Il est assez curieux, d'autre part, que ce personnage uniquement occupé de lui-même, de ses petits et grands malheurs, ne soit pas un «je» narrateur, mais apparaisse dans la forme «objective» du récit, à la troisième personne. C'est qu'il n'existe pas, ici, de distance entre le «il» et le «je», entre la subjectivité fortement affirmée du personnage (double du narrateur) et le monde dit objectif, entre l'individu et la société. Dans *Poussière sur la ville*, la société existait, indépendante en quelque sorte du personnage-narrateur, lui opposant son opacité, structurée dans son ordre propre, avec des rôles sociaux bien définis: médecin, prêtre, maire de la ville, ouvrier. Rien de cela n'existe dans *Don Quichotte de la Démanche*. La société qu'observe, que tente de comprendre Abel Beauchemin, c'est sa propre personne agrandie, se prolongeant, se continuant sans rupture dans ses doubles imaginaires, comme le personnage-romancier Abraham Sturgeon ou encore dans les acteurs du drame familial, mère, père, frères, sœurs. Et que fleurisse enfin dans toute sa splendeur le complexe d'Œdipe, l'inceste même! (Comme dans la pièce de Michel Tremblay, *Bonjour, là, bonjour*, autre apothéose de la famille-société.) Il n'est pas jusqu'à la femme bien-aimée d'Abel Beauchemin, Judith, qui ne fasse partie de la famille, car ce qu'il cherche en elle c'est, au choix, son frère Steven, qu'elle a d'abord aimé, ou la mère: pas étonnant qu'elle décampe en Floride. La société, dans *Don Quichotte de la Démanche*, est calquée sur le modèle familial, ou tribal; et, dans ce modèle, l'individu n'a d'existence que par le groupe. La maladie d'Abel, ses difficultés d'expression, ses angoisses ne lui appartiennent

---

16. Victor-Lévy Beaulieu, *Don Quichotte de la Démanche*, p. 13.
17. *Ibid.*, p. 22.

pas en propre mais ne sont que l'expression, dans un sujet particulièrement doué, de ce qui travaille la famille, la tribu. Si l'on pense au roman d'André Langevin et au complexe idéologique qu'il met en œuvre, on se dira qu'on assiste, chez Beaulieu, à quelque chose qui ressemble au retour du refoulé. Tout ce qui, dans *Poussière sur la ville* et dans le texte social de *Cité libre*, devait être vaincu pour que la société progresse — les adhérences nationalistes primaires, le repliement sur le passé, la peur de l'avenir —, tout cela est maintenant exhumé de l'armoire aux souvenirs, réactivé. Au salut par la médecine, le pansement et la pensée (rappelons-nous la méthode d'Alain Dubois), Abel Beauchemin oppose le salut par la maladie même, par l'immersion dans la conscience tribale, par l'empathie avec cela même dont souffre la tribu. Le romancier nous le dit, à la fin: «L'important, pensa Abel quand la vieille ambulance noire démarra, c'est que je sois encore et malgré tout au milieu d'eux. Si tout est perdu, il reste au moins ça[18].»

Le texte social auquel renvoie le roman de Beaulieu est beaucoup plus diffus, distribué dans beaucoup plus d'organes d'expression apparemment très différents les uns des autres, que ne l'était celui de *Poussière sur la ville*. Sa formule la plus exacte, c'est peut-être un slogan de la publicité télévisuelle qui nous la donne: «On est six millions, faut se parler!» S'il faut que je parle à ces six millions, c'est que je le puis; et si je le puis, c'est que de six millions d'hommes on peut faire une famille, une tribu, où la communication s'obtienne sans intermédiaires, de bouche à oreille. Dans son livre sur *Les Québécois*, Marcel Rioux note que notre société est passée presque sans transition, oblitérant la période de l'industrialisation, du village traditionnel, du village où l'on se parle, au village global de M. McLuhan, où les valeurs de communication l'emportent sur les valeurs de production. «En y regardant bien, écrit-il, on se rend vite compte que le Québécois est

---

18. *Ibid.*, p. 278.

peut-être moins fait pour la production que pour la communication. C'est d'ailleurs en cela qu'à force d'être retardataire il devient aujourd'hui d'avant-garde car la société contemporaine commence à valoriser davantage les contacts entre les individus que leur productivité[19].» Cette observation rejoint le slogan de la publicité télévisuelle, comme elle rejoint la conclusion du roman de Beaulieu; elle rend compte également de ce qu'on trouve dans beaucoup d'œuvres romanesques contemporaines, de la passion villageoise et des commérages infinis d'un Jacques Ferron, des communiqués de la cellule d'amour de Jacques Godbout, des pitreries verbales de Jean-Le Maigre, de la lettre d'amour que le Mille Milles du *Nez qui voque* envoie aux hommes comme on écrit à sa fiancée — enfin de cette parole proliférante, peu soucieuse des règles traditionnelles du récit, qui est le lieu par excellence de notre roman depuis une dizaine d'années. Dans le roman et dans le texte social, l'archaïsme (le village) se confond curieusement avec l'avant-garde; et l'on ne s'étonne pas de voir les promoteurs les plus décidés du laïcisme intégral faire campagne pour la conservation des vieilles églises, Marie de l'Incarnation prendre la place d'honneur dans un roman de Ducharme. Il ne s'agit plus de rationaliser, d'organiser un progrès social qui ferait accéder le Québec à la maturité des sociétés industrielles; il s'agit au contraire de favoriser le sur-place, l'être-ensemble, un lieu privilégié de la communication créé par la parole et source de parole.

Cette opposition se reconnaît, dans nos deux romans, dans l'écriture même. On peut définir *Poussière sur la ville* comme un roman de la phrase — de la phrase complète, organisant le sens de son origine à sa fin, le conduisant pas à pas à travers les méandres de la syntaxe. *Don Quichotte de la Démanche*, à l'opposé, est le roman du mot. Le mot s'y présente libre en quelque sorte, comme délié de ses obligations envers la phrase, la progression du sens, soustrait à l'attraction du

---

19. Marcel Rioux, *Les Québécois*, Éditions du Seuil, coll. «Le temps qui court», 1974, p. 61.

développement. «[...] les mots n'arrêtaient plus de se bouscu-
ler en lui; ils venaient de partout, de la plante de ses pieds,
du bout de ses ongles, du lobe de ses oreilles et des poils de
son pubis[20].» Abel Beauchemin a compris qu'«il ne pouvait y
avoir ni fond ni fin dès qu'on avait trouvé le premier mot»,
que ce premier mot en appelait d'autres, à l'infini, qui s'ag-
glutinaient autour de lui, constituant une «folie du langage»
où se dilue, s'égare tout espoir de résolution. Cette «folie du
langage» ne ressemble pas tout à fait à l'idylle de la «communication directe avec l'autre, sans écran et sans intermédiaire
inerte» (Rioux), dont rêve le sociologue. Le texte romanesque,
ici encore, fait trembler le sens du texte social et en découvre
les possibles. Parler, s'abandonner à la «folie du langage»,
laisser venir les mots, c'est assurément libérer des énergies
nouvelles, construire l'espace libre de la communication, de
la présence; mais aussi le mot, l'abondance des mots empêche le récit de naître, ce roman qui serait à la fois le *Don Quichotte* et l'*Ulysse* de Joyce, le *Moby Dick* de Melville et le *Under
the Volcano* de Malcolm Lowry, et qui ferait de la Secte des
Porteurs d'Eau, créée par le frère d'Abel, une puissance réelle
dans l'histoire. Un roman s'écrit, ici, mais dans la plus violente
contradiction, en lutte contre lui-même, et dans cette lutte
trouvant le plus grand bonheur, celui de la libre parole, et le
plus grand malheur, celui de ne pouvoir construire par la parole que les jeux incertains de l'imaginaire.

Alain Dubois et Abel Beauchemin sont l'un et l'autre,
comme tous les personnages de romans sans doute, des figures du Quichotte. Mais ils n'ont pas affaire aux mêmes mou-
lins à vent; les seconds tournent évidemment beaucoup plus
vite que les premiers, et ont même tendance à s'affoler, comme
les mots s'affolent dans le roman de Beaulieu. Ils ne représentent pas seulement deux états historiques, très différents l'un
de l'autre, voire antithétiques, du texte social québécois. Ils
constituent également, en synchronie, des modèles d'action
sociale, également actifs dans le Québec d'aujourd'hui. Nous

---

20. Victor-Lévy Beaulieu, *ibid.*, p. 13.

sommes, à la fois, Alain et Abel: Alain Dubois, quand nous tentons d'organiser les libertés civiles, l'action démocratique, quand nous discutons avec les puissances financières ou les syndicats; Abel Beauchemin, quand nous voulons unir la collectivité québécoise dans un projet global, reposant principalement sur la communauté de langage. Alain et Abel, frères ennemis peut-être; frères, sûrement.

La stratégie du désordre:
une lecture de textes montréalais*

par Jean-François Chassay

Si la littérature québécoise des années soixante évoquait le pays, celle qui a suivi évoque le paysage. Au désir d'un territoire national intériorisé par l'écriture se serait substitué un plaisir du lieu que l'on voit tous les jours, d'une étendue que l'on embrasse d'un seul coup d'œil. Ce regard n'est pas nécessairement limitatif. Ainsi en serait-il pour l'écriture qui sourd de la ville. Le regard que l'on pose sur elle rend compte de la relation complexe qui unit aujourd'hui l'homme et son environnement et plonge au cœur d'un foyer de paradoxes. Car la ville est à la fois le monde de l'individualité en même temps que le lieu et l'axe d'une identification collective; terrain d'affrontements, c'est également celui de la recherche; territoire apparemment fermé, qui ne peut vivre sans s'ouvrir au monde; lieu de désordre et en même temps de remise en question, de réorganisation.

Traversant les années soixante-dix, *Sans parachute* de David Fennario (1970), *L'hiver de force* de Réjean Ducharme (1973) et *La vie en prose* de Yolande Villemaire (1980) appartiennent à cette nouvelle catégorie de textes qui interrogent la ville et s'interrogent à travers la ville, contribuant à redéfinir le paysage urbain.

* Publié dans *Études françaises*, XIX, 3, 1983.

Politique et imaginaire: la ville dédoublée

Pour parler d'une écriture de la ville, il faut d'abord s'interroger sur celle-ci, voir dans quel cadre se situe le texte. Une sociologie du texte littéraire ne peut se permettre de faire abstraction de l'arrière-plan.

Si on tient pour acquis qu'il est erroné de considérer l'être humain et son environnement comme des entités distinctes — et les recherches en cybernétique l'ont démontré au cours des vingt dernières années —, l'importance de la ville s'en trouve accrue. Bassin culturel à la fois au sens large et dans un sens résiduel, elle apparaît comme le lieu idéal d'un «contexte global», la mise en situation de structures organisationnelles complexes où l'on retrouve toutes les écritures, tous les signes d'une société. Si la prolifération du tissu urbain — la présence de l'urbanité comme réalité sociale — est de plus en plus visible dans toutes les régions, c'est dans la ville, réalité présente, immédiate, pratico-sensible, qu'il est le plus porteur de sens.

Mais la ville est aussi le lieu d'une médiation qui s'instaure entre ce qu'Henri Lefebvre nomme l'ordre lointain et l'ordre proche: celui réglé par les institutions et celui qui se crée entre les individus ou les groupes d'une société[1]. En termes de communication, nous pourrions parler de relations réciproques entre un émetteur incarné par le pouvoir et un récepteur incarné par des individus, dans le cadre d'une communication dont la ville serait l'aspect le plus signifiant. Si on ne peut parler d'égalité entre les deux ordres, le pouvoir et les individus, il reste que le maintien de la structure d'ensemble, en réalité, ne dépend pas plus du pouvoir que de tous les sous-groupes qui le fondent. Un système n'est pas un ensemble fixe, bloc homogène duquel on extrairait des «parties», mais plutôt l'inverse: ce sont les sous-ensembles qui, par niveaux d'organisation et interrelations, forment le système.

---

1. Henri Lefebvre, *Le droit à la ville* suivi de *Espace et politique*, Paris, Anthropos, coll. «Points», 1968 et 1972, 281 p.

Ces relations se multiplient à mesure que le système devient plus complexe. Pour se situer à un autre niveau, plus près sans doute de nos visées littéraires, nous pourrions parler d'une médiation créant des rapports paradoxaux entre politique et imaginaire, système organisationnel et désir[2]. À mesure qu'un système se ramifie, le pragmatisme politique devient de plus en plus patent. Mais la ville, en tant que système complexe justement, a la capacité de s'emparer de toutes les significations et surtout de les exprimer. Elle devient narration, cadre narratif où l'imaginaire, polysémique, trouve un espace où se déployer. Cet imaginaire est en même temps bloqué par le système qui crée le cadre — système d'ordre — qui se trouve à le transformer en un sous-système démesuré. Pendant que le pouvoir organisationnel, réducteur, tente de diminuer les désordres pour créer une plus grande *efficacité*, l'imaginaire ouvre un *champ de possibilités,* ce qui révèle deux concepts fondamentaux de la culture contemporaine:

> la notion de «champ», empruntée à la physique, implique une vision renouvelée des rapports classiques (univoques et irréversibles) de cause à effet, que remplacent un système de forces réciproques, une constellation d'événements, un dynamisme des structures; la notion philosophique de «possibilité» reflète, elle, l'abandon par la culture d'une conception statique et syllogistique de l'ordre, l'attention à ce qu'ont de ductiles décisions personnelles et valeurs, remis en situation dans l'histoire[3].

Des liens paradoxaux s'établissent donc entre un ordre visant l'économie des signifiants et un autre dont l'essence même dépend de la multiplicité, de la polysémie. Ainsi en

---

2. «Il n'est guère possible de poser le problème du sens social des textes littéraires dans le même cadre théorique dans lequel les sociologues analysent des organisations politiques, des institutions et des idéologies en tant que structures étroitement liées à des intérêts collectifs.» Pierre Zima, *Pour une sociologie du texte littéraire,* Paris, Bourgois, coll. «10/18», 1978, p. 9.
3. Umberto Eco, *L'œuvre ouverte,* Paris, Seuil, coll. «Points», 1965, p. 29-30.

serait-il, par exemple, de la notion d'espace urbain. L'expansion prise par la ville crée un espace éclaté, des interactions multiples. Pourtant, à un premier niveau, la ville semble donner lieu à une lecture aisée, cohérente. Mais elle répond nécessairement à un *décodage-recodage* (Henri Lefebvre) du réel qui masque ou évacue une partie de la complexité sociale. Or l'espace urbain s'élabore en vertu de certaines règles qui dépendent d'un type précis d'organisation, celui de l'ordre lointain.

La «volonté de réalisme» aboutit à une classification arbitraire, à une fragmentation factice qui répond aux besoins de la structure d'ensemble à court terme, mais non pas à l'organisation des sous-ensembles qui la maintiennent en place. Alors qu'«aujourd'hui la notion d'espace est davantage liée à celle de *mouvement,* et au-delà de l'espace visuel tend vers un espace plus profondément lié aux autres sens[4]», le pouvoir utilise les termes spatiaux de découpage, montage, groupement, emplacement, comme rigoureux, stables. L'aménagement de l'espace crée une «sédimentation spatiale» (Henri Laborit) qui bloque les contacts entre les individus de différentes classes, gêne les échanges interculturels.

Le phénomène de l'information s'analyse de la même manière. L'accroissement des connaissances d'une part et de la population d'autre part donne lieu à une augmentation importante de l'information sous toutes ses formes: type, quantité, qualité. Il est évident que pour l'ordre lointain, la dynamique de l'accumulation de la production est incompatible avec toute dynamique d'échange des connaissances, de circulation des désirs. Dans ce lieu aux langages multiples, une ligne directrice s'impose, qui sera évidemment le fait de ceux qui le dominent et aboutira à une réduction de la richesse polysémique au profit d'une réification. «Aucune société ne peut se permettre de ne pas se défendre contre les déviances, de ne pas essayer de transformer ceux qui s'opposent à ses règles et à sa structure[5].»

---

4. Edward Hall, *La dimension cachée*, Paris, Seuil, coll. «Points», 1971, p. 120.
5. Richard Fisch, Paul Watzlawick et John Weakland, *Changements*, Paris, Seuil, coll. «Points», 1975, p. 89.

Toute technocratie, par un penchant propre au pouvoir, résout les problèmes de la ville de l'extérieur, la considérant comme un objet appelé à demeurer fonctionnel. Maîtrisé, cet objet ne doit plus faire problème. Pourtant, il ne s'agit pas d'un objet matériel, mais plutôt, à la manière de la langue, de quelque chose qu'on modifie, qui se transforme et n'est donc pas «maîtrisable». Les villes sont faites pour questionner les individus sur la raison d'être de leur rassemblement. Ce questionnement, inconciliable avec l'immobilisme des structures, fait partie d'une réalité qui ne peut être vécue que par ceux qui font l'expérience quotidienne de la ville, non par ceux qui la voient de l'extérieur.

> Pénétrer dans la ville, cela signifie donc que l'on s'en donne une vision plus exacte. Cela implique l'abandon d'un urbanisme conçu en images directrices et sa conversion en une pratique et une *stratégie*. Il ne s'agira plus de supputer — ou d'édicter — ce qui sera une ville dans 40 ou 50 ans, mais de savoir jusqu'à quel stade son mouvement pourra plus immédiatement la porter[6].

Face à tous les possibles qui s'imposent de façon plus active, l'expérience de la ville devient une sorte de jeu où la vie urbaine n'est plus déterminée selon des règles précises. «Le hasard, ce n'est plus ce qui avait peu de chance de se produire mais ce qui se produit sans avoir été expressément prévu et réglementé pour l'usage[7].»

Si l'ordre lointain a le pouvoir d'imprimer à la ville un certain sens, l'individu en a également un, dans la mesure où il fait, lui aussi, un décodage-recodage de la réalité. L'être urbanisé est lecteur d'une ville qui s'exprime selon une organisation formelle qu'il faut reconnaître et reconstruire chacun pour son propre compte:

---

6. Alain Médam, *La ville-censure*, Paris, Anthropos, 1971, p. 206.
7. Pierre Sansot, *Poétique de la ville*, Paris, Klincksieck, 1971, p. 316.

[...] l'impact du milieu sur un organisme renferme un ensemble d'instructions dont le sens n'est pas immédiatement clair; c'est à l'organisme [...] de les décoder du mieux qu'il peut. Comme les réactions de l'organisme affectent le milieu, on voit que [...] se produisent des interactions complexes et continues [qui font sens[8]].

L'espace d'une ville n'est pas que physique. En plus d'une structure manifeste et d'un mouvement latent, une histoire, un espace mnémonique s'y superposent. La réalité de la ville se situe à la fois dans l'espace horizontal de sa structure physique et dans l'espace vertical de son histoire.

Si toute lecture est subjective, la plus pénétrante sera sans doute celle qui tiendra compte de cette réalité, qui réussira à surmonter la fragmentation pour informer sur celle-ci en passant à un autre niveau de compréhension.

L'imaginaire ne laisse jamais disparaître cet aspect. Le texte littéraire sait mettre en scène la ville latente. La polysémie n'est pas une question purement technique, mais la trame sémantique de la ville. Ce n'est que par rapport à une langue parlée envahie par la publicité et la propagande qu'elle peut être expliquée de manière adéquate. De par sa structure formelle, le texte questionne l'espace qu'il habite; de par son contenu il questionne les langages qui l'entourent. En jouant sur les structures mentales et physiques de la ville, il interroge les règles du jeu. Par ses structures différentes, le texte fictionnel offre une nouvelle lecture de la ville.

Du roman au texte

Depuis l'après-guerre, le monde urbain a changé. Si la technique, les structures mises en place, sont beaucoup plus efficaces dans leur rôle centralisateur, l'individu a appris à

---

8. Janet Helmet Beavin, Don Jackson et Paul Watzlawick, *Une logique de la communication*, Paris, Seuil, coll. «Points», 1972, p. 262.

s'adapter. Face à une ville humanisée — en ce cens qu'elle répond, de plus en plus, à des désirs, qu'elle a elle-même créés — correspond l'individu urbanisé, plus apte à s'y mouvoir. Le texte littéraire en illustre l'évolution.

En 1945, *Bonheur d'occasion* faisait apparaître de façon aiguë les rapports conflictuels qui pouvaient s'établir entre des individus nouvellement arrivés en ville et l'espace urbain qui les entourait. Avec *Alexandre Chenevert* (1954), nous en sommes déjà à la seconde génération. Symbole de l'être déshumanisé, citadin écrasé par la civilisation urbaine, Chenevert, néanmoins, «est un homme des villes et il le sait[9]». Si un séjour à la campagne lui fait passagèrement oublier ses préoccupations, la ville l'appelle et il en a malgré tout la nostalgie.

Dans les deux cas, l'individu fait face à un monde pétrifié, bloc homogène auquel il ne peut rien changer. À lui de tenter d'y trouver sa place. À l'image d'un ordre lointain détenant le pouvoir sur la ville, le narrateur, omniscient, se trouve à l'extérieur de l'univers qu'il décrit. «Les écrivains de la génération de Gabrielle Roy n'aiment pas la réalité qu'ils décrivent et ils ont spontanément recours à un type d'écriture défini par la distance qu'elle instaure entre l'auteur et ses personnages[10].»

D'abord syntagmatique, suivant un système linéaire déterministe, le roman montre d'abord des personnages évoluant vers la mort, le mariage, un départ, bref vers une certaine finalité.

Les mutations qu'a subies le monde urbain au cours des vingt dernières années se répercutent dans le texte. Les liens peuvent sembler fragiles entre l'ouvrier marxiste anglophone de Pointe-Saint-Charles (*Sans parachute*), le couple d'artistes ratés, pigistes désabusés, du Plateau Mont-Royal (*L'hiver de force*) et cette/ces narratrice(s), intellectuelle(s), écrivaine(s), qu'on retrouve du Mexique au quartier Saint-Denis (*La vie en*

---

9. Georges-André Vachon, «L'espace politique et social dans le roman québécois», *Recherches sociographiques*, vol. VII, n° 3, 1966, p. 268.
10. *Ibid.*, p. 273.

prose). Pourtant les trois auteurs procèdent d'une manière semblable pour donner une nouvelle dimension à la ville.

Dans les trois cas, le hiatus entre auteur et personnage est comblé. S'il y a distance, elle s'installe plutôt entre l'auteur/narrateur et la ville, dans ce regard qui est posé sur le paysage urbain. Et si l'individu s'est urbanisé, il en est de même du texte. Le cadre d'écriture s'est modifié. L'indétermination générique qui oblige à nous rabattre sur le terme de *texte* est en soi significative. Entre le journal plus ou moins avoué et le récit — narration d'événements qui se sont passés — le texte, à l'image des rapports auteur/narrateur, se confond avec la ville, son histoire. Il «appartient» à celle-ci, y participe et fait partie intégrante de l'espace urbain.

Lectures subjectives de cet espace, évidemment, qui proposent un décodage-recodage du réel différent de celui des médias, imposant des lieux urbains marginaux qui deviennent noyaux, centres de l'urbanité. Lectures paradoxales également, en ce sens qu'elles modifient la ville sans la modifier, la métamorphosant en lui donnant de nouvelles perspectives. Fasciné, le lecteur se promène dans le livre comme s'il suivait un certain trajet à travers la ville.

Au monde syntagmatique du roman d'après-guerre s'oppose un monde paradigmatique. À un système linéaire déterministe se substitue une ligne brisée, allant au rythme de la ville tel que vécu par ses habitants. La structure textuelle participe de ce désordre urbain. Textes éclatés, fragmentés, qui font succéder à la ville pétrifiée dans ses habitudes une ville fluide, mobile, diverse. Elle apparaît comme un échiquier où l'auteur dispose les pièces à sa guise, obligeant le lecteur à effectuer un certain travail, puisque la disposition du texte sous-tend une série de possibles qui s'inscrivent à l'intérieur du jeu littéraire. «L'incertitude qui contribue à l'information transmise n'est donc pas liée à la présence d'un chaos à l'état pur [...] mais plutôt le fruit d'une organisation de possibilités plutôt que d'une détermination univoque[11].»

---

11. Umberto Eco, *op. cit.*, p. 85.

À défaut d'une intrigue soutenue, le texte donne lieu à un dévoilement progressif du tissu urbain, qui apparaît à mesure que les différentes strates du texte se superposent les unes aux autres, à la manière des couches mnémoniques d'une ville qui créent peu à peu son histoire.

Tout comme la ville ne peut être considérée comme un lieu fermé d'où rien ne s'échappe, le livre est ouvert, sans début ni fin. En lieu et place d'une suite logique on a *des* logiques, partie prenante de la liberté de choix de l'auteur du message. *Sans parachute* nous laisse sur une identification au travailleur, patente dès la première page:

> Permettez-moi d'enlever mon masque dès maintenant. Je suis l'homme ordinaire [...] le visage dans la foule, l'homme dans la file, l'homme dans le métro, l'homme à qui l'on vend un abonnement à un magazine et qui a deux enfants et demi, un vieux char et une TV qu'il n'a pas les moyens de faire réparer (*SP*, p. 239).

L'hiver de force se termine sur un retour (lugubre) à Montréal, qui ferme la boucle. Le même phénomène apparaît dans *La vie en prose*, alors que les narratrices/écrivaines se retrouvent à la fin dans la même pièce qu'au début, là où l'écriture se (re)met en branle.

S'inscrivant dans un cadre, une structure, qui est celui de la ville, le texte est également médiatisé par la culture et le langage. Comme les monuments enracinent un quartier dans l'espace et le temps, servant de repère, de même l'intertextualité accorde au livre une valeur autoréférentielle. L'écriture éclate et va chercher des traces, des pistes, des modèles dans le quotidien, la réalité, le savoir engendré par la ville. La clôture devient très mince entre texte et contexte. Le monde urbain devient lui-même narration. Cette appropriation du savoir urbain démontre l'existence dans le texte d'un processus régénérateur, autoproductif, une possibilité de réorganisation par l'ouverture sur l'environnement culturel et ce, en grande partie, par le biais de l'humour, qui indique un questionnement, une quête de sens.

Si cet intertexte varie selon le narrateur, il est toujours à la mesure du cadre où il prend place et présente une culture urbaine aux facettes multiples, riches, diversifiées. La culture dégradée, basée essentiellement sur la publicité et la rentabilité économique, n'est pas évacuée, mais transformée, et souvent tournée en dérision. Les Ferron écoutent la télévision à la recherche des émissions — des films surtout — les plus ennuyantes.

> Là, on regarde *Rendez-vous avec Callaghan*. C'est un film policier anglais fabriqué en Italie avec des acteurs américains de troisième ordre. C'est l'histoire d'un détective privé [...] Décidés à jouir de tout, nous sommes pendus à ses lèvres (*HDF*, p. 39).

Si chez Fennario la culture est plus populaire — Hank Williams, Marlon Brando, Bob Dylan —, on y parle aussi de Rimbaud, Herman Hesse, Dostoïevski. Chez Ducharme, Mao côtoie Henri Richard, la conversation glisse de Pierre Gobeil à sainte Thérèse d'Avila à Jean-Paul Sartre. Et si l'intertexte chez Villemaire est souvent plus intellectuel, il reste qu'à côté de Laing, Brecht et Todorov, on retrouve Snoopy, Batman, *Bionic Woman*.

Culture populaire, culture intellectuelle, contre-culture cohabitent dans la ville et dans le texte: ce pluriculturalisme s'intègre au texte et permet de faire ce qu'on pourrait nommer un «clin d'œil intertextuel». Pendant que les Ferron «écoutent, à travers la double cloison de gyproc qui sépare [leur] bedroom déguisable en living-room de [leur] dining-room mâtiné de kitchen, ce que Ava Gardner va répondre à Humphrey Bogart» (*HDF*, p. 77), une narratrice nous explique que Lol V. Stein n'a aucun lien de parenté avec Gertrude (*VEP*, p. 22) et que Rrose Sélavy «a des remords en forme de mariée mise à nu par ses célibataires, mêmes» (*VEP*, p. 68).

Parodie, sarcasme, ironie, l'humour, constant, n'est jamais simple. Quand se révèle un gag, normalement, l'auditeur se retrouve devant un renversement des perspectives qui provoque le rire. On nous apprend que ce qu'on nous présentait depuis le début comme réel est en définitive irréel. Mais l'humour peut être plus paradoxal et plus ambigu lorsque le rire n'est pas la finalité de la communication et que la coupure entre réel et irréel est moins claire. L'ironie n'est pas l'envers de la réalité.

> Le comte de Ross, un noble irlandais extrêmement riche, désirait depuis toujours posséder le plus gros télescope du monde, et il a finalement réussi, à grands frais, à s'en faire construire un [...] En 1844 [...] il découvrit une nouvelle galaxie. 1844, c'est l'année de la Grande Famine de pommes de terre au cours de laquelle près de 3 000 000 d'Irlandais sont morts de faim. Il n'avait pas besoin d'un télescope pour voir ça (*SP*, p. 51).

Peut-on parler ici d'humour ou plutôt de constat qui appelle le changement? Faudrait-il déceler une critique sociale sous l'humour noir? «On a fait venir à crédit de chez le Grec, qu'on ne paiera jamais (les gens gentils tout le monde les fourre, nous les premiers)» (*HDF*, p. 115).

Dans un lieu où les comportements sont orientés par les mass media qui décident de l'information et par la publicité qui crée des automatismes, l'humour déconstruit les vérités, refuse les évidences. Il n'y a pas de réponses mais une manière différente d'aborder les faits. Pour faire accepter une information autre, il faut *casser* certaines structures mentales. L'ironie, par son ambivalence, opère un glissement et, par le paradoxe qu'elle crée, enrichit le texte.

Le narrateur, maintenant habitué à la ville, sait comment agir avec elle. Nous ne sommes plus face au drame psychosocial d'un individu par rapport à un milieu, mais devant les louvoiements d'un narrateur dont les idées changeantes, les questionnements, nourris de paradoxes, s'immiscent dans un système dont la ville est le meilleur représentant.

Si Montréal est l'axe central qui détermine l'écriture des trois auteurs, il ne faut pas croire pour autant qu'on ne sait s'en éloigner. Habitué à la ville, on a pris les moyens, depuis l'après-guerre, d'en sortir. Là plus qu'ailleurs, il y a une tentative de décloisonnement.

> Or, par tout son mouvement [le Montréalais] refuse ac-
> tuellement cette sédentarisation due à la peur, à l'ano-
> mie, à l'impuissance. [...] On n'est plus centré sur le seul
> lieu de son anéantissement. On peut bouger. Devenir au-
> tre chose. Bouger, c'est-à-dire nomadiser à nouveau
> dans l'histoire, rompre dans sa réserve[12].

Lorsqu'on voyage beaucoup, comme dans *La vie en prose*
— Californie, New York, Italie, France — on reste tout de
même attaché à Montréal, par le langage d'abord, puis par le
désir. Du fond de la Californie, la narratrice ne rêve que de
parler à son amant: «1-514 et ton numéro» (*VEP*, p. 18).
Quand il lui arrive d'oublier son visage et jusqu'à son nom en
s'endormant, son souvenir est immédiatement remplacé par
celui de Montréal, au son d'une berceuse irlandaise qui rappelle la Saint-Patrick et immanquablement les «chars allégoriques qui déboulent dans un précipice en face de chez Mor-
gan» (*VEP*, p. 19). Quant au passage qui concerne le voyage
en Italie, on a tôt fait d'y retrouver, à travers une digression
sur le temps, le souvenir d'une annonce de montre Timex et
le visage de «Gaëtan Montreuil, fin sémiologue» (*VEP*, p. 124),
ce qui n'a rien de bien italien, il va sans dire...
À la peur de la grande ville a succédé un désir profond
pour elle, inexplicable peut-être pour qui n'y vit pas. Il faut
s'identifier au paysage urbain pour pouvoir goûter ce qu'exprime le narrateur de *Sans parachute*:

> La campagne, c'est magnifique, je suppose; en tout cas,
> tout le monde le dit, mais je n'ai encore rien vu dans les
> bois d'aussi beau que le soleil qui se lève sur la rue
> Coursol ou qui se couche derrière les maisons de la rue
> Saint-Antoine (*SP*, p. 76).

La littérature montréalaise s'est peu à peu ouverte au
monde. En 1945 on arrivait en ville, en 1970 on en sort. Entre-
temps on en a pris possession. De 1970 à 1980, le texte éclate,

---

12. Alain Médam, *Montréal interdite*, Paris, PUF, 1978, p. 78.

va plus loin et plus vite, tant au niveau des structures littérai-res que dans la diversité des réalités abordées. Dans les trois cas il s'agit d'une même mise à jour, celle d'une ville libérée de ses contraintes et présentée dans toute sa richesse et sa complexité.

«Ouais, les brillantes lumières des grandes villes» (*SP*, p. 76).

SIGLES

SP: David Fennario, *Sans parachute,* Montréal, Parti pris, 1977, 239 p. (Traduction: Gilles Hénault).

HDF: Réjean Ducharme, *L'hiver de force,* Paris, Gallimard, 1973, 282 p.

VEP: Yolande Villemaire, *La vie en prose,* Montréal, Les Herbes rouges, 1980, 261 p.

La dimension carnavalesque du roman québécois*

par André Belleau

Notre propos dans cet essai sera de tenter une mise au net et une mise au point, les difficultés dont il s'agit ayant trait à la carnavalisation d'un grand nombre de romans québécois depuis la fin des années cinquante. À quelles conditions, dans quelle mesure peut-on parler de carnavalisation au sens bakhtinien à propos de ces textes? Qu'est-ce que cela engage? Quels problèmes cela pose-t-il? Empressons-nous de souligner d'entrée de jeu que la question a commencé de retenir l'attention de quelques chercheurs. Par exemple, ce serait l'occasion tout indiquée de relire avec profit les pages que Gilles Marcotte a consacrées en 1976, dans *Le roman à l'imparfait* à *Une saison dans la vie d'Emmanuel* de Marie-Claire Blais, pages lumineuses, capitales qui s'avisent de la dimension essentiellement carnavalesque de ce roman à l'encontre de toute la critique — de Lucien Goldmann à Henri Mitterand — fourvoyée, empêtrée dans des considérations embarrassées sur un texte prétendument «noir» et «réaliste».

Commençons donc par la notion de carnavalisation. Dans l'optique et la terminologie de Mikhaïl Bakhtine, le mot *carnavalisation* désigne, qu'il me soit permis de le rappeler, la

---

* Publié dans *Études françaises*, XIX, 3, 1983.

structuration par la culture populaire de certains textes littéraires et cela sur divers plans: énonciatif, sémantique, etc.[1] Évidemment, nous constatons l'inscription de la culture populaire dans la littérature alors que cette inscription est elle-même le résultat d'un processus de transposition, de textualisation si l'on préfère, disons même de transcodage (de divers langages sociaux au langage littéraire), conscient toutefois du caractère non bakhtinien du terme *code*... Mais pourquoi parler de «culture populaire» et non pas, de façon plus limitée et prudente de carnaval, de rituels, comportements ou discours carnavalesques? Nous pourrions dire alors: la carnavalisation, c'est l'imprégnation des discours littéraires par les conduites carnavalesques dont on a par ailleurs observé l'existence dans la vie sociale. Or c'est ici qu'il faut prendre Bakhtine à bras-le-corps, s'il est possible de s'exprimer ainsi, et ne pas essayer de tirer parti de ses idées en omettant leurs conséquences. Selon Bakhtine, il est clair que la culture du peuple trouve son expression la plus complète et la plus profonde dans les comportements et les discours du carnaval: ce qu'il nomme «vision carnavalesque» peut et doit donc être légitimement entendu comme signifiant la vision globale du monde propre à la culture populaire.

Poser, comme nous le faisons, que la carnavalisation désigne la transposition dans la littérature de la culture populaire conçue comme vision complète du monde et non simplement la survivance textuelle de résidus carnavalesques, c'est s'obliger de s'interroger de façon critique sur la pertinence actuelle du concept de culture populaire tel que défini naguère par Bakhtine et aussi sur les rapports entre cette culture populaire bakhtinienne et la culture de masse actuelle ainsi que l'industrie culturelle chère à Adorno. Ensuite, si nous gardons la culture populaire quelque part dans le contexte, il nous faudra bien ne pas nous contenter d'observer, dans les romans québécois ou autres, des phénomènes de

---

1. Les textes clés de Bakhtine sur la carnavalisation sont *L'œuvre de François Rabelais et la culture populaire au Moyen Âge et sous la Renaissance*, traduit du russe, Gallimard, coll. «Bibliothèque des idées», 1970, et le chapitre IV de *La poétique de Dostoïevski*, traduit du russe, Seuil, 1970.

carnavalisation: dispositifs narratologiques embrouillés, interactions dialogiques complexes, réseaux sémantiques dessinant le «corps grotesque», sans plus chercher avant, comme s'il s'agissait d'aérolithes tombés du ciel dans le texte, sans antécédents, sans nécessité, «calme bloc ici-bas chu...» S'il y a carnavalisation, il y a bien quelque chose qui carnavalise quelque part. On peut toujours faire l'hypothèse que c'est la culture populaire elle-même par la médiation du discours social dans les sociétés où elle est encore vivante: songeons au Québec, à l'Amérique latine. On dirait en effet que le roman actuel de l'Amérique du centre et du sud est écrit délibérément pour donner raison à Bakhtine, ce qui n'est nullement le cas du nouveau roman français, pipi de colombe monologique au sujet duquel Bakhtine n'est d'aucun secours. Dans les pays où le centralisme bourgeois autoritaire a terminé son œuvre de destruction et de folklorisation de la culture populaire, l'apparition de textes carnavalisés oblige à recourir à la médiation de certains genres ou types de discours littéraires. Mais ce n'est pas le lieu ici d'exposer la théorie bakhtinienne des genres et de leur efficace transhistorique.

Avant d'aller plus loin, rappelons-nous brièvement les caractères fondamentaux du carnaval selon Bakhtine, c'est-à-dire du carnaval proprement dit en tant qu'institution et aussi de certaines conduites apparentées. Ce qui est en cause ici, pour reprendre les termes de Bakhtine, c'est «le peuple riant sur la place publique». Ces traits ne sont pas des marques textuelles. Ils décrivent des rituels et des comportements dans la société hors-texte. Mais ils ont quand même des conséquences textuelles.

1. L'exigence vitale et universelle de participation

Il n'y a pas de point de vue extérieur à partir duquel on puisse observer le carnaval... Deux conséquences textuelles: d'abord le carnavalesque dans les romans doit être décrit par la critique en termes d'oppositions (haut/bas, sérieux/comique) et non en termes de substitution. Ainsi dans la société fictive du roman carnavalisé, le carnavalesque ne vise pas à évacuer et remplacer le monde du sérieux. Au contraire, il le renferme. Les deux univers, le comique et le sérieux, doivent être donnés en même temps. Un exemple: dans *La guerre, yes Sir!* de Roch Carrier, les Anglais silencieux, imperturbables et méprisants qui restent au garde-à-vous pendant toute la durée du carnavalesque banquet funèbre... En deuxième lieu, l'exigence universelle de participation a aussi pour effet de rendre improbable toute ironie privatisante, singularisante et distanciante. Dans la société intratextuelle, même ceux dont on se moque participent au rire général. Toujours dans *La guerre, yes Sir!*, Arsène, battu comme plâtre par Bérubé, éclate soudain de rire.

2. La suppression joyeuse des distances entre les hommes

La topographie sociale, évidemment, continue d'être marquée dans les textes mais les rapports et les distances entre les lieux sociaux et entre leurs occupants sont constamment gommés. Voici un magnifique exemple tiré de *L'amélanchier* de Jacques Ferron: le narrateur présente ainsi un personnage: «Fin causeur et fils de cultivateur, il se nommait Léon, Léon de Portanqueu, esquire.» Cette «construction hybride complexe», pour utiliser le langage de Bakhtine, rapproche si bien les classes qu'elle les attribue toutes à une seule personne: les intellectuels, les paysans, la noblesse française, la gentry anglaise. Nous apprenons plus tard que Léon de Portanqueu est pompier dans une banlieue de Montréal.

3. L'expression concrète des sentiments refoulés

Il faut aller voir ici du côté de ce que Bakhtine appelle «la zone des personnages» (dans *Esthétique et théorie du roman*). Il y aurait tellement d'exemples qu'il s'avère difficile de faire un choix. On dira que cette caractéristique déjoue d'avance toute motivation réaliste selon la vraisemblance, l'idéologie, l'histoire. Les propos de la mère Plouffe dans le roman de Lemelin sont tout à fait attendus: ils constituent en eux-mêmes un effet de réel à l'instar des façons de se vêtir ou des styles des voitures en 1948. Mais le discours que Mireille, la secrétaire dans *D'amour, P.Q.* de Jacques Godbout, tient à son patron n'a aucune relation avec la vraisemblance car il ne ressemble en rien à notre expérience ou connaissance du rapport patron-employée dans la vie réelle. En revanche, à cause de sa stylisation poussée, le langage de Mireille devient une sorte de re-création esthétique du langage et de l'idéologie de toute une partie de la jeunesse québécoise. Ici, la relation secrétaire-patron normalement commandée par la vraisemblance romanesque est remplacée par la relation «*langage dans le roman*» — «*langage social externe*» dans une joyeuse relativisation carnavalesque.

4. Le rapprochement de ce que la vie quotidienne séparait

C'est dans ce caractère ainsi que dans le premier que réside en grande partie la fondamentale ambivalence des conduites et de l'imagerie carnavalesques et de leur textualisation dans le roman. Rapprochements inusités qui font que dans *Une saison dans la vie d'Emmanuel,* la poésie de Jean le Maigre se cache dans les latrines et le bordel succède au couvent. Le système d'images oxymoroniques à l'œuvre dans le roman carnavalisé comprend toujours les deux pôles ordinairement tenus éloignés: la naissance et la mort, l'ancien et le nouveau, la jeunesse et la vieillesse, le derrière et la tête, le comique et le sérieux. C'est cette image duelle qui confère aux textes leur redoutable ambivalence puisque les contraires y sont maintenus et rapprochés sans être abolis. Or la culture sérieuse, officielle, autoritaire, monologique se trouve bien davantage menacée par l'ambiguïté que par une autre culture qui serait aussi sérieuse, officielle, autoritaire et monologique qu'elle-même!

5. Enfin, l'inconvenance parodique et profanatrice

Ce trait n'est pas sans rapport avec le précédent. Le *rabaissement* à l'étage corporel inférieur (le drapeau anglais, dans *La guerre, yes Sir!* sert de nappe sur laquelle on mange: voici la hauteur ramenée au niveau du ventre) peut aller jusqu'au *renversement*. Nous rencontrons ici un topos de la littérature occidentale: *l'adynaton*, le monde renversé.

Par exemple, dans *L'amélanchier* de Ferron, l'héroïne, après avoir cheminé dans la forêt poétique et magique, entre dans une maison inconnue dans laquelle se trouvent «quatre bouteilles de pepsi»... Et rappelons une fois de plus la substitution du bordel au couvent pour Héloïse dans *Une saison dans la vie d'Emmanuel*. Dans *La guerre, yes Sir!*, le cochon empalé évoque pour Arsène le Christ en croix.

Bakhtine estime, on le sait, que ces rabaissements sont toujours ambivalents. Dégradés au niveau du cloaque du corps grotesque, là où se confondent les fonctions de la miction, de la défécation, de la génération, de la parturition, les êtres et les choses se voient en même temps renouvelés, régénérés par leur contact avec le plan matériel et vital de l'existence.

Ce rappel rapide des propriétés du carnaval et de certaines conséquences textuelles après leur transposition littéraire, ainsi que les quelques exemples puisés dans des œuvres, peuvent peut-être entraîner l'adhésion et convaincre qu'il y aurait lieu d'entreprendre l'étude de la carnavalisation du roman québécois actuel. Cependant, rien encore ne nous suggère comment travailler les textes, par quel bout les prendre, et de plus, les caractéristiques du carnaval ne sauraient en bonne méthode être confondues avec les critères de validité textuelle du concept de carnavalisation. Ce sont là deux ordres différents de problèmes.

Toutefois, peut-être serions-nous quand même en mesure de préciser davantage le lieu et la portée de la question. L'examen de la dimension carnavalesque de plusieurs romans québécois d'après 1960 n'aurait pas pour but de proposer une critique de signification ou de se substituer à une critique de cette nature, qu'elle soit d'inspiration idéologique, sociologique, psychologique, et ainsi de suite. Non. Ce qui est engagé dans cet examen, c'est le statut même du texte québécois, ses conditions disons minimales de lisibilité. Il s'agit de baliser une sorte de couloir interprétatif au-delà duquel on risque de tomber dans l'incohérence ou l'incompétence. Cela consiste à dire: attention! Ne lisez pas ces romans carnavalisés à des degrés divers comme s'il était question de *L'éducation sentimentale*, de *Germinal* ou de *La jalousie*. Si vous y cherchez à tout prix du réalisme, il est bien probable que vous y trouverez du «réalisme grotesque», terme qui chez Bakhtine est à peu près synonyme de vision carnavalesque ou de systèmes d'images carnavalesques ou grotesques. Et même si avec raison, car aucun roman n'est entièrement carnavalisé, vous découvrez de la cruauté dans Carrier, un certain romantisme âpre et même noir chez Marie-Claire Blais, ne parlez pas à la légère de *dimension tragique*. Et n'oubliez pas surtout que la carnavalisation de ces textes a quelque chose à voir avec le statut des langages sociaux et de la norme littéraire dans la société québécoise...

Cela dit, comment passer de la constatation des caractères du carnaval à l'analyse textuelle? Comment fonder ce passage du point de vue théorique et en garantir la sûreté et la rentabilité du point de vue méthodologique?

C'est ici qu'intervient la notion de dialogisme. Chez Bakhtine, comme chacun sait, le dialogisme est une propriété inhérente au langage. Qu'il s'agisse du discours intérieur ou «extérieur», chaque énoncé est structuré non seulement par ce qu'il anticipe de la réponse d'un interlocuteur mais aussi par le fait que les mots mêmes qui le constituent ont déjà été utilisés et appartiennent à autrui. L'énoncé devient ainsi le lieu d'une véritable interaction verbale ou mieux d'une interaction dialogique. Et il existe précisément un type de discours ou genre qui a pour objet non pas de représenter les mœurs ou les cœurs et les esprits, ou la vie sociale, mais seulement et uniquement la vie de l'énoncé. C'est le roman, lequel ne crée pas le langage comme le fait la poésie, mais justement le représente. Cela est si vrai que dans un roman comme l'a souligné un critique, les mots ne sont pas là pour constituer des personnages ainsi que le croit une sémiologie naïve, au contraire les personnages existent précisément pour que les mots soient prononcés (Gary Saul Morson). Mais puisqu'il est dans la nature de l'énoncé d'être dialogique et que dans le roman, ainsi que l'affirme Bakhtine, «le langage devient objet de reproduction, de restructuration, de transfiguration esthétique», l'interaction dialogique dans toute sa force, sa complexité et sa richesse non seulement commande le contenu et l'expression du roman mais devient le premier niveau d'observation des phénomènes textuels. Or le Carnaval, lui, en tant que perception du monde et culture globale, avait déjà une orientation profondément dialogique. Il ne suffit pas d'insister sur le caractère binaire des oppositions dans la culture carnavalesque, il convient de mettre en évidence le fait que la vision carnavalesque instaure précisément une interaction dialogique entre ces oppositions puisqu'elle ne cesse de les rapprocher tout en les maintenant distinctes. On est donc en droit de parler de la structure dialogique du carnaval et c'est ici qu'apparaît la connivence profonde, malgré les différences de code, entre le carnaval et le roman, du moins le roman tel que le souhaiterait l'esthétique bakhtinienne. C'est pourquoi Morson écrit que c'est la carnavalisation considérable de la culture à la Renaissance qui a créé le roman européen. Cette opinion n'aurait pas été tout à fait partagée par Bakhtine. Morson a toutefois raison lorsqu'il considère que le roman «*réalise les innombrables possibilités de la place du marché linguistique*». Ici, ajoute-t-il, «*le langage est conscient de lui-même et de ses rivaux* [...] *Le roman est le genre de la place du marché: il sait que les denrées à son catalogue seront remballées et emportées à la fin de la journée*[2]». Bien sûr, il s'agit ici d'une métaphore tandis que Bakhtine pensait à la place du marché réelle lorsqu'il la tenait pour le lieu par excellence du langage carnavalesque. Mais le rapprochement demeure suggestif: il y a effective-

2. Dans la revue *Journal for Descriptive Poetics and Theory of Literature*, n° 3, 1978, p. 423.

ment dans l'un et l'autre cas une joyeuse relativisation des langages jointe à la topique du changement, du renouveau, du Devenir...

Cela posé, la première tâche qui requiert le chercheur est l'analyse dans chaque roman de ce que Bakhtine appelle l'«hybridation» ou les «structures hybrides». Il les définit ainsi: «*Nous qualifions de construction hybride un énoncé qui d'après ses indices grammaticaux (syntaxiques) et composition- nels, appartient au seul locuteur, mais où se confondent, en réalité, deux énoncés, deux manières de parler, deux styles, deux langues, deux perspectives sémantiques et sociologiques*» (dans *Esthétique et théorie du roman*, p. 125). Les paroles d'autrui, précise Bakhtine, souvent ne se distinguent pas de façon tranchée des paroles de l'auteur: les frontières sont intentionnelle- ment mouvantes et ambivalentes. Donnons ici à *hybridation* son sens le plus large: tous les modes possibles de présence du discours des personnages dans les énoncés du narrateur ou l'inverse à quoi s'ajoute l'insertion des langages sociaux extérieurs dans les paroles tant du narrateur que des person- nages, mais elle comprend aussi, bien sûr, les procédés du pastiche, de la parodie, de la stylisation. On peut dire que l'hybridation constitue la voie royale d'accès à l'étude de l'interaction dialogique dans le roman, d'autant plus qu'elle n'apparaît pas seulement dans les propres paroles du narrateur- auteur mais aussi et plus souvent dans les paroles qu'il cite, qu'il rapporte. La tension constante entre le discours «rap- portant» et le discours «rapporté» constitue effectivement un des facteurs majeurs de l'interaction dialogique, tension d'autant plus perceptible que le discours rapportant s'ac- compagne souvent d'une intonation évaluative. Il n'y a pas de guillemets, d'italiques, de tirets qui cadastrent ici les lan- gages et en indiquent les propriétaires. C'est une question d'oreille. Il s'agit moins, au départ, de comprendre le texte que de l'entendre, d'où la nécessité d'une nouvelle écoute. Comment parvenir à discerner les nombreuses voix du texte? Les entreprises grossières habituelles de menuiserie textuelle, d'arpentage prétendument sémiologique, de brico- lage syntagmatique n'y suffisent pas. Il faut, comme le suggère Bakhtine, que je me sente moi-même «*un sujet actif dans la forme*»...

On aura sûrement entrevu le rôle primordial du narrateur dans le dialogisme romanesque. J'entends par narrateur ici non seulement l'instance à laquelle est confiée la voix narrative mais aussi l'agent qui décide de la stratégie énonciative. Or c'est le narrateur qui est responsable de la régulation des langages, c'est lui qui voit à leur répartition. On pourrait et devrait fonder une typologie des narrateurs sur l'accueil qu'ils font au discours intratextuel d'autrui. Le repousse-t-il, ce discours, dans la distance avec des signes diacritiques (le narrateur autoritaire de *Trente arpents* de Ringuet? Est-il au contraire «contaminé» par le discours de l'autre? Ou bien serait-ce lui qui plutôt le «contamine» (le narrateur de *La guerre, yes Sir!* de Roch Carrier)? S'agit-il d'un narrateur qui ajoute un accent appréciatif aux mots rapportés, accent qui serait analogue à l'intonation évaluative dans le discours oral? Mais nous avons aussi des narrateurs peu présents, peu évaluatifs, mais extrêmement souples, accueillants, qui sont comme traversés par le langage des autres, si bien qu'à certains moments, on ne sait plus au juste qui parle (tel est le narrateur d'*Une saison dans la vie d'Emmanuel*). Mais le narrateur de *D'Amour, P.Q.* de Godbout, en revanche, maintient constamment ses distances à la façon de celui de Ringuet sauf qu'il préfère manifestement le langage d'un des personnages tout en parlant celui de l'autre. On dira de ce narrateur qu'il est lui-même structuré dialogiquement. Dans l'hypothèse où le narrateur encadre et contextualise les langages du roman de la même manière que la situation sociolinguistique encadre et contextualise le roman lui-même dans son ensemble, on voit l'intérêt général pour toute démarche critique d'une nouvelle conception du narrateur qui devrait moins à Gérard Genette et plus à Bakhtine.

Il nous semble que dans la nécessité où nous serions d'établir un corpus, il s'avérerait légitime d'écarter comme non carnavalisé tout roman québécois qui ne présenterait pas un nombre considérable de structures hybrides. À la limite, cela signifie qu'un roman, québécois ou autre, qui offrirait plusieurs intercalations (introduction par juxtaposition d'autres types de discours) ne produisant pas d'effets dialogiques et qui se trouverait dépourvu par ailleurs d'hybridation serait considéré non carnavalisé. Voilà un premier critère de validité textuelle du concept de carnavalisation: un processus d'interaction dialogique complexe tel que révélé par l'analyse des structures hybrides, peu importe à ce stade qu'il soit ou non nommément question du carnaval dans le texte ou que celui-ci renferme des images carnavalesques: rabaissements, etc.

Il s'agit là du critère fondamental. Disons que c'est le critère de niveau narratologique. Il a l'avantage d'être précis et vérifiable. Ajoutons qu'une intense interaction dialogique attribuable à l'hybridation a nécessairement tendance à décentrer le texte en ébranlant le statut du narrateur et en libérant la plurivocalité. On préférera cette formulation, à la fois plus exacte et concise, à celle qui consisterait à parler de brouillage narrationnel (pour indiquer une position du narrateur difficile à saisir), de personnages semblant échapper à ce dernier, de pluralité des styles, etc. Certes, cette approche plus vague et plus large permettrait d'adjoindre tout de suite à des romans indubitablement carnavalisés comme *D'Amour, P.Q.* de Godbout ou *La bagarre* de Gérard Bessette, les romans de Ducharme, d'Aquin ou encore *La vie en prose* de Yolande Villemaire. Mais ceux-ci, à notre avis, gagneraient à être repris selon l'optique suggérée dans cet essai.

Or ce premier critère narratologique ne suffit pas. Il paraît nécessaire d'en prévoir un second, d'ordre sémantique. Décrivons-le ainsi: pour qu'un roman québécois soit considéré carnavalisé, il ne doit pas se borner à répondre au critère narratologique de base, il est indispensable qu'il renferme en outre soit une représentation du carnaval, soit une isotopie carnavalesque. Le premier cas se voit plutôt rarement. Seul *La guerre, yes Sir!* de Carrier déploie entièrement un rituel carnavalesque: il s'agit du banquet funèbre (on pourra invoquer aussi *La veillée aux morts* d'Albert Laberge). En revanche, la majorité des romans présentent des isotopies carnavalesques. Bakhtine me pardonnerait ce terme greimassien. L'analyse prédicative révèle en effet l'existence d'un signifié de synthèse subsumant toutes les marques relevées en une seule image globale organisatrice, celle du «corps grotesque» avec l'insistance sur les organes de relation au monde (nez, bouche, sexe, anus) et aussi le grossissement de l'étage corporel inférieur, lieu du rabaissement régénérateur. Tout se passe comme si le système d'images carnavalesques (où le réalisme grotesque) «dessinait» progressivement dans le texte l'image du «corps grotesque», perceptible dans sa totalité à la fin de la lecture. *L'amélanchier* de Ferron, *Une saison dans la vie d'Emmanuel* présentent des isotopies du corps grotesque accompagnées de rabaissements et de renversements. *L'avalée des avalés* de Ducharme réussirait, semble-t-il, l'épreuve[3]. Un roman qui l'a ratée complètement, c'est *Trente arpents* de Ringuet.

Le moment est venu de poser certaines balises théoriques destinées à éviter bien des malentendus.

D'abord, qu'on me permette de le rappeler, la carnavalisation est toujours un phénomène de littérature dite «sérieuse» ou bourgeoise. Seule la littérature sérieuse est carnavalisée. La littérature populaire a disparu dans les sociétés industrielles dites «avancées». Elle a été refoulée et folklorisée par la bourgeoisie puis détournée et étouffée par la littérature industrielle de masse. On pourrait concevoir la carnavalisation à la façon d'Auerbach dans *Mimesis*: l'irruption *du bas*, à l'origine populaire, comique, dans le *haut*, sérieux, problématique, voire tragique.

La culture et les langages sérieux d'une part, la culture et les langages populaires d'autre part, ne s'opposent pas entre eux à la façon des classes sociales dans la lutte des classes. Dire que le carnaval exprime la lutte du peuple contre la bourgeoisie équivaut à commettre un anachronisme. C'est précisément parce que les choses ne se passent pas ainsi qu'il

---

3. Le nombre de romans québécois qu'on peut tenir d'ores et déjà pour carnavalisés est considérable. Il faut ajouter à ceux dont il est fait mention dans cet article *Salut Galarneau!* et *L'isle au dragon* de Godbout, plusieurs textes de Jacques Ferron et de Roch Carrier, *Adéodat I* d'André Brochu, sans doute *Les enfantômes* de Ducharme, *La Scouine* d'Albert Laberge, *Marie Calumet* de Rodolphe Girard, *Quand la voile faseille* de Noël Audet, *La saga des Lagacé* d'André Vanasse… Que révélerait une recherche plus systématique?

y a occultation des signes de l'appartenance sociale dans les romans carnavalisés québécois[4]. D'ailleurs, si le système d'oppositions était idéologiquement structuré de cette façon, la circulation des langages — phénomène caractéristique des textes carnavalisés — s'avérerait tout à fait impossible. Dans les textes carnavalisés, les locuteurs ne sont pas les propriétaires exclusifs de leur langage. Le texte oppose des langages, non des personnes. Notons enfin que la culture du peuple comme le remarquait Michel Butor n'a jamais rejeté le discours sérieux du savant; ce dont elle se moque, c'est du langage des salons, car la science est elle aussi universelle tandis que le salon est le lieu clos d'un seul groupe accaparateur du langage.

Enfin, ce point est délicat, il ne suffit pas qu'il y ait transgression pour qu'on soit en droit de parler de carnavalisation. Dans les romans carnavalesques, il s'agit le plus souvent de phénomènes collectifs liés à l'allègement joyeux des lourdes contraintes de la vie quotidienne. Au contraire, la transgression, au sens moderne où nous l'entendons depuis Sade et Bataille entre autres, est une conduite privatisée, supposant un point de vue privé, individuel sur le monde, tout le contraire de la vision carnavalesque et festive du langage.

Se mettre à l'écoute bakhtinienne du roman carnavalisé québécois, c'est faire une expérience d'un autre ordre. Si on donne au terme de stratification linguistique utilisé par Bakhtine un sens non pas statistique mais sédimentaire, autrement dit si on le verticalise, le texte s'offre alors lui-même comme une sorte de feuilleté de langages extrêmement riche, savoureux, abondant. Plusieurs romans québécois apparaîtront rajeunis, rafraîchis, renouvelés, d'une complexité insoupçonnée, dépourvus du caractère monosémique qu'on leur avait attribué...

---

4. Dans *La bagarre* de Bessette, roman qui prend la peine de marquer les idiolectes, l'industriel westmountois Sillery a le même langage que la serveuse de restaurant Marguerite; le milliardaire de New York, Shaheen, demande au héros québécois (dans *L'isle au dragon* de Godbout) où il a fait son «cours classique»! Il y a de multiples exemples dans Ferron, Lemelin, etc.

Comment rendre compte de l'apparition si tardive du roman carnavalisé au Québec, s'agissant d'une société qui, pour des raisons sociales et historiques évidentes, est restée imprégnée jusqu'à aujourd'hui par la culture comique populaire — du moins dans son discours? Le paradoxe, c'est que la carnavalisation ne semble pas avoir commencé avant la fin des années cinquante, alors que la vie traditionnelle inséparable des conduites carnavalesques (charivaris, Mardi gras, veillées aux morts) était déjà disparue. *Trente arpents*, qui marque la fin du monde rural, apparaît comme un roman nettement monologique... C'est en plein contexte urbain, dans un monde entièrement nouveau, que la vie carnavalesque reprendra, transposée dans notre littérature, comme si la culture populaire, dans ses aspects les plus vrais et les plus vitaux, avait longtemps coulé sous la glace et la neige du silence avant de jaillir tardivement dans les œuvres.

Il semble qu'aient joué ici un ensemble de facteurs. L'absence de carnavalisation romanesque au moment même où des rituels de Carnaval se pratiquaient dans la société réelle est imputable selon nous beaucoup moins à des censures cléricales qu'à la place occupée par la norme du bien écrire littéraire importée de France et fétichisée par nos écrivains. Sur la norme de la diction littéraire, les conservateurs comme les libéraux, les libres penseurs comme les ultramontains se trouvèrent d'accord. Or cette norme s'avérait absolument incompatible avec les détrônements et la relativisation des langages pratiqués par la culture populaire ainsi qu'avec le réalisme sans illusion lié au niveau corporel inférieur. Cependant, après la Seconde Guerre mondiale, on a dû prendre conscience du caractère profondément «hétéroglotte» du Québec: plusieurs niveaux de langues sans compter le français de France et l'anglais auxquels s'ajoutent les débuts d'une institution littéraire indigène. Bien plus, la littérature québécoise se découvre elle-même doublement marginalisée: d'abord par rapport à la France éloignée, ensuite par rapport à l'Amérique du Nord anglo-saxonne. Tout cela mis ensemble fit que la pratique littéraire à l'image même de l'espace social devint un lieu conflictuel d'interaction des langages et des codes. Le code littéraire français, loin d'occuper désormais toute la place, se trouva en position de concurrence envers les codes ssocioculturels québécois. Cette situation profondément dialogisante ne pouvait que favoriser l'éclosion d'une littérature carnavalisée fondée sur la relativisation joyeuse ou parodique des langages.

L'inscription idéologique*

par Jacques Dubois

Définir la texture idéologique du roman, montrer quels présupposés travaillent les énoncés narratifs, ce sont là des visées qui depuis le début sous-tendent la présente explication. Voici venu le moment de rassembler en faisceau des observations jusqu'ici éparses et de donner à notre propos une tournure systématique. Avec la question du rapport littérature/idéologie, on touche sans doute au point le plus épineux que rencontre actuellement la critique d'inspiration sociologique — point épineux, mais question passionnante. Il serait donc imprudent de s'avancer sur ce terrain sans avoir pris quelques précautions, et en particulier sans avoir mieux cerné l'objet et la méthode qui permet son approche.

Généralement tenue pour une fausse conscience, l'idéologie forme un ensemble d'idées et de croyances, de valeurs et de représentations d'une relative cohérence, qui se rapporte à un groupe (une classe) et qui sert au groupe à situer sa position dans le tout social, ainsi qu'à la justifier. Louis Althusser serre de plus près la notion lorsqu'il écrit que «l'idéologie représente le rapport imaginaire des individus à leurs conditions réelles d'existence[1]», insistant sur le fait qu'une

---

* Extrait de: *L'assommoir de Zola, société, discours, idéologie*, Paris, Larousse, coll. «Thèmes et textes», 1973.
1. L. Althusser, «Idéologie et appareils idéologiques d'État», *La pensée*, 151, juin 1970, p. 3-38.

idéologie ne se donne jamais pour ce qu'elle est et que là est
le signe le plus patent de sa fonction mystificatrice. Aucune
idéologie ne s'avoue idéologie, mais au contraire chacune se
donne les allures d'un savoir: elle renferme d'ailleurs et utilise dans sa composition des éléments de connaissance. À
défaut d'élaborer cette connaissance, toute idéologie a recours à la reconnaissance, démarche ou «geste» par quoi elle
fonde ses représentations, ses croyances et ses notions en vérités premières, en évidences naturelles. Cette reconnaissance
nous impose les catégories idéologiques comme allant de
soi, comme proprement indiscutables. Mais y a-t-il une ou
des idéologies? D'une part, on peut penser que l'idéologie
est une ou éternelle du fait qu'elle traverse l'histoire en répé-
tant toujours les mêmes règles et principes de fonctionnement, mais, d'autre part, de chaque groupe historiquement
situé, de chaque formation sociale émanent des idéologies
spécifiques situables et datables. Tributaires de l'histoire des
sociétés, les idéologies sont donc multiples mais également
composites dans la mesure où, de l'une à l'autre et à travers
le temps, des éléments s'exportent et s'importent. En fait,
qu'une idéologie doive transformer le culturel en «nature» et
en «essence», qu'elle doive produire des justifications,
qu'elle soit contrainte de masquer des contradictions, qu'elle
donne l'imaginaire pour le réel suffit à faire apparaître
qu'elle est vouée à une fausse cohérence et à s'installer dans
l'amalgame conceptuel. Mais, bien entendu, elle n'offre au
regard que la tranquille apparence de la convergence de tous
ses éléments.

Si maintenant, fort de ces quelques vues, nous nous
interrogeons sur la relation d'un texte littéraire aux idéologies, nous nous heurtons à plusieurs difficultés. Elles se traduisent par des questions comme: peut-on isoler l'idéologie
d'un texte? dans l'affirmative, à quoi d'extérieur au texte
faut-il la rapporter? quelle est l'action de l'écrivain (de
l'écriture) sur une idéologie dont le texte est comme le
précipité et dans quelle mesure fait-il sienne l'idéologie
qu'il cite? Sur ces points, nous avancerons quelques remarques simples, reprises à des théories récentes et qui sont

susceptibles d'une application immédiate à notre objet. Le bon sens voudrait que l'on s'arrête à l'idéologie d'un texte là où elle se met en évidence, là où elle se donne explicitement à lire. Mais c'est, oubliant qu'elle est travestie, succomber au piège qu'elle nous tend: c'est vouloir ignorer qu'elle est présente aussi partout ailleurs. Considérons cependant un peu plus longuement ces endroits où l'idéologie se rend manifeste. Quels sont-ils? Tout d'abord, il y a, hors-texte, ce que nous savons de l'idéologie de l'écrivain, de sa biographie. Dans le cas de Zola, nous savons que sa pensée est reliée au positivisme, qu'elle est connotée d'anticléricalisme, qu'il fut séduit par certains aspects du socialisme mais non sans faire montre d'antipathie envers un mouvement révolutionnaire comme la Commune de Paris. Nous pouvons encore relier les conceptions de l'écrivain à des éléments tels que les origines bourgeoises et provinciales, la perte prématurée du père, les débuts à Paris dans la misère, puis comme petit employé à la librairie Hachette... Mais l'œuvre doit être interrogée sur elle-même, en elle-même, et elle ne répond que de ses énoncés: un texte est un discours distinct du discours biographique qui en relate la gestation. C'est en lui d'ailleurs que nous trouvons le second type d'affleurements idéologiques auxquels nous avons fait allusion. Il s'agit de ces passages où, plus ou moins explicitement, l'auteur, le narrateur, le poète énonce des idées tout en prenant position. Ainsi, Zola, qui fait le récit d'une histoire, avance pourtant de temps à autre, soit par la bouche de ses personnages, soit plus directement, des propos relevant clairement du registre idéologique. Pouvons-nous faire correspondre la collection de ces interventions avec l'idéologie du roman? Deux exemples, empruntés à *L'assommoir*, permettront de mieux aborder la question. Au chapitre VIII, Lantier tient à son fils Étienne, qui va partir en apprentissage, le propos que voici:

> Souviens-toi que le producteur n'est pas un esclave, mais que quiconque n'est pas producteur est un frelon (p. 608).

Le personnage répète là une des idées clés du saint-simonisme, il condamne l'oisiveté dans les termes dont usait Saint-Simon. Zola procède donc à une citation, quoique non explicite. Par son contenu, l'énoncé nous apporte peu de chose, et d'autant moins qu'il est traité ironiquement par Zola puisqu'il le met dans la bouche d'un personnage à la fois oisif et antipathique. Ce qui compte davantage, c'est le saint-simonisme: l'allusion, même fugace, à cette théorie dessine un coin du grand champ culturel auquel se réfère l'écrivain, qui constitue la condition de possibilité de son œuvre. Mais déjà ce n'est plus la lettre du texte qui supporte notre commentaire; c'est quelque «sous-texte» qu'il nous faut reconstruire. Il en va de même, d'ailleurs, du second cas. Cette fois, ce ne peut être que le narrateur qui avance une opinion, mais il le fait de façon très détournée et prudente:

> Et il semblait que ses premières paresses vinssent de là, de l'asphyxie des vieux linges empoisonnant l'air autour d'elle (p. 506).

Somme toute, le texte formule une règle de psychologie sociale, bien modeste: «le fait de respirer de vieux linges engendre chez les blanchisseuses une tendance prononcée à la paresse». Si inoffensive soit-elle, pareille règle répond cependant à un certain modèle de causalité et met en jeu une certaine conception de la psychologie. Il semblerait donc que nous touchions à quelque chose de plus important quant à la fonction idéologique du texte. On observera pourtant que la phrase citée n'est significative que par ses présupposés, c'est-à-dire par ce qu'elle sous-entend, et donc qu'elle tait ou dissimule.

Ces remarques rapides conduisent à une théorie de l'idéologie dans le texte postulant un délicat processus d'analyse. On posera tout d'abord que si le discours idéologique est à chercher *dans* le texte, il n'est pas immédiatement visible et ne se révèle que *sous* le texte, au prix d'une reconstitution. En second lieu, il apparaît que l'œuvre est toujours de quelque manière citation et allusion et que, texte mal clos, elle renvoie non à des sources ou à des origines mais au vaste flux d'énoncés qui a permis son apparition et qui passe à travers elle alors qu'elle s'écrit ou qu'elle se lit. Ce discours sans limites dont elle relève, qui est tout à la fois son horizon et sa substance, elle ne se contente pas de le propager; dans les meilleurs cas au moins, elle le travaille et le modifie. Elle exploite notamment à cette fin le disparate et les contradictions du tissu idéologique, en suppléant les déficiences par des solutions fictives. Mais, au début comme à la fin, il n'y a devant nous qu'un écrit, refermé sur ses mots en même temps qu'ouvert aux sollicitations du fonctionnement idéologique.

Notre analyse ne saurait prendre en charge tout ce qui, au terme d'un long travail, pourrait être reconnu comme idéologique dans *L'assommoir*. Il s'agira plutôt d'expliquer, par quelques exemples, comment le texte compose avec l'idéologie. Pour cela, il convient de disposer de certains «indicateurs», les plus accessibles de préférence. Nous en avons retenu quatre, en veillant à ce qu'ils questionnent le roman sous des angles variés et selon un mouvement d'ondes de plus en plus larges. On les examinera dans l'ordre que voici:

1. Le «métatexte» de *L'assommoir*, constitué par son titre et sa préface; cet en-deçà du récit, mais qui appartient bien au livre, est proposé par l'auteur comme un guide de lecture et d'interprétation.

2. L'incipit du roman, fait de sa première ligne ou de sa première page. Claude Duchet a fort bien décrit la valeur d'embrayage de tout incipit, notant en particulier: «La façon dont le sens va se frayer passage engage l'idéologie du texte. Ici l'énonciation se fait dénonciation. Le texte grince, dévoile son montage, laisse entendre les voix de l'arrière-fable qui recouvrent ou même annulent non les mots mais la substance du récit qui devient du rien visible[2].»

3. L'ensemble des propositions qui, dans le corps du récit, ont l'aspect de règles ou de vérités générales et renvoient à ce que Roland Barthes a appelé des codes culturels (mo-

---

2. C. Duchet, «Pour une sociocritique ou variations sur un incipit», *Littérature*, I, 1971, p. 13.

raux, psychologiques, etc.). Ces énoncés peuvent aller de la citation au proverbe en passant par toute intervention d'auteur.

4. Des documents extérieurs à l'œuvre mais qui peuvent être tenus pour les équivalents plus purement idéologiques de certaines des représentations élaborées par la fiction romanesque; on devra se contenter ici de quelques échantillons de cette intertextualité particulière: ils témoigneront pour de véritables séries culturelles.

La sagesse populaire

Le ventre de Paris, Germinal, La bête humaine: Zola avait un grand sens des titres et, en général, il n'en retenait un qu'après de nombreux essais. La vertu publicitaire de *L'assommoir* vient de ce qu'il est accrocheur comme l'enseigne qu'il figure, mais aussi brutal et provocateur. Ce titre est violence à tous égards, violence due à ce qu'il dénote, à sa connotation, triviale et argotique, enfin à l'extrême densité de sa forme. Cette violence triple s'éprouve comme une menace, comme une agression possible; nul doute qu'elle ne soit ressentie par le lecteur comme une prise à partie. De surcroît, cet énoncé minimal est gros d'incertitude: Qu'est-ce qu'un assommoir? Qui assomme? On pourrait dire que le terme désigne la force actantielle à l'état pur, sans encore de sujet ni d'objet. De là aussi, cette valeur de choc de la métaphore. Le roman aura à élucider une énigme autant qu'il devra remplir un programme, c'est-à-dire se conformer à cette forte coloration que dégage, à la façon d'un emblème, son premier signe. C'est d'un titre de combat, pris dans une forme allégorique, qu'il s'agit. Mais l'effet idéologique du terme «assommoir» devient passablement autre dès qu'on le rapporte à son usage dans le récit. Nous n'allons pas reprendre ici une analyse déjà menée. On se souviendra toutefois qu'«assommoir» a tiré peu à peu son sens des relations que nous avons fait ressortir entre lui et d'autres mots ou notions; soit les rapports:

- assommoir/mauvaise société: cette équivalence recèle peut-être toute l'ambiguïté du roman — d'une part, elle fait voir comment le texte s'enferme dans un code argotique pauvre et assez factice; d'autre part, des glissements de sens se produisent, comme celui qui caractérise «assommoir», dont on peut dire qu'ils ouvrent l'œuvre à une pluralité du sens, contre-idéologique par définition.

- assommoir/intempérance: l'opposition nous apprend que Zola retravaille le discours antialcoolique de son époque, mais que, s'il tente de déplacer le lieu de l'explication, il reste prisonnier du sujet;

- assommoir/fête: cette troisième relation est la plus décisive, mais aussi la plus enfouie dans le texte. Le thème idéologique du mal et de la fatalité qui habitent les classes populaires est ici mis en question à la faveur d'un étonnant conflit de sens qu'active la lecture — ou mieux, la relecture. Non seulement l'horreur de l'assommage est contredite par l'euphorie de la fête, mais à la limite elle se retourne même en fête et en vertige.

Ainsi le terme du titre, qui apparaît si éloigné de toute démarche intellectuelle, est au centre d'une forte activité idéologique et critique. Il énonce l'idéologie en la dénonçant. Il en souligne aussi le caractère disparate, la capacité à se constituer d'opinions qui, de manière sous-jacente tout au moins, se heurtent et se contredisent. Le roman de Gervaise est fait d'un tel amalgame, de ces tendances opposées, de ces tensions singulières. Nous verrons plus loin comment il concilie tant bien que mal deux projets concurrents.

Venons-en à la préface, cette préface que Zola a donnée au roman alors que celui-ci avait déjà paru en feuilleton et éveillé le scandale. Cet avant-propos, qui appartient donc à une polémique et se veut le gardien de l'interprétation du roman («mes intentions d'écrivain») quand celui-ci échappe déjà à son auteur, fonctionne tout à la fois comme un procédé publicitaire (en renfort du titre) et comme un plaidoyer. Nous laisserons de côté ces aspects et la rhétorique qu'ils mettent en œuvre pour nous attacher à quelques formules qui indiquent fort nettement à quels présupposés l'écrivain croit bon de faire référence.

L'énoncé capital correspond à cette déclaration d'intention: «J'ai voulu peindre la déchéance fatale d'une famille ouvrière, dans le milieu empesté de nos faubourgs» (p. 373). Au commencement est la famille... Déjà, nous avons mis en relief le «familialisme» du roman, mais nous devrons encore faire apparaître comment il s'intègre dans un projet détourné de son but. Ici il entre dans une représentation du monde ouvrier où se perçoit le geste paternaliste du dominant envers le dominé. Ce «*nos* faubourgs» renvoie le peuple à quelque marginalité, mais non sans que le possessif rappelle de quelle juridiction il relève. Enfin, une relation causale est établie (dont *dans* est l'expression lâche) entre «milieu empesté» et «déchéance fatale»: on y reconnaît la marque du déterminisme positiviste, marque que connote la notion mythique du mal intrinsèque (*empesté/fatale*). À noter que ce motif du mal et de la faute est peut-être l'un des plus enracinés qui soient chez ce positiviste. Il y revient plus loin et de manière d'autant plus avouée qu'il tente de se rétracter — comme on se reprend d'un lapsus: «il ne faut point conclure que le peuple tout entier est mauvais, car mes personnages ne sont pas mauvais» (p. 374). Zola n'échappe pas foncièrement à la grande image du péché originel et à la catégorie de la culpabilité, même s'il fait de la faute une tare, comme c'est le cas tout au long de ses *Rougon-Macquart*. Si ses Coupeau et ses Lantier ne sont pas «mauvais» ils sont traversés par le mal, ce qui n'est pas vraiment différent. Toute la préface est d'ailleurs placée sous le signe d'un moralisme qui étonne aujourd'hui chez un écrivain faisant profession d'objectivité («une œuvre de vérité»). Épinglons ces termes: *fainéantise, sentiments honnêtes, honte, morale en action, le plus chaste de mes livres.* Comment expliquer qu'affluent des catégories aussi schématiquement idéalistes sous la plume d'un auteur qui prétend ne pas juger mais seulement décrire et montrer? On pourrait voir en cette préface une entreprise régressive (Zola est en position de défense), tentant de rattraper ce que l'œuvre a mis au jour de rupture idéologique (morale du groupe, climat de violence, scandale de la misère, célébration de la fête) et de le faire oublier par un travestissement hâtif et un recours aux idées les plus reçues, aux poncifs de la morale. Aussi est-il amusant de voir Zola témoigner, en terminant de ce qu'il est «un digne bourgeois, un homme d'étude et d'art» et non «un buveur de sang». Ce bourgeois et cet homme, il les fut dans la vie, à peu près tels que le veut la préface. Le texte du roman, lui, en propose une image beaucoup moins simple et beaucoup moins sage: le discours sur le monde ouvrier rend problématique la figure du bourgeois qu'était Zola. En somme, au plan abstrait de son commentaire, l'écrivain est incapable d'affronter les contradictions de son récit et il les fuit dans un propos trop lisse qui les nie.

«*La forme seule a effaré*», note encore Zola dans cette même préface. La remarque appelle un examen particulier. Toujours dans l'esprit du plaidoyer, l'auteur minimise la portée du scandale: après tout, ce n'est que la forme, que l'habit extérieur... Mais dans le même mouvement, il s'effare lui-même, sans en être conscient: La forme aurait-elle donc pareil pouvoir? Avais-je prévu un tel effet et mesuré une si grande nouveauté? De là, le souci de déplacer encore et de masquer: «*régal pour les grammairiens*», «*travail purement philologique*». Voilà que la grammaire joue le rôle que remplissait précédemment la morale. Reconnaissez-les: ce sont cette bonne morale et cette brave grammaire. Et de faire référence aux codes les plus assurés à propos d'un texte qui, lui, incline à tout moment à les transgresser. Mais ce qu'admet malgré tout l'écrivain, alors qu'il paraît en réduire la portée, c'est la pertinence et la dimension de sa tentative scripturale, qui n'a rien d'extérieur ou de superflu à son projet mais qui en est le produit même. Un élément prévu pour décorer la peinture, pour l'agrémenter, est devenu cette peinture et a perturbé le code. C'est, pour l'idéologie, le point brûlant.

Un incipit est fait des tout premiers mots d'un écrit, voire de sa première proposition: «*Gervaise avait attendu Lantier jusqu'à deux heures du matin.*» Dans sa brièveté, sa platitude, l'évidence qu'elle affiche, cette première phrase de *L'assommoir* est déjà très indicative. La convention du récit réaliste, son code de la vraisemblance joue à plein: le réel est premier, toujours déjà là, et le discours narratif, à la fois transparent et second à son égard, ne fait qu'en suivre la marche. Ce qui rend compte de la formulation très anaphorique de la proposition, qui suppose toute une antériorité avec ses personnages désignés d'emblée par des noms propres — dont un prénom — et avec l'expression d'un acte sans référence à un lieu, à un jour ou à un but. C'est d'un effet assez commun pour un roman naturaliste. Ce qui est plus singulier, ou plus extrême, est le fait de commencer par un verbe au plus-que-parfait. À travers ce temps, tout l'alinéa pose une antériorité dont la portée est d'accroître la pesanteur d'évidence des événements: le récit impose le naturel de son passé, une sorte de profondeur du champ assurée par la vraisemblance du déjà-été. Et pourquoi ne pas voir dans ce détail un premier affleurement de ce qui constituera le fatalisme ambiant du texte? De l'idéologie littéraire, celle du réalisme, nous glissons à l'idéologie morale, celle du déterminisme aveugle. Ainsi le récit s'affiche comme reprise d'une durée largement entamée, comme double d'un engrenage causal depuis longtemps à l'œuvre, comme retour à un drame largement en train. Une femme attend, frissonne et pleure: ce roman est un (éternel) recommencement.

Le plus-que-parfait se répète deux ou trois fois dans la suite et, à le prendre en considération, on s'aperçoit bientôt que le premier alinéa entier, qui forme un tout homogène, mérite d'être traité comme un incipit plus large, riche en procédés d'embrayage:

> Gervaise avait attendu Lantier jusqu'à deux heures du matin. Puis, toute frissonnante d'être restée en camisole à l'air vif de la fenêtre, elle s'était assoupie, jetée en travers du lit, fiévreuse, les joues trempées de larmes. Depuis huit jours, au sortir du *Veau à deux têtes*, où ils mangeaient, il l'envoyait se coucher avec les enfants et ne reparaissait que tard dans la nuit, en racontant qu'il cherchait du travail. Ce soir-là, pendant qu'elle guettait son retour, elle croyait l'avoir vu entrer au bal du Grand-Balcon, dont les dix fenêtres flambantes éclairaient d'une

nappe d'incendie la coulée noire des boulevards extérieurs; et, derrière lui, elle avait aperçu la petite Adèle,
une brunisseuse qui dînait à leur restaurant, marchant à
cinq ou six pas, les mains ballantes comme si elle venait
de lui quitter le bras pour ne pas passer ensemble sous la
clarté crue des globes de la porte (p. 373).

Le motif du personnage à sa fenêtre est un stratagème
narratif que connaissent bien certains romanciers et qui leur
sert à engager une description. C'est bien à quoi il va servir
ici et à d'autres endroits du premier chapitre. Ainsi le narrateur regroupe sous un *regard* les composantes d'un décor
dont l'amorce de son récit a besoin. Mais la position «stratégique» de Gervaise a d'autres valeurs. Elle instaure, par
exemple, une opposition très parlante entre le dedans et le
dehors, qui se résout en opposition entre le malheur (frisson,
larmes, etc.) et le mal (nuit, menaces, violence, etc.), entre l'intimité vulnérable et l'extériorité (le milieu) funeste. C'est,
bien entendu, tout le modèle du roman qui s'informe de la
sorte — son manichéisme de mélodrame, sa causalité mécaniste, son mythe de la puissance intrinsèque du Mal. L'auteur
abat ses cartes très tôt et il semble même forcer la tonalité. On
pourrait croire qu'il n'impose aussi fort la malédiction que
pour la conjurer et la remettre en question par la suite. Quant
au regard porté par le personnage, il s'agit aussi d'une forme
du *guet*: Gervaise guette Lantier, et le texte met en place un
autre stéréotype de situation. Le geste de l'attente angoissée
est toujours riche en ressources dramatiques et en possibilités
de suspens. Ici, il porte sur un objet qui en restreint la portée
mais non le pathétique — peut-être ivrogne, peut-être volage,
le compagnon de celle qui attend découche. Il n'est sans doute
pas indifférent que Zola fasse coïncider le tout premier «instant» de sa narration avec le spectacle trop acceptable de la
femme humiliée, de la femme blessée, spectacle qui appelle à
sa suite des images d'épouse battue, d'enfants abandonnés,
d'adultère et de séparation. Mais ce dont le motif du guet
s'accompagne le plus naturellement, c'est d'un climat de populisme. En fait, l'alinéa entier, de Lantier (désigné par son
nom de famille) et du *Veau à deux têtes* jusqu'aux boulevards

extérieurs et à la petite Adèle («une brunisseuse»), vise à ébaucher, par petites touches et en peu de lignes, tout un horizon social dont le repérage va désormais orienter la lecture. On peut même attribuer à ce début une certaine complaisance à cristalliser le pittoresque du gestuel et du décor en des notations qui en alourdissent la valeur signalétique. Que Gervaise nous soit d'emblée montrée en camisole ou que «la petite Adèle» soit renvoyée au code des professions avoue une volonté de renchérir sur le populisme de son propos. Il n'est pas douteux que Zola donne ainsi dans la facilité, lui qui ne craint jamais de grossir un effet. On est en droit de penser cependant que le discours populiste qu'il commence à dérouler va entraîner son énonciateur et le texte bien au-delà de ce que le tableau distant, composé et trop facticement noir du premier alinéa nous laisse attendre. En commençant par un peuple trop en conformité avec l'un de ses portraits idéologiques, on se contraint à déranger par la suite certaines harmonies du paysage social.

En ce qu'elle est stéréotypée, la scène d'ouverture, le guet de Gervaise, prend valeur de citation. Elle se lit peu ou prou comme la reprise d'un texte connu, comme référence à un code scénologique. Elle fait interférer un discours sur la femme et une imagerie populiste où la trace idéologique est visible. Certes, toute scène de roman ou de théâtre est à quelque degré citation, mais elles ne le sont pas toutes pareillement. Certaines d'entre elles, consacrées par l'usage, présentent plus que d'autres un arrière-plan figé de valeurs. Nous avons vu, par exemple, Zola reprendre à Eugène Sue (et probablement à d'autres) une scène d'évasion à la campagne ou bien récrire la promenade en fiacre de *Madame Bovary*. Nous sommes ainsi très près d'une certaine notion de l'écriture, mais déportée vers le niveau translinguistique du récit. *L'assommoir* est souvent *écrit* de la sorte; usant de scènes-clichés, où se reconnaissent des discours comme celui du mélodrame ou du feuilleton, comme celui du misérabilisme romantique, comme le discours artiste de l'ironie ou de la dérision, il est un peu à lui seul une histoire idéologique du roman au XIXe siècle.

La citation, la référence, l'allusion se logent à n'importe quel endroit du texte et font entendre partout la parlerie idéologique. Elles se limitent notamment à des unités plus restreintes que la scène et saisissables à un niveau plus directement linguistique. Ainsi de ces énoncés qui rendent manifeste, à la faveur de réflexions générales et interprétatives, la parole du narrateur. De telles interventions ont pris, dans le roman de type classique, des formes diverses allant de l'analyse psychologique à la sentence ou à la maxime. Parmi elles, un certain nombre apparaissent comme des affleurements idéologiques à l'état brut, sans le bénéfice de la transformation fictionnelle. Roland Barthes a procédé à l'analyse de ces séquences et a montré qu'elles faisaient fonction de références, que par elles s'accomplissait le retour à un savoir — en fait aux codes culturels ou idéologiques qui irriguent la vie sociale. Le discours de l'opinion courante prend place dans le récit: «tous les codes culturels, égrenés de citation en citation, forment dans leur ensemble un petit savoir encyclopédique bizarrement cousu, une fatrasie: cette fatrasie forme la *réalité* courante, par rapport à quoi le sujet s'adapte, vit[3].»

Balzac, qu'analyse Barthes, s'appuie constamment sur ce savoir vulgaire et n'hésite jamais à fabriquer des sentences pour les besoins de la cause, c'est-à-dire pour faire avancer son récit conformément à des justifications morales ou psychologiques. *Sarrasine*, par exemple, fait sans cesse entendre la voix d'un code social de l'amour (mais aussi de la jeunesse, de la vie d'artiste, etc.) distribuant ses lieux communs et ses vérités premières comme les prémisses de l'histoire contée. Après Balzac, ce fatras interprétatif n'a plus autant cours dans la littérature narrative. Le roman réaliste-naturaliste impose une nouvelle vraisemblance où l'objectivité tient une grande place et qui enjoint au narrateur de se dissimuler, de montrer les choses plutôt que de les commenter. Le récit naturaliste fait donc apparemment moins de place aux codes culturels. Il reste cependant des exceptions de marque comme

---

3. R. Barthes, *S/Z*, Paris, Seuil, 1970, p. 190.

celle d'Alphonse Daudet, qui truffe son texte d'idées reçues
et de lieux communs procédant de l'idéologie la plus transpa-
rente. Daudet fera volontiers référence, par exemple, à une
typologie des races et des tempéraments nationaux pour
mieux asseoir la logique qui entraîne le récit:

> Éblouie, fascinée, Colette de Rosen était tombée dans ses
> bras, elle qui jusqu'alors s'était gardée honnête femme
> [...] parce qu'elle était vraiment française, de cette race
> de femmes que Molière, bien avant les physiologistes
> modernes, a déclarées sans tempérament, seulement
> imaginatives et vaniteuses. [...] Dès lors les scrupules lui
> [à Christian] vinrent et les remords, les remords compli-
> qués et naïfs d'un Slave et d'un catholique[4].

Dans *L'assommoir*, le narrateur accorde peu de place à ses
propres codes de référence. La forte densité psychologique
du roman est supportée par autre chose, par un décor symbolique abondant, par un système de similitudes et de
contrastes entre les positions des personnages. Le lecteur ne
rencontrera de ces codes que de fugaces affleurements dans
des expressions assez innocentes telles que «son honnêteté
de femme laide» (p. 498) ou «une vie d'ouvrière cloîtrée dans
son train-train» (p. 453). Ou bien il aura affaire à des formes
déguisées de la citation, comme celles-ci:

> Elle ne posait pas de questions, parce qu'elle ne voulait
> pas paraître intéressée tant que ça. C'était comme si,
> brusquement, on comblait un trou pour elle; son passé, à
> cette heure, allait droit à son présent (p. 549).

> Madame Goujet, toujours vêtue de noir, le front encadré
> d'une coiffe monacale, avait une face blanche et reposée
> de matrone, comme si la pâleur des dentelles, le travail
> minutieux de ses doigts, lui eussent donné un reflet de
> sérénité (p. 473).

---

4. A. Daudet, *Les rois en exil*, Paris, Dentu, 1880, p. 93-95.

Quoique différents, les deux fragments ont en commun l'usage de la tournure «comme si»; cette forme introduit un terme de comparaison qui fait office d'hypothèse explicative. Somme toute, elle fait entrer en jeu un niveau d'analyse que n'implique pas le texte et qui semble relever d'une connaissance extérieure à la réalité ou à la situation présente. Un code explicatif se profile, mais il n'a plus grand-chose à voir avec les générations autoritaires dont se servent Balzac et Daudet.

Le texte de *L'assommoir* possède cependant son système de citations. Si les références classiques et les interventions d'auteur font défaut, on relève, en revanche, quantité de vérités communes, de proverbes, de propos de bon sens qui tous portent le cachet de la sagesse populaire. Ils sont mis au compte des personnages et jouent jusqu'à un certain point le même rôle que les «idées reçues» bourgeoises dans les romans de Flaubert. Mais Zola semble aller plus loin que Flaubert en ceci que, tandis que chez ce dernier le lieu commun est souligné de façon déclamatoire par l'ironie et se *détache* du discours, dans *L'assommoir* le proverbe ou la vérité de bon sens s'installent en plein texte, assurent sa progression, lui donnent du liant. La parole ouvrière vient servir de code référentiel là où, autrement, le roman laisserait paraître des lacunes:

> Et depuis cette leçon, Goujet ne buvait plus qu'à sa suffisance, sans haine pourtant contre le vin, *car le vin est nécessaire à l'ouvrier* (p. 474; nous soulignons).

Il va de soi qu'une citation comme celle-là est inséparable de l'entreprise descriptive générale. Dire le peuple, c'est aussi le représenter par sa morale, sa sagesse, ses modes d'expression. Et ceci vient converger avec tout ce qui vise à fonder une image de la culture du pauvre. Peut-être constatons-nous ici que le texte est plus affecté par la transposition, parce que l'on touche à l'un de ses rouages importants, à l'un des fondements de son dire. L'écrivain cherche des substituts d'une culture très «littérarisée» dans la culture populaire et pour servir de contexte il choisit le code des proverbes et des lieux communs. Or ceux-ci viennent s'insérer, en certains cas au moins, dans les articulations du récit, là où d'habitude le narrateur usait de son autorité pour imposer des catégories explicatives et répétait les formules d'un «savoir» de convention. En proposant d'autres formules, il ne fait peut-être que changer de registre, mais avec cette différence qu'il parle et se prononce au nom d'une autre culture que la sienne. Il introduira de la sorte un code de l'alcoolisme; ailleurs il citera un discours sur le plaisir, le «bon temps». Ainsi dans ces deux mentions d'une «philosophie» de la tranquillité et du laisser-faire accommodant:

> Où était le mal, si son homme s'amusait un peu? Il fallait laisser aux hommes la corde longue, quand on voulait vivre en paix dans son ménage (p. 503).

> C'était une tendresse raisonnable, ne songeant pas aux vilaines choses parce qu'il vaut encore mieux garder la tranquillité, quand on peut s'arranger pour être heureux, tout en restant tranquille (p. 518).

Il faut cependant constater qu'il n'a pas suffi au code populaire de paraître pour éclipser le code bourgeois. Celui-ci subsiste aisément comme un envers de l'autre. Parce que, quoi qu'il fasse, l'énonciateur désigne ironiquement le code de l'Autre, il pose du fait même son propre code à la fois comme implicite et comme supérieur. La bonne foi ou la bonne volonté de Zola ne sont pas ici en question. Simplement, la distance objective qu'il voudrait prendre à l'égard d'une culture autre semble être un leurre sur le terrain idéologique où les choses se jouent. Citant le discours populaire, Zola désigne encore le lieu où prend appui sa propre culture, son propre discours: ce lieu, nous allons maintenant le cerner de plus près.

Conseils aux ouvriers

À l'heure où il projette de composer *L'assommoir* comme au moment où il rédige sa préface, Zola est de plain-pied avec l'idéologie régnante, et parfois la plus triviale. Il s'agit d'un commerce dont non seulement la préface mais aussi la visée générale du roman portent la trace. Nous avons déjà indiqué, à propos de l'alcoolisme et en nous référant à une publication de l'époque, comment cet arrière-plan faisait partie des conditions de possibilité de l'œuvre. Nous allons en présenter un autre exemple, plus général que le précédent. Nous aurions pu le choisir parmi certains ouvrages dont on sait qu'ils font partie des sources livresques du roman (Leroy-Beaulieu, Denis Poulot, Manuel, etc.). Cela eût permis d'analyser de près, en confrontant les sources et les énoncés qu'elles engendrent, l'élaboration de l'idéologie de Zola sur l'ouvrier. Nous avons préféré laisser de côté ce problème de genèse et éviter du même coup de présenter les faits en termes d'influence, notion qui nous semble discutable. Voilà pourquoi nous ferons référence à un essai sans liaison directe avec Zola, mais qui constitue un bon témoignage du discours paternaliste de l'époque sur le prolétariat, et à partir duquel s'explique mieux le projet d'un «roman ouvrier».

Conseils aux ouvriers sur les moyens d'améliorer leur position, par Th. H. Barrau, est un ouvrage de large audience, publié par Hachette en 1851, couronné par l'Académie française, réédité plus de vingt ans après sa première parution. L'essai est de ceux qui ont compté et il apparaît comme tout à fait représentatif d'un certain modèle idéologique. Sa tonalité est remarquable, qui mêle insidieusement grandiloquence et familiarité: on évoque pompeusement les valeurs et les devoirs, mais c'est avec bonhomie que l'on interpelle Joseph, le jeune ouvrier fictif à qui s'adresse l'auteur. En somme, c'est un catéchisme, catéchisme dont l'ouvrage a non seulement le ton mais aussi le plan limpide et découpé. L'auteur commence par mettre l'ouvrier en garde contre les dangers de l'intempérance:

> Ce qui, dans l'ouvrier, caractérise particulièrement l'inconduite, c'est l'habitude de l'intempérance.
>
> Malheureusement il est facile de contracter cette habitude dans la jeunesse, parce qu'avant le mariage l'ouvrier,

dans la force de l'âge et du talent, reçoit un salaire hors
de proportion avec ses besoins, et peut aisément consacrer au plaisir un excédent qui suffirait à un homme ma-
rié pour l'entretien de sa famille (p. 7-8).

L'intempérance dont il retourne n'est pas seulement alcoolique mais aussi pécuniaire, sexuelle et même politique,
car l'auteur dénonce «l'extravagance et le danger des émeu-
tes». Il suggère ensuite une série de «moyens par lesquels
l'ouvrier peut améliorer son sort». Ils se ramènent à la triade
«bonne conduite/ travail/épargne», l'accent étant particulièrement mis sur l'épargne:

> Vous voilà donc bien éclairé, Joseph, sur la puissance de
> l'épargne. Vous ne rirez pas quand on vous conseillera
> d'économiser un sou; vous comprendrez combien il est
> facile, par ce moyen, d'arriver à une richesse relative, qui
> doit suffire aux vœux d'un jeune homme honnête. Dési-
> rer la fortune, se consumer en vœux impuissants, envier
> les avantages d'autrui, quelle folie! Il n'a rien à désirer,
> rien à envier, celui qui est assez persévérant et assez
> sage pour tirer de chaque jour de l'année ce que ce jour
> peut produire, et pour maintenir toujours ses besoins au-
> dessous de ce produit. Que parle-t-on d'aller en Califor-
> nie? La Californie est chez vous, si vous avez le courage
> de l'y chercher (p. 80).

On voit ainsi se constituer un couple typiquement idéologique, l'antinomie intempérance/épargne. Il a pour fonction d'escamoter, sous le dilemme petit-bourgeois et puritain
qu'il pose, la vraie question qui est celle de la condition pro-
létarienne. Barrau envisage ensuite la possibilité pour l'ouvrier de s'élever et de devenir patron. C'est l'occasion d'une
nouvelle mise en garde et, après avoir représenté les dangers
de l'ambition, l'auteur renvoie Joseph à sa condition d'asservi
en lui rappelant qu'il doit à son patron respect et dévoue-
ment. Barrau en vient alors aux «inconvénients» des grèves et
des associations ouvrières et laisse bien voir ce qu'il redoute.
Écartant l'ouvrier de toute action politique, il ne lui reste qu'à
le rendre à la vie de famille et à tous les garants d'une vie pri-

vée sans nuages — bonnes lectures, hygiène du corps et de l'âme, budget équilibré. L'essai se termine par des considérations générales qui vont permettre d'appeler à l'indispensable union du capital et du travail, lieu commun négateur des tensions sociales et de l'antagonisme des classes:

> Qu'est-ce que l'union du travail et du capital? C'est le travail d'aujourd'hui s'appuyant sur le travail d'autrefois, ou, pour mieux dire, c'est le travail d'autrefois se continuant dans le travail d'aujourd'hui.

> Il s'en faut bien que le capital et le travail soient ennemis, comme on se le figure quelquefois à tort; bien au contraire, ils ne peuvent rien l'un sans l'autre: ils se font valoir mutuellement, et leur intérêt est le même (p. 253).

Par le ton catéchisant, par la transparence des présupposés, par le caractère massif des affirmations autant que par le grossier escamotage des contradictions, les *Conseils aux ouvriers* de Barrau s'offrent comme un cas exemplaire. Mais nous aurions pu retenir bien d'autres contributions de la même époque tenant le même discours. Prenons, au hasard des rencontres, *La question ouvrière en Belgique* de J. Dauby[5]. Ce sont, le ton prêcheur en moins, les mêmes propos, les mêmes mythes, le même dispositif de l'argumentation. Après un mot sur l'insuffisance des salaires qui est une sorte de concession, l'auteur s'attaque au défaut d'épargne chez l'ouvrier, aux habitudes d'intempérance, au recours aux grèves, à l'influence néfaste des meneurs... S'il est une différence, c'est que Dauby, qui écrit après Barrau, vient d'être témoin de révoltes et de luttes ouvrières et paraît être hanté par la menace que représente l'Internationale. Aussi est-il plus réaliste et recommande-t-il aux industriels de se réformer.

Trop rapidement esquissé, ce tableau d'un moment de l'idéologie au XIXe siècle devrait cependant permettre de mieux situer *L'assommoir* dans un mouvement d'idées. Mais n'est-ce pas faire injure à Zola que de rapprocher son roman

---

5. J. Dauby, *La question ouvrière en Belgique. Causes de nos crises ouvrières: remèdes possibles*, Bruxelles, Librairie Lebègue et Cie, 1871.

d'opuscules bêtifiants sur la «question ouvrière» et qui ont
sombré dans l'oubli? L'auteur des *Rougon* répugnait à prendre un ton prêcheur ou lénifiant et il n'eut jamais pour visée
de sauver un régime en protégeant ses ouvriers des menées
socialistes. Son but avoué était même de donner une image
enfin vraie de la réalité ouvrière. Mais il reste qu'au moment
de composer *L'assommoir* Zola n'est pas en mesure d'attaquer
son sujet avec d'autres données et dans une autre problématique que celles que lui imposait le discours ambiant. Quoi
qu'il fasse, Zola est encore prisonnier d'un système de représentations; il lui manque les armes pour le dépasser et il peut
tout au mieux en disposer les termes autrement, non en changer les éléments. En tant que projet romanesque et en tant
qu'image du social, *L'assommoir* nous fournit quatre preuves
de cet emprisonnement:

– centré sur l'alcoolisme, exploitant le thème de l'abandon, le
roman axe son système sur le leitmotiv idéologique de l'intempérance;

– il reconstitue l'antinomie classique intempérance-épargne,
en tirant à l'avant-plan dans le drame des Coupeau la «débâcle de leurs économies»;

– en même temps, il se fait le roman d'une ouvrière qui ambitionne de devenir patronne mais qui n'a pas les «qualités
nécessaires à un chef d'industrie» (Barrau);

– il se donne comme référence première l'unité qu'est la famille; l'horizon du bonheur s'y confond avec la préservation d'une institution — «la famille ouvrière», comme dit
l'écrivain.

Terme à terme, le roman est donc dans la continuité d'un
hors-texte aussi repérable que daté. Il laisse pourtant un vide
dans le tableau, en maintenant l'image incomplète. Rien, en
effet, ne figure le capital ou la classe possédante. La grande
industrie, les manufactures sont absentes. En choisissant de
représenter l'ouvrier par l'artisan faubourien, Zola a en
quelque sorte menti par omission. Mais son silence peut être
interprété comme un riche aveu. Il apparaît comme la limite

où l'écrivain se refuse à suivre la falsification idéologique et préfère se taire. Son tableau de la vie ouvrière en est plus faux: aussi noir soit-il, *L'assommoir* équivaut, par comparaison avec *Germinal*, à une sorte d'image idyllique relatant avec nostalgie un état dépassé. Mais il en est aussi plus vrai: seul, vers 1870, le petit peuple des faubourgs pouvait encore autoriser une description morale de l'ouvrier.

Tout ceci nous conduit à interroger la relation du romanesque au politique. Lorsqu'il s'agit de Zola, il est difficile de la considérer dans un roman pris à part des autres. Néanmoins, il est frappant que *L'assommoir* fuit le politique sans jamais le taire, en lui permettant d'occuper très précisément ses marges. Les opinions de ses personnages masculins, lorsqu'elles sont mentionnées, sont supportées par l'anecdote. On ne voit Lantier en homme de gauche, genre tribun, admirateur d'Eugène Sue et contempteur de l'Empire, que parce qu'il plaisante le sergent de ville Poisson et qu'il promène dans tous ses déménagements une malle remplie de «bouquins humanitaires»; on n'entend parler du 2 Décembre que lorsqu'il s'agit de faire valoir la camaraderie de Coupeau et Goujet, «républicains modérés». Le thème politique se défait dans la futilité et dans le pittoresque. Sa parole y devient bruit, discours figé, slogan creux, et a tendance à se laisser absorber par le vaste *cancan* qui est la constante du roman.

En dehors de ces notes caricaturales, il est un autre mode d'allusion au politique, non moins fugace, mais plus significatif. Zola a figuré l'univers de ses personnages comme une espèce d'îlot, de milieu confiné à lui-même et à ses dépendances immédiates. Cela implique presque forcément la référence à un ailleurs incertain et troublant. L'ailleurs est tout d'abord Paris, ce Paris qui impressionne Gervaise et qui engloutit le peuple ouvrier partant au travail. Paris est lumière, gouffre, grondement, multitude. Il est force, *la* force, celle qui dépasse et dévore, celle qui absorbe et exclut. Il est encore, pour la petite société qui vit à sa périphérie, derrière ses barrières, une ligne repérable, celle derrière laquelle commence l'Histoire. De cette Histoire, ladite société — et avec elle, nous lecteurs — ne reçoit que les échos ou les miettes: un souvenir d'émeute, le nom d'Eugène Sue, un passage au Louvre. Mais c'est assez pour qu'elle sache confusément que là-bas réside quelque chose qui la subjugue, une puissance, un pouvoir. C'est ce qui est confirmé à Gervaise Macquart lors de chaque rencontre avec la foule, cette foule que nous avons déjà eu l'occasion d'opposer au groupe. Au début du roman, la foule est ce troupeau qui se noie dans Paris; à la fin, elle est associée à un Paris qui monte, déborde et menace de tout submerger:

> Ce quartier où elle éprouvait une honte, tant il embellissait, s'ouvrait maintenant de toutes parts au grand air. Le boulevard Magenta, montant du cœur de Paris, et le boulevard Ornano, s'en allant dans la campagne, l'avaient troué à l'ancienne barrière, un fier abattis de maisons [...] C'était un carrefour immense débouchant au loin sur l'horizon, par des voies sans fin, grouillantes de foule, se noyant dans le chaos perdu des constructions (p. 764).

Le spectacle est celui de l'irruption et du désordre. Le personnage est pris d'un vertige devant ce qui dépasse son entendement et à quoi il ne peut donner sens. On peut soutenir que ce point aveugle dans le récit est bien plus que la rencontre avec la grande ville, que le heurt de l'héroïne avec la foule. Il correspond au silence et à la fuite du texte devant les implications politiques de sa «question».

Il est certain que l'idéologie exerce encore sur le roman de Zola d'autres formes d'emprise et que notre analyse n'a pas fait le tour de ses points d'ancrage. En accordant priorité au discours ouvrier, nous croyons être allé à l'essentiel; il ne faudrait pourtant pas négliger le grand modèle positiviste qui préside à l'élaboration des *Rougon-Macquart* et qui, en ce qui concerne la composition romanesque, s'appuie sur quelques principes: restitution d'une réalité observée, conception «sensationniste» des mécanismes psychiques, causalité mécaniste et déterminisme pessimiste. Tous ces schèmes sont largement à l'œuvre dans *L'assommoir*, sans exception. On sait la manière dont la foi en l'observation se traduit dans un fort dispositif documentaire et dans un «tableau social» qui poussent le mythe du réalisme jusqu'à la limite où le roman se fait étude. La conception matérialisante de la psychologie n'est pas moins active. Elle prend forme dans ce riche décor symbolique qui, par moments, anticipe sur une psychanalyse existentielle de l'imaginaire. Mais peut-être est-ce dans la causalité qui gouverne le processus narratif que nous reconnaissons le mieux la marque du positivisme inspiré de Taine. Elle se concrétise dans la fameuse influence du milieu, poussée ici à l'extrême et, dans le cas de Gervaise Macquart, jusqu'à l'imprégnation, l'osmose et les formes typiques de la réduplication. Son caractère mécaniste conduit l'écrivain à un aplatissement de la représentation et à une figuration statique du mouvement de l'Histoire dont Georg Lukács, s'attaquant au naturalisme et à sa prédilection pour le descriptif, a fait magistralement le procès[6]. Il est exact que l'obsession du comment, aux dépens du pourquoi, enlise le récit dans la monotonie du quotidien et dans la redondance d'un discours trop figuratif où Gervaise n'en finit jamais de s'abandonner, Coupeau de s'avachir, le paysage de suer sa misère.

Au sein de l'idéologie, l'explication de type mécaniste, qui cherche les causes dans un avant, tend généralement à se doubler d'un finalisme, qui cherche aussi les causes dans un après. Il n'en va pas autrement dans *L'assommoir*. Au-delà du fait que la déchéance des Coupeau et de tout le groupe est provoquée par un faisceau de facteurs, il s'avère que la microsociété ouvrière accomplit la destinée à laquelle elle était vouée et qui l'empêche de sortir de sa condition. Ce finalisme, comme nous l'avons senti, n'est que l'autre face d'une morale du péché originel. «Et ainsi, au-delà d'un sujet que Zola avait peut-être un peu simplifié, nous retrouvons une autre fatalité que celle de l'alambic et de l'hérédité: ce pessimisme foncier qui, comme une forme laïque du péché originel, donne toute destinée comme perdue d'avance —

---

6. *Cf.* le chapitre «Erzählen oder Beschreiben?», dans *Probleme des Realismus*, Berlin Aufbau-Verlag, p. 103-145.

hormis celle des avaricieux comme les Lorilleux... N'est-ce pas ce pessimisme que l'on trouve dans le même tiers du siècle, chez Thomas Hardy, chez Strindberg, chez Tchekhov souvent, et chez Ibsen aussi, quoi qu'il s'y mêle d'idéologie morale-sociale[7]?» En cela, la dégringolade de Gervaise est rien moins que dynamique. Elle se définit plus justement comme l'approfondissement d'un état, comme l'aggravation d'un mal, comme l'exaspération d'une situation endémique. Gervaise est destinée à déchoir tout comme l'alcool *doit* inonder Paris (l'alambic «laissait couler sa sueur d'alcool, pareil à une source lente et entêtée, qui à la longue devait envahir la salle, se répandre sur les boulevards extérieurs, inonder le trou immense de Paris...»). Le texte renferme les signes d'une prophétie et, au nom de la même fatalité, il porte les marques nombreuses d'un système fermé et parfaitement réglé. Ainsi des répétitions et analogies qui se produisent de personnage à personnage, de scène à scène, de motif à motif. Ainsi des rencontres et coïncidences, comme le retour fatidique de Lantier ou la rencontre providentielle de Goujet. Pour l'héroïne, toujours, le passé «va droit au présent» et même à l'avenir.

Il nous reste à poser une question, et elle est de taille. Comment expliquer qu'un roman aussi tributaire que *L'assommoir* d'une certaine pesée idéologique soit une œuvre grande, qui survive après un siècle et qui accède encore à des significations nouvelles? Cette question également doit trouver sa réponse dans le texte. Elle ne peut que faire apparaître la capacité du roman à s'adapter aux contraintes en réordonnant et en reformulant pour son propre compte l'héritage textuel dont il disposait. C'est un travail critique qui s'effectue en trois temps, mais agencés dans une étroite corrélation. Il débute par un effort de neutralisation du donné idéologique, se poursuit par la libération d'un jeu conflictuel entre deux projets et aboutit à la tentative de fissurer la cohésion du champ initial.

---

7. R.-M. Albérès, préface à *L'assommoir*, dans le volume III des *Œuvres complètes* de Zola, Cercle du livre précieux, p. 593.

L'effort accompli par le romancier pour affaiblir certains effets idéologiques est frappant, sans pour autant qu'il atteigne toujours son objectif. Comme on l'a vu, il consiste notamment en un déplacement symptomatique du thème général, qui, du plan d'un moralisme à tendance répressive (l'intempérance), glisse à celui d'une description d'inspiration physiologique. L'assommoir, qui est le mal, engendre la maladie. Ici, l'hérédité surdétermine l'influence néfaste, «fatale» du milieu. Gervaise boit comme elle boite et presque parce qu'elle boite. Le prognathisme de Coupeau s'accentue avec l'abus de boisson. De tels signes n'ont rien d'indifférent, car ils déportent cette déviance particulière et circonstancielle qu'est l'alcoolisme vers une région supérieure de la Faute où la notion se coupe de ses liens avec la morale et avec la raison. Là, le métaphysique vient se mêler au physiologique en une curieuse alliance. L'émergence de l'événement dans une sorte d'absolu caractérisait déjà la représentation du groupe social que nous avons analysée plus haut. Un fragment de société y était mis en scène, coupé de son interaction avec d'autres. Sans doute ces procédures d'isolement et de déplacement affranchissent-elles la description du poids des préjugés et du sociocentrisme. Elles ont pour inconvénient d'engager le récit vers un lieu neutre où n'a plus cours qu'un mode peu explicatif de la représentation.

Mais revenons à la cohésion de *L'assommoir*, à cette ligne fortement maîtrisée, sans écart ni bifurcation. À y regarder de plus près on perçoit un certain boitement dans la construction de l'édifice. Tout, du titre au finale, donne l'œuvre pour le roman de l'alcoolisme. Et l'on ne peut nier qu'elle le soit pour une bonne part. Pourtant, un second motif conducteur s'établit à côté du premier et lui fait rapidement concurrence: c'est la «fable» de l'ouvrière qui veut devenir patronne. On dira que les deux fils s'entrelacent et qu'ils ne se nuisent pas l'un à l'autre. On observera aussi qu'ils appartiennent au même contexte idéologique. Dans la réalité du texte, et à mesure qu'il progresse, ils se contestent. Il y a tension, en effet, entre le roman de Coupeau et le roman de Gervaise, entre la stratégie narrative du bistrot et celle de la boutique, entre la thématique de l'assommoir et celle de l'intimité, entre l'alcoolisme et la promotion.

Cette tension est singulièrement visible lorsqu'on considère la place et les proportions relatives de certains épisodes du roman. Sur trois points au moins, nous voyons le projet 2 tendre à repousser le projet 1 dans les marges. Le cas le plus flagrant est, pour nous, l'importance non seulement pour le récit mais aussi du point de vue symbolique qu'acquiert la boutique aux dépens du bistrot du père Colombe. Le haut lieu de l'alcoolisme s'en retrouve dans une position subalterne. Cette marginalisation se traduit également par le caractère de hors-d'œuvre de l'épisode Bijard illustrant la fureur alcoolique. Enfin, elle s'exprime dans la rivalité entre deux finales, l'un surplombant l'autre et le réduisant à un épilogue: la plongée de Gervaise au chapitre XII domine de toute sa force, de tout son accent et de tout son faste la destruction violente de Coupeau au chapitre XIII.

En somme, l'axe majeur de lecture est celui qui a pour triple repère Gervaise, la boutique et le désir de promotion conjoint au besoin d'intimité. Par rapport à ce que le roman désigne intensément comme son propos ou sa visée, il s'agit bien d'un infléchissement, et qui n'empêche d'ailleurs nullement que le message anti-alcoolique arrive à destination. Or, il faut remarquer que le projet gervaisien possède une connotation plus marquée à l'intérieur du champ idéologique. Avec l'aspiration à devenir patronne, avec le rêve de changer de condition sociale, avec le comportement petit-bourgeois qui se fait jour, c'est le thème des interrelations de groupe à groupe ou de classe à classe qui fait son entrée. Il est évident que l'écrivain en esquive la problématique en réduisant les choses à un épiphénomène. Mais, à travers ce mince fait, à travers l'image d'un être fragile, nous voyons poindre la question si lourde des conditions du changement pour l'individu, le groupe, la société. Quel est le droit de Gervaise à s'élever? Que signifie la supériorité qu'elle s'accorde? Pourquoi l'élan se mue-t-il en infériorité et en échec? Car, en dernier ressort, c'est devant une clocharde que le récit laisse le lecteur, c'est-à-dire devant une forme de déviance qui, bien plus que celle de l'ivrogne, est grosse de scandale et de protestation. À ce point, le recours à l'explication physiologique se révèle bien faible.

Une troisième force, vient, dans *L'assommoir*, faire craquer le ciment idéologique. Et, cette fois, son auteur est tout près de la rupture, de la fêlure — pour reprendre un terme qu'il affectionnait. Il faut en revenir à ce fait que le texte est généreusement producteur de symboles et d'images mythiques. Ce sont, entre autres, le motif de linge sale et de l'asphyxie, la voracité de Lantier s'exerçant sur les magasins, l'inondation de Paris par la coulée alcoolique. Une pensée analogique est constamment à l'œuvre qui constitue l'une des forces structurantes du roman. C'est que le récit lui-même — et non seulement sa parure rhétorique — libère, en cours de progression, l'analogie à la faveur de deux procédés, qui souvent vont de pair et se redoublent. Le premier d'entre eux consiste en épisodes particuliers qui, à des moments convenus, prennent valeur métaphorique ou métonymique pour figurer la ligne générale du destin, pour en signifier la logique profonde. La liste de tels épisodes pourrait être longue:

- festin qui, célébré sur l'établi, fait ironiquement référence au travail des repasseuses;

- chansons entonnées en la même circonstance et qui de quelque manière renvoient au drame, telle la chanson de Gervaise qui dénote le mouvement régressif auquel est en proie l'héroïne (*Ah! laissez-moi dormir*);

- linge sale de l'atelier envahissant le logis lors de «l'adoption» de Lantier et qui symbolise la promiscuité domestique;

- enterrement de la mère Coupeau, qui, aux yeux de l'héroïne, figure la débâcle des rêves et préfigure l'ultime déménagement;

- gourmandise de Lantier traduisant le climat de ruine et l'action vorace du temps, etc.

On aurait tort de ne voir là que la recherche d'une rhétorique expressionniste banale. Car — et c'est le second procédé — cette pensée analogique est mise au compte de la mentalité populaire. Elle n'est donc jamais plaquée; elle puise sa matière tant dans le vécu des personnages que dans leurs possibilités imaginatives; elle fait partie intégrante du texte, comme le font voir les réflexions de Gervaise sur l'enterrement. Nous assistons ainsi à un processus de mythification qui a pour effet singulier d'atteindre à ce que ni l'emploi du parler peuple ni le recours à la sagesse populaire n'ont vraiment réussi à imposer, c'est-à-dire une sorte d'autonomie idéologique du récit et de ces «récitants» que deviennent, par la production des grandes images, les personnages principaux. Ce processus instaure un discours autre, légèrement détaché, comme récalcitrant et susceptible de retourner l'image mythique contre le «réel» dont elle prétend sortir.

Il s'agit en fait d'un développement textuel assez complexe et qui fait ressortir la portée connotative du récit. Bien qu'elles dépassent les limites de la phrase et du morphème, les grandes images narratives sont des figures métasémémiques[8]. À ce titre, elles mettent au jour deux plans de signification (l'enterrement d'une personne est aussi la débâcle d'une vie) ou, mieux, font surgir au plan dénotatif des sens qui jusque-là restaient latents. Elles sont donc, pour le récit, des outils d'explicitation et des formes de cristallisation. Mais ce n'est encore là qu'un processus normal de formation. La singularité provient des deux procédés qui s'y surajoutent — images produites par le récit et mises au compte des personnages — et qui tendent à faire du niveau connotatif une isotopie bien établie et bien distincte du texte. Par là, le potentiel conflictuel du sens se révèle une nouvelle fois et se situe à son vrai plan. L'épisode figurant devient alors, inséré comme il l'est dans la logique du récit, irruption d'un sens sous-

---

8. *Cf. Rhétorique générale*, Paris, Larousse, coll. «Langue et Langage», 1970. Les figures métasémémiques y sont définies comme toutes les figures obtenues par opération sur le sens du mot, c'est-à-dire les tropes. Mais il est permis d'étendre l'usage du terme à certaines figures translinguistiques, narratives notamment.

jacent dans le flux du discours et intervention d'un élément susceptible de perturber la ligne générale du sens. Ajoutons que même une connotation aussi marquée reste toujours récupérable par une lecture première ou innocente au profit de l'homogénéité de la narration.

Mais dans quel sens joue la perturbation? On connaît la tendance générale du récit vers un moralisme non avoué mais visible, qui peut se réclamer du sens du péché, d'un volontarisme austère et même de quelque paternalisme. C'est à contre-courant d'un tel moralisme qu'agissent les grandes images. Elles viennent dire les nécessités de la justice et les exigences du désir. Elles sont lisibles comme proclamation du scandale et comme célébration. Nous pouvons les regrouper sous quatre grandes rubriques:

– *Le scandale de la faim,* en un roman qui est ripaille, engloutissement de mangeaille, qui pardonne la goinfrerie de Gervaise et s'amuse de la gourmandise de Lantier. Goinfrerie et gourmandise ne sont que la contrepartie d'une terreur planant sur chaque chapitre et sur chaque personnage: la peur d'avoir faim. Au début du cinquième chapitre, au moment où est louée la boutique, le récit mentionne, à propos de Gervaise, cette «lutte énorme contre la faim, dont elle entendait le souffle». La notation est fugace et peut échapper dans le contexte: elle rejoint cependant ces motifs qui font lire en un texte glouton la hantise d'un besoin, le scandale d'un état endémique.

– *Le scandale du mal,* qu'il soit maladie, souffrance ou folie. Dépassant les circonstances particulières où le mal se fait accident absurde, crise d'alcoolisme ou brutalité, la lecture peut reconnaître dans le roman un propos inspiré de la pathologie et disant la possession des corps par la souffrance. De plus, l'atroce beauté des dernières scènes (chapitres XII et XIII) permet de deviner en même temps une confiance en la valeur rédemptrice du mal, de la destruction et de la mort.

– *La célébration du groupe,* en une histoire qui relate la solitude de l'être et qui passe par la psychologie la plus intimiste. Mais très tôt se donne à voir une thématique parallèle et

conjointe d'aspiration à la vie nombreuse, à la réunion des
hommes dans le travail et dans le plaisir, en action comme
au repos. Peu importe alors que ce rêve latent, ce désir mal
dissimulé ne produise que la fiction d'assemblées lamenta-
bles ou burlesques: le dernier mot appartient, quoi qu'ait
voulu l'écrivain, aux brefs instants euphoriques unani-
mistes qui entrecoupent le texte.

— *La célébration de la fête,* en ce récit où l'assommoir impose
d'emblée sa marque et exerce tout au long son ravage.
Mais ce n'est pas pour rien que le roman a pour fragment
central un ample discours riche de connotations renvoyant
à l'esprit de fête. Que le roman se souvienne du potlatch,
que plusieurs de ses épisodes entrecroisent les thèmes de
la fantaisie créatrice et de la consumation libératrice, que
ce texte si noir soit imprégné de sens du plaisir et laisse entrevoir les traces d'une morale eudémoniste, autant de
signes que le roman est roman de la fête et qu'il connaît
une inversion, au moins temporaire, de l'aliénation en
jouissance des valeurs.

Ces scandales et ces célébrations ne sont pas le sens explicite du récit mais seulement des figures ébauchées, des figures tracées dans la figure générale de son texte. Elles en
sont les *inscriptions,* non avouées mais visibles pour une certaine lecture. Elles témoignent de ce que *L'assommoir* n'est
vraiment un que dans la logique de son intrigue et dans la
technique de sa narration. Le rapport de sa pensée et de son
imagerie à l'idéologie trahit au contraire une disparate. On ne
peut cependant se représenter les choses comme un assemblage sans ordre ni direction. Au vrai, diverses formes d'articulation se nouent entre les composantes et qui ne sont pas
aléatoires. Nous avons eu tendance à représenter le processus
général en termes de concurrence et d'antagonisme entre
sens, entre projets, entre valeurs, et, bien qu'il s'agisse là d'un
décryptage encore métaphorique, nous continuons à penser
que *L'assommoir* et sa lecture sont tiraillés entre des tendances
opposées et pris dans des tensions significatives. À travers
ces tiraillements du sens apparaissent des séries à cohérence

relative et qui ébauchent une pensée ayant pris du champ par rapport à l'idéologie de départ. La série majeure regroupe faim et mal, marqués négativement, avec groupe et fête, marqués positivement. Comment la mieux circonscrire? Il serait peut-être tentant d'y voir l'ébauche de l'attitude protestataire qui sera de plus en plus celle de Zola plus tard et qui se cristallisera un jour dans le «geste» contre-idéologique du fameux «J'accuse». *L'assommoir* porterait-il déjà en inscription ce défi accusateur?

Si le sens est sujet à une certaine dispersion, tout ce qui relève de la forme conçue de façon restreinte, c'est-à-dire des techniques de l'écriture, vise, par contre, à soutenir l'unité du texte, à donner l'idée de sa construction. À ce plan, *L'assommoir* est le lieu d'une expérience remarquable et dont nous allons traiter à part. Nous ne considérons pas pour autant que cette tentative stylistique soit sans lien avec l'idéologie.

III

Sociologie de la littérature

Introduction

par Lucie Robert

La sociologie de la littérature ne constitue pas une approche unique ou homogène. Elle ne présente pas une méthode particulière, ni même un réseau fixe de concepts clés. Ce qu'on appelle «sociologie de la littérature» désigne en fait un ensemble hétérogène de pratiques d'analyse qui ont pour objet l'univers social où est produite l'œuvre littéraire, c'est-à-dire non seulement le milieu où elle est écrite, mais aussi celui où elle est lue et où sa valeur esthétique est reconnue. Parce que son projet dépasse l'analyse interne de l'œuvre, la sociologie de la littérature a partie liée, sur le plan théorique et méthodologique, aux autres disciplines des sciences sociales, en particulier à la sociologie, à l'histoire, à la bibliométrie et aux communications. Elle est donc par nature pluridisciplinaire et elle représente ainsi un lieu d'échange privilégié entre plusieurs domaines du savoir.

1. La littérature en tant qu'objet social

Malgré des divergences parfois profondes entre les diverses approches qui constituent la sociologie de la littérature, on peut relever un certain nombre de postulats communs. Le premier de ces postulats est que le texte littéraire est le résultat non pas d'une «inspiration», mais d'un «travail» réalisé dans un univers social particulier, le plus souvent conflictuel, qui va laisser sa marque sur le texte. Le deuxième postulat est que le texte littéraire n'existe pas seul: d'une part, il est constamment lié à d'autres textes dont il s'inspire et auxquels il répond et, d'autre part, il est soumis à diverses opérations de lecture qui lui donnent sens. Le troisième postulat est que la littérarité n'est pas un caractère inhérent à un texte. En effet, un texte n'est littéraire que s'il est reconnu comme tel, ce qui suppose une série d'interventions visant à conférer à un texte cette valeur esthétique particulière qu'on dit «littéraire».

Aussi les terrains d'investigation sont-ils nombreux et variés. S'agissant des écrivains, on cherche à identifier leur milieu social d'origine, leur formation scolaire et leur cheminement professionnel. Une attention particulière est portée aux alliances qui se forment dans le champ littéraire, c'est-à-dire à ces réseaux que, traditionnellement, on a appelés les «écoles» ou «mouvements» littéraires, mais qu'on retrouve aussi bien dans les troupes de théâtre, les comités de rédaction des revues ou les comités de lecture de certaines maisons d'édition. De même, on étudie ce qui forme l'ensemble de la carrière littéraire, les résultats positifs comme les échecs et leurs conséquences. Les succès de vente, les prix littéraires, l'élection ou la nomination à des académies, associations prestigieuses ou jurys sont des indices de la reconnaissance sociale et de l'importance accordées à tel ou tel écrivain. L'histoire de la signature, comme indice de la propriété littéraire et intellectuelle, et celle des diverses modalités de rémunération de l'écrivain, depuis le mécénat jusqu'au droit d'auteur, constituent d'autres éléments.

La sociologie de la littérature n'étudie pas les œuvres en elles-mêmes. Elle les met en relation avec l'univers social qui les produit et qui les reçoit. Le mode de diffusion du texte littéraire est ainsi d'une importance prioritaire pour la recherche et il varie considérablement dans l'histoire: le feuilleton, la brochure, le livre, l'affiche, le récital de poésie, etc. sont autant de formes qui inscrivent le texte dans un rapport plus ou moins étroit à l'univers marchand et industriel. Le livre comme objet, c'est-à-dire son format, son prix et sa qualité, indique des choix quant au public visé. L'histoire des maisons d'édition, bibliothèques et librairies et l'étude des politiques éditoriales, l'analyse de la diffusion et de la circulation d'un livre de même que les chiffres de vente permettent de découvrir la place faite à la littérature parmi tous les livres produits. On a ainsi appris à distinguer la paralittérature de la littérature, à reconnaître le best-seller, genre pour lequel l'importance accordée au marché détermine des normes particulières d'écriture.

La lecture fait également l'objet de travaux d'envergure qui concernent tant l'identification du public que le contenu de ce qu'on appelle la «réception» d'une œuvre. Qui, en effet, sont les lecteurs, les lectrices? Quelle est leur compétence? Comment lisent-ils? Autant de questions qui tentent de circonscrire la relation entre les lecteurs et telle ou telle œuvre littéraire. Le public n'est toutefois pas une donnée homogène. En fait, on devrait plutôt parler *des* publics lecteurs, identifier celui auquel une œuvre s'adresse spécifiquement et celui qu'elle atteint réellement (et qui ne sont pas toujours identiques). De même, on étudie les moyens qui sont mis en place pour faciliter ou restreindre l'accès au livre: des campagnes d'alphabétisation jusqu'à la censure. Parmi ces publics, un fait l'objet d'études particulières. Il s'agit de la critique, c'est-à-dire d'un public spécialisé qui est lui-même concerné par la production littéraire, public hybride puisqu'il est à la fois écrivain et lecteur quoique professionnel. On étudiera ici tant la provenance de la critique (qui? pour quel journal?) que les valeurs que cette critique véhicule.

Dans ces travaux sur la réception littéraire, on distingue la réception immédiate, celle qui accompagne la parution d'un livre, et la réception à long terme (études savantes, enseignement littéraire, rééditions) qui représente autant de procédures de «canonisation», c'est-à-dire de procédures par lesquelles certains textes littéraires seront intégrés à un corpus qu'on dit précisément «canonique» et qui forme *LA* littérature telle qu'on la conçoit couramment, c'est-à-dire telle que nous avons appris à la concevoir à l'école et telle que nous la présentent les journaux, les bibliothèques, les librairies, etc. «La littérature, écrivait Roland Barthes dans une phrase lapidaire, c'est ce qui s'enseigne» et, ajoutait-il, ce n'est que cela. Cela signifie que n'est littéraire que le texte reconnu comme tel et, par conséquent, que la littérature est «une valeur transitive», c'est-à-dire non pas une caractéristique interne du texte, mais quelque chose qui lui est accordé de l'extérieur, en fonction de critères qui varient selon les lieux et les époques.

La remarque de Roland Barthes nous entraîne ainsi spécifiquement à analyser le rôle de l'école dans la transmission d'un savoir sur la littérature, rôle doublement important en ce qu'il agit, d'une part, dans la formation d'un public averti (qui connaît les grandes œuvres de la littérature nationale et sait les interpréter adéquatement) et, d'autre part, dans l'apprentissage des normes qui régissent l'écriture littéraire (la rhétorique, les «genres» littéraires majeurs et mineurs, le «style», etc.). L'histoire de la formation littéraire a, par ailleurs, mis en évidence les liens étroits qui unissent la littérature et les valeurs humanistes des programmes d'enseignement, de même que le rôle de la littérature dans l'apprentissage de la langue.

2. Trois approches théoriques

On le voit, le champ couvert par la sociologie de la littérature est vaste, mais défini par la volonté de comprendre ce qu'est la littérature en tant qu'objet social. On peut toutefois rassembler en trois approches théoriques principales les divers travaux qui ont été réalisés dans ce but: la sociologie du livre et de la lecture, la sociologie du champ littéraire et l'analyse institutionnelle.

a) La sociologie du livre et de la lecture

Les travaux de Robert Escarpit, en France, dans les années soixante, marquent en quelque sorte la naissance de la sociologie de la littérature. Cela ne signifie pas que personne avant lui n'avait considéré la place de la littérature sur le marché du livre — après tout, ce problème est de ceux qui se posent de façon quotidienne aux éditeurs et aux libraires —, mais signifie simplement qu'avant lui ces questions n'avaient pas fait l'objet de recherches universitaires d'envergure.

Parti du double constat, résultat de plusieurs enquêtes, selon lequel a) les ouvrages les plus lus étaient aussi les plus enseignés et b) plus un lecteur était scolarisé, plus «littéraires» allaient être ses lectures (et vice versa), Escarpit en est venu à mettre en cause le caractère universel de la littérature et à reprendre cette question simple, mais fondamentale, que Jean-Paul Sartre avait déjà posée dans un autre contexte: qu'est-ce que la littérature? Sans prétendre épuiser les réponses possibles, il a, dans ses travaux subséquents, montré comment la littérature ne pouvait être considérée en dehors d'une sociologie du livre et de la lecture, selon le principe qu'il n'est de littérature que publiée et lue.

Les travaux subséquents d'Escarpit et de ceux qui s'en inspirent ont élargi la problématique initiale, l'orientant dans plusieurs directions. Certains de ces travaux ont abandonné l'idée d'une spécificité littéraire et se sont dirigés vers l'étude des habitudes de lecture d'un public donné (quelles que soient ces lectures), vers l'histoire du livre et de l'édition, ou encore vers une nouvelle discipline qu'on appelle la «bibliologie», qui désigne la science du livre et, plus largement, de la communication écrite sous toutes ses formes. Ce type d'approche se trouve encore dans une sociologie ou une économie de ce qu'on nomme les «industries culturelles». En revanche, d'autres travaux portent précisément sur la frontière entre le littéraire et le non-littéraire. On s'intéresse alors à une histoire de l'édition spécifiquement littéraire (et de sa relation à l'ensemble de l'appareil éditorial) ou encore à ces deux phénomènes qui situent cette même frontière à la fois dans les chiffres de vente et dans l'écriture: le best-seller et la paralittérature.

b) La sociologie du champ littéraire

Élaborée par Pierre Bourdieu, dans le cours de ses recherches sur les intellectuels, la sociologie du champ littéraire
repose sur la reconnaissance d'un espace social relativement
autonome. «Champ» est ici le terme clé pour désigner cet espace dans lequel s'exercent les diverses pratiques reliées à la
littérature. Trois types de travaux, correspondant aux trois
plans de la réalité sociale inscrite dans ce concept de champ,
analysent 1) l'histoire et la position actuelle du champ littéraire
dans l'ensemble du champ intellectuel et, plus largement,
dans l'ensemble du champ du pouvoir; 2) la structure interne
du champ littéraire, c'est-à-dire l'ensemble des positions
conflictuelles qui le constituent de même que ses lois propres
de fonctionnement et de transformation; et 3) les habitus qui
donnent naissance à ces diverses positions. «Habitus» est le
second terme clé de cette sociologie. Il désigne les dispositions issues de l'héritage familial, de la formation scolaire ou
d'un cheminement professionnel, dispositions qui déterminent l'«ensemble des possibles» pour un individu donné et
qui s'actualisent dans une position précise du champ littéraire.

La sociologie du champ littéraire est ainsi fondée sur
une lecture du social où les actions d'un individu sont déterminées par ce qui, dans son histoire personnelle, constitue un
habitus, lequel s'incarne dans une position particulière. Elle
donne ainsi naissance à une nouvelle forme d'études biographiques où la vie d'un écrivain est conçue comme une trajectoire individuelle, c'est-à-dire la suite des positions qu'il a
occupées dans l'ensemble du champ littéraire. De plus, cette
sociologie considère l'écriture comme une intervention polémique et postule qu'il existe une correspondance entre la position sociale et la forme littéraire. L'«originalité» d'un texte
est ainsi la marque d'un écart par rapport aux positions traditionnelles du champ et signale tant le besoin de nouveauté
que la nécessité de se distinguer (et donc d'être, en retour,
distingué parmi les autres). Par ailleurs, ces travaux tendent à
regrouper ces diverses positions possibles dans deux sphères:
la sphère de production restreinte, où la littérature est desti-

née aux autres écrivains, et la sphère de production élargie, où la littérature est destinée à ce qu'on appelle généralement le «grand» public. L'importance relative de la sphère de production restreinte est le principal indice du degré d'autonomie du champ littéraire dans une société donnée. Autrement dit, plus le public est restreint, plus autonome (dans le langage courant, on dirait «plus pure») est la littérature.

Dans l'ensemble des études littéraires, l'émergence d'une telle approche a eu comme effet premier de désacraliser tant la littérature que le travail de l'écrivain en leur rendant leur dimension historique. Elle a eu pour effet également de remettre les pratiques sociales, c'est-à-dire les actions des individus et des groupes, au premier plan de la recherche et, dans ses plus récents développements, d'établir des ponts entre l'analyse sociologique et certaines formes d'analyse textuelle, telles la poétique de l'énonciation et la poétique des genres.

c) L'analyse institutionnelle

À l'origine, telle que la pratique notamment Jacques Dubois dans son livre *L'institution de la littérature* (1978), l'analyse institutionnelle a souvent été confondue avec la sociologie du champ littéraire. Aux yeux de plusieurs, en effet, les concepts de «champ» et d'«institution» paraissent interchangeables et l'on trouve encore fréquemment l'expression «institution littéraire» pour désigner l'espace dans lequel sont réalisées les pratiques reliées à la littérature. Dans d'autres écrits, c'est le caractère normatif de l'institution qui apparaît d'abord. L'institution alors désigne l'ensemble des positions qui exercent un pouvoir sur l'écriture: l'édition, l'enseignement, les jurys de prix et bourses et la critique. Ceux et celles qui pratiquent des écritures plus modernes ont même appliqué cette idée à l'ensemble de la tradition littéraire et conclu que l'institution, c'est la Littérature, en tant qu'elle impose une norme traditionnelle, et que, à cette Littérature, il faut opposer l'Écriture, comme pratique déconstructive.

C'est en effet ce caractère normatif que le concept d'«institution» met le mieux en évidence et c'est en tout premier lieu ce qui distingue l'analyse institutionnelle de la sociologie du champ littéraire. Si l'on parle parfois de la littérature comme d'un code ou d'une norme, c'est en réalité sous une forme préjuridique que la littérature, en tant qu'institution sociale, se présente. Cette forme, c'est la «tradition» que l'on trouve inscrite partout, dans les programmes d'enseignement, dans les jugements de la critique littéraire, dans la loi sur le droit d'auteur et l'ensemble des clauses qui concernent le plagiat et la contrefaçon, ainsi que les politiques culturelles qu'énoncent les gouvernements.

En ce sens, l'institution est en effet la littérature elle-même. En tant qu'institution sociale, la littérature ne saurait désigner les pratiques sociales et encore moins les diverses positions qui forment le champ littéraire. Cependant, elle cristallise ces pratiques, ces conflits en une forme destinée non pas à les effacer, mais à en assurer la régulation, c'est-à-dire à les autoriser dans un certain cadre déterminé d'avance. Elle constitue ainsi l'unité du champ littéraire qu'elle représente dans son autonomie la plus pure et la plus absolue. Les travaux qui relèvent de cette approche vont davantage étudier ce qui, à un moment de l'histoire, fait consensus et ce qui ne le fait pas. La critique, l'enseignement, les manuels de littérature, la rhétorique, les politiques gouvernementales et tous les autres énoncés qui, de près ou de loin, manifestent ce caractère normatif deviennent les objets d'analyse privilégiés. De même, les modalités qui assurent une certaine permanence à ce consensus sont étudiées et, en tout premier lieu, la constitution de la littérature en discipline dans le champ du savoir.

Au terme de ces travaux, il apparaît que la littérature est un objet d'élite dont l'accès est tout aussi difficile au public moyen que l'accès aux musées et aux universités. Il apparaît également que la littérature est un des lieux où s'exerce la plus forte résistance à la logique marchande, tant sont évidentes les stratégies visant d'abord et avant tout une reconnaissance symbolique. L'arme est à double tranchant, puisque cette logique marchande de type libéral est une des principales façons dont s'affirme de nos jours la véritable démocratie. C'est la découverte de cette contradiction qui, d'une certaine manière, a donné son élan à la sociologie de la littérature et c'est l'espoir d'un jour la résoudre qui la maintient aussi riche et productive.

Bibliographie sommaire

1. Sociologie du livre et de la lecture

ESCARPIT, Robert, *Le littéraire et le social*, Paris, Flammarion, coll. «Champs», 1970.

GROUPE DE RECHERCHE SUR L'ÉDITION LITTÉRAIRE AU QUÉBEC (sous la direction de Jacques MICHON), *Études sur l'édition*, Sherbrooke, Ex libris, 4 vol. parus: *L'édition littéraire au Québec de 1940 à 1960*, 1985; *L'édition du livre populaire*, 1988; *L'édition de poésie*, 1989; *Éditeurs transatlantiques*, 1991.

LEENHARDT, Jacques et Pierre JOSZA, *Lire la lecture. Essai de sociologie de la lecture*, Paris, Le Sycomore, 1982.

MARTIN, Henri-Jean et Roger CHARTIER avec la collaboration de Jean-Pierre VIVET, *Histoire de l'édition française*, Paris, Promodis, 1982-1986, 4 vol.

SAINT-JACQUES, Denis, Jacques LEMIEUX et Claude MARTIN, *Les best-sellers au Québec*, Québec, Nuit blanche éditeur, 1993.

2. Sociologie du champ littéraire

BEAUDET, Marie-Andrée, *Langue et littérature au Québec, 1895-1914. L'impact de la situation linguistique sur la formation du champ littéraire, essai*, Montréal, l'Hexagone, coll. «Essais littéraires», 1991.

BOSCHETTI, Anna, *Sartre et «Les Temps modernes». Une entreprise intellectuelle*, Paris, Éditions de Minuit, coll. «Le sens commun», 1985.

BOURDIEU, Pierre, *Questions de sociologie*, Paris, Éditions de Minuit, coll. «Le sens commun», 1980.

—, *Les règles de l'art. Genèse et structure du champ littéraire*, Paris, Éditions du Seuil, coll. «Libre examen», 1992.

MILOT, Pierre, *Le paradigme rouge. L'avant-garde politico-littéraire des années soixante-dix*, Montréal, Les Éditions Balzac, coll. «Littératures à l'essai», 1992.

VIALA, Alain, *Naissance de l'écrivain. Sociologie de la littérature à l'âge classique*, Paris, Éditions de Minuit, coll. «Le sens commun», 1983.

3. Analyse institutionnelle

BALIBAR, Renée, *L'institution du français. Essai sur le colinguisme des Carolingiens à la République*, Paris, PUF, coll. «Pratiques théoriques», 1985.

DUBOIS, Jacques, *L'institution de la littérature. Introduction à une sociologie*, Bruxelles, Fernand Nathan - Éditions Labor, coll. «Dossiers Media», 1978.

LEMIRE, Maurice (dir.), *L'institution littéraire*, Québec, Institut québécois de recherche sur la culture, 1986.

ROBERT, Lucie, *L'institution du littéraire au Québec*, Sainte-Foy, Presses de l'Université Laval, coll. «Vie des lettres québécoises», n° 29, 1989.

Mais qui a créé les créateurs?*

par Pierre Bourdieu

La sociologie et l'art ne font pas bon ménage. Cela tient à l'art et aux artistes qui supportent mal tout ce qui attente à l'idée qu'ils ont d'eux-mêmes: l'univers de l'art est un univers de croyance, croyance dans le don, dans l'unicité du créateur incréé, et l'irruption du sociologue, qui veut comprendre, expliquer, rendre raison, fait scandale. Désenchantement, réductionnisme, en un mot grossièreté ou, ce qui revient au même, sacrilège: le sociologue est celui qui, comme Voltaire avait chassé les rois de l'histoire, veut chasser les artistes de l'histoire de l'art. Mais cela tient aussi aux sociologues qui se sont ingéniés à confirmer les idées reçues concernant la sociologie et, tout particulièrement, la sociologie de l'art et de la littérature.

Première idée reçue: la sociologie peut rendre compte de la consommation culturelle mais non de la production. La plupart des exposés généraux sur la sociologie des œuvres culturelles acceptent cette distinction, qui est purement sociale: elle tend en effet à réserver pour l'œuvre d'art et le «créateur» incréé un espace séparé, sacré, et un traitement privilégié, abandonnant à la sociologie les consommateurs, c'est-à-dire l'aspect inférieur, voire refoulé (en particulier dans sa dimension économique) de la vie intellectuelle et ar-

---

* Extrait de: *Questions de sociologie*, Paris, Minuit, 1984.

tistique. Et les recherches visant à déterminer les facteurs sociaux des pratiques culturelles (fréquentation des musées, des théâtres ou des concerts, etc.) donnent une apparente confirmation à cette distinction, qui ne repose sur aucun fondement théorique: en effet, comme j'essaierai de le montrer, on ne peut comprendre la production elle-même dans ce qu'elle a de plus spécifique, c'est-à-dire en tant que production de valeur (et de croyance), que si l'on prend en compte simultanément l'espace des producteurs et l'espace des consommateurs.

Deuxième idée reçue: la sociologie — et son instrument de prédilection, la statistique — minore et écrase, nivelle et réduit la création artistique; elle met sur le même plan les grands et les petits, laissant en tout cas échapper ce qui fait le génie des plus grands. Là encore et sans doute plus nettement, les sociologues ont plutôt donné raison à leurs critiques. Je passe sans insister sur la statistique littéraire qui, tant par les insuffisances de ses méthodes que par la pauvreté de ses résultats, confirme, et de manière dramatique, les vues les plus pessimistes des gardiens du temple littéraire. J'évoquerai à peine la tradition de Lukács et Goldmann, qui s'efforce de mettre en relation le contenu de l'œuvre littéraire et les caractéristiques sociales de la classe ou de la fraction de classe qui est censée en être le destinataire privilégié. Cette approche qui, dans ses formes les plus caricaturales, subordonne l'écrivain ou l'artiste aux contraintes d'un milieu ou aux demandes directes d'une clientèle, succombe à un finalisme ou un fonctionnalisme naïf, déduisant directement l'œuvre de la fonction qui lui serait socialement assignée. Par une sorte de *court-circuit,* elle fait disparaître la logique propre de l'espace de production artistique.

En fait, sur ce point encore, les «croyants» ont tout à fait raison contre la sociologie réductrice lorsqu'ils rappellent l'autonomie de l'artiste et, en particulier, l'autonomie qui résulte de l'histoire propre de l'art. Il est vrai que, comme dit Malraux, «l'art imite l'art» et que l'on ne peut rendre raison des œuvres à partir de la seule demande, c'est-à-dire des attentes esthétiques et éthiques des différentes fractions de la clientèle. Ce qui ne signifie pas que l'on soit renvoyé à l'*histoire interne de l'art*, seul complément autorisé de la *lecture interne de l'œuvre d'art*.

La sociologie de l'art et de la littérature en sa forme ordinaire oublie en effet l'essentiel, c'est-à-dire cet univers social, doté de ses propres traditions, de ses propres lois de fonctionnement et de recrutement, donc de sa propre histoire, qu'est l'univers de la production artistique. L'autonomie de l'art et de l'artiste, que la tradition hagiographique accepte comme allant de soi, au nom de l'idéologie de l'œuvre d'art comme «création» et de l'artiste comme créateur incréé, n'est pas autre chose que l'autonomie (relative) de cet espace de jeu que j'appelle un *champ,* autonomie qui s'institue peu à peu, et sous certaines conditions, au cours de l'histoire. L'objet propre de la sociologie des œuvres culturelles n'est ni l'artiste singulier (ou tel ou tel ensemble purement *statistique* d'artistes singuliers), ni la relation entre l'artiste (ou, ce qui revient au même, l'école artistique) et tel ou tel groupe social conçu soit comme cause efficiente et principe déterminant des contenus et des formes d'expressions, soit comme cause finale de la production artistique, c'est-à-dire comme demande, l'histoire des contenus et des formes étant rattachée *directement* à l'histoire des groupes dominants et de leurs luttes pour la domination. Selon moi, la sociologie des œuvres culturelles doit prendre pour objet l'ensemble des relations (objectives et aussi effectuées sous forme d'interactions) *entre l'artiste et les autres artistes,* et, au-delà, l'ensemble des agents engagés dans la production de l'œuvre ou, du moins, de la *valeur sociale* de l'œuvre (critiques, directeurs de galeries, mécènes, etc.). Elle s'oppose à la fois à une description positiviste des caractéristiques sociales des producteurs (éducation familiale, scolaire, etc.) et à une sociologie de la réception qui, comme le fait Antal pour l'art italien des xɪvᵉ et xvᵉ siècles, rapporterait directement les œuvres à la conception de la vie des différentes fractions du public des mécènes, c'est-à-dire à «la société considérée dans sa capacité de réception par rapport à l'art». En fait, la plupart du temps, ces deux perspectives se confondent comme si l'on supposait que les artistes sont prédisposés par leur origine sociale à pressentir et à satisfaire une certaine demande sociale (il est remarquable que, dans cette logique, l'analyse du *contenu* des œuvres prime — c'est vrai même chez Antal — l'analyse de la *forme,* c'est-à-dire ce qui appartient *en propre* au producteur).

Pour la beauté de la chose, je voudrais indiquer que l'effet de court-circuit ne se rencontre pas seulement chez les têtes de Turc attitrées des défenseurs de l'esthétique pure, comme le pauvre Hauser, ou même chez un marxiste aussi soucieux de distinction que Adorno (lorsqu'il parle de Heidegger), mais chez un de ceux qui se sont le plus attachés à dénoncer le «sociologisme vulgaire» et le «matérialisme déterministe», Umberto Eco. En effet, dans *L'œuvre ouverte,* il met directement en relation (sans doute au nom de l'idée qu'il existe une unité de toutes les œuvres culturelles d'une époque) les propriétés qu'il attribue à l'«œuvre ouverte», comme la plurivocité revendiquée, l'imprévisibilité voulue, etc., et les propriétés du monde tel que le présente la science, cela au prix d'analogies sauvages, dont on ignore le fondement.

Rompant avec ces différentes manières d'ignorer la *production* elle-même, la sociologie des œuvres telle que je la conçois prend pour objet le champ de production culturelle et, inséparablement, la relation entre le champ de production et le champ des consommateurs. Les déterminismes sociaux dont l'œuvre d'art porte la trace s'exercent d'une part à travers l'habitus du producteur, renvoyant ainsi aux conditions sociales de sa production en tant que sujet social (famille, etc.) et en tant que producteur (école, contacts professionnels, etc.), et d'autre part à travers les demandes et les contraintes sociales qui sont inscrites dans la position qu'il occupe dans un certain champ (plus ou moins autonome) de production. Ce que l'on appelle la «création» est la rencontre entre un habitus socialement constitué et une certaine position déjà instituée ou *possible* dans la division du travail de production culturelle (et, par surcroît, au second degré, dans la division du travail de domination); le travail par lequel l'artiste fait son œuvre et se fait, inséparablement, comme artiste (et, lorsque cela fait partie de la demande du champ, comme artiste original, singulier) peut être décrit comme la relation dialectique entre son poste qui, souvent, lui préexiste et lui survit (avec des obligations, par exemple la «vie d'artiste», des attributs, des traditions, des modes d'expression, etc.) et son habitus qui le prédispose plus ou moins totalement à occuper ce poste ou — ce qui peut être un des préréquisits inscrits dans le poste — à le transformer plus ou moins complètement. Bref, l'habitus du producteur n'est jamais complètement le produit du poste (sauf peut-être dans certaines traditions artisanales où formation familiale, donc conditionnements sociaux originaires de classe, et formation professionnelle sont complètement confondues). Et inversement, on ne peut jamais aller directement des caractéristiques sociales du producteur — origine sociale — aux caractéristiques de son produit: les dispositions liées à une origine sociale déterminée — plébéienne ou bourgeoise — peuvent s'exprimer sous des formes très différentes, tout en conservant un air de famille, dans des champs différents. Il suffit de comparer par exemple les deux couples parallèles du plébéien et du patricien, Rousseau-Voltaire et Dostoïevski-Tolstoï. Si le poste fait l'habitus (plus ou moins complètement), l'habitus qui est d'avance (plus ou moins complètement) fait au poste (du fait des mécanismes déterminant la vocation et la cooptation) et fait pour le poste, contribue à *faire* le poste. Et cela sans doute d'autant plus que la distance est plus grande entre ses conditions sociales de production et les exigences sociales inscrites dans le poste et plus grande aussi la marge de liberté et de novation implicitement ou explicitement inscrite dans le poste. Il y a ceux qui sont faits pour s'emparer des positions faites et ceux qui sont faits pour faire de nouvelles positions. En rendre raison demanderait une trop longue analyse et je voudrais indiquer seulement que c'est surtout lorsqu'il s'agit de comprendre les révolutions intellectuelles ou artistiques qu'il faut avoir à l'esprit que l'autonomie du champ de production est une autonomie partielle, qui n'exclut pas la dépendance: les révolutions spécifiques, qui bouleversent les rapports de force au sein d'un champ, ne sont possibles que dans la mesure où ceux qui importent de nouvelles dispositions et qui veulent imposer de nouvelles positions, trouvent par exemple un soutien hors du champ, dans les publics nouveaux dont ils expriment et produisent à la fois les demandes.

Ainsi le sujet de l'œuvre d'art n'est ni un artiste singulier, cause apparente, ni un groupe social (la grande bourgeoisie bancaire et commerciale qui, dans la Florence du Quattrocento, arrive au pouvoir, chez Antal, ou la noblesse de robe chez Goldmann), mais *le champ de production artistique dans son ensemble* (qui entretient une relation d'économie relative, plus ou moins grande selon les époques et les sociétés, avec les groupes où se recrutent les consommateurs de ses produits, c'est-à-dire les différentes fractions de la classe dirigeante). La sociologie ou l'histoire sociale ne peut rien comprendre à l'œuvre d'art, et surtout pas ce qui en fait la *singularité*, lorsqu'elle prend pour objet un auteur et une œuvre à l'état isolé. En fait, tous les travaux consacrés à un auteur isolé qui veulent dépasser l'hagiographie et l'anecdote sont amenés à considérer le champ de production dans son ensemble, mais faute de se donner cette construction comme *projet explicite*, ils le font en général de manière très imparfaite et partielle. Et, contrairement à ce qu'on pourrait croire, l'analyse statistique ne fait pas mieux puisque, en regroupant les auteurs par grandes classes préconstruites (écoles, générations, genres, etc.), elle détruit toutes les différences pertinentes faute d'une analyse préalable de la structure du champ qui lui ferait apercevoir que certaines positions (en particulier les positions *dominantes*, comme celle qu'a occupée Sartre dans le champ intellectuel français entre 1945 et 1960) peuvent être *à une seule place* et que les classes correspondantes peuvent ne contenir qu'une seule personne, défiant ainsi la statistique.

Le sujet de l'œuvre, c'est donc un habitus en relation avec un poste, c'est-à-dire avec un champ. Pour le montrer et, je crois, le démontrer, il faudrait reprendre ici les analyses que j'ai consacrées à Flaubert et où j'ai essayé de faire voir comment la vérité du projet flaubertien, que Sartre cherche *désespérément* (et interminablement) dans la biographie singulière de Flaubert, est inscrite, hors de l'individu Flaubert,

dans la relation objective entre, d'une part, un habitus fa-
çonné dans certaines conditions sociales (définies par la position «neutre» des professions libérales, des «capacités», dans
la classe dominante et aussi par la position que l'enfant Gustave occupe dans la famille en fonction de son rang de naissance et de sa relation au système scolaire) et, d'autre part,
une position déterminée dans le champ de production littéraire, lui-même situé dans une position déterminée au sein
du champ de la classe dominante.

Je précise un peu; Flaubert, en tant que défenseur de
l'art pour l'art, occupe dans le champ de production littéraire
une position *neutre*, définie par une double relation négative
(vécue comme un double refus), à l'«art social» d'une part, à
l'«art bourgeois» d'autre part. Ce champ, lui-même globalement situé dans une position *dominée* à l'intérieur du champ
de la classe dominante (d'où les dénonciations du «bourgeois» et le rêve récurrent du «mandarinat» sur lequel s'accordent en général les artistes du temps), s'organise ainsi selon une structure *homologue* de celle de la classe dominante
dans son ensemble (cette homologie étant le principe, on le
verra, d'un ajustement *automatique*, et non cyniquement re-
cherché, des produits aux différentes catégories de consommateurs). Il faudrait prolonger. Mais on voit d'emblée que, à
partir d'une telle analyse, on *comprend* la logique de certaines
des propriétés les plus fondamentales du *style* de Flaubert: je
pense par exemple au discours indirect libre, que Bakhtine
interprète comme la marque d'une relation ambivalente à
l'égard des groupes dont il rapporte les propos, d'une sorte
d'hésitation entre la tentation de s'identifier à eux et le souci
de tenir ses distances; je pense aussi à la structure chiasma-
tique qui se retrouve obsessionnellement dans les romans et,
plus clairement encore, dans les projets, et où Flaubert exprime, sous *une forme transformée et déniée*, la double relation
de double négation qui, en tant qu'«artiste», l'oppose à la fois
au «bourgeois» et au «peuple» et, en tant qu'artiste «pur», le
dresse contre l'«art bourgeois» et l'«art social». Ayant ainsi
construit le poste, c'est-à-dire la position de Flaubert dans la
division du travail littéraire (et, du même coup, dans la divi-

sion du travail de domination), on peut encore se retourner sur les conditions sociales de production de l'habitus et se demander ce que devait être Flaubert pour occuper et produire (inséparablement) le poste «art pour l'art» et *créer* la position Flaubert. On peut essayer de déterminer quels sont les traits pertinents des conditions sociales de production de Gustave (par exemple la position d'«idiot de la famille», bien analysée par Sartre) qui permettent de comprendre qu'il ait pu tenir et produire le poste de Flaubert.

À l'encontre de ce que laisse croire la représentation fonctionnaliste, l'ajustement de la production à la consommation résulte pour l'essentiel de l'homologie structurale entre l'espace de production (le champ artistique) et le champ des consommateurs (c'est-à-dire le champ de la classe dominante): les divisions internes du champ de production se reproduisent dans une offre automatiquement (et aussi pour une part consciemment) différenciée qui va au-devant des demandes automatiquement (et aussi consciemment) différenciées des différentes catégories de consommateurs. Ainsi, en dehors de toute recherche de l'ajustement et de toute subordination directe à une demande expressément formulée (dans la logique de la *commande* ou du mécénat), chaque classe de clients peut trouver des produits à son goût et chacune des classes de producteurs a des chances de rencontrer, au moins à terme (c'est-à-dire, parfois, à titre posthume), des consommateurs pour ses produits.

En fait, la plupart des actes de production fonctionnent selon la logique du *coup double*: lorsqu'un producteur, par exemple le critique théâtral du *Figaro*, produit des produits ajustés au goût de son public (ce qui est presque toujours le cas, il le dit lui-même), ce n'est pas — on peut l'en croire quand il l'affirme — qu'il ait jamais cherché à flatter le goût de ses lecteurs ou qu'il ait obéi à des consignes esthétiques ou politiques, à des rappels à l'ordre de la part de son directeur, de ses lecteurs ou du gouvernement (autant de choses que présupposent des formules comme «valet du capitalisme» ou «porte-parole de la bourgeoisie» dont les théories ordinaires sont des formes plus ou moins savamment euphémisées). En fait, ayant choisi, parce qu'il s'y trouvait bien, le *Figaro*, qui l'avait choisi, parce qu'il le trouvait bien, il n'a qu'à s'abandonner, comme on dit, à son goût (qui, en matière de théâtre, a des implications politiques évidentes), ou mieux à ses dégoûts — le goût étant presque toujours le dégoût du goût des autres —, à l'horreur qu'il éprouve pour les pièces que son partenaire-concurrent, le critique du *Nouvel Observateur*, ne manquera pas de trouver à son goût, et il le sait, pour rencontrer, comme par miracle, le goût de ses lecteurs (qui sont aux lecteurs du *Nouvel Observateur* ce qu'il est lui-même au critique de ce journal). Et il leur apportera par surcroît quelque chose qui incombe au professionnel, c'est-à-dire une riposte d'intellectuel à un autre intellectuel, une critique, rassurante pour les «bourgeois», des arguments hautement sophistiqués par lesquels les intellectuels justifient leur goût de l'avant-garde.

La correspondance qui s'établit *objectivement* entre le producteur (artiste, critique, journaliste, philosophe, etc.) et son public n'est évidemment pas le produit d'une recherche consciente de l'ajustement, de transactions conscientes et intéressées et de concessions calculées aux demandes du public. On ne comprend rien d'une œuvre d'art, s'agirait-il de son contenu informatif, de ses thèmes, de ses thèses, de ce que l'on appelle d'un mot vague son «idéologie», en la rapportant directement à un groupe. En fait, cette relation ne s'accomplit que par surcroît et comme par mégarde, au travers de la relation qu'en fonction de sa position dans l'espace des positions constitutives du champ de production, un producteur entretient avec l'espace des prises de position esthétiques et éthiques qui, étant donné l'histoire relativement autonome du champ artistique, sont effectivement possibles à un moment donné du temps. Cet espace des prises de position, qui est le produit de l'accumulation historique, est le système de références commun par rapport auquel se trouvent définis, objectivement, tous ceux qui entrent dans le champ. Ce qui fait l'unité d'une époque, c'est moins une culture commune que la *problématique* commune qui n'est autre chose que l'ensemble des prises de position attachées à l'ensemble des positions marquées dans le champ. Il n'y a pas d'autre critère de l'existence d'un intellectuel, d'un artiste ou d'une école que sa capacité de se faire reconnaître comme le tenant d'une position dans le champ, position par rapport à laquelle les autres ont à se situer, à se définir, et la *problématique* du temps n'est pas autre chose que l'ensemble de ces *relations* de position à position et, inséparablement, de prise de position à prise de position. Concrètement, cela signifie que l'apparition d'un artiste, d'une école, d'un parti ou d'un mouvement au titre de position constitutive d'un champ (artistique, politique ou autre) se marque au fait que son existence «pose, comme on dit, des problèmes» aux occupants des autres positions, que les thèses qu'il affirme deviennent un enjeu de luttes, qu'elles fournissent l'un des termes des grandes oppositions autour desquelles s'organise la lutte et qui servent à penser cette lutte (par exemple, droite/gauche, clair/obscur, scientisme/antiscientisme, etc.).

C'est dire que l'objet propre d'une science de l'art, de la littérature ou de la philosophie ne peut être autre chose que l'ensemble des deux espaces inséparables, l'espace des produits et l'espace des producteurs (artistes ou écrivains, mais aussi critiques, éditeurs, etc.), qui sont comme deux traductions de la même phrase. Ceci contre l'autonomisation des œuvres, qui est aussi injustifiable théoriquement que pratiquement. Faire par exemple l'analyse sociologique d'un discours en s'en tenant à l'œuvre même, c'est s'interdire le mouvement qui conduit, dans un va-et-vient incessant, des traits thématiques ou stylistiques de l'œuvre où se trahit la position sociale du producteur (ses intérêts, ses phantasmes sociaux, etc.) aux caractéristiques de la position sociale du producteur où s'annoncent ses «partis» stylistiques, et inversement. Bref, c'est à condition de dépasser l'opposition entre l'analyse (linguistique ou autre) interne et l'analyse externe que l'on peut comprendre complètement les propriétés les plus proprement «internes» de l'œuvre.

Mais il faut aussi dépasser l'alternative scolastique de la structure et de l'histoire. La problématique qui se trouve instituée dans le champ sous la forme d'auteurs et d'œuvres phares, sortes de repères par rapport auxquels tous les autres font le point, est de part en part histoire. La réaction contre le passé, qui fait l'histoire, est aussi ce qui fait l'historicité du présent, négativement défini par ce qu'il nie. Autrement dit, le refus qui est au principe du changement, suppose et pose, et rappelle par là au présent, en s'opposant à lui, cela même à quoi il s'oppose: la réaction contre le romantisme antiscientifique et individualiste, qui porte les Parnassiens à valoriser la science et à en intégrer les acquis dans leur œuvre, les porte à trouver dans le *Génie des religions* de Quinet (ou dans l'œuvre de Burnouf, restaurateur des épopées mythiques de l'Inde), l'antithèse et l'antidote du *Génie du christianisme* — comme elle les incline au culte de la Grèce, antithèse du Moyen Âge, et symbole de la forme parfaite par où, à leurs yeux, la poésie s'apparente à la science.

Je suis tenté d'ouvrir ici une parenthèse. Pour rappeler à la réalité les historiens des idées qui croient que ce qui circule dans le champ intellectuel, et en particulier entre les intellectuels et les artistes, ce sont des *idées,* je rappellerai simplement que les Parnassiens rattachaient la Grèce non seulement à l'idée de forme parfaite, exaltée par Gautier, mais aussi à l'idée d'*harmonie,* qui est tout à fait dans l'air du temps: on la retrouve en effet dans les théories des réformateurs sociaux, comme Fourier. Ce qui circule dans un champ et en particulier entre les spécialistes d'arts différents, ce sont des stéréotypes plus ou moins polémiques et réducteurs (avec lesquels les producteurs ont à compter), des titres d'ouvrages dont tout le monde parle — par exemple *Romances sans paroles,* titre de Verlaine emprunté à Mendelssohn —, des mots à la mode et les idées mal définies qu'ils véhiculent — comme le mot de «saturnien», ou le thème des *Fêtes galantes,* lancé par les Goncourt. Bref, on pourrait se demander si ce qui est commun à tous les producteurs de biens culturels d'une époque, ce n'est pas cette sorte de *vulgate distinguée,* cet ensemble de lieux communs chics que la cohorte des essayistes, des critiques, des journalistes semi-intellectuels produit et colporte, et qui est inséparable d'un style et d'une humeur. Cette vulgate qui est évidemment ce qu'il y a de plus «mode», donc de plus daté, de plus périssable, dans la production d'une époque, est sans doute aussi ce qu'il y a de plus commun à l'ensemble des producteurs culturels.

Je reviens à l'exemple de Quinet qui fait voir une des propriétés les plus importantes de tout champ de production, à savoir la présence permanente du passé du champ, sans cesse rappelé à travers les ruptures mêmes qui le renvoient au passé et qui, comme les évocations directes, références, allusions, etc., sont autant de clins d'œil adressés aux autres producteurs et aux consommateurs qui se définissent comme consommateurs légitimes en se montrant capables de les repérer. Le *Génie des religions* se pose en s'opposant au *Génie du christianisme*. La distinction, qui renvoie le passé au passé, le suppose et le perpétue, dans l'écart même par rapport à lui. Une des propriétés les plus fondamentales des champs de production culturelle réside précisément dans le fait que les actes qui s'y accomplissent et les produits qui s'y produisent enferment la référence pratique (parfois explicite) à l'histoire du champ. Par exemple, ce qui sépare les écrits de Jünger ou Spengler sur la technique, le temps ou l'histoire de ce que Heidegger écrit sur les mêmes sujets, c'est le fait que, en se situant dans la problématique philosophique, c'est-à-dire dans le champ philosophique, Heidegger réintroduit la totalité de l'histoire de la philosophie dont cette problématique est l'aboutissement. Et de même, Luc Boltanski a montré que la construction d'un champ de la bande dessinée s'accompagne du développement d'un corps d'historiographes et, simultanément, de l'apparition d'œuvres enfermant la référence «érudite» à l'histoire du genre. On pourrait faire la même démonstration à propos de l'histoire du cinéma.

Il est vrai que «l'art imite l'art», ou, plus exactement que l'art naît de l'art, c'est-à-dire le plus souvent de l'art auquel il s'oppose. Et l'autonomie de l'artiste trouve son fondement non dans le miracle de son génie créateur mais dans le produit social de l'histoire sociale d'un champ relativement autonome, méthodes, techniques, langages, etc. C'est l'histoire qui en définissant les moyens et les limites du pensable fait que ce qui se passe dans le champ n'est jamais le *reflet* direct des contraintes ou des demandes externes mais une expression symbolique, *réfractée* par toute la logique propre du champ. L'histoire qui est déposée dans la structure même du champ et aussi dans les habitus des agents est ce *prisme* qui s'interpose entre le monde extérieur au champ et l'œuvre d'art, faisant subir à tous les événements extérieurs, crise économique, réaction politique, révolution scientifique, une véritable *réfraction*.

Pour finir, je voudrais refermer le cercle et revenir au point de départ, c'est-à-dire à l'antinomie entre l'art et la sociologie et prendre au sérieux non la dénonciation du sacrilège scientifique mais ce qui s'énonce dans cette dénonciation, c'est-à-dire le caractère *sacré* de l'art et de l'artiste. Je pense en effet que la sociologie de l'art doit se donner pour objet non seulement les conditions sociales de la production des producteurs (c'est-à-dire les déterminants sociaux de la formation ou de la sélection des artistes) mais aussi les conditions sociales de production du champ de production comme lieu où s'accomplit le travail tendant (et non *visant)* à produire l'artiste comme producteur d'objets sacrés, de *fétiches,* ou, ce qui revient au même, l'œuvre d'art comme objet de croyance, d'amour et de plaisir esthétique.

Pour faire comprendre, j'évoquerai la haute couture qui fournit une image grossie de ce qui se passe dans l'univers de la peinture. On sait que la magie de la griffe peut, en s'appliquant à un objet quelconque, un parfum, des chaussures, voire, c'est un exemple réel, un bidet, en multiplier extraordinairement la valeur. Il s'agit bien là d'un acte magique, alchimique, puisque la nature et la valeur sociale de l'objet se trouvent changées sans que soit en rien modifiée la nature physique ou chimique (je pense aux parfums) des objets concernés. L'histoire de la peinture depuis Duchamp a fourni d'innombrables exemples, que vous avez tous à l'esprit, d'actes magiques qui, comme ceux du couturier, doivent si évidemment leur valeur à la valeur sociale de celui qui les produit qu'on est obligé de se demander non ce que fait l'artiste, mais *qui fait l'artiste,* c'est-à-dire le pouvoir de transmutation qu'exerce l'artiste. On retrouve la question même que posait

Mauss, lorsque, en désespoir, et après avoir cherché tous les fondements possibles du pouvoir du sorcier, il finit par demander qui fait le sorcier. On m'objectera peut-être que l'urinoir et la roue de bicyclette de Duchamp (et on a fait mieux depuis) ne sont qu'une limite extra-ordinaire. Mais il suffirait d'analyser les rapports entre l'original (l'«authentique») et le faux, la réplique ou la copie, ou encore les effets de *l'attribution* (objet principal, sinon exclusif, de l'histoire de l'art traditionnelle, qui perpétue la tradition du connaisseur et de l'expert) sur la valeur sociale et économique de l'œuvre, pour voir que ce qui fait la valeur de l'œuvre, ce n'est pas la rareté (l'unicité) du produit mais la rareté du producteur, manifestée par la *signature*, équivalent de la griffe, c'est-à-dire la croyance collective dans la valeur du producteur et de son produit. On pense à Wahrol qui, poussant à la limite ce qu'avait fait Jasper Jones en fabriquant une boîte de bière Ballantine en bronze, signe des boîtes de conserve, des *soupcans* Campbell, et les revend six dollars la boîte, au lieu de quinze *cents.*

Il faudrait nuancer et raffiner l'analyse. Mais je me contenterai d'indiquer ici qu'une des tâches principales de l'histoire de l'art serait de décrire la genèse d'un champ de production artistique capable de produire l'artiste (par opposition à l'artisan) en tant que tel. Il ne s'agit pas de se demander, comme l'a fait jusqu'ici, obsessionnellement, l'histoire sociale de l'art, quand et comment l'artiste s'est dégagé du statut d'artisan. Mais de décrire les conditions économiques et sociales de la constitution d'un champ artistique capable de fonder la croyance dans les pouvoirs quasi divins qui sont reconnus à l'artiste moderne. Autrement dit, il ne s'agit pas seulement de détruire ce que Benjamin appelait le «fétiche du nom du maître». (C'est là un de ces sacrilèges faciles auxquels s'est souvent laissé prendre la sociologie: comme la magie noire, l'inversion sacrilège enferme une forme de reconnaissance du sacré. Et les satisfactions que donne la désacralisation empêchent de prendre au sérieux le fait de la sacralisation et du sacré, donc d'en rendre compte.) Il s'agit de prendre acte du fait que le nom du maître est bien un fétiche et de décrire les conditions sociales de possibilité du personnage de l'artiste en tant que maître, c'est-à-dire en tant que producteur de ce fétiche qu'est l'œuvre d'art. Bref, il s'agit de montrer comment s'est constitué historiquement le champ de production artistique qui, en tant que tel, produit la croyance dans la valeur de l'art et dans le pouvoir créateur de valeur de l'artiste. Et l'on aura ainsi fondé ce qui avait été posé au départ, au titre de postulat méthodologique, à savoir que le «sujet» de la production artistique et de son produit n'est pas l'artiste mais l'ensemble des agents qui ont partie liée avec l'art, qui sont intéressés par l'art, qui ont intérêt à l'art et à l'existence de l'art, qui vivent de l'art et pour l'art, producteurs d'œuvres considérées comme artistiques (grands ou petits, célèbres, c'est-à-dire célébrés, ou inconnus), critiques, collectionneurs, intermédiaires, conservateurs, historiens de l'art, etc.

Voilà. Le cercle est refermé. Et nous sommes pris à l'intérieur[1].

---

1. On trouvera des développements complémentaires dans: P. Bourdieu, «Critique du discours lettré», *Actes de la recherche en sciences sociales*, 5-6, novembre 1975, p. 4-8; «La production de la croyance, contribution à une économie des biens symboliques», *Actes de la recherche en sciences sociales*, 13, 1977, p. 3-43; «Lettre à Paolo Fossati à propos de la Storia dell'arte italiana», *Actes de la recherche en sciences sociales*, 31, 1980, p. 90-92; «Champ du pouvoir, champ intellectuel et habitus de classe», *Scolies*, 1, 1971, p. 7-26, «L'invention de la vie d'artiste», *Actes de la recherche en sciences sociales*, 2, mars 1975, p. 67-94; «L'ontologie politique de Martin Heidegger», *Actes de la recherche en sciences sociales*, 5-6, novembre 1975, p. 109-156. Exposé fait à l'École nationale supérieure des arts décoratifs en avril 1980.

Le littéraire et le social*

par Robert Escarpit

Les limites de la littérature

Rien n'est moins clair que le concept de littérature. Le mot lui-même possède une très grande variété d'emplois et son contenu sémantique est aussi riche qu'incohérent. En fait, il est impossible d'appréhender la littérature en une seule opération intellectuelle.

Quand René Wellek, parlant des trois disciplines distinctes qui, selon lui, permettent d'aborder l'étude de la littérature, écrit qu'il faut «bâtir une théorie de la littérature, un système de principes, une théorie des valeurs, qui utilisera nécessairement les données de la critique concrète des œuvres d'art et qui invoquera constamment l'aide de l'histoire littéraire[1]», il se réfère selon une métaphore unique (assimilation de la littérature à l'art) à trois donnés différents. Une théorie de la littérature est la systématisation d'une forme d'art conçue de façon abstraite: on parle de littérature comme on

---

* Extrait de: *Le littéraire et le social*, Paris, Flammarion, coll. «Science de l'homme», 1970.
1. R. Wellek, «Literary, Theory, Criticism and History», dans *The Sewanee Review*, janvier 1960, p. 18.

parle de peinture ou de musique. Une histoire de la littérature est l'étude diachronique d'un certain nombre de faits historiques de tous ordres parmi lesquels une anthologie d'œuvres littéraires (sélectionnées d'ailleurs d'après les critères d'une théorie de la littérature implicite ou explicite) a une place prédominante, mais non exclusive: la biographie, l'histoire des idées, la chronologie événementielle (datation des manuscrits ou des éditions par exemple) y prennent souvent le pas sur les préoccupations esthétiques. Enfin la critique littéraire est l'étude analytique de telle ou telle œuvre ou de tel ou tel groupe d'œuvres sélectionnées soit en fonction d'un système de valeurs, soit selon une certaine vision de l'histoire.

Le seul trait commun qu'aient ces diverses conceptions du donné littéraire est la sélection. Il s'agit en fait d'un système clos qui tire sa cohérence non de la matière sur laquelle s'exerce la sélection, mais de l'attitude sélective qui est la démarche culturelle fondamentale de toute société élitaire.

Dans l'introduction à son livre sur *La littérature comparée*, Paul Van Tieghem a décrit et pris à son compte cette attitude en définissant de la manière suivante la méthode que doit suivre l'historien de la littérature: «La première opération est un *choix*: n'est digne du nom de littérature que ce qui offre une valeur, et une valeur *littéraire*, c'est-à-dire un minimum d'art. Ces écrits offrent à l'esprit, au cœur, une *jouissance* plus ou moins vive dans laquelle entre déjà parfois de l'admiration[2].»

C'est dire que l'historien de la littérature doit être avant tout un critique et, en l'occurrence, un critique impressionniste. En effet, tout choix suppose un critère, quand cela ne serait que l'exercice maximal de la liberté de choisir. Or Paul Van Tieghem, très à l'aise pour affirmer la nécessité du choix, l'est beaucoup moins pour définir le critère. Lorsqu'il parle de valeur littéraire, il va même jusqu'à se contredire, se référant d'abord à «l'art», c'est-à-dire au système de valeurs poétiques selon lequel l'écrivain a composé son œuvre, puis dans la phrase suivante, y substituant la jouissance, c'est-à-dire la

---

2. P. Van Tieghem, *La littérature comparée*, Paris, 1931, p. 10.

valeur esthétique non systématisée, subjectivement perçue par le lecteur. Il est inutile d'insister sur le fait qu'il n'y a pas nécessairement coïncidence, ni même congruence entre les deux types de critères.

L'incertitude où nous laisse cette contradiction est d'autant plus grave que l'historien de la littérature est, de tous les historiens, le seul qui définisse lui-même d'une manière, semble-t-il, souveraine la matière qu'il étudie. L'historien politique ou social peut bien arranger, interpréter, articuler les faits à sa guise, le tri qu'il effectue parmi eux n'est jamais qu'une organisation ou au plus une hiérarchisation. Il n'a pas le pouvoir d'éliminer ou d'ignorer tel événement ou telle donnée, leur réalité objective étant reconnue, sous prétexte que «ce n'est pas de l'histoire». Pour lui tout est histoire. Tout n'est pas littérature pour l'historien de la littérature.

Tout n'est pas non plus littérature pour le critique littéraire. C'est là sans doute ce qui explique l'échec de la critique positiviste qui, récusant tout jugement de valeur comme entaché de métaphysique, se trouve démunie pour délimiter son sujet. «Cette forte doctrine a le tort de tout expliquer», disait Lanson de la critique de Taine et lui-même, tout en décrivant ce que doit être la rigoureuse objectivité d'une science de la littérature, se voyait forcé de s'en remettre au jugement de valeur subjectif pour accéder à un critère esthétique de choix: «L'impressionnisme est la seule méthode qui nous donne le contact de la beauté. Employons-le donc à cela, franchement, mais limitons-le à cela, énergiquement[3].»

Cela explique également l'échec du pseudo-sociologisme des critiques «civiques» comme celle de Bielinsky ou plus récemment de Jdanov en Union soviétique, qui font de la littérature une activité fonctionnelle au sein de la cité. Même si tout ce qui est réputé littérature peut être défini par une certaine fonction sociale, tout ce qui remplit cette fonction sociale est-il littérature? D'autre part, même si ces critiques peuvent procéder à quelques redécouvertes, réhabilitations ou reclas-

---

3. G. Lanson, «Méthodes de l'histoire littéraire», dans *Études françaises*, 1er cahier, Paris, 15 janvier 1925.

sements, n'y a-t-il pas quelque contradiction pour elles à accepter comme un donné historique de base l'anthologie établie avant leur apparition au nom de valeurs incompatibles avec les critères sur lesquels se fonde leur propre analyse? D'une manière générale, de Plekhanov à Mao Tsé-Toung toutes les critiques marxistes se sont heurtées à ce double écueil. Mao Tsé-Toung lui-même, dont la pensée est pourtant pénétrante et subtile, en vient à dire que les livres doivent être de «bons» livres sans expliquer davantage ce qu'il entend par cet adjectif[4].

En somme quand on parle littérature et par quelque côté qu'on aborde le problème, on est conduit soit à accepter sans discussion un donné préexistant — système de valeurs ou anthologie —, soit à s'en remettre à un jugement subjectif impressionniste, soit à tenter une rationalisation extérieure à la littérature elle-même, qui dissout les frontières du littéraire et du non-littéraire et fait disparaître l'objet même qu'on prétend étudier.

La spécificité de la littérature

Pourtant la littérature existe. Elle est lue, vendue, étudiée. Elle occupe des rayons de bibliothèques, des colonnes

---

4. Mao Tsé-Toung, «Discours de clôture des Causeries sur la littérature et l'art de Yenan (mai 1942)», dans *Sur la littérature et l'art*, Pékin, 1965, p. 113. Ayant affirmé qu'il y a pour juger la littérature un critère politique et un critère artistique, Mao Tsé-Toung définit ce dernier de la manière suivante: «Selon le critère artistique, tout ce qui est à un niveau artistique relativement élevé est bon ou relativement bon: tout ce qui est à un niveau artistique relativement bas est mauvais ou relativement mauvais. Bien entendu ici également, il faut tenir compte de l'effet produit par l'œuvre sur la société.» Il précise ensuite que ce critère ne peut être ni le jugement subjectif de l'écrivain sur son œuvre, ni «un critère artistique abstrait immuable». Il dit également que les œuvres doivent être soumises à la fois à une «libre compétition» et «à une critique juste selon les critères scientifiques de l'art». Sans doute faut-il entendre que le jugement de valeur se dégagera d'une analyse scientifique de la perception de l'œuvre par les masses populaires.

de statistiques, des horaires d'enseignement. On en parle dans les journaux, à la télévision. Elle a ses institutions, ses rites, ses héros, ses conflits, ses exigences. Elle est vécue quotidiennement par l'homme civilisé contemporain comme une expérience spécifique qui ne ressemble à aucune autre.

Existe-t-il donc une spécificité de la littérature qui soit fondée en raison des critères limitatifs — jugements de valeur ou exigences objectives — soit définisse un ensemble de relations particulières et irremplaçables des phénomènes littéraires entre eux, avec l'individu et avec la société?

Il semble que ce soit seulement au niveau du phénomène qu'une telle spécificité puisse être perçue. Les ontologies classiques de l'art, comme celle de Platon par exemple, sont impuissantes à définir une essence de la littérature, car si la littérature est un art, c'est un art impur[5] et Platon chassait les poètes de sa république. Cette impureté de la littérature, qui la rend irréductible à une essence unique, provient de l'ambiguïté fondamentale de son mode d'expression. Alors que les autres arts produisent des *choses* qui sont directement perçues par les sens et interprétées par la conscience, la littérature produit une écriture, c'est-à-dire un agencement de lettres, de phonèmes, de mots, de phrases. Or chacun de ces éléments est *à la fois chose et signification*. Comme Jean-Paul Sartre l'a montré, la chose l'emporte sur la signification dans la poésie et la signification sur la chose dans la prose[6], mais la coexistence parfois parallèle, parfois convergente, parfois contradictoire de ces deux destins de l'écriture peut être considérée comme un premier caractère spécifique du phénomène littéraire.

Pour reprendre la terminologie de Jean-Paul Sartre, entre le poète qui est «en situation» dans le langage, et le prosateur qui «utilise» le langage, toutes les hybridations existent et, en fait, les cas extrêmes «purs» ne se rencontrent jamais. Le maître de M. Jourdain se trompait: beaucoup de poètes

---

5. Voir R. Escarpit, *La révolution du livre*, Paris, PUF et UNESCO, 2e édition 1969, p. 31-32.
6. J.-P. Sartre, *Qu'est-ce que la littérature?*, Paris, 1948, coll. «Idées NRF», p. 17.

écrivent prosaïquement, c'est-à-dire fonctionnellement, beaucoup de prosateurs écrivent poétiquement, c'est-à-dire existentiellement.

L'expression littéraire n'est d'ailleurs pas limitée aux signes explicites qui constituent l'écriture. Du graphisme de la lettre à la reliure du livre, de la valeur symbolique d'un mot à la structure conceptuelle d'une phrase complexe, du jeu phonique d'un poème chanté à la thématique organisée d'un roman, l'expression littéraire emprunte simultanément une infinité de canaux selon des combinaisons qui varient avec chaque écrivain, avec chaque œuvre et même, nous le verrons, avec chaque acte de lecture.

C'est pourquoi on ne saurait se contenter de la simple dualité «chose-signification». Non seulement la littérature met en œuvre plusieurs ordres de signifiants conduisant à plusieurs ordres de signifiés, mais encore, du fait même de la combinaison de ces éléments disparates, elle comporte une sursignification, un au-delà du langage qui est un autre de ses caractères spécifiques.

C'est cette sursignification que Roland Barthes désigne lorsqu'il écrit que la littérature «doit signaler quelque chose, différent de son contenu et de sa forme individuelle, et qui est sa propre clôture, ce par quoi précisément elle s'impose comme Littérature[7]». Elle est en quelque sorte l'inscription de la situation historique dans le langage que l'écrivain ne peut éviter d'utiliser: «Elle oblige à *signifier* la Littérature selon des possibles dont il n'est pas le maître[8].» Bien entendu l'écrivain, dans la mesure où il est inventeur de significations, doit rester maître de son choix entre les possibles. En somme dans cette zone de disponibilité que constitue l'au-delà du langage, le phénomène littéraire résulte d'un équilibre — adéquation ou affrontement — entre les contraintes de la situation historique et la liberté de l'écrivain en tant que significateur. Si l'équilibre est rompu dans un sens ou dans l'autre, il n'y a plus de littérature ou il n'y a plus que «de la littérature».

---

7. R. Barthes, *Le degré zéro de l'écriture*, Paris, 1953, coll. «Médiations», p. 9.
8. *Ibid.*, p. 10.

À ce sujet Roland Barthes fait la remarque suivante: «Dès l'instant où l'écrivain a cessé d'être un témoin de l'universel pour devenir une conscience malheureuse (vers 1850), son premier geste a été de choisir l'engagement de sa forme, soit en assumant, soit en refusant l'écriture de son passé[9].» Or précisément c'est au moment où l'éclatement de la conscience bourgeoise, amorcé dès la fin du XVIIIe siècle, place l'écrivain en porte-à-faux dans la société, lui crée une problématique du langage et durcit la résistance de l'écriture historique, que se cristallise le concept moderne de littérature avec toutes ses contradictions et ses antinomies.

Il en résulte que si ce que nous appelons «littérature» au XXe siècle est l'institution qui permet à la société d'imposer ses structures à l'au-delà du langage, toute manifestation d'une littérature vivante caractérisée par la liberté d'écriture de l'écrivain est, de nos jours, à quelque degré antilittérature. Autrement dit la littérature comme fait historique concret, vieux tout au plus de quelque deux cents ans, porte en elle sa propre négation et aboutit à son propre dépassement[10].

Il n'empêche que c'est à travers le concept moderne de littérature que nous percevons les écrits des époques et des pays étrangers à notre situation historique. Dès le début du XIXe siècle, l'histoire et la critique littéraire de l'Europe occidentale et de ses dépendances culturelles ont projeté ce concept d'une part sur le passé, d'autre part sur l'ensemble du monde. C'est alors qu'on a parlé de *Weltliteratur* ou de littérature universelle. Or il n'est pas certain que les critères de spécificité que nous avons retenus soient mondiaux ou universels. Il est des temps et des régions auxquels notre phénoménologie de la littérature n'est pas applicable, quand cela ne serait que parce que la relation signifiant-signifié n'est pas la même dans une langue idéographique et dans une langue analytique, ou parce que l'équivalent de ce que nous appelons littérature a parfois été conçu comme éthique avant de l'être comme esthétique.

---

9. *Ibid.*

10. Voir R. Escarpit, «Histoire de l'Histoire de la littérature», dans *Encyclopédie de la Pléiade. Histoire des littératures*, vol. III, p. 1799-1800.

C'est pourquoi on ne peut s'en tenir à l'expression pour spécifier la littérature. Il faut aussi faire appel au contenu, moins étroitement lié par les déterminations linguistiques. Ce contenu peut être explicite ou implicite. L'étude du contenu explicite est la base même de la critique scolaire telle que l'enseigne «l'explication de texte» traditionnelle. Son défaut essentiel est de détruire l'unité de l'œuvre et de ne la rétablir tant bien que mal qu'au moyen d'un lien artificiel entre «le fond» et «la forme». Elle a en outre le défaut d'ignorer le caractère «artificiel» de l'œuvre littéraire et d'en traiter le contenu imaginaire comme une réalité (on parle d'Andromaque ou de Vautrin comme de personnes vivantes ayant une liberté et une historicité propres), ce qui conduit à minimiser le rôle de l'écrivain et de sa situation historique.

L'étude du contenu implicite est plus intéressante car c'est à son niveau que se fait l'inscription de l'histoire et que l'on retrouve l'écrivain devant une problématique de la structure. Georg Lukács a utilisé une méthode d'analyse applicable au cas particulier du roman, consistant en une mise en parallèle des valeurs implicites constituant l'univers du héros romanesque et de celles qui régissent le monde auquel il s'affronte. Entre les deux ordres de valeur, Lukács perçoit une relation «dégradée» de type dialectique, ce qui lui permet d'intégrer son système critique à une analyse marxiste de la société[11].

Lucien Goldmann qui se considère comme son disciple va plus loin. La méthode structuraliste-génétique qu'il propose a pour hypothèse fondamentale que «le caractère collectif de la création littéraire provient du fait que les structures de l'univers de l'œuvre sont homologues aux structures mentales de certains groupes sociaux ou en relation intelligible avec elles[12]». Cette méthode également est liée à une analyse marxiste de la société, mais contrairement aux marxistes «classiques», Goldmann nie qu'il y ait une relation littéraire spécifique entre les valeurs conscientes des groupes sociaux

11. G. Lukács, *Théorie du roman,* 1916 (traduction française, coll. «Médiations»).
12. L. Goldmann, *Pour une sociologie du roman,* Paris, 1964, p. 226.

et le contenu spécifique des œuvres. Pour lui la littérature est la transposition directe et implicite de la vie économique dans la vie littéraire.

Cette vue des choses est extrêmement féconde lorsqu'elle est appliquée au théâtre ou au roman et surtout lorsqu'il s'agit — Goldmann lui-même le dit — de «grandes œuvres». En effet seules les œuvres ayant un haut degré d'élaboration esthétique possèdent un contenu implicite suffisamment riche pour être étudié.

C'est là cependant un grave inconvénient quand il s'agit de définir une spécificité littéraire. Pour Goldmann l'exigence esthétique est inscrite dans la seule analyse du littéraire, non dans la relation du littéraire au social et constitue ainsi une sorte de pétition de principe. Si l'on ne peut parler du littéraire qu'à propos des grandes œuvres, comment parler des grandes œuvres sans postuler une certaine conception du littéraire?

Autrement dit, la relation structurelle proposée par Lucien Goldmann est nécessaire, mais non suffisante pour spécifier la littérature. Il lui manque pour cela d'établir un lien causal entre les structures de l'œuvre et celles de la société, qui sont simplement affirmées comme «homologiques». Lucien Goldmann a formulé à ce sujet l'hypothèse de «l'action convergente» qui se ramène pour le XIXᵉ siècle au rôle médiateur de l'argent et au malaise de l'individu problématique que constitue l'écrivain, mais il est évident qu'il s'agit là d'une causalité occasionnelle[13]. Elle ne permet notamment pas de dire pourquoi et en quoi l'œuvre de Balzac est littéraire. En outre il n'est pas certain qu'on ne découvrirait pas la même homologie œuvre-société en analysant les structures implicites de la Constitution de 1830, de la loi scolaire de 1833 ou du plan d'organisation des chemins de fer de 1842.

Le problème ne se posait pas avec la même acuité au niveau du langage, car le langage lui-même est un fait social. Même si elle est écrite comme une chose et non comme un signe, la lettre qui sort de la plume du poète est déjà par elle-

_____

13. *Ibid.*, p. 15-16.

même un objet élaboré par la société, modelé par une suite de situations historiques, chargé de connotations collectives. Le système conceptuel, dont se sert le romancier pour formaliser sa vision du monde, est aussi un objet social, mais il s'en faut de beaucoup qu'il impose les mêmes contraintes. On ne peut jamais entièrement refuser le langage, mais on peut refuser, nier le système conceptuel, on peut lui faire franchir les frontières du réel et de l'imaginaire, on peut même refuser la systématisation et la remplacer par un autre processus intellectuel.

Le *nonsense* verbal et les philosophies de l'absurde qui se sont développés parallèlement au cours du XIXᵉ siècle comme des révoltes contre la cristallisation des modes de pensée et d'expression dans la société bourgeoise, ont eu au XXᵉ siècle des destins liés, mais différents. Le premier a abouti entre autres au surréalisme, mais après une brève période de scandale, l'écriture surréaliste a été «récupérée» comme une des options offertes à l'écrivain par la littérature institutionnelle, de même que l'avait été avant elle l'écriture symboliste et que l'a été après elle l'écriture du nouveau roman[14]. Les philosophies de l'absurde au contraire ont forcé le langage à suivre leur mouvement et c'est d'elles qu'est né dans la deuxième moitié du XXᵉ siècle sinon une nouvelle littérature, du moins un nouveau théâtre qui a trouvé un des chemins de la liberté sans renoncer pour autant à être théâtre.

Quel est donc le lien de causalité qui unit la structure sociale et la structure littéraire? On ne peut répondre à cette question sans se demander, comme le fait Jean-Paul Sartre, pourquoi écrire et pour qui écrire, en d'autres termes sans poser le problème de la communication littéraire.

La littérature en tant que communication

Si nous résumons les éléments de la spécificité littéraire que nous avons identifiés jusqu'ici, nous en trouvons trois:

---

14. Voir à ce sujet José Luis Martinez, «Problemas de la historia literaria», dans *Problemas literarios*, Mexico, 1955, p. 35-58 (cet article date de 1946).

1) La littérature diffère des arts en ce qu'elle est à la fois chose
   et signification.
2) La littérature dans notre société se caractérise par une adéquation ou un affrontement dans l'au-delà du langage
   d'une forme institutionnelle et d'une liberté d'écriture.
3) La littérature est composée d'œuvres qui organisent l'imaginaire selon des structures homologiques aux structures
   sociales de la situation historique.

On notera que ces trois critères se réfèrent à la littérature
comme à quelque chose qui arrive, qui est fait, mais non comme
à quelque chose qui est perçu. Or il est évident que la littérature n'est littérature qu'en tant qu'elle est lue. Ainsi que
l'écrit Jean-Paul Sartre, «l'objet littéraire est une étrange tou-
pie qui n'existe qu'en mouvement. Pour la faire surgir, il faut
un acte concret qui s'appelle la lecture, et elle ne dure qu'autant que cette lecture peut durer. Hors de là, il n'y a que des
tracés noirs sur le papier[15].» Il s'ensuit que «c'est l'effort
conjugué de l'auteur et du lecteur qui fera surgir cet objet
concret et imaginaire qu'est l'ouvrage de l'esprit. Il n'y a d'art
que pour et par autrui[16]». Mais cet autrui pour lequel l'écrivain écrit et cet autrui (qui n'est pas forcément le même, qui
est en fait rarement le même) par qui l'œuvre est achevée
dans la lecture, ne sont pas des entités éternelles, universelles
et désincarnées. Les lecteurs comme les écrivains sont historiques: «Entre ces hommes qui sont plongés dans une même
histoire et qui contribuent pareillement à la faire, un contact
historique s'établit par le truchement du livre[17].»

Nous avons ici une piste: la littérature, du moins telle
que nous la percevons à notre époque, se caractérise par un
mode de communication particulier qui est le livre. Il s'en
faut de beaucoup que cela suffise à résoudre le problème de
la spécificité, car le livre lui-même est, malgré les apparences,
un phénomène historique assez difficile à appréhender intellectuellement.

---

15. J.-P. Sartre, *op. cit.*, p. 52.
16. *Ibid.*, p. 55.
17. *Ibid.*, p. 90.

Le livre est une machine à diffuser la parole, la seule, en tout cas la plus efficace dont ait disposé l'humanité jusqu'à l'apparition des moyens de communication audiovisuels au xxᵉ siècle.

Le mode de diffusion le plus primitif est le bouche à oreille. C'est lui qui exige le moins d'initiative à la réception. S'il le faut, c'est l'émetteur de paroles qui se déplace, comme fait le conteur itinérant qu'on trouve encore en Afrique et en Asie dans des régions où existent des populations dispersées de type rural auquel ce mode de diffusion est particulièrement adapté. Dans la mesure du possible d'ailleurs le conteur essaie de traiter des groupes plus ou moins importants d'auditeurs à la fois, par exemple à la veillée ou sur la place du marché.

La diffusion par rassemblement se systématise avec le théâtre. Elle a l'avantage d'un rendement très supérieur à celui de la diffusion de bouche à oreille. En revanche elle exige l'existence d'un embryon de vie urbaine ou tout au moins communautaire. Le théâtre a été ambulant avant d'être fixe. Il l'était encore quand les *comedias* de Lope de Vega étaient représentées dans des cours d'auberge et atteignaient des publics paysans[18]. Mais la fixation des théâtres a été la conséquence directe de l'apparition de cités prospères aussi bien dans l'Antiquité qu'à partir de la Renaissance en Europe occidentale. La généralisation du théâtre fixe ou semi-mobile accompagne jusqu'au xxᵉ siècle le mouvement d'urbanisation.

Diffusion de bouche à oreille et diffusion par rassemblement ont très vite atteint leur maximum d'efficacité. Le développement des moyens de transport et de l'architecture urbaine collective a amélioré leur rendement, mais ni l'un ni l'autre des deux procédés n'était susceptible de perfectionnements techniques propres. Condamnés à rester artisanaux, ils n'ont pu suivre l'évolution de la société industrielle vers la satisfaction de besoins de communication toujours accrus. Dès la fin du Moyen Âge la montée de la bourgeoisie marchande

---

18. Voir N. Salomon, «Sur les représentations théâtrales dans les *pueblos* des provinces de Madrid et de Tolède (1589-1611)», dans *Bulletin hispanique*, nᵒ 4, octobre-décembre 1960.

prend, à l'échelle de l'époque, l'aspect d'une véritable massification. De siècle en siècle, de génération en génération, le mouvement s'est poursuivi jusqu'à nos jours à une vitesse toujours accélérée: entrée en scène de la petite-bourgeoisie au XVIIIᵉ siècle, du prolétariat au XIXᵉ, du tiers-monde au XXᵉ. À l'heure actuelle c'est par centaines de millions d'individus que des masses nouvelles s'ajoutent chaque année aux masses qui d'une manière ou d'une autre échangent des paroles sur la Terre.

Pour faire face à ses nouveaux besoins la société industrielle naissante réagit comme il était naturel qu'elle réagît: en faisant appel à la machine, c'est-à-dire au livre. Le livre est un objet fabriqué dans lequel la communication est codée. Devant un tel objet, la civilisation mécanique se retrouvait sur son terrain. Il était relativement aisé de faire porter l'effort de mécanisation sur la multiplication et la distribution d'un objet. C'est ce qu'on fit à partir de la mise en œuvre de l'imprimerie pour aboutir au début du XXᵉ siècle au livre et au journal à grand tirage qui constituent alors le meilleur système de diffusion imaginable.

Les conséquences culturelles de la mise en œuvre de l'imprimerie furent considérables. Si l'on admet qu'il y a trois niveaux de culture: la culture cléricale ou initiatique, la culture démocratique ou élitaire et la culture laïque ou de masse, on voit la communication de la parole écrite passer en quelques années du niveau initiatique au niveau élitaire, le clerc initié au décodage du document écrit étant remplacé par le lettré, l'humaniste, le bel esprit, tous représentants du *démos* bourgeois et constituant une élite qu'on appelle précisément «la littérature», mot qui à cette époque désigne la condition privilégiée de l'homme qui a des lettres, qui pratique la lecture. Plus tard, au cours du XIXᵉ siècle, la pure nécessité d'une communication plus efficace entre ses rouages obligera la société industrielle à vulgariser la technique du décodage et à répandre la lecture. La conscience du prolétariat éveillée en fera une revendication et une arme. Nous vivons depuis un siècle le difficile passage du niveau élitaire au niveau de masse. Déchiré, culpabilisé, le lettré est devenu l'intellectuel. Il a pris ce nom à l'occasion de l'affaire Dreyfus qui fut la première de ses velléités de révolte[19]. Conscient de faire partie des structures de défense érigées par le *démos* bourgeois, il accepte cette situation ou la rejette, mais toujours s'effraie plus ou moins consciemment de l'irruption du *laos* des travailleurs dans la culture. Sous des formes plus ou moins déguisées, même quand il est sincèrement révolutionnaire, même quand il appartient à un pays où la domination de classe est supposée avoir été éliminée, il s'accroche à son statut élitaire et maintient la littérature comme institution. Cela lui est d'autant plus facile que c'est lui qui fournit l'écrivain et qu'il est assez nombreux pour constituer un marché de la lecture. Il produit, lit, commente, critique, juge, enseigne sa littérature en cycle fermé. En 1970 plus de la moitié des livres littéraires parus dans le monde sont écrits et lus par dix millions d'intellectuels européens (URSS non comprise), soit 0,3 % de la population du monde.

Cristallisant l'institution, l'imprimerie a également figé l'œuvre. Les erreurs des copistes qui sont le désespoir, mais aussi le moyen d'existence des érudits, introduisaient dans l'œuvre un élément de distorsion, mais aussi de vie. Telle substitution d'un terme familier au copiste à un mot disparu et devenu inintelligible est un acte concret de collaboration d'un lecteur avec un écrivain, l'admission de ce dernier dans un nouveau contexte historique et donc pour sa parole une nouvelle chance de survie[20]. Avec l'imprimerie le texte devient *ne varietur*, il se fait objet, il a un propriétaire, une signature, une valeur. Il se vend, se cote, se dévalue, fait l'objet de placements. L'écrivain entre comme fournisseur de matière première dans la branche production de l'industrie du livre. Son statut y est d'abord celui d'ouvrier à façon — une sorte de canut de l'esprit —, puis évolue vers celui d'exploitant agricole qui s'en remet à un courtier ou à un mandataire pour écouler son produit sur un marché étonnamment semblable à celui des Halles, et aboutit soit à une fonctionnarisation, soit à

19. Un des premiers emplois avérés du substantif «intellectuel» paraît être la «Protestation des Intellectuels» qui parut dans *L'Aurore* en 1898.
20. R. Escarpit, «Creative Treason as a Key to Literature», dans *Yearbook of Comparative and General Literature*, Bloomington, Indiana, n° 10, 1961.

un salariat déguisé analogue à celui du joueur de football professionnel qui, avec l'écrivain, est un des rares travailleurs que son employeur puisse acheter ou vendre par contrat. Son attitude de lettré élitaire l'empêche d'ailleurs de prendre une véritable conscience de classe en tant qu'écrivain. Il se contente donc d'une maigre part de profit de l'exploitation et d'une part plus maigre encore de contrôle sur le destin de son œuvre[21]. Tout l'appareil de communication lui échappe. Entre lui et son lecteur s'interpose le formidable système de sélection et de hiérarchisation de l'institution littéraire: choix de l'éditeur, orientation du libraire, jugement du critique et surtout examen d'entrée au corpus des auteurs reconnus par l'Université.

S'il ne veut se laisser aliéner comme rouage de cette monstrueuse mécanique soit au niveau de la production in-dustrielle de série, soit au niveau de l'image de marque aca-démique, s'il ne peut se laisser abuser par la fausse sérénité et le faux universalisme que lui offrent le vide et le silence des tours d'ivoire, l'écrivain n'a d'autre solution que l'engage-ment[22]. Mais l'engagement en tant qu'homme est infiniment plus facile à réaliser que l'engagement en tant qu'écrivain. C'est la voie qu'ont choisie les écrivains à partir de la généra-tion romantique. Byron choisissant d'aller se battre et mourir à Missolonghi pour la liberté des peuples est mieux qu'un symbole. C'est le geste de révolte d'un poète enfermé dans son groupe social étroit de l'aristocratie britannique alors qu'un brusque changement d'échelle de l'édition soudain mé-canisée, industrialisée, diffuse son œuvre vers un vaste public de masse avec lequel il ne peut avoir aucun contact. Son enga-gement politique personnel le réinsère au niveau de l'action dans ce public, le libère de la prison sociale où il était enfermé, mais son œuvre reste prisonnière de l'écriture et de l'appareil littéraire de sa classe. Il se révolte contre l'écriture à partir de 1819 en passant d'œuvres de l'ordre de *Childe Harold* à des œuvres de l'ordre de *Don Juan*, mais alors l'appareil le refuse.

---

21. *Ibid.*
22. R. Escarpit, «L'acte littéraire est-il un acte de communication?», dans *Filoloski Pregled*, Belgrade, 1-2, 1963, p. 17-21.

Son éditeur et ami John Murray qui a assuré la diffusion des œuvres précédentes, ne publie pas *Don Juan* qui paraît dans l'obscur journal d'un groupe de militants libéraux[23]. C'est seulement après la mort de Byron, quand il est héroïsé, mythifié, mis hors situation, que son éditeur le «récupère» et que la critique académique et universitaire intègre sa révolte à l'ordre social en la traitant comme une évolution psychologique.

La situation de l'écrivain contemporain n'est pas fondamentalement différente. L'apparition des moyens de communication de masse l'ont seulement améliorée et aggravée tout à la fois. Ils l'ont améliorée parce qu'ils ont rendu de nouveau possibles dans le cadre de la civilisation mécanique la diffusion par rassemblement (cinéma) et la diffusion de bouche à oreille (radio et télévision) et même doté le document imprimé d'un complément sous la forme d'objets fabriqués où la communication est codée et décodée automatiquement (disque, bande magnétique), permettant ainsi d'étendre à la musique et à la parole orale ce mode de diffusion. Le livre s'en est trouvé soulagé — tout comme le journal d'ailleurs — et a recouvré une part de sa spécificité culturelle. En outre, intégré au réseau des moyens de communication de masse, il bénéficie de tous leurs prolongements — adaptations, commentaires, allusions — et il est devenu moyen de communication de masse lui-même: un changement révolutionnaire dans les procédés de fabrication et les méthodes de distribution a fait apparaître ce que nous appelons en France le «livre de poche» qui a été au moins une réponse provisoire à un besoin de lire d'année en année plus général et plus urgent[24]. Contrairement à ce qu'a affirmé de manière aussi spectaculaire que gratuite Marshall McLuhan[25], le livre n'est pas en

23. R. Escarpit, *Lord Byron, un tempérament littéraire*, Paris, 1957, I, p. 93-111.
24. R. Escarpit, *La révolution du livre*, Paris, 1965, p. 26-29 et 132-137.
25. Essentiellement dans *The Gutenberg Galaxy*, Toronto, 1962 (traduction française *La galaxie Gutenberg*, Paris, 1967). Les idées souvent justes et pénétrantes de Marshall McLuhan ont été parfois mal comprises à cause de la forme publicitaire que leur auteur a cru devoir leur donner, ce qui l'a conduit à des affirmations qui ne reposent ni sur une expérience réelle, ni sur une réflexion sérieuse.

perte de vitesse dans le monde actuel. Entre 1950 et 1966 la radiodiffusion a triplé ses points d'impact dans le monde, mais dans le même temps le livre a doublé sa production par titres et triplé sa production par exemplaires[26].

Le bruit de fond qu'entretiennent les moyens de communication de masse sous toutes leurs formes, y compris la publicité et la propagande, constituent une «onde porteuse» de grande efficacité pour la modulation littéraire, et elle a le mérite de n'être arrêtée par aucun barrage social. La parution d'un livre important, mais difficile, dont on parlait, il y a cinquante ans, tout au plus dans une douzaine de journaux «de qualité», provoque tôt ou tard une réaction sur l'écran de la télévision devant des dizaines de millions de spectateurs qui peut-être d'ailleurs pourront éventuellement trouver ce livre au rayon spécialisé de leur magasin à prix unique. En outre la communauté de la communication a pour effet de donner aux groupes sociaux les plus isolés, les plus déshérités, une «présence au monde», de leur fournir une représentation plus vaste et plus complète des choses tout en éveillant en eux cette curiosité d'autrui qui est nécessaire à toute prise de conscience critique.

Malheureusement cette curiosité reçoit des réponses, mais n'est pas admise à poser des questions et c'est en cela que les moyens de communication de masse ont aggravé la situation de l'écrivain. En effet ces moyens ont tous pour caractéristique de rayonner l'information à partir d'un point, mais sont à peu près démunis pour capter la réponse-question des auditeurs et des téléspectateurs. Or communiquer, ce n'est pas simplement émettre et recevoir, c'est participer à tous les niveaux à une infinité d'échanges de tous ordres qui s'entrecroisent et interfèrent les uns avec les autres. Le bruit de fond qui définit une communauté culturelle n'est pas fait seulement d'émissions, mais aussi et surtout d'échos modulés par les consciences individuelles. Le

---

26. D'après les évaluations de l'UNESCO et nos propres estimations les chiffres sont les suivants:

	1950	1966
Récepteurs de radio	180 000 000	601 000 000
Titres de livres	230 000	460 000
Exemplaires de livres	2 500 000 000	7 500 000 000

réseau de communication de masse tel qu'il existe de nos jours n'enregistre pas ces échos. Il en résulte à la réception une attitude générale non de passivité, mais de non-participation, qui se répète presque identiquement dans la communication par le livre. Le lecteur de masse est rarement concerné par le livre qui lui est offert, parce qu'il n'a pas la possibilité que possède le lecteur de la communauté intellectuelle de «réinjecter» son propre produit dans le réseau, parce qu'il est invité à disposer d'une proposition qu'il n'a pas contribué à susciter.

Cette exigence de participation, de dialogue, de «boucle informationnelle», de «réinjection», de *feedback* — il y a de nombreux termes pour la désigner — existe dans tous les domaines où la communication intervient mais elle est particulièrement impérieuse dans le cas de la communication littéraire qui est la plus individuelle de toutes les formes de communication puisque le lecteur est nécessairement seul avec l'auteur lorsqu'il lit un livre des yeux[27].

Or il est bien évident que le *feedback* a été compromis à partir du moment où l'écriture a été employée et où le public a dépassé les dimensions de ce qu'un conteur peut réunir autour de lui, c'est-à-dire à peu près celles de ce que l'armée romaine appelait un *manipule,* ce qu'on peut tenir dans la main: une quarantaine d'hommes avec qui on peut communiquer en tout sens par la voix et par le geste. La guerre n'est acte concret qu'au niveau du manipule: au-delà elle doit faire intervenir les abstractions de la tactique et de la stratégie. Notre époque a retrouvé la dimension manipulaire avec le groupe d'animation culturelle, la table ronde, le séminaire et c'est peut-être de là que pourra venir un déblocage de la littérature.

Il n'est pas surprenant qu'au milieu du xxe siècle le théâtre soit apparu comme la partie la plus vivante de la littérature et probablement la plus authentiquement popu-

---

27. Au cours du dernier trimestre de 1969, trois réunions importantes ont étudié les problèmes du «bruit de fond» et du *feedback* dans des domaines apparemment très éloignés: la Journée d'études de la publicité à Marly le 22 octobre, le Colloque sur la télévision organisé par la RTB à Bruxelles du 26 au 30 novembre et la Table ronde de la Ligue d'Hygiène mentale à Paris les 29 et 30 novembre.

laire, alors que nous le savons, sa technique reste artisanale et moins adaptée à la communication de masse que par exemple le livre de poche. Il est significatif que Jean-Paul Sartre l'ait préféré au roman pour «faire passer» ses idées. C'est qu'il existe entre le théâtre et la littérature écrite la même différence qu'entre la poésie et la prose. Le théâtre n'est pas un *moyen* de communication: il *est* communication et cela à plusieurs niveaux. La troupe d'acteurs et le public sont dans les limites de la dimension manipulaire. Même s'il est absent, l'auteur n'est pas isolé: il participe à une création collective au moins à égalité avec le metteur en scène. C'est ce dernier qu'on appelait *autor* dans les anciennes troupes espagnoles, alors que l'auteur était le *poeta*. D'autre part le théâtre est à chaque représentation une expérience originale vécue par la salle et les acteurs ensemble. Chaque fois un univers imaginaire et réel tout à la fois est concerté et construit sur place.

Le lecteur au contraire ne peut que projeter à l'aveuglette sa propre vision du monde vers celle qu'il suppose à l'écrivain. De même que l'écrivain se fait une image du lecteur, de même le lecteur se fait une image de l'écrivain. Il est souhaitable que ces images soient exactes, mais il est surtout important qu'elles soient congruentes, compatibles. La communication littéraire suppose une mythologie réciproque.

Quand l'écrivain et le lecteur sont contemporains ou compatriotes, ces mythologies puisent le plus souvent aux mêmes sources et sont construites à partir des commentaires de la critique ou de l'information générale. Il peut même arriver qu'elles entrent en consonance et se nourrissent l'une de l'autre, créant un phénomène cyclique analogue à l'effet Larsen en électroacoustique, qui se produit lorsqu'on approche un microphone du haut-parleur auquel il est relié. De signal unique et significatif, l'œuvre devient bruit. C'est ainsi que naissent les modes littéraires comme par exemple le byronisme entre 1812 et 1815.

La mythologie du lecteur que se crée l'écrivain est en général contradictoire. Celui *à qui* il écrit et celui *pour qui* il écrit se confondent rarement. Du public vers lequel son éditeur diffusera son livre, il se fait une idée approximative fondée sur des expériences antérieures, sur les lettres qu'il reçoit, sur les commentaires qu'il entend ou qu'il lit. Cette idée ne devient obsédante et susceptible de créer un effet Larsen qu'en cas de très grand succès. En revanche le public-interlocuteur, auquel s'adresse l'écrivain, possède à la fois plus de présence et moins de réalité. Il peut avoir le visage indiscernable de la «postérité» ou des inconnus qui, sur une plage lointaine, découvriront la bouteille jetée à la mer, mais parfois ce visage devient physionomie, prend du relief. Consciemment ou inconsciemment l'écrivain y discerne une ossature profonde, capte sous le jeu fugace des expressions la réalité des conflits inexprimés. Alors peut-être son mythe prend-il une valeur plus étendue, plus durable, peut-être se rapproche-t-il de ce lecteur universel vers qui tend toute littérature sans jamais l'atteindre[28].

Le lecteur a moins de difficultés pour construire sa mythologie de l'écrivain. D'abord, s'il a fait des études secondaires ou supérieures traditionnelles, on lui a transmis le mode d'emploi avec le produit, on lui a dit quelles étaient les «vraies» intentions de l'écrivain et ce qu'il fallait en penser. Cela n'est pas toujours une tromperie, mais c'est souvent une science inutile. Savoir qui était réellement un écrivain est une acrobatie intellectuelle réalisable, mais tout à fait gratuite. Ce qui est important, du point de vue littéraire, c'est de savoir ce qu'on peut faire de lui. Or ce qu'on en peut faire dans une autre situation historique — autre groupe social ou ethnique, autre siècle, autre civilisation — est forcément différent de ce que l'écrivain a consciemment voulu qu'on fît de lui.

Le décodage du signifiant est toujours possible avec quelque exactitude, mais le décodage du signifié ne l'est pas, car il dépend de tout un ensemble de connotations disparues, d'expériences oubliées et de ce système d'évidences indicibles que toute société sécrète à son propre usage[29]. *Traduttore,*

---

28. Sur les pages qui précèdent, voir R. Escarpit, *Sociologie de la littérature,* Paris, 1958, p. 98-108.
29. Cette notion *d'évidence* nous paraît sous-tendre la pensée de Roger Caillois, notamment dans son recueil d'essais *La communion des forts,* Mexico, 1943. Nous avons essayé d'en donner une description partielle dans R. Escarpit, *L'humour,* Paris, 1960, p. 93-95.

traditore n'est pas une vaine formule, mais l'affirmation d'une nécessaire réalité. Toute traduction est trahison, mais une trahison peut-être créatrice quand elle permet au signifiant de signifier quelque chose même si le signifié original est devenu insignifiable. Or toute lecture hors contexte — et c'est le cas de la plupart des œuvres quand elles sont lues hors de la communauté des intellectuels — est à quelque degré traduction.

Autrement dit l'éternelle querelle des adaptations n'a pas de sens. L'adaptation n'est qu'un cas particulier de la lecture. En projetant sur le couple Hector-Andromaque la mythologie de l'ancien combattant et de la veuve de guerre, Giraudoux a certainement trahi Homère, mais il l'a fait vivre d'une vie authentique pour de nouveaux lecteurs. Il peut arriver même qu'on élimine ce qui était perçu par l'auteur comme essentiel et qu'on garde l'accessoire. C'est le cas de *Robinson Crusoé* et des *Voyages de Gulliver* dont on n'a gardé que l'ornement maritime et exotique à l'usage de la littérature enfantine, en oubliant, parce qu'elle paraissait difficilement transmissible, leur signification implicite profonde. Mais le cinéma soviétique n'a pas eu de mal à inventer un Gulliver engagé dans la lutte des classes et la robinsonnade a été utilisée depuis trois siècles pour illustrer toutes sortes d'idéologies auxquelles Defoe est en apparence bien étranger.

En apparence seulement, car ce n'est pas n'importe quelle œuvre qu'on peut trahir, ni n'importe quelle trahison qu'on peut imposer à une œuvre. Tout texte informationnel peut être l'objet d'un contre-sens, mais alors l'information est détruite. Il n'y a que sur une œuvre littéraire qu'on puisse greffer des sens nouveaux sans détruire son identité[30].

---

30. Voir R. Escarpit, «Creative Treason as a Key to Literature», *op. cit.* «L'aptitude à la trahison» serait ainsi la faculté que possède l'œuvre littéraire de résister à l'épuisement de son entropie ainsi que la définit J. Kristeva dans son article: «Problèmes de la structure du texte», *Nouvelle Critique*, avril 1968, p. 55: «Certains sémioticiens soviétiques, par exemple, dont les recherches s'inspirent de la théorie de l'information, remarquent que serait «littéraire» le discours qui n'a pas épuisé son entropie, autrement dit le discours dont la probabilité de sens est multiple, non close, non définie. Une fois l'entropie épuisée, donc le sens fixé, le discours cesse d'être reçu comme littéraire.»

C'est ainsi qu'on est conduit à reconnaître un quatrième critère de la spécificité littéraire: *est littéraire une œuvre qui possède une «aptitude à la trahison», une disponibilité telle qu'on peut, sans qu'elle cesse d'être elle-même, lui faire dire dans une autre situation historique autre chose que ce qu'elle a dit de façon manifeste dans sa situation historique originelle.*

Bien entendu cette disponibilité n'est pas inépuisable. Ce que nous appelons des œuvres éternelles sont celles dont le contenu latent n'est pas encore épuisé. On peut seulement dire qu'une œuvre est d'autant plus littéraire — c'est-à-dire littérairement «bonne» — que sa disponibilité et donc sa faculté de communication est plus durable et plus étendue.

Il est possible de fonder sur cette observation un critère de valeur. Elle explique en tout cas pourquoi une œuvre peut avoir immédiatement un très grand succès en un temps et en un lieu, puis disparaître à jamais, alors qu'une autre œuvre peut faire confidentiellement le tour du monde et franchir les siècles pour ressurgir soudain comme une source jaillissante parmi des foules insoupçonnées. Qui lit de nos jours Casimir Delavigne, un des auteurs les plus populaires en France vers 1830, alors que Stendhal, peu connu de ses contemporains, écrivait dans le même temps pour les *happy few*: *Le rouge et le noir* qui, au cours de la seule année 1966, a été republié une fois en Allemagne, en Hongrie, au Japon, en Pologne, en Roumanie, en Grande-Bretagne, en Tchécoslovaquie, en Turquie et en Union soviétique, deux fois en Espagne et en Italie? Un autre écrivain de la même époque, Étienne de Jouy, plus célèbre en son temps que Stendhal, était depuis longtemps oublié en France quand il est réapparu l'espace d'une génération pour nourrir le *costumbrismo* espagnol et latino-américain.

Il serait certes dangereux de limiter la qualité littéraire de l'œuvre à la diachronie du succès. L'immédiat de la communication, qui permet à chaque individu d'un groupe social de trouver dans la lecture l'aliment quotidien d'un dialogue entre sa liberté d'une part et la représentation d'un aspect de la situation historique vu à travers la conscience de l'écrivain d'autre part, peut être aussi source de valeur. Mais il n'est pas certain que cette valeur-là soit compatible avec ce que notre société culturelle est capable de penser comme littérature.

L'insertion du sociologique dans le littéraire

De ce qui précède, on peut retenir que la littérature en tant que *processus* se caractérise par un *projet,* un *médium* et une *démarche,* les trois étant reliés par le langage.

Le projet est l'œuvre brute telle qu'elle est conçue, voulue et réalisée par l'écrivain. Avant toute tentative d'expression l'œuvre et la conscience de l'écrivain débordent déjà largement l'une de l'autre. Le projet est leur carrefour conscient et le sociologique l'y emporte sur le psychologique, car pour qu'il se réalise, il faut que l'écrivain le structure dialectiquement au niveau de l'expression et au niveau du contenu. Les critiques génétiques traditionnelles ne considèrent que l'affrontement primaire de la «forme» et du «fond» sans voir qu'il s'agit d'une sorte de «jeu des quatre coins» où l'écrivain doit faire front dans l'au-delà du langage pour poser son écriture devant l'inscription de l'histoire, faire front dans la zone de disponibilité du contenu pour poser l'unicité de sa vision du monde devant les structures de la situation historique et en même temps diriger la dialectique expression-contenu vers la recherche d'équilibres excessifs et toujours remis en cause entre le mot-chose et le mot-signe. Ce quadrillage est susceptible de donner une infinité de combinaisons toutes uniques et originales, les plus littéraires étant, selon les critères que nous avons retenus, celles qui unissent un maximum d'historicité à un maximum d'individualité et à un maximum d'expressivité.

Le médium est le livre ou tout au moins le document écrit. C'est à son niveau que la littérature en tant qu'appareil, dont il sera question plus loin, recoupe la littérature en tant que processus. Il constitue une sorte de laminoir qui code linéairement l'œuvre pluridimensionnelle. Le langage écrit y subit en outre la contamination de langues subsidiaires qui, pour employer la terminologie des linguistes, s'expriment sur le plan des «syntagmes» (le livre avec son organisation matérielle) et sur celui des «systèmes« (typographie, reliure, collection, etc.). Les uns et les autres portent l'inscription de la situation historique. Le *volumen* de papyrus, fragile et adapté à la lecture continue de clercs ou de lettrés dilettantes, le robuste *codex* de parchemin, adapté à la lecture référentielle quotidienne d'un lecteur plus fruste, le livre imprimé, produit typique de l'industrialisation, correspondent à des formes de société dont ils portent la marque implicite indépendamment de leur contenu textuel. D'autre part la jaquette, le format, le prix d'un livre le situent, indépendamment de leur signification propre, à tel ou tel niveau de l'organisation sociale.

Reste la démarche du lecteur. L'acte de lecture reproduit dans ses grandes lignes l'acte d'écriture, mais le lecteur n'a pas de projet. Il a une prédisposition. Elle lui vient de sa formation scolaire, de ses expériences de lectures antérieures, de son information, mais surtout de sa problématique personnelle. Le psychologique est ici intimement lié au social. La problématique selon laquelle le lecteur décode le livre et accomplit l'œuvre en ce qui le concerne, est consciente ou subconsciente, formulée ou informulée, mais elle est toujours individuelle. La démarche du lecteur se déroule simultanément sur deux plans: d'une part celui de la pensée conceptuelle et de l'imagination objective, socialisées toutes deux, d'autre part celui du rêve, de la hantise, de la frustration, les uns et les autres traduisant sa liberté dans une situation que le livre ramène à une expérience particulière. La grande différence entre le lecteur et l'écrivain est que pour ce dernier le psychologique se situe *avant* la formulation de l'œuvre et se trouve donc presque entièrement hors du processus alors que pour le premier c'est un des éléments essentiels de sa prédisposition quand il aborde l'œuvre et qu'il fait partie du processus. On comprend donc qu'un équilibre — adéquation ou opposition — doit s'établir entre la prédisposition d'une part et la proposition de ce produit social qu'est le livre. Nous retrouvons ici le «jeu des quatre coins» sous une autre forme. Le lecteur ne peut faire front que dans le conscient pour poser sa pensée devant un contenu formalisé et pour poser sa liberté devant sa propre prédisposition, mais en même temps il doit vivre la dialectique du conscient et de l'inconscient parallèlement à celle du mot-signe et du mot-chose. Il en résulte évidemment qu'il y a une infinité de lectures différentes possibles d'une même œuvre par un même lecteur.

Dans la lecture en tant que processus le *feedback* est assuré par la traduction, l'adaptation, l'illustration, en somme par tout ce qui est *œuvre surajoutée*. Le médiateur est d'abord lecteur, puis il dégage de son expérience de lecture une image du projet qu'il assume comme son propre projet et qu'il réalise comme l'écrivain avait réalisé le projet initial. Il peut s'insérer dans le processus au stade de la conception ou au stade du «jeu des quatre coins» et, en ce cas, il lui est possible d'éliminer deux des «coins» en acceptant comme un donné objectif le contenu de l'œuvre tel qu'il le perçoit. Cela explique qu'il y ait, comme écrit Georges Mounin, des traductions «à verres transparents» et des traductions «à verres colorés[31]». Mais quel que soit le type de la traduction, de l'adaptation, de l'illustration, elle constitue bien un *feedback*, c'est-à-dire une réinjection de l'expérience de lecture au niveau de l'écriture. C'est si vrai que de nos jours l'adaptation cinématographique, radiophonique, télévisée ou en bande dessinée *fait partie* de l'acte de lecture et qu'on peut définir l'attitude du lecteur par sa réaction au «film tiré du livre», ou au «livre tiré du film». Cela explique en outre le caractère actualisant de la traduction qui réintroduit la situation historique du lecteur dans le projet et sa réalisation: il est fréquent qu'un chef-d'œuvre classique ait un succès de masse mondial en traduction alors qu'il est relativement inaccessible au grand public dans son pays d'origine où c'est le texte original qui est publié. La technique du *rewriting*, de la récriture admise pour l'adaptation aux moyens audiovisuels, choque des habitudes de pensée issues des temps de la culture initiatique dès qu'il s'agit de l'appliquer au livre, mais dans la mesure où le livre est maintenant entré dans le réseau de la communication de masse, il n'existe à son emploi aucune difficulté insurmontable.

31. G. Mounin, *Les belles infidèles*, Paris, 1955, p. 109-156. Voir aussi du même auteur *Les problèmes théoriques de la traduction*, Paris, 1963.

Ceci amène à envisager maintenant la littérature comme appareil. Comme telle elle comprend une *production*, un *marché* et une *consommation*.

Le producteur est ce que nous appellerons globalement l'éditeur, c'est-à-dire l'entrepreneur qui prend la décision responsable de fabriquer et de mettre en vente le livre. En fait la spécialisation de l'éditeur (qui était auparavant imprimeur ou libraire) date de la fin du XVIIIe siècle et de nos jours sa fonction tend à se diviser entre l'éditeur proprement dit qui traite avec l'écrivain et le distributeur oligopolistique qui commercialise le produit.

Le produit littéraire est le résultat d'une série de sélections opérées par divers filtres sociaux, économiques et culturels dans les projets que les écrivains ont menés jusqu'au stade de l'écriture. Le projet avorte si, avant toute mise en œuvre, il n'est pas accepté par un éditeur. L'éditorial et le littéraire débordent d'ailleurs largement l'un de l'autre. Parmi les livres publiés dans le monde, 20 à 25 % des titres, 15 à 20% des exemplaires seulement sont réputés littéraires[32], ce qui ne veut pas dire que les autres ne participent pas à la littérature en tant que processus.

Dans les pays à économie de marché, l'éditeur applique à tous les livres un critère général de sélection économique. Il achète à l'écrivain celles de ses réalisations dont il pense avoir le placement sur le marché. Le mouvement de l'argent est régi par un contrat. Il peut aller d'un achat pur et simple dans le cas du paiement forfaitaire jusqu'à un salariat déguisé quand l'écrivain possède une image de marque suffisamment sûre pour permettre un investissement régulier. De

---

32. C'est-à-dire qu'ils appartiennent à la catégorie 8 de la classification décimale de Dewey correspondant à la catégorie 21 de la nouvelle classification de l'UNESCO. Il n'existe aucun critère rigoureux pour l'inclusion de tel ou tel livre dans ces catégories et il suffit de consulter l'*Index Translationum* de l'UNESCO pour s'apercevoir qu'un *même* ouvrage peut être catalogué comme «Littérature» dans un pays et «Sciences naturelles», «Histoire» ou «Philosophie» dans un autre. Cela pose d'ailleurs le problème de savoir si le livre a été perçu comme littéraire dans le pays où il est catalogué comme tel et pourquoi.

ce fait l'éditeur exerce une contrainte sur l'écrivain qui se trouve en position fausse puisque précisément son projet est le résultat d'une dialectique dans laquelle il manifeste sa liberté individuelle. La contradiction est en général masquée par des artifices de langage qui traduisent la relation économique en relation culturelle.

En outre, en ce qui concerne les livres littéraires, la sélection économique est complétée par une sélection-hiérarchisation émanant de la communauté élitaire des intellectuels, qui délègue ses représentants auprès de l'éditeur sous forme de directeurs littéraires, de conseillers, de lecteurs ou de simples relations personnelles. Il arrive même — la chose est en général désastreuse — que l'éditeur soit un intellectuel. Est réputé littéraire ce qui est perçu comme tel par ces censeurs préalables qui, objectivement opposés à elle ou non, reproduisent les goûts divers, parfois antinomiques, mais toujours fermés en un système, de la classe dirigeante. Dans les pays socialistes ils représentent en général le groupe idéologique au pouvoir et sont au surplus investis des pouvoirs économiques de l'éditeur capitaliste.

Ce jury diffus, mais très cohérent, ne se contente pas de sélectionner le produit, il le suscite, l'améliore par des conseils, le domestique dans des collections. Il va même jusqu'à tolérer la recherche génétique dans ces laboratoires semi-officiels ou clandestins qu'on appelle les «avant-gardes», quitte à laisser mourir les produits monstrueux, inviables ou dangereux pour l'ordre de la littérature et à intégrer les autres au cheptel commercialisable.

Le marché littéraire serait relativement simple si la littérature n'était ce qu'elle est. On peut vendre le livre comme n'importe quel autre produit s'il satisfait un besoin collectif repérable, comme c'est le cas du livre-objet ou du livre fonctionnel. On peut faire des études de marché, des prévisions, des planifications pour les encyclopédies, les livres scolaires, les livres de cuisine, les livres pornographiques. La réponse du public à ces livres étant institutionnalisée ou stéréotypée, elle est soumise aux lois de la statistique. Malheureusement nous savons que dans le processus littéraire chaque acte de lecture de chaque individu est unique et irremplaçable. Son lien avec les autres actes de lecture du même individu ou avec les actes de lecture d'autres individus est au plus haut degré contingent. Il s'ensuit que même si l'on traduit le comportement du lecteur en langage binaire: achat ou non-achat, il est très difficile d'en tirer des conclusions quant à l'achat ou au non-achat d'un autre livre. L'édition littéraire est par définition non programmable[33]. Or il ne saurait exister d'édition sans un minimum de programmation. La conséquence de cette contradiction est que l'édition littéraire tend à capter le lecteur littéraire par des motivations non littéraires: habitudes, snobisme, consommation ostentatoire, culpabilisation culturelle ou usage subtil de cet au-delà du langage, de cette zone marginale des structures implicites, où s'inscrivent entre autres les contraintes sociales qui créent chez le lecteur le besoin d'apaiser les hantises semi-conscientes d'une insécurité statistiquement repérable: maladie, sécurité de l'emploi, problèmes du couple, peur de la guerre, etc.

La programmation est en outre consolidée *a posteriori* par la spécialisation des circuits de distribution, qui s'inscrit géographiquement dans le réseau des librairies, des points de vente et des bibliothèques[34]. Ce réseau reproduit rigoureusement l'organisaton socio-économique et son calque culturel. Une librairie ne peut offrir à la vente et une bibliothèque ne peut offrir au prêt qu'une partie réduite de la production. Libraire et bibliothécaire sont donc conduits à effectuer une sélection qui reproduit celle de l'éditeur (dans la mesure en particulier où certains ouvrages leur sont envoyés d'office), mais à laquelle se superpose une deuxième sélection fondée sur l'image qu'ils se font de leurs lecteurs. Cette image dépend en partie du statut qu'ils assignent à leur établissement, en partie de ce qu'ils peuvent connaître de la prédisposition

---

33. Sur les notions d'édition programmée et d'édition non programmée, voir R. Escarpit, *La révolution du livre, op. cit*, p. 129-136.
34. Plusieurs tentatives ont été faites pour définir ces réseaux, notamment R. Escarpit et N. Robine, *Atlas de la lecture à Bordeaux*, Centre de sociologie des faits littéraires, 1963 et *Livre et Lecture à Lyon*, sous la direction de H.-J. Martin, Bibliothèque municipale de Lyon, 1968.

des lecteurs eux-mêmes. Or cette prédisposition ne peut se faire connaître que dans la mesure où elle dispose d'un langage et de chenaux de communication, ce qui est le cas de la communauté des intellectuels, à laquelle se réfèrent en général le libraire ou le bibliothécaire. Pour l'immense majorité des «lecteurs silencieux» on s'en tire soit avec un «feedback» statistique qui détruit la spécificité littéraire du processus et ne laisse passer que ce qu'on appelle la «sous-littérature», soit en limitant l'offre à des produits offrant un minimum de risques: *best-sellers* et classiques. Ce sont ces deux types de production qui composent le catalogue des «collections de poche» littéraires d'où la novation est presque systématiquement exclue.

Best-sellers et classiques ont en commun d'être des «livres de fond[35]» qui permettent un investissement continu alors que les nouveaux livres s'écoulent selon une courbe qui rend leur réimpression peu rentable après l'épuisement du premier succès, si considérable qu'il ait été.

Le problème du succès est complexe. N'en retenons ici que l'aspect de la survie qui, nous le savons, joue un rôle important dans le processus littéraire. Or la survie comme possibilité de relecture dans une nouvelle situation historique est conditionnée par la survie comme maintien de l'offre du livre sur le marché. Le seul jeu économique élimine en un an près de 90 % des œuvres publiées. Ce qui reste subit une deuxième élimination du même ordre de la part des groupes leaders de l'opinion littéraire, essentiellement la critique et l'Université. Vingt ans après leur parution 1 % des œuvres sont devenues des «classiques» et sont inscrites sur une liste *ne varietur* qui constitue le stéréotype de la culture littéraire, ce qu'on appelle en fait «la littérature» à l'Université. L'acte libre de lecture est confiné aux limites étroites de cette anthologie dont la disponibilité matérielle a été, il est vrai, considérablement augmentée à diverses époques par le livre de colportage et plus récemment par le livre de poche, mais dont la structure reste rigide et dont les frontières sont étroitement gardées. C'est un *kléros*, un héritage culturel clérical, et les universitai-

---

35. Sur la notion de livre de fond, voir *La révolution du livre, op. cit.*

res, successeurs directs des clercs, le protègent par les rites initiatiques de la dissertation d'examen ou de concours.

La consommation littéraire, troisième articulation de l'appareil, est évidemment conditionnée pour les œuvres du passé par une certaine vision de l'anthologie officielle, pour les œuvres du présent par une certaine vision de la vie littéraire. L'une et l'autre sont déterminées par un certain nombre de facteurs: niveau intellectuel, niveau d'études, statut socioprofessionnel, habitat, etc. Pour une grande partie de la population elles se ramènent à deux stéréotypes, l'un scolaire, l'autre informationnel, mais il peut y avoir des variantes idéologiques ou régionales[36].

Depuis l'apparition des moyens de communication de masse audiovisuels, cette situation tend à se modifier quelque peu et la lecture s'inscrit dans une consommation culturelle globale dont la dynamique interne est encore mal connue. Les adaptations cinématographiques, radiophoniques et surtout télévisées ont profondément influencé la vision de la littérature. La bande dessinée actualise les œuvres du passé, le reportage, la publicité popularisent l'écrivain et son œuvre comme toute autre étiquette de marque. Plus que d'une vie littéraire qui n'est au fond qu'une partie de son actualité, le consommateur culturel a la vision d'un immense menu qui est offert à son appétit de loisirs. Les livres littéraires y figurent comme des mets prestigieux, mais dont il redoute la saveur étrange et la digestion difficile. Il les considère comme indispensables à son statut et les conseille aux autres, même si, pour sa part, il préfère les saveurs plus frustes et plus familières. Il n'entre que difficilement dans la recherche, l'expérimentation littéraires, laissant cela à ces connaisseurs que sont les intellectuels. Il est vrai que les intel-

---

36. C'est ce qui se dégage nettement de l'enquête menée en 1962 par l'Institut de littérature et de Techniques artistiques de Masse parmi les jeunes recrues de la IVᵉ Région militaire. Voir *Le livre et le conscrit*, Paris, 1966, chap. IV, p. 81-92. Ce texte a été reproduit dans *Littérature et société*, Bruxelles, 1967, p. 151-165 avec la discussion à laquelle il a donné lieu lors du colloque organisé en 1964 par l'Institut de sociologie de l'Université libre de Bruxelles sous la direction de Lucien Goldmann.

lectuels eux-mêmes ont une attitude souvent double: ils parlent comme connaisseurs et lisent comme consommateurs.

Cependant au milieu de cette communication culturelle diffuse, de cette «lecture» permanente qui met en jeu tous les sens, le livre se détache avec une spécificité particulière: c'est un objet qu'on acquiert et qu'on garde. Même sur les rayons de la bibliothèque, il reste lecture en puissance. La possession de ce potentiel est la marque de la richesse culturelle. On ne pourrait lui comparer dans le domaine des moyens audiovisuels que la possession du disque ou de la cassette. Mais dans le cas du livre tout un ensemble de connotations initiatiques et élitaires venues du passé viennent s'ajouter à la possession du potentiel écrit. Cela en particulier explique que la vogue du «livre de club» ait accompagné celle du «livre de poche» et semble devoir l'emporter sur elle[37]. Le livre de poche correspond à la série qui permet une meilleure répartition de la consommation. Cette répartition étant potentiellement acquise, le livre de club réintroduit l'acte individuel au-delà de la satisfaction des besoins minimaux. Il correspond à une société «presse-bouton» où l'individu croit retrouver sa liberté: il *peut* — même s'il ne le fait pas — choisir son livre au bout de son bras comme il choisit son émission de télévision au bout de son doigt ou son repas dans le congélateur.

Bien entendu cette situation n'existe que dans les pays où le marché du livre satisfait les besoins minimaux. Et même dans ces pays il y a de nombreux secteurs où cette satisfaction n'est pas acquise. Il y a dans le monde et en Europe même des zones de famine littéraire, mais il n'est pas du tout certain que cette famine puisse être conjurée par l'appareil que nous venons de décrire. Tout semble au contraire indiquer que le «gap» entre pays développés et pays sous-développés tend à s'élargir en ce domaine comme dans d'autres[38]. Il est possible

---

37. Pour limiter la portée de cette appréciation, précisons qu'elle est fondée sur la seule évolution apparente du chiffre d'affaires.

38. En 1950, l'ensemble des pays sous-développés représentait 37,7 % de la population adulte *alphabétisée* du monde et produisait 25 % des livres «littéraires» parus dans le monde. En 1965, les mêmes pays représentaient 45 % de la population adulte alphabétisée et produisaient moins de 20 % des livres «littéraires». Voir ci-dessous R. Escarpit, *Littérature et développement.*

que le processus littéraire puisse prendre d'autres voies. L'appareil n'est qu'une superstructure liée à une certaine situation des sociétés humaines, alors que le projet de l'écrivain et la démarche du lecteur, quel que soit le médium, s'appellent et se répondent en un dialogue toujours renouvelé au cœur même de la communication sociale.

Les champs d'étude et les méthodes

Comme on le voit l'insertion du sociologique dans le littéraire n'est pas un phénomène simple dans la mesure justement où la littérature est un concept non cohérent. On pourrait dire en simplifiant les choses qu'au niveau du processus le sociologique est un aspect du littéraire et qu'au niveau de l'appareil le littéraire est un aspect du sociologique.

Du point de vue de la recherche il y a donc deux partis pris en apparence inconciliables: l'étude de la littérature dans la société et l'étude de la société dans la littérature. Cela, en fin de compte, pose un problème de motivation. Que cherche-t-on à comprendre? Sur quoi veut-on agir? D'autre part cela pose un problème d'attitude. Où se situe-t-on? De quelle expérience problématique part-on?

Il en résulte une extrême complexité des champs d'étude et des méthodologies. Comme première vision d'ensemble on peut citer celle de René Wellek qui, dans sa *Théorie de la littérature*[39], superpose un schéma de communication sociale au fait littéraire considéré comme l'objet fondamental de l'étude et suggère une sociologie de l'écrivain, une sociologie de l'œuvre et une sociologie du public. C'est le deuxième volet de ce triptyque qui est de très loin le plus développé et c'est là que se situent les riches recherches de l'école de Lukács avec notamment les travaux de Lucien Goldmann et de ses élèves. Le mérite de Richard Hoggart et de son Centre d'études culturelles contemporaines de Birmingham est de s'être attaqués aux deux autres aspects du problème. La caractéris-

---

39. R. Wellek et A. Warren, *Theory of Literature*, New York, 1949.

tique de cette attitude d'ensemble est de partir du littéraire et de passer par une méthodologie sociologique pour aboutir à un littéraire socialisé.

Une autre vision d'ensemble pourrait être typifiée par le livre de Jean-Paul Sartre (à peu près contemporain de celui de Wellek): *Qu'est-ce que la littérature?* Elle consiste à partir du littéraire pour le situer dans le social par une méthode dialectique qui fait intervenir simultanément l'analyse du littéraire et l'analyse du social. L'œuvre de Sartre n'est qu'une ébauche, mais elle indique le chemin que semblent vouloir suivre tous ceux qui sont impliqués dans une *praxis sociale*. C'est dans cette perspective que personnellement nous désirerions nous incorporer. Avec des contenus idéologiques différents la *praxis* sociale inspire certaines des recherches qui sont menées dans des pays socialistes comme la Hongrie et, par exemple, l'aspect culturel du programme de développement du livre dans le monde mis en œuvre depuis quelques années par l'UNESCO[40].

C'est aux États-Unis qu'on voit se manifester (également dans les années qui ont suivi la Deuxième Guerre mondiale) une troisième attitude qui peut être typifiée par les travaux de J.-H. Barnett et de B. Berelson[41]. Fondée sur une sociologie de l'art ou une psychosociologie de la communication, elle consiste à partir du social pour retourner au social en y incluant le donné littéraire. Le champ d'étude est ici très complexe car, nous le savons, les modes d'appréhension du donné littéraire sont nombreux et contradictoires. Un des plus féconds est la linguistique moderne et c'est là sans doute qu'il faudrait insérer les travaux des linguistes saussuriens, notamment de Roland Barthes[42].

---

40. Voir les documents publiés par l'UNESCO sur les réunions d'experts tenues dans le cadre du Programme pour le développement du livre à Tokyo en 1966 pour l'Asie, à Accra en 1968 pour l'Afrique et à Bogota en 1969 pour l'Amérique latine.
41. Voir notamment B. Berelson, *The Library's Public*, New York, 1949.
42. Nous n'avons dans ce chapitre cité que *Le degré zéro de l'écriture* qui date de 1953, parce que les articles qui constituent ce recueil sont contemporains de nos premières réflexions et constituent une «base de départ» commune, mais il est évident que toute l'œuvre de Roland Barthes et en particulier ses *Essais critiques* de 1964 concerne directement la sociologie de la littérature.

Reste l'attitude qui consiste à partir du social pour aboutir au littéraire par des cheminements plus ou moins définis. Il faut reconnaître que jusqu'ici rien ne permet d'affirmer que la voie soit praticable. C'est sans doute que les mécanismes sociaux peuvent être ramenés à des modèles rationnels ou à des jeux d'interactions définissables, alors que le phénomène littéraire, quand on lui applique un de ces schémas, laisse toujours un résidu irréductible. Toutefois, il est possible qu'une solution nous vienne un jour du tiers monde ou de la Chine populaire, mais il n'est pas certain qu'il soit alors question de ce que nous appelons maintenant littérature dans le monde du développement industriel capitaliste ou socialiste.

Il semble pourtant qu'on puisse trouver dans ces différentes visions du binôme société-littérature quelques préoccupations communes. C'est ainsi qu'on peut envisager une *sociologie du livre* (compris à la fois comme médium du processus et comme instrument de l'appareil), une *psychosociologie de la lecture* et une *sociologie de l'œuvre littéraire,* chacune des trois pouvant être abordée soit comme théorie, soit comme *praxis.*

Il faut donc un arsenal méthodologique très souple, les deux armes de base étant pour l'étude du particulier l'analyse structurale ou dialectique, pour l'étude du multiple l'exploitation statistique. Le donné, appréhendé par des techniques qui peuvent aller de la lecture individuelle à l'enquête directive ou non directive, doit être élaboré parallèlement selon les diverses branches du savoir où le phénomène littéraire se trouve impliqué: histoire, linguistique, esthétique, économie, etc., la cohérence de l'ensemble étant établie par des hypothèses de travail provisoires dans lesquelles peuvent se traduire les motivations profondes du chercheur.

C'est dire qu'il ne saurait y avoir pour le moment *une* sociologie de la littérature. Nous en sommes au stade du défrichement où les équipes commencent à se constituer et à entrer en relations les unes avec les autres. Les grandes problématiques ont été définies par quelques travaux fondamentaux dans les cinq années qui ont suivi la Deuxième Guerre mondiale. Dans la décennie qui a suivi, sont apparus — no-

tamment vers 1957 et 1958 — les premiers résultats individuels des chercheurs et se sont formulées les premières tentatives malhabiles de synthèse comme notre propre *Sociologie de
la littérature*[43]. Il faut maintenant que les équipes s'étoffent, se
diversifient et se définissent les unes par rapport aux autres
afin que le quadrillage du terrain à explorer établi en commun fasse apparaître les ignorances, les carences et les malentendus. Il serait en tout cas imprudent, dans le monde en
mouvement où nous vivons, d'essayer d'affirmer une vérité
de la littérature devant une vérité de la vie sociale.

43. Sans renier le moins du monde un travail auquel il faut reconnaître les
mérites de l'intrépidité et de la sincérité, nous devons préciser qu'il s'agissait d'un point de départ. Il peut encore être utilisé comme tel par qui aborde
les problèmes sociologiques de la littérature, comme nous l'avons fait, par
une révolte contre l'institution littéraire. Par la suite l'expérience, l'élargissement des connaissances, la réflexion ont fait évoluer nos hypothèses de
travail et l'on constatera que nous ne parlons plus tout à fait le même langage. Mais alors comme maintenant notre recherche se veut plus autobio-
graphique qu'épistémologique. Nous pensons que toute science doit être
expérience vécue avant d'être théorie et que dans les sciences humaines en
particulier il n'y a de théorie acceptable que fondée sur une expérience pratique en vue d'une action immédiate. Se demander «Que peut la littérature?» est déjà une attitude plus scientifique que se demander «Qu'est-ce
que la littérature?», mais il serait mieux encore de se demander «Que
pouvons-nous faire de la littérature?»

Le droit et le savoir: le concept d'institution*

par Lucie Robert

Le riche snobe le pauvre, définitivement, lorsqu'il fonde sa supériorité non sur l'économique, non sur le politique, mais sur l'esthétique. Alors les objets ont une valeur de désintéressement. Ce qui est le comble pour le pauvre, privé du nécessaire, c'est que le riche est désintéressé lorsqu'il est vraiment riche, qu'il comprend l'art! L'objet existe pour lui en tant que beauté et non comme marchandise. Et si l'objet est possédé, c'est comme œuvre d'art, droit non du riche, mais du connaisseur.

MICHEL CLOUSCARD,
L'être et le code

Une question reste à résoudre, plus délicate que les autres: l'institution. Dans les sciences sociales, l'analyse des phénomènes sociaux a emprunté deux voies distinctes. La première conduit, depuis Durkheim, à la constitution des groupes sociaux comme facteur de la segmentation du champ social et comme instrument de contraintes imposées à l'individu. En ce sens, l'institution est un «dispositif» de normalisation qui s'efforce d'obtenir dans sa zone d'influence

---

* Extrait de: *L'institution du littéraire*, Québec, Presses de l'Université Laval, 1989.

certains comportements particuliers[1]. L'institution se reconnaît ainsi à son caractère contraignant mais en même temps à l'autonomie de l'individu qu'elle encadre. Son efficacité n'est en effet possible qu'avec le concours de ces individus. Les travaux de Pierre Bourdieu s'inscrivent dans cette voie[2]. Les groupes sociaux y sont l'objet d'analyses visant à découvrir chez leurs membres des comportements itératifs, des habitudes communes qui constitueraient la marque de l'appartenance à ce groupe, en même temps que la condition de sa clôture, par les exclusions qu'un tel phénomène entraîne. On espère ainsi reconstituer, à partir de ces marques et de leurs effets, le système normalisateur qui en est le fondement. Le concept d'habitus[3] se situe au centre de cette démarche. Il met en évidence le caractère pédagogique de l'institution qui doit pouvoir être assimilée et acceptée, donc apprise, par l'individu. Que dans les théories de la littérature l'institution ait été décrite comme une structure sémantique sans sujet, une forme consensuelle, un horizon d'attentes, un répertoire, une doxa, un ensemble de normes ou encore un système normalisateur n'a pas grande importance. Quoique ces concepts soient différents, qu'ils désignent ou le dispositif ou le résultat obtenu, qu'ils s'appliquent au procès d'écriture ou à celui de la lecture, ils sont réunis par cette conception de la relation qu'entretient l'individu au social, conception qui renvoie à une sociologie du consentement.

1. Jacques Chevallier, «L'analyse institutionnelle», *L'institution*, Paris, 1981, p. 24-29 et François Bourricaud, «Institution», *Encyclopedia universalis*, 1984, t. IX, p. 1062-1065.

2. Voir en particulier *La distinction. Critique sociale du jugement*, Paris, 1979, et *Le sens pratique*, Paris, 1980.

3. Habitus: «Système de dispositions durables, transposables, intégrant toutes les expériences passées, fonction[nant] à chaque moment comme une matrice de perceptions, d'appréciations et d'actions en rend[ant] possible l'accomplissement de tâches infiniment différenciées.» (P. Bourdieu, *Esquisse d'une théorie de la pratique*, cité par Marc Angenot qui ajoute: «L'habitus est ainsi ce "schéma générateur" de pratiques distinctes et distinctives inscrit sur le corps même de l'homme social et qui laisse prendre pour une "nature" ou pour un don ce qui n'est que la maîtrise [non objectivée] d'un code et l'inscription d'une sémantique identifiante.» Voir «Le discours social: problématique d'ensemble», *Cahiers de recherche sociologique*, II, 1, 1984, p. 23.)

L'autre voie s'inscrit dans une tradition politique voulant que la violence exercée socialement sur l'individu soit le phénomène qui détermine les comportements individuels[4]. Le concept d'appareil remplace ici celui d'institution. L'appareil est alors cette force structurelle qui assujettit l'individualité au social[5], à la fois rouleau compresseur qui aplanit les différences, organisation qui canalise l'activité en lui donnant un lieu, une forme, une fonction, bureaucratie qui sépare, divise, classe et sanctionne. Dans cette conception, dont on a trouvé la critique au chapitre précédent, l'appareil est ce par quoi les fonctions, les rôles et les places sont non seulement assignés, mais également créés. L'ensemble de ce procès porte le nom de division sociale du travail[6]. L'appareil exerce les pressions nécessaires à l'intégration des individualités et renvoie ainsi à une sociologie de la coercition, de la violence. Ce que Pierre Bourdieu désigne sous le nom d'habitus n'est alors qu'une des formes de l'assujettissement.

L'une et l'autre conception peut être vue ici comme le reflet théorique de son objet. Leur séparation elle-même est le miroir de ce que Michel Pêcheux définissait comme les deux formes d'assujettissement dont le capitalisme aurait permis le développement: la forme américaine et la forme prussienne[7]. La première renvoie à l'existence d'une sphère privée garantie par ces formes juridiques et politiques que sont les droits de la personne, en même temps qu'à l'existence d'une sphère

---

4. «Le rôle de la violence dans le fondement du pouvoir est toujours sous-estimé: il n'est jamais question que des raisons du consentement.» (Nicos Poulantzas, *L'État, le pouvoir, le socialisme*, Paris, 1978, p. 86.)

5. En réconciliant Freud et Marx, Louis Althusser a tenté d'articuler cette fonction d'assujettissement opérée par l'appareil. Voir «Idéologie et appareils idéologiques d'État. Notes pour une recherche», *La pensée*, 151, 1978, p. 3-28; reproduit dans *Positions (1964-1975)*, Paris, 1976, p. 67-125.

6. Christian Baudelot et Roger Establet ont montré comment l'appareil scolaire contribue à la division du travail. Voir *L'école capitaliste en France*, Paris, 1971. Francine Descarries-Bélanger a pour sa part analysé le rôle de l'école dans la division sexuelle du travail dans *L'école rose... et les cols roses. La reproduction de la division sociale des sexes*, Montréal, 1980.

7. Michel Pêcheux, «Ideology: Fortress or Paradoxical Space», dans *Rethinking Ideology. A Marxist Debate*, Berlin, 1983, p. 31-35.

publique qui donne aux conflits sociaux des formes particulières comme la démocratie parlementaire et la liberté de la
presse. Le rapport de l'individu au social s'institue par la
transmission des savoirs sociaux sur lesquels se modèlent les
comportements individuels. La forme prussienne, pour sa
part, condense les conflits sociaux dans une forme bureaucra-
tique dont le rôle répressif demeure évident. L'individualité y
est anéantie par le rituel et la représentation (religieuse ou
rhétorique), toute déviance étant perçue comme une atteinte
à l'ordre social et dès lors traitée comme un crime. La fin de
la Seconde Guerre mondiale marquerait pour l'Occident (à
l'exception de l'Europe de l'Est) la défaite de la forme prussienne et la généralisation de la forme américaine, malgré ces
quelques exceptions que furent entre autres l'Amérique mac-
carthyste, le Canada de Mackenzie King, le Québec duples-
siste et la Grèce des colonels. Il n'est donc pas indifférent de
savoir que la sociologie durkheimienne s'inscrit dans une vision libérale du politique et que le concept d'appareil a été
développé à l'intérieur du projet communiste.

La proposition de Michel Pêcheux offre l'intérêt d'inscrire
la coercition et le consentement dans une conception plus
souple et plus riche des rapports de pouvoir dans une société
donnée et de rendre aux formes d'assujettissement une dimension historique, conjoncturelle. Il confirme l'existence de
formes distinctes d'assujettissement fondées soit sur l'appareil, soit sur le droit. Pêcheux conserve toutefois l'image
d'une société globalisante et globalisée, puissance qui précède
l'individu qu'elle sert à convaincre ou à contraindre. Vision
déterministe, parfois déiste, dont la sociologie structurale,
fût-elle marxiste, n'a jamais pu se défaire.

Il est normal que la question intéresse et même qu'elle
soit posée d'abord dans ces termes. Depuis sa naissance,
chaque personne doit négocier son existence, être confrontée
au reste du monde et en même temps trouver le moyen de
préserver son espace vital. Il n'y a, somme toute, que bien
peu d'êtres marginaux et ils paient tous très cher leur autonomie et leur indépendance; ils les paient en général trop cher
pour pouvoir en profiter. Dans cette perspective, le paradoxe,

la déviance résident néanmoins dans l'individualité. C'est alors le social qui fait figure de norme, de doxa, de loi[8].

Pourtant le social ne saurait être confondu avec la loi. Il est d'abord un corps institué à partir d'un tissu de relations entre des personnes. En faire un appareil de domination, d'assujettissement et de contrôle signifie que l'individu peut exister hors du social avant de lui être soumis. Cela signifie également qu'il serait étranger à la jungle qui résulterait des rapports non régis par ces formes institutionnelles que sont les mœurs, les coutumes et le droit, mais aussi la bienséance, l'hygiène, la rhétorique, la religion et le savoir[9]. C'est dire que si l'effet institutionnel est d'abord perçu du point de vue de la relation de l'individu au social, il ne peut être véritablement compris que de l'autre point de vue, celui de la relation du social à la loi.

Appréhender le littéraire comme une forme institutionnelle ne saurait alors se limiter à reconstituer l'ordre des choses, à retrouver, derrière les comportements et les énoncés, le système de normalisation et le texte de la loi[10]. L'institution ne correspond pas immédiatement à cette forme de pouvoir. Elle ne correspond pas plus à l'ensemble de ces micropouvoirs que sont les pouvoirs additionnés des enseignants, des critiques, des éditeurs, des fonctionnaires qui exerceraient une contrainte sur l'écriture. De l'existence d'une communauté, de groupes, de comportements itératifs, on ne peut conclure ni à la concertation, ni au complot. L'institution ne peut non plus être confon-

---

8. «Le rapport à l'institution n'est que l'autre nom du rapport à la loi.» (J. Chevallier, *op. cit.*, p. 24.)

9. «Les mœurs et les manières sont des usages que les lois n'ont point établis, ou n'ont pas pu, ou n'ont pas voulu établir. Il y a cette différence entre les lois et les mœurs que les lois règlent plus les actions du citoyen, et les mœurs règlent plus les actions de l'homme.» Montesquieu, *De l'esprit des lois*, livre XIX, chap. XVII.

10. «L'ensemble des normes écrites ou non écrites appartient en soi plutôt au domaine de la création littéraire. Cet ensemble de normes acquiert une signification réelle seulement grâce aux rapports qui sont conçus comme dérivant de ces normes et qui en dérivent effectivement.» (Evgeny B. Pasukanis, *La théorie générale du droit et du marxisme*, Paris, 1970. Sur ces questions, lire également *Pour une critique du droit. Du juridique au politique*, Paris, 1978.)

due avec une mode, avec une forme artistique dominante, avec une formation discursive. L'exercice de formalisation logique ne peut transformer les énoncés multiples en discours social. De l'homogénéité des pratiques, à un moment donné de l'histoire, on ne peut déduire ni l'hégémonie, ni le consensus. L'institution demande un certain nombre de contraintes supplémentaires pour être socialement acceptable, pour légitimer son autorité et dépolitiser les enjeux. Ce sont pourtant ces communautés et ces consensus qui permettent de concevoir la norme, la doxa, la loi, comme quelque chose qui, situé en dehors des individus et des textes, uniformise les comportements et les énoncés.

La difficulté résulte ici de la confusion entre l'institution en tant que concept et la forme sous laquelle les individus l'appréhendent à un moment donné de l'histoire. La littérature, en effet, n'est ni une loi, ni une norme, ni une doxa. Elle ne peut être réduite à l'action qu'exercent les individus sur l'écriture, encore moins à la seule action de coercition. Elle ne peut non plus être réduite aux énoncés prononcés en son nom, encore moins aux seuls énoncés de la critique. Partir de la loi, de la norme ou de la doxa pour appréhender le littéraire, c'est déjà s'enfermer dans une forme autoritaire étrangère aux pratiques réelles, qui appartient à un stade de développement où la division de la société en sphère civile et sphère publique est déjà accomplie et consolidée et où les moments fondamentaux de la forme juridique sont déjà réalisés[11]. La conception du littéraire est ainsi calquée sur la forme dominante que prend l'institution dans une société comme la nôtre: le droit. Si les descriptions qui en découlent peuvent élucider d'une certaine manière les problèmes soulevés par la mise en question du littéraire, elles n'en expliquent ni les prémisses, ni les limites, ni les contradictions. La loi, la norme et la doxa sont donc déjà des formes institutionnelles qui correspondent à des stades, à des moments et à des lieux différents de la gestion des rapports sociaux. Formes réifiées, elles sont le résultat et la conséquence du procès d'institutionnalisation lui-même.

---

11. Sur ces points, lire le texte de Philippe Dujardin et Jacques Michel, dans *Pour une critique du droit. Du juridique au politique*, p. 107-108.

En même temps, penser le littéraire comme une loi, comme une norme ou comme une doxa, est néanmoins rendre problématique ce qui auparavant n'était qu'une évidence: le littéraire lui-même. C'est, en outre, lui donner un lieu et une forme: l'institution, en effet, c'est la littérature. En ce sens, elle est l'unité, le lieu de convergence, le point de référence d'un ensemble de pratiques et de discours dont les chapitres qui précèdent ont montré l'éclatement et l'éparpillement. L'institution comme concept rétablit la cohésion là où autrement règne l'émiettement[12]. Concevoir la relation du social à l'institution ne peut alors se borner à en constater les effets sur les pratiques individuelles. C'est, au préalable, demander comment les rapports sociaux donnent naissance aux institutions et pourquoi les institutions prennent leurs formes effectives.

Les gens heureux n'ont pas d'histoire, dit-on[13]. Des rapports sociaux harmonieux ne créent pas d'institution. Les chapitres précédents ont montré comment les conflits entre les auteurs et les imprimeurs ont produit cette forme juridique qu'est le droit d'auteur. Comment la constitution d'un public comme sphère d'opposition au pouvoir royal donne naissance à une fonction critique qui s'exprime au Parlement et dans la presse, puis comment l'élargissement du public confère à cette critique une fonction élitiste. On a vu enfin comment l'intégration graduelle des pratiques culturelles à la production marchande, puis à la concurrence internationale, a suscité l'intervention de l'État dans le but de protéger une partie menacée de ces pratiques culturelles par un ensemble de mesures la constituant en production d'intérêt public, puis en production d'intérêt national. Tous ces conflits ont entraîné des alliances, parfois des mésalliances, entre les divers participants et participantes et les groupes

---

12. Pierre Laurette développe à ce propos une «épistémologie de l'émiettement». Lire «Du champ, de la théorie et de l'objet textuel», dans *Renouvellements dans la théorie de l'histoire littéraire. Actes du colloque international,* Montréal, McGill University, 18-20 août 1982, p. 227-242.
13. La définition qui suit s'inspire largement des travaux de Michel Aglietta, *Régulation et crises du capitalisme. L'expérience des États-Unis,* Paris, 1982, p. i-xxii, et de Jean-François Lyotard, *Les problèmes du savoir dans les sociétés industrielles les plus développées;* ce dernier fut réédité avec quelques variantes sous le titre *La condition post-moderne. Rapport sur le savoir,* Paris, 1979.

concernés. La polarisation des conflits leur ont conféré une sorte d'unité formée de contradictions qui permettait l'extériorisation, la formulation, la définition de l'objet en jeu. S'est ainsi constitué un champ d'intervention, un espace, dont l'institution réalise l'unité. Vue sous cet angle, la littérature, comme institution, est un moment secondaire et dérivé par rapport aux activités et aux pratiques. Sa cohésion comme unité est maintenue par l'activité des participants et participantes et non l'inverse.

Ainsi le conflit engendre lui-même la forme sous laquelle il peut être médiatisé. Cette forme est une institution sociale qui soustrait le conflit à la violence immédiate, sans pour autant l'éliminer. Les chapitres précédents ont montré également comment l'institution du droit d'auteur fixe les rapports de propriété: à l'éditeur, le livre; à l'auteur, le texte; à la nation, les idées; et comment, enfin, l'intervention de l'État dans le champ de la production culturelle confirme la séparation entre la sphère privée de la production marchande et la sphère publique de la culture nationale. L'une et l'autre intervention ne saurait éliminer le conflit. L'éditeur peut refuser un texte et l'écrivain se réclamer d'une plus grande maîtrise de la production du livre. L'histoire démontre aussi que le droit d'auteur n'a pas mis fin au plagiat et aux abus de toute sorte. De la même manière, l'institution d'une culture nationale n'a pas éliminé les problèmes liés à la concurrence internationale. Le droit d'auteur et la culture nationale ont permis par ailleurs de dépolitiser ces problèmes par la reconnaissance et la consolidation d'une séparation négociée entre les éditeurs et les auteurs, entre le marché et l'État, laquelle fonde la légitimité d'une production marchande et privée des biens culturels tout en fixant les limites à sa domination.

La forme institutionnelle exprime ainsi l'ambivalence d'un ordre fondé sur la séparation[14]. Elle est un produit du

---

14. «*Our reflections suggest that the institution of art/literature in a fully developed bourgeois society may be considered as a functional equivalent of the institution of religion. The separation of this world and the other world is replaced by a corresponding separation of art and everyday life. On the basis of this opposition, the aesthetic form can be delivered from the obligation to serve certain purposes and be considered as something of independant value.* Peter Bürger, «Literary Institution and Modernization», *Poetics*, XII, 4-5, 1983, p. 419-433.)

conflit social et, en même temps, elle en normalise les termes. Elle n'est pas un enjeu immédiat. Quand la forme institutionnelle est constituée, elle se fait constituante, régulatrice, et ce nouveau corps s'oppose aux cellules de base. C'est l'effet contraignant. Le droit d'auteur oblige les écrivains et les écrivaines à transformer leur texte en livre pour que prenne force la protection. Par ailleurs, ce même droit oblige l'éditeur à respecter le texte et à négocier chacune des modifications qu'il voudra lui faire subir. L'institution d'une culture nationale limite la protection spéciale accordée à la production privée des biens culturels à ceux qui correspondent aux besoins définis par l'État. En retour, elle astreint l'État à combler les carences de la production privée et à assumer directement ou à subventionner une part de la production culturelle qui sera néanmoins réinsérée dans la sphère de la circulation et de l'échange marchand[15].

Dans le champ de la séparation d'où elle est surgie, l'institution possède les attributs d'une souveraineté qui l'autorise à imposer des normes et des références conventionnelles. Limitée par les autres institutions, cette souveraineté laisse à l'intérieur un espace de liberté qui permet les variations et les contradictions et lui donne une faculté d'adaptation aux conditions conjoncturelles du conflit. Le droit d'auteur a sa jurisprudence à partir de laquelle on a pu l'adapter à la naissance du cinéma, de la radio, de la télévision et de l'informatique. La culture nationale ne se conçoit pas sans que soient prises en charge les formes de sa diffusion. De cette manière, en plus d'intégrer les productions réalisées avec les nouveaux médias, elle a dû s'adapter aux conflits sociaux en faisant place aux productions des groupes minoritaires et des femmes ainsi qu'aux productions fortement politiques des groupes de pression et d'action communautaire. L'assise de l'institution est donc plus ou moins solide, son degré de résistance dépendant essentiellement du niveau de violence atteint par le

---

15. «*Under capitalism, the power of intellectuals to exert influence on cultural matters is tied, as everything else is, to the nature of the marketplace.*» (Charles Kadushin, «Intellectuals and Cultural Power», *Media, Culture and Society*, IV, 3, 1982, p. 262.)

conflit qui préside à l'établissement des normes et des références conventionnelles. Que l'institution redevienne un enjeu de ce conflit et sa capacité de médiation disparaît. Que l'institution se révèle trop lointaine ou trop rigide et sa capacité d'intervention devient inopérante. La culture canadienne n'a pu prévenir la naissance, le développement et l'institution d'une culture québécoise dont la souveraineté, de plus en plus reconnue sur le plan international, s'étend désormais aux productions non francophones du Québec[16].

La littérature ne peut être confondue avec ces autres formes institutionnelles que sont le droit d'auteur et la culture nationale. Quoique imbriquées à plusieurs moments, ces trois formes ont une logique de développement qui leur est propre. L'une a pu influer sur l'autre quand, notamment, le littéraire a pu justifier l'autonomie du texte par rapport au livre, quand il a agi comme élément de la définition d'une culture nationale et, inversement, quand le droit d'auteur a limité le littéraire au texte et quand l'État fonde la nationalité d'un ensemble culturel. Parler de la littérature comme d'une institution réclame cependant qu'on la considère comme une entité autonome. Cela suppose que l'on isole le conflit qui lui donne naissance et que l'on étudie le processus qui définit son unité et sa souveraineté ainsi que la forme particulière sous laquelle elle atteint la stabilité qui lui permet d'imposer des normes et des références conventionnelles. Parler de la littérature comme d'une institution entraîne ainsi son analyse dans le champ du savoir et de sa constitution en disciplines différenciées.

---

16. Je partage ici l'avis de Dorval Brunelle; dans son essai *Les trois colombes* (Montréal, 1985), il affirme l'existence d'une culture et d'une identification canadienne-française malgré l'institution d'une culture et d'une identification québécoises. L'une et l'autre ne se situent pas seulement dans un continuum historique où la québécoise aurait remplacé la canadienne-française. Elles existent encore simultanément et recoupent souvent les mêmes productions. C'est cette coexistence, loin d'être pacifique, qu'ont révélée les résultats du référendum de 1980 sur la souveraineté.

IV
Nouvelles perspectives

Introduction

par Jean-François Chassay

Dans un article intitulé «La sociocritique et la littérature québécoise», André Belleau notait un reproche souvent adressé à Lukács, celui de s'être restreint dans ses analyses au réalisme du XIXᵉ siècle. «Néanmoins, c'est encore l'attitude aujourd'hui de ce qu'on pourrait appeler l'école de Vincennes (Claude Duchet, Henri Mitterand et leurs collègues): ses travaux portent principalement sur Zola, Flaubert, Stendhal, Balzac[1].» Ce texte datant de 1983, on constatera que depuis dix ans les objets de recherche ont largement varié. L'article de Michel Biron qui ouvre cette dernière partie en donne un exemple convaincant puisqu'il fait le point sur les réflexions théoriques concernant sociocritique et poésie et propose de nouvelles avenues de recherche à partir de travaux récents. Il est tiré d'un numéro de la revue *Études françaises*[2] paru au cours des dernières années et portant spécifiquement sur ce sujet, offrant plusieurs études de textes poétiques analysés d'un point de vue social.

Toutefois, l'importance qu'on accorde, aujourd'hui, à des objets littéraires autrefois négligés par l'analyse sociale, ne peut être comprise vraiment si on omet de tenir compte

---

1. André Belleau, «La sociocritique et la littérature québécoise», dans *Y a-t-il un intellectuel dans la salle?*, Montréal, Primeur, 1984, p. 164.
2. Michel Biron et Pierre Popovic (dir.), «Sociocritique de la poésie», *Études françaises*, 27, 1, printemps 1991, 134 p.

des nouvelles perspectives théoriques qui se sont ouvertes au cours des dernières années et qui ont contribué à leur apporter un nouvel éclairage. Ce texte vise d'abord à indiquer quelques pistes parmi d'autres, dégager des champs théoriques parfois déjà bien balisés mais dont on commence à peine, dans d'autres cas, à entrevoir les possibilités.

Discours social

Le texte de Marc Angenot intitulé «Pour une théorie du discours social», qu'on lira dans les pages suivantes, indique une des voies les plus prometteuses et les plus riches théoriquement parmi celles qui ont été proposées au cours des dernières années. Encore toute récente, la notion de discours social, qu'on peut situer, dans une certaine mesure du moins, dans le sillage des travaux de Jean-Pierre Faye et Michel Foucault, se définit dans ce texte comme

> tout ce qui se dit, tout ce qui s'écrit dans un état de société donné (tout ce qui s'imprime, tout ce qui se parle aujourd'hui dans les médias électroniques). Tout ce qui se narre et s'argumente; le narrable et l'argumentable dans une société donnée.
>
> *Ou plutôt*: les règles discursives et topiques qui organisent tout cela, sans jamais s'énoncer elles-mêmes. L'ensemble — non nécessairement systémique, ni fonctionnel — du dicible, des discours institués et des thèmes pourvus d'acceptabilité et de capacité de migration dans un moment historique d'une société donnée[3].

Marc Angenot a appliqué ses théories dans un ouvrage récent intitulé *1889. Un état du discours social* qui porte sur tout ce qui s'est imprimé en Belgique francophone et en France au cours de l'année 1889. Si chacun des champs du discours

---

3. Marc Angenot, «Le discours social: problématique d'ensemble», *Cahiers de recherche sociologique* («Le discours social et ses usages»), II, 1, avril 1984, p. 20.

respecte un certain nombre de règles, d'usages, de modalités discursives qui lui sont propres, il existe également, dans une situation sociohistorique donnée, des liens qui s'opèrent nécessairement, une forme d'homogénéisation repérable qui requiert de prendre en charge l'ensemble des pratiques langagières dans la société pour rendre compte de celle-ci adéquatement. Ce faisant, l'analyse du discours remet en cause l'autonomie prétendue des savoirs institués, refuse de hiérarchiser les genres ou de donner préséance à certaines esthétiques particulières. La littérature elle-même, dans ce contexte, ne jouit pas d'un statut particulier. Les discours ne sont pas que juxtaposés, ils coexistent, interfèrent, révèlent une activité à travers laquelle on peut déceler certaines régulations, des tendances hégémoniques, grâce auxquelles on peut voir comment une société se conçoit et se représente.

Certains ouvrages récents publiés au Québec se situent dans le droit fil de ces perspectives théoriques. Dans son essai intitulé *Une société, un récit*, Micheline Cambron pose l'hypothèse d'un «récit commun», texte hégémonique ayant une fonction modélisante au Québec et qu'elle retrouve entre les années 1967 et 1976 aussi bien dans des textes littéraires — *L'hiver de force* de Réjean Ducharme, *Les belles-sœurs* de Michel Tremblay, *L'homme rapaillé* de Gaston Miron — que dans des textes journalistiques, des chansons, des monologues.

La contradiction du poème, de Pierre Popovic, analyse la fonction spécifique qui serait jouée par la poésie, genre peu prisé jusqu'ici par les sociologues de la littérature, dans le discours social duquel elle émerge. S'appuyant, tout comme Micheline Cambron, sur les travaux de Marc Angenot, il procède d'abord à une lecture fine des principaux discours sociaux qui se sont manifestés dans la société québécoise au cours des années 1948-1953 avant de montrer comment les textes poétiques (ici ceux de Hébert, Gauvreau et Miron) s'inscrivent dans un processus interdiscursif qui les nourrit et qu'ils nourrissent.

Dans *Sociocritique de la traduction*, Annie Brisset utilise un corpus de traduction théâtrale portant sur une période de vingt ans au Québec (de 1968 à 1988) et montre comment ce travail sur les textes répond davantage à une analyse contrastive des discours sociaux qu'à une linguistique différentielle ou une stylistique comparée. La traduction doit être étudiée comme un mode d'écriture qui ne peut être isolé d'autres formations discursives. À partir de ces hypothèses, elle étudie l'importance du discours nationaliste québécois dans les traductions, en particulier celles qui furent réalisées pour les théâtres institutionnels.

Comme on peut le voir à partir de ces quelques exemples, même si le discours social ne donne pas la priorité à un ou des genres littéraires, il commence à jouer un rôle décisif dans la théorie et l'analyse de la littérature lorsque celles-ci sont envisagées dans une perspective sociale. Le roman tend à perdre son rang privilégié et les textes étudiés ne sont plus seulement ceux qui sont traditionnellement «consacrés». Tombant du piédestal qui fut longtemps le sien, le texte littéraire continue d'être une pratique discursive ayant ses particularités, mais davantage ouvert à l'ensemble des discours qui traversent la société, en coexistence plus étroite avec ceux-ci.

Le sociogramme

Dans une perspective qui n'est pas très éloignée de la théorie du discours social, mais orientée de manière plus explicite vers la littérature, Claude Duchet a proposé dernièrement d'étudier ce qu'il nomme «le sociogramme», qui se définirait comme un «ensemble flou, instable, conflictuel de représentations partielles centrées autour d'un noyau en interaction les unes avec les autres[4]». Le mot «conflictuel»

---

4. Régine Robin, «Pour une sociopoétique de l'imaginaire social», dans «Le sociogramme en question/Sociocriticism Revisited», *Discours social/ Social Discourse*, 5, 1-2, hiver-printemps 1993, p. 13. Les informations qui suivent dans le texte sur le sociogramme sont tirées de cet article de Régine Robin. On notera qu'il s'agit de la version allongée d'un texte paru dans *La politique du texte* (Lille, Presses universitaires de Lille, 1992), livre en hommage à Claude Duchet, dans lequel on retrouve une bibliographie importante sur la sociocritique, réalisée par Isabelle Tournier et Stéphane Vachon.

apparaît ici central à la problématique sociogrammatique, puisqu'il désigne l'enjeu polémique qui se dégage de cet ensemble fragmentaire, dont les éléments interagissent et se transforment autour d'un centre qui peut se présenter sous des formes variées. Ainsi, pour prendre un exemple:

> Dans *Les illusions perdues*, c'est le sociogramme «Littérature» qui est interrogé, déplacé à un moment de crise de ce sociogramme, au moment où le noyau de ce sociogramme se transforme dans une tension entre *poète* et *journaliste*, le romancier tentant de résoudre la contradiction. Ici la référence se fait texte. Le roman se met en scène, devient l'objet de la fiction et tente par là de faire bouger le sociogramme «littérature[5]».

C'est dans cette optique que Régine Robin situe son propre travail dans *Le réalisme socialiste. Une esthétique impossible*, autour du sociogramme du héros, ou de «l'homme nouveau». Passant de la présentation descriptive à l'analyse critique, de l'analyse du discours à l'analyse textuelle, cette étude montre comment le réalisme socialiste ne forme pas le bloc monolithique (et simpliste) auquel on réduit généralement son esthétisme, mais rend compte des tensions qui ont marqué son histoire et l'articule à un ensemble discursif dont on peut retrouver les origines dans la Russie du XIXe siècle. Inséré dans un ensemble culturel, dans une conjoncture particulière, le sociogramme «est constitutif de la formation de l'imaginaire social[6]».

Bakhtine

Parmi les nombreux renvois théoriques qui éclairent l'ouvrage de Régine Robin, la référence à Bakhtine apparaît particulièrement importante. Cela ne doit pas surprendre si l'on tient compte de l'ascendant très important pris par le

---

5. *Ibid.*, p. 14.
6. Régine Robin, «Pour une sociopoétique de l'imaginaire social», *op. cit.*, p. 14.

théoricien russe au cours des dernières années. «Le plurilinguisme dans le roman», que nous reproduisons ici, est tiré de *Esthétique et théorie du roman*, ouvrage central dans l'ensemble de la production bakhtinienne.

Ce texte célèbre prend d'abord appui sur le roman humoristique anglais, en particulier celui de Dickens, pour explorer la polyphonie du genre romanesque, construction hybride qui fait de la diversité des langages la base du style. À travers son écriture, l'auteur du roman utilise le langage comme «opinion publique», structure dynamique sans cesse mouvante, considérée dialogiquement. «L'indispensable postulat du style humoristique est donc la stratification du langage littéraire et sa diversité, plurilinguisme dont les éléments doivent se projeter sur différents plans linguistiques; en outre, les intentions de l'auteur se réfractant au travers de tous ces plans, peuvent ne s'attacher complètement à aucun d'eux[7].»

Nouvelles lectures féministes

Parmi les nombreuses et souvent divergentes lectures de Bakhtine (y compris de fort conservatrices interprétations), on notera ici, à cause de son ampleur, l'importance prise par les théories bakhtiniennes dans le mouvement féministe anglo-saxon contemporain au cours des dernières années. Le dialogisme occupe dans ce contexte une place centrale, que ce soit pour défendre une nouvelle poétique féministe (Joanne Frye), analyser des textes s'opposant à un discours patriarcal dominant (Dale Bauer), développer le concept de jeu dans la théorie féministe (Patricia Yeager) ou remettre en question les frontières entre théorie et fiction (Anne Herrmann[8]). La théo-

---

7. Mikhaïl Bakhtine, «Le plurilinguisme dans le roman», dans *Esthétique et théorie du roman*, Paris, Gallimard, coll. «Tel», 1978, p. 131-132.
8. Pour avoir une vue d'ensemble des travaux parus au cours des dernières années, on pourra lire, de Clive Thomson, «Mikhail Bakhtin and Contemporary Anglo-American Feminist Theory», *Critical Studies*, 1, 2, 1989, p. 141-161.

rie bahktinienne devient ici le pivot d'une réflexion à la fois politique, sociale et littéraire.

Le texte de Patricia Smart que le lecteur lira dans ces pages, introduction à son livre *Écrire dans la maison du père*, ne mentionne pas Bakhtine mais adopte un point de vue féministe, qui tire ses sources théoriques aussi bien d'ouvrages anglo-saxons que français. Il s'agit dans ce cas d'étudier un corpus québécois, de Laure Conan jusqu'aux ouvrages contemporains, en refusant l'idée naïve d'un «lecteur universel». La maison du père se présente comme «une métaphore de la culture et de ses structures de représentation idéologiques, artistiques et langagières, [...] projection d'une subjectivité et d'une autorité masculines[9]».

❏

Tenter de définir les rapports entre la littérature et la société aujourd'hui implique souvent une médiation: les théories de la lecture, l'anthropologie, la sémiotique, la philosophie, la traductologie permettent des apports qui ne sont pas à dédaigner. Toute la problématique identitaire par exemple, les enjeux littéraires et culturels concernant des notions comme celles d'altérité, les «discours et mythes de l'ethnicité» pour reprendre le titre d'un ouvrage récent[10], la remise en question des identités culturelles stables et homogènes, peuvent difficilement s'imaginer dans un rapport biunivoque entre sociologie et littérature.

Quant au spectre des objets d'étude, on a vu qu'il s'était considérablement élargi au cours des dernières années. Il faudrait encore insister sur le développement des travaux autour de la littérature populaire, du roman feuilleton au roman policier, de la sociologie de la lecture dans les milieux populaires aux discours marginalisés, auxquels on accorde une importance de plus en plus grande.

---

9. Patricia Smart, *Écrire dans la maison du père*, Montréal, Québec/Amérique, 1987, p. 22.
10. Sous la direction de Nadia Khouri, *Discours et mythes de l'ethnicité*, Montréal, ACFAS, coll. «Les cahiers scientifiques», 78, 1993, 231 p.

Entre «le littéraire et le social», pour reprendre le titre de l'ouvrage de Robert Escarpit, les rapports se sont largement complexifiés depuis le début des années soixante-dix, offrant non pas *une* mais de *multiples* voies pour étudier les textes.

Bibliographie sommaire

Discours social

ANGENOT, Marc, *1889, Un état du discours social*, Longueuil, Le Préambule, coll. «L'univers du discours», 1989.

BRISSET, Annie, *Sociocritique de la traduction, Théâtre et altérité au Québec (1968-1988)*, Longueuil, Le Préambule, coll. «L'univers du discours», 1990.

CAMBRON, Micheline, *Une société, un récit, Discours culturel au Québec (1967-1976)*, Montréal, l'Hexagone, coll. «Essais littéraires», 1989.

MAINGUENEAU, Dominique, *Initiation aux méthodes de l'analyse du discours*, Paris, Hachette Université, 1976.

POPOVIC, Pierre, *La contradiction du poème, Poésie et discours social au Québec de 1948 à 1953*, Candiac, Balzac, coll. «L'univers du discours», 1992.

Le sociogramme

ROBIN, Régine, *Le réalisme socialiste, Une esthétique impossible*, Paris, Payot, 1986.

ROBIN, Régine (dir.), «Le sociogramme en question/Sociocriticism revisited», *Discours social/Social Discourse*, 5, 1-2, hiver-printemps 1993.

Bakhtine

BAKHTINE, Mikhaïl, *L'œuvre de François Rabelais*, Paris, Gallimard, coll. «Tel», 1970.

BAKHTINE, Mikhaïl, *Esthétique et théorie du roman*, Paris, Gallimard, coll. «Tel», 1978.

Le féminisme

BAUER, Dale, *Feminist Dialogics: A Theory of Failed Community*, Albany, State University of New York Press, 1988.

SAINT-MARTIN, Lori (dir.), *L'autre lecture. La critique au féminin et les textes québécois*, Montréal, XYZ, 1992 et 1993, 2 vol.

SMART, Patricia, *Écrire dans la maison du père*, Montréal, Québec/Amérique, 1987.

Littérature populaire et marginalités

BELLET, Roger (dir.), *L'aventure dans la littérature populaire au XIXᵉ*, Lyon, Presses universitaires de Lyon, coll. «Littérature et idéologies», 1985.

COLLECTIF, «Littérature populaire, Peuple, nation, région», *Trames*, Faculté des lettres et des sciences humaines, Université de Limoges, février 1988.

GOMEZ-MORIANA, Antonio et POUPENEY HART, Catherine (dir.), *Parole exclusive, parole exclue, parole transgressive*, Longueuil, Le Préambule, coll. «L'univers du discours», 1990 , 600 p.

Sociocritique et poésie:
perspectives théoriques*

par Michel Biron

On se souvient du «non» tranchant de Jean-Paul Sartre qui ouvre *Qu'est-ce que la littérature?*: «non, nous ne voulons pas "engager aussi" peinture, sculpture et musique, ou, du moins, pas de la même manière[1].» Pas plus que poésie, qui est explicitement associée à ces trois formes d'art par opposition à la prose. À quoi, à qui répond ce «non»? Un bref avant-propos cite des accusateurs contemporains (un «jeune imbécile» et un «vieux critique», un «grand écrivain» et un «petit esprit», un «auteur» et un «journaliste», etc.), à qui ne sont prêtées que des objections triviales et plutôt faciles à réfuter. Le «non» liminaire répond donc à quelques «sottises» colportées par des individus anonymes qui ne semblent pas de taille à discuter avec le philosophe-écrivain[2]. Mais Sartre se serait-il préoccupé à ce point de l'opinion de tels énergumènes s'il n'y avait, sous la futilité des reproches formulés, une question latente — beaucoup plus embarrassante — qui touche à la légitimité sociale de toute

* Publié dans *Études françaises*, XXVII, 1, 1991.
1. Jean-Paul Sartre, *Qu'est-ce que la littérature?*, Paris, Gallimard, NRF, coll. «Idées», 1948, p. 11.
2. En fait, Sartre s'est délibérément placé à mi-chemin entre l'esthétique du réalisme socialiste, qui n'excluait ni la peinture, ni la sculpture, ni la poésie, et les discours célèbres sur la poésie pure ou mystique de l'abbé Brémond.

entreprise littéraire? Ce «non» a beau vouloir être rassurant et se réclamer d'une sorte de bon sens élémentaire, il n'en a pas moins pour effet de contrarier cette évidence en renvoyant à un discours critique qui compromet sérieusement la fonction de la littérature dans la société. Parce que la concession initiale prétend remettre les choses à leur place et respecter ce qui se présente comme allant de soi, à savoir qu'il est absurde de vouloir «engager aussi» (sc. «de la même manière») peinture, sculpture, musique et poésie, on peut postuler que cette concession doit se lire pour ce qu'elle est: l'aveu d'un interdit théorique. Pour «engager» la littérature, seule façon de la relégitimer, Sartre a dû accepter de la diviser en deux ensembles, prose et poésie, et renoncer à conduire l'investigation sociale du côté de celle-ci afin de la mener plus librement du côté de celle-là.

Que tout énoncé appartienne à une chaîne dialogique qui l'articule à d'autres énoncés, antérieurs ou synchroniques, le «non» d'ouverture de *Qu'est-ce que la littérature?* l'illustre on ne peut mieux: Sartre présuppose des discours extérieurs au sien et anticipe l'argument d'une discussion éventuelle. Il cite cette idée qui se fait jour chez les poètes français depuis la première moitié du XIXe siècle, selon laquelle «dès qu'une chose devient utile, elle cesse d'être belle. Elle rentre dans la vie positive; de poésie, elle devient prose» (Gautier[3]). Le poète, «en grève devant la société» (Mallarmé), travaillerait désormais contre le public et se replierait sur une sphère d'activité de plus en plus spécialisée dans laquelle l'hermétisme du verbe le disputerait à la gratuité. Par opposition à la prose, littéraire ou théorique, qui peut comme celle de Sartre répliquer à un énoncé social sans se dénaturer, un «non» en poésie (moderne) verrait sa portée référentielle interceptée par le sens immanent du poème et serait interprété comme ayant la «qualité absolue de la négation[4]». On connaît la fameuse distinction qui marque par

3. Théophile Gautier, «Préface» (1832) dans *Poésies complètes. Tome 1*, Paris, Bibliothèque Charpentier, 1905, p. 4.
4. C'est ainsi que Sartre considère la particule «et» en début de certains poèmes comme ayant «la qualité absolue d'une suite» (*Qu'est-ce que la littérature?, op. cit.*, p. 23).

contraste la *socialité* de la prose: le poète «considère les mots comme des choses et non comme des signes[5]». Posant cela, Sartre traduit sur le plan linguistique la précellence accordée par la phénoménologie au «pour-soi» et interdit d'appréhender la poésie comme un procès de signification avec fenêtre sur le monde.

Une opposition analogue apparaît vers la même époque en Russie dans les travaux de Mikhaïl Bakhtine qui, par une démarche tout autre[6], aboutit à une conclusion similaire: «Le poète est déterminé par l'idée d'un langage seul et unique, d'un seul énoncé fermé sur son monologue[7].» Certes, admet le critique russe, le discours poétique rencontre lui aussi le discours d'autrui, mais les traces de cette relation disparaissent «comme s'enlèvent les échafaudages d'un bâtiment terminé[8]». Le dialogisme bakhtinien, au sens fort, est l'affaire du roman comme l'engagement sartrien. Il n'est dès lors pas surprenant que la sociocritique, dont la dette vis-à-vis de ces deux critiques n'est pas négligeable, se soit toujours tenue à bonne distance de la poésie. Pourtant, des ouvertures certaines existent chez l'un et chez l'autre, qui permettent, à la lumière des recherches récentes entreprises dans divers secteurs de la sociologie littéraire, de penser le rapport de la poésie à la société.

Les réticences exprimées par Bakhtine à l'égard du dialogisme en poésie — qu'il lisait avec passion par ailleurs[9] — ont, comme chez Sartre, une teneur stratégique indubitable:

---

5. *Ibid.*, p 18.

6. L'autre grande figure de la sociologie littéraire de la première moitié du XXe siècle, Georg Lukács, ne s'aventurera pas non plus du côté de la poésie.

7. Mikhaïl Bakhtine, *Esthétique et théorie du roman*, Paris, Gallimard, NRF, coll. «Bibliothèque des idées», 1978, p. 117.

8. *Ibid.*, p. 150.

9. «*Regardless of his disparaging comments about poetry as compared to prose forms, Bakhtin essentially lived with poetry.* [...] *Russians have a remarkable capacity for memorizing great chunks of poetry, but Bakhtin's memory for verse was prodigious even by Russian standards. Nevertheless, while lecturing often on poetry and writing periodically on topics like Pushkin and the Lyric, Bakhtin kept his main focus definitely on prose*» (Katerina Clark et Michel Holquist, *Mikhail Bakhtin*, Boston, Harvard University Press, 1984, p. 327).

il s'agit de faire valoir l'inscription sociale du roman et de ré-
agir contre le formalisme et l'idéalisme de la critique littéraire. Plutôt que de se demander pourquoi Bakhtine dépré-
cie en théorie la poésie, il est préférable de relire le peu qu'il
a écrit sur le genre et d'observer que le dialogisme, au sens
large cette fois, ouvre une perspective diachronique qui resti-
tue au texte, quel qu'il soit, une épaisseur sociale. Todorov
simplifie à l'excès la pensée du critique russe lorsqu'il écrit:
«dès la première édition du *Dostoïevski* et surtout avec "Le
discours dans le roman", la prose, qui est intertextuelle, s'oppose à la poésie, qui ne l'est pas[10].» Bakhtine aurait à tout le
moins ajouté «pure» ou «au sens strict» après «poésie». Or,
comme certaines remarques placées au détour d'un paragraphe ou d'un chapitre laissent penser que la poésie «pure»
n'existe pas pour lui, il reste à déduire qu'elle entretient toujours *malgré tout* des rapports significatifs avec le social. «Naturellement, écrit-il, le discours poétique lui aussi est social,
mais les formes poétiques reflètent des processus sociaux
plus durables, des "tendances séculaires", pour ainsi dire, de
la vie sociale[11].» Cette idée d'un ancrage du texte poétique
dans la «grande temporalité» traversera une bonne partie de
l'œuvre bakhtinienne, jusque dans son dernier texte écrit en
1974[12].

En fait, la possibilité d'une poésie pure, totalement fermée sur elle-même ou choséifiée, n'est prise au sérieux ni par
Bakhtine ni par Sartre. «Il va de soi, écrit ce dernier [incidem-
ment, comme Bakhtine], que dans toute poésie, une certaine

---

10. Tzvetan Todorov, *Mikhaïl Bakhtine. Le principe dialogique suivi des Écrits
du Cercle de Bakhtine*, Paris, Seuil, coll. «Poétique», 1981, p. 100.
11. Mikhaïl Bakhtine, *op. cit.*, p. 120.
12. Si elle inclut toute œuvre littéraire, la «grande temporalité» recouvre
donc aussi l'histoire de la poésie: «Une œuvre littéraire, comme nous
l'avons dit plus haut, se révèle principalement à travers une différenciation
opérée à l'intérieur de l'ensemble culturel de l'époque qui la voit naître,
mais rien ne permet de l'enfermer dans cette époque: la plénitude de son
sens ne se révèle que dans la *grande temporalité*» (Mikhaïl Bakhtine, *Esthétique de la création verbale*, Paris, Gallimard, NRF, coll. «Bibliothèque des
idées», 1984, p. 346).

forme de prose, c'est-à-dire de réussite, est présente[13].» Sartre, qui se montre sur ce point plus précis que le théoricien du dialogisme, situe historiquement la poésie dont il traite (elle est «contemporaine»). Sa lecture évolutive de la modernité littéraire décrit la radicalisation progressive de la rupture entre l'écrivain et le monde et projette «la poésie de l'échec» sur l'horizon d'un monde dégradé, hostile au poète. Par conséquent, le poète s'absente du monde sous la contrainte de ce dernier. À la «grande temporalité» bakhtinienne correspond ici une moyenne durée (environ un siècle) pendant laquelle le mouvement de rupture s'accentue jusqu'à faire de la poésie le comble de la négation sous la forme stérile d'un langage archi-littéraire: «La littérature comme Négation absolue devient l'Antilittérature; jamais elle n'a été plus littéraire: la boucle est bouclée[14].» Loin de refuser à la poésie cette présence sociale qui détermine pour lui le sens de la prose, Sartre va jusqu'à dégager, par le biais d'une sociologie sommaire, sa fonction sociale: «À noter que ce choix [*i.e.* celui de la valorisation absolue de l'échec] confère au poète une fonction très précise dans la collectivité: dans une société très intégrée ou religieuse, l'échec est masqué par l'État ou récupéré par la Religion; dans une société moins intégrée et laïque, comme sont nos démocraties, c'est à la poésie de le récupérer[15]».

Malgré la garantie énoncée dans l'incipit, la poésie est sollicitée par Sartre au point de se voir reprocher son rôle de plus en plus superfétatoire. Remarquons en effet que l'une des cibles de *Qu'est-ce que la littérature?* n'est autre qu'un groupe de poètes passant pour inoffensifs et prétentieux, appelés surréalistes. «Une aristocratie parasitaire de pure consommation dont la fonction est de brûler sans relâche les biens d'une société laborieuse et productive ne saurait être justiciable de la collectivité qu'elle détruit[16].» Ainsi, l'immunité poétique ne tient plus dès qu'une fonction «sociocri-

---

13. Jean-Paul Sartre, *Qu'est-ce que la littérature?*, op. cit., p. 48, n. 5.
14. *Ibid.*, p. 165.
15. *Ibid.*, p. 47, n. 4.
16. *Ibid.*, p. 167.

tique» est assignée à la littérature. Irresponsable, complice des classes dirigeantes alors même qu'elle se réclame d'un lieu déclassé, improductive et indifférente aux questions sociales ou politiques, cette littérature, dans laquelle il paraît décidément difficile d'isoler la poésie, se compromet malgré elle dans les idéologies contemporaines. L'impératif sartrien s'arc-boute donc sur une double postulation: d'un côté, l'engagement sous-entend que l'écrivain moderne devrait cesser de faire bande à part et de se situer délibérément hors du contexte social et politique; par ailleurs, il suppose que le texte, prosaïque et poétique, est de toute façon saturé par l'idéologie qui domine la bourgeoisie capitaliste.

L'ambiguïté de la notion d'engagement se mue en paradoxe à partir d'Adorno, pour qui l'autonomie de l'art, et par conséquent la distance irréductible entre l'œuvre et le social, est la condition par laquelle l'artiste ou l'écrivain accède à la réalité sociale (épurée de ses idéologies). On ne compte pas les propositions du type: «Plus Balzac s'éloigne du monde, plus il s'attaque à la réalité, en la créant[17].» Adorno reprend le problème sartrien, mais à rebours, en posant d'abord que l'écrivain, parce qu'il utilise les mots et la syntaxe qui circulent dans la société, renforce l'ordre idéologique en place. Tandis que le soupçon porte chez Sartre sur le mot «autonomie», il affecte, pour Adorno, la valeur de l'engagement: «Il s'agit que l'écrivain s'engage *dans le présent,* concède-t-il; mais, de toute façon, il ne peut y échapper, et c'est bien pourquoi on ne saurait en tirer un programme quelconque[18].» Si l'auteur de la *Théorie esthétique* a défendu avec autant de vigueur la poésie d'avant-garde et l'art éphémère, c'est précisément parce que ces «faits sociaux» ont su préserver leur singularité, résister à leur «engagement» et, par conséquent, affirmer leur force contestataire:

> Plus il [*i.e.* l'état social] se fait oppressant, plus le texte lui résiste, en ce sens qu'il ne s'incline devant rien qui lui

17. Theodor Adorno, *Notes sur la littérature,* Paris, Flammarion, 1984, p. 87.
18. *Ibid.*, p. 290.

soit hétéronome, qu'il se constitue entièrement selon sa loi propre. La distance qui le sépare de la simple existence permet de mesurer combien celle-ci est fausse et mauvaise. Par cette protestation, le poème exprime le rêve d'un monde où tout pourrait être différent[19].

Ainsi le poème le plus obscur révèle, par sa déprise du monde de la communication ordinaire, une opposition à la société marchande et réifiée. À cette monumentale «théorie esthétique», il manque cependant des exemples concrets d'analyse sur la base de textes poétiques[20]. En réalité, Adorno laisse surtout à la sociocritique des notes de lecture et un paradoxe de consolation: les textes littéraires les plus intéressants pour une critique de la société sont, par définition, ceux qui offrent le moins de prise à la sociocritique. Tout au plus, peut-on affirmer avec lui que «l'immense étendue de ce qui ne fut jamais pressenti, sur laquelle se sont audacieusement lancés les mouvements artistiques révolutionnaires vers 1910, n'a pas apporté le bonheur promis par l'aventure[21]».

Qu'on s'en réclame ou s'en défie, l'autonomie totale de l'œuvre poétique véritable, celle qui se déleste avec violence des «mots de la tribu», constitue un axiome difficilement conciliable avec une lecture sociale approfondie d'un poème. Gilles Marcotte remarque justement que la critique la plus moderne reconduit de façon inattendue des attitudes toutes romantiques: «l'ancienne et la nouvelle théorie constituent une sorte de front commun qui vise à préserver le texte littéraire, et le poétique particulièrement, des intrusions du sens courant; la première arguant de l'originalité absolue du génie, la deuxième de l'intransitivité du discours poétique[22].» Barthes, dont il est implicitement question ici, répond à son

---

19. *Ibid.*, p. 48.
20. Nous ne connaissons que «Discours sur la poésie lyrique et la société», «Le surréalisme: une étude rétrospective» et «George», *ibid.*, p. 45-63, 65-70 et 371-384.
21. Theodor Adorno, *Théorie esthétique*, Paris, Klinksieck, 1974, p. 9.
22. Gilles Marcotte, *La prose de Rimbaud*, Montréal, Primeur, coll. «L'Échiquier», 1983, p. 7.

tour à Sartre en parlant de la littérature comme d'un «engagement manqué[23]», mais oublie de fournir les clefs de la sociologie de la parole qu'il réclame. À défaut de celle-ci, l'un et l'autre inspirent un autre type de sociologie littéraire, externe, qui articule l'autonomie un peu abstraite de la littérature à un «marché des biens symboliques» tel que défini en 1971 par Pierre Bourdieu[24]. Considéré sous l'angle d'une institution (par Jacques Dubois), l'espace littéraire s'organise selon des lois internes (autour d'instances légitimantes telles que la critique, les académies, les prix, l'appareil éditorial, etc.) qui hiérarchisent les positions des écrivains et déterminent, pour une bonne part, leurs prises de position éventuelles. Le poète, en quête de capital symbolique, se situe toujours par rapport à un système de régulation donné, et sa trajectoire (ses choix esthétiques, ses affinités de groupe, etc.) se comprend sociologiquement par rapport aux positions qu'occupe au même moment l'ensemble des agents qui le concurrence. De cette théorie, il faut surtout retenir pour notre propos la possibilité de rapporter le geste poétique, réputé désintéressé, à des mécanismes sociaux définis, d'un côté, par la structure objective du secteur littéraire et, de l'autre, par la situation historique et le capital social et culturel de l'écrivain. Les éléments, suggérés par Dubois, d'une approche institutionnelle d'un poème de Mallarmé sont à cet égard exemplaires[25]. Il reste que cette démarche théorique, intéressée d'abord par les groupes, les individus et leurs pratiques, tend à reporter dans les marges de l'analyse ce que la sociocritique voudrait plus central, à savoir la lecture des textes.

Chez tous les critiques cités jusqu'ici, sauf chez Bakhtine (et Marcotte qui s'en réclame), le même constat s'impose: la poésie moderne participe d'un processus d'autonomisation

---

23. Roland Barthes, «Écrivains et écrivants», *Essais critiques*, Paris, Seuil, coll. «Points», 1964, p. 150.
24. Pierre Bourdieu, «Le marché des biens symboliques», *L'Année sociologique*, 22, 1971, p. 49-126.
25. Jacques Dubois, *L'institution de la littérature*, Paris, Nathan et Bruxelles, Labor, coll. «Dossiers Media», 1983, p. 168-174.

de la littérature qui, même si l'on a troqué l'idéalisme romantique pour un franc matérialisme, laisse entier le problème théorique de sa lecture sociale. Pour qui n'en serait pas convaincu, les tentatives décevantes de Lucien Goldmann en vue d'appliquer la méthode du structuralisme génétique à des textes poétiques modernes[26] confirmeraient les pires craintes: la sociologie, si elle n'y prend garde, court le risque d'escamoter le poème. Telle que vue d'aujourd'hui, cette idée de l'autonomie du langage poétique n'arrange rien dans la mesure où elle rend compte d'une évidence (les mots en poésie signifient autrement qu'en prose). Sartre en dénonce les conséquences fâcheuses (l'irresponsabilité), Adorno y voit la seule chance d'une critique sociale authentique et Barthes cherche à sortir de l'alternative entre l'art pour l'art et l'art engagé en reconnaissant à la technique une portée sociale[27]. Tous trois ont avalisé le principe de l'autonomisation progressive et nécessaire de la poésie moderne et se sont employés, dans un deuxième temps, à faire quelques fragiles points de suture pour la raccorder au social. En présupposant que la modernité se définit essentiellement par sa négativité croissante, la critique s'est vue forcée de mettre sur le compte d'un paradoxe ou de scories ses attaches sociales et idéologiques. La sociocritique de la poésie aurait avantage, si elle ne veut pas répéter *ad nauseam* ce constat, à considérer la modernité avec, à sa source, la double postulation qu'on lui attribue *a posteriori*.

Pendant que l'écrivain s'affranchit de la tutelle religieuse ou politique, un autre phénomène se manifeste, qui le rapproche de ce qu'un philosophe comme Habermas appelle le «monde vécu» ou «quotidien». À la base de la modernité des Lumières, l'espoir de voir la raison du plus grand nombre prendre le dessus sur les visées intéressées et non discutables

---

26. Lucien Goldmann, «"Éloges III", Saint-John Perse», «"La gloire des rois", Saint-John Perse», «"Les chats", Charles Baudelaire», dans *Sociologie de la littérature. Recherches récentes et discussions*, Bruxelles, Institut de sociologie (Université Libre de Bruxelles), 2e édition, 1970, p. 53-59, 61-69, 81-85.
27. Barthes invoque Kafka pour illustrer son propos (voir «La réponse de Kafka», *op. cit.*, p. 138-139).

de groupes restreints privilégiés (les pouvoirs politique, aristocratique et religieux) débouche sur l'autonomisation des
sphères de la science, de la morale et de l'art, mais aussi, selon
Habermas, sur le rêve (non réalisé) de transformer les conditions d'existence du grand public. Sans entrer dans la pensée
de l'héritier de l'École de Francfort, observons que celui-ci
emprunte certaines de ses idées-forces en matière d'esthétique
à Walter Benjamin plutôt qu'à Adorno. Alors que ce dernier
ne conçoit le possible de l'art que dans la critique du faux,
dans le rejet d'une raison toujours déjà instrumentalisée[28],
«Benjamin évite tout à la fois l'apologie et la rupture: il
n'abandonne pas, comme le souligne Habermas, l'idée d'une
"civilisation de la beauté éclairée par la raison", mais il affirme en même temps qu'"il n'est aucun document de culture
qui ne soit aussi un document de barbarie[29]"». Pour l'auteur
de *Charles Baudelaire*, l'autonomisation moderne implique «la
perte de l'aura» de l'œuvre poétique et le passage d'une relation au monde de type anagogique à une relation de type analogique[30]. Benjamin constate par exemple l'obsolescence de la
distance cultuelle dans le fait que «*Les fleurs du Mal* sont le
premier livre à avoir utilisé des mots de provenance non seulement prosaïque mais urbaine dans la poésie lyrique[31]».
Selon sa formule, «l'ère de la reproductibilité technique» (tant
décriée par Adorno) ne menace pas *nécessairement* la fonction
critique de l'écrivain, mais offre au contraire une chance de
«pénétrer dans la masse». À l'inverse de Sartre ou Adorno,
Benjamin n'interprète pas les avant-gardes poétiques comme

---

28. Pour une présentation du rapport Habermas/Adorno, voir Jean-Marc
Ferry, *Habermas. L'éthique de la communication*, Paris, PUF, coll. «Recherches
politiques», 1987, entre autres p. 275-277 («nier le mal sans affirmer le bien,
critiquer le faux sans prétendre au vrai, poser en somme la norme négative
qui frappe d'interdit toute norme positive, n'est-ce pas faire signe vers une
autre *autorité*, qui n'est plus fondée en raison?», p. 277).
29. *Ibid.*, p. 263.
30. Selon la formule employée par Pierre Popovic, qui l'applique au nouveau mode de lecture imposé selon Benjamin par la ville moderne («De la
ville à sa littérature», *Études françaises*, XXIV, 3, 1988, p. 116).
31. Walter Benjamin, *Charles Baudelaire. Un poète lyrique à l'apogée du capitalisme*,
Paris, Petite Bibliothèque Payot, coll. «Critique de la politique», 1982, p. 143.

des tentatives stériles, voire duplices, pour sauver la littérature de l'esprit mercantile, mais comme des expériences visant à renverser la hiérarchie des valeurs culturelles:

> Les dadaïstes attachaient beaucoup moins de prix à l'utilisation marchande de leurs œuvres qu'au fait qu'on ne pût en faire des objets de contemplation. [...] Leurs poèmes sont des «salades de mots», ils contiennent des obscénités et tout ce qu'on peut imaginer comme détritus verbaux. [...] Ils aboutissent de la sorte à priver radicalement de toute aura des productions auxquelles ils infligeaient le stigmate de la reproduction[32].

Plutôt que de regretter avec Sartre que «la littérature contemporaine a tranché tous ses liens avec la société» et qu'«elle n'a même plus de public[33]», Benjamin prend la mesure sociale de l'hermétisme moderne en suggérant que le refus de la référence directe aux choses du monde est contemporain d'une nouvelle circulation des biens, des mots et des individus. Le capitalisme florissant, la presse à grand tirage, la littérature de large diffusion ainsi que l'effervescence urbaine contribuent à faire du poète un être qui n'est pas à sa place. S'il se ferme à un monde dont il est désormais exclu, son rapport à celui-ci porte les marques de ce déplacement: au monde représentable sous la forme appropriée de noms qui collent aux choses se substituent des signes-bohèmes, déplacés selon les lois de l'analogie, des correspondances. La notion clé de la lecture benjaminienne est celle de l'allégorie, qui rend compte du glissement permanent des significations et de l'anonymat du sujet moderne. Opposée à la transparence du signe et au propre du nom, empruntée au langage mystique et convertie aux fins d'un matérialisme farouchement historique, la notion d'allégorie fournit une issue théorique à l'impasse sartrienne. Car la poésie moderne ne dit pas seulement l'échec de sa parole au sein de la so-

---

32. Walter Benjamin, «L'œuvre d'art à l'ère de sa reproductibilité technique», *Essais 2 1935-1940*, Paris, Denoël/Gonthier, coll. «Bibliothèque Médiations», 1983, p. 119.
33. Jean-Paul Sartre, *op. cit.*, p. 188.

ciété marchande; elle dit aussi ce qui, dans ce monde aliéné, est voué à l'échec. Sa fonction est moins de «récupérer» l'échec que d'extraire celui-ci de l'oubli afin de le porter à la hauteur d'une histoire du possible, du virtuel. La critique sociale du poète ne passe plus par la dénonciation subtile ou tonitruante de ce qui est, mais par la mise en mots de ce qui n'est pas advenu.

Le lecteur de Baudelaire s'attache ainsi aux figures générées par le fétichisme de la marchandise, étant entendu que la ville se présente comme un immense marché où les objets et les valeurs s'échangent en vertu de la loi de l'offre et de la demande. «L'allégoriste, écrit Benjamin, est dans son élément lorsqu'il s'agit de marchandises. Sa qualité de flâneur lui permet de s'identifier à l'âme de la marchandise; sa qualité d'allégoriste lui permet de reconnaître dans l'étiquette qui accompagne la marchandise et qui en indique le prix l'objet même de sa songerie, à savoir la "signification[34]".» On connaît les principales figures baudelairiennes: la prostituée, le flâneur, le chiffonnier, le détective et la lesbienne. Livrées à la rue, au boulevard ou aux passages de la cité et subissant «l'ivresse de la marchandise[35]», elles agissent, comme le poète, à la manière de cet homme dont Baudelaire esquisse le portrait:

> Voici un homme chargé de ramasser les débris d'une journée de la capitale. Tout ce que la grande cité a rejeté, tout ce qu'elle a perdu, tout ce qu'elle a dédaigné, tout ce qu'elle a brisé, il le catalogue, il le collectionne. Il compulse les archives de la débauche, le capharnaüm des rebuts. [...] Il arrive hochant la tête et butant sur les pavés, comme les jeunes poètes qui passent toutes leurs journées à errer et à chercher des rimes[36].

Ainsi donc, tout en se constituant en une sphère spécialisée d'après des règles internes, la poésie bute sur la matière (la rue)

---

34. Cité par Jean-Marc Ferry, *op. cit.*, p. 272.
35. À force de côtoyer les magasins, écrit Benjamin, le flâneur, par exemple, est un client qui «partage [...] la situation de la marchandise» (*Charles Baudelaire. Un poète lyrique à l'apogée du capitalisme, op. cit.*, p. 82-83).
36. Charles Baudelaire «Du vin et du hachish», *Œuvres complètes*, Paris, Gallimard, NRF, coll. «Bibliothèque de la Pléiade», 1961, p. 327.

en quête d'un butin (les rimes). Le poète circule dans le monde, où il rencontre quelques êtres et quelques objets mais surtout beaucoup de mots. S'il n'a pas affaire directement à la société, il ne peut procéder autrement qu'en lui empruntant ses discours et ses idéologies pour les trafiquer ensuite en de multiples figures, allégoriques et rhétoriques, aux fins de la poésie. S'intéressant aux divers langages qui traversent *La prose de Rimbaud*, Marcotte définira cette relation médiate de la manière la plus concise: «L'écrivain, le poète même, est celui qui connaît le monde sur le mode de la lecture et de la réécriture. C'est avec les langages de son temps, avec les phrases et les mots qui sont actifs dans l'atmosphère intellectuelle, qu'il compose ses textes[37].»

En théorie, rien ne s'oppose plus aujourd'hui à ce que l'investigation sociologique se porte du côté de la poésie, avec toute la prudence méthodologique à laquelle convient les hésitations critiques précitées. À l'heure qu'il est, la lecture sociale du texte poétique trouve ses principaux instruments d'analyse à la croisée de plusieurs axes théoriques qui ont pour objet commun la médiation discursive: si l'on excepte divers travaux fragmentaires ou méconnus[38], il semble

---

37. Gilles Marcotte, *op cit.*, p. 8.
38. Dans son *Manuel de sociocritique* (Paris, Picard, 1985), Pierre Zima ne voit que trois représentants d'une «sociologie du texte lyrique» *(op. cit.,* p. 68 et ss.):* Erich Köhler (pour la poésie médiévale), Walter Benjamin et Theodor Adorno (pour la poésie moderne). Même si l'on est d'accord pour dire que la sociocritique n'a guère investi à ce jour le genre poétique, signalons tout de même quelques recherches non négligeables en ce domaine: dans un numéro de *Romantisme* intitulé «Poésie et société» (39, I, 1983), retenons l'article de Köhler («Alphonse de Lamartine: "L'isolement". Essai d'une interprétation sociosémiotique», p. 97-118). Julia Kristeva a longuement analysé les œuvres de Lautréamont et Mallarmé en les rapportant au contexte social dans *La révolution du langage poétique*, Paris, Seuil, coll. «Points», 1974 p. 359-611. Henri Meschonnic, interviewé par la revue *Substance* (15, 1976, «Socio-criticism»), a publié de nombreux textes sur le sujet, notamment «Poésie politique dans "Châtiments"», *Pour la poétique IV. Écrire Hugo*, Paris, Gallimard, NRF, coll. «Le Chemin», 1977, p. 207-302; voir aussi *Les états de la poétique*, Paris, PUF, coll. «Écriture», 1985, surtout p. 11-74. Signalons enfin un petit livre de Georges Mounin, *Poésie et société*, Paris, PUF, coll. «Initiation philosophique», 1962, 107 p., dans lequel l'auteur s'interroge sur la «crise» de la poésie depuis qu'elle n'a presque plus de lecteurs.

que, au cours des dernières années, la néo-rhétorique, l'analyse de l'énonciation et la théorie du discours social, plus que la théorie de l'institution littéraire, aient contribué à l'élaboration de ce que nous avons appelé, malgré le caractère vague de l'expression, une sociocritique de la poésie.

Claude Duchet rappelait en 1979 que «sociocritique», au sens restreint, implique une part de lecture immanente du texte littéraire, laquelle s'inscrit cependant dans un investissement toujours social de l'objet, au moment de sa production comme de sa réception[39]. Une sémiotique du texte, d'autant plus attendue pour la poésie, s'impose donc en première analyse. Il serait tentant d'attribuer à la poétique cette tâche initiale, et de rechercher avec Jakobson les structures linguistiques propres au poème. Mais, selon le linguiste, la fonction poétique du langage, si on la caractérise par l'*autotélicité*, déborde largement le genre poétique, où elle n'est que la fonction dominante. En conséquence, une sociopoétique[40] ne serait pas par définition plus appropriée à l'analyse formelle de la poésie que, par exemple, une sociorhétorique. En fait, l'articulation du poétique et du social, à ce jour, a surtout retenu l'attention de la néo-rhétorique telle que l'a définie le groupe µ (Jacques Dubois, Francis Édeline, Jean-Marie Klinkenberg et Philippe Minguet), laquelle enchâsse la poétique jakobsonienne. À partir du couple fondamental Anthropos/Cosmos, qui structure l'ensemble des oppositions et des analogies requises (à forte dose) par la poésie, il est possible d'identifier les différents procédés de médiation convoqués aussi bien par le poème que par le discours social. S'il est de notoriété poétique que tout poème parle, à un degré ou à un autre, de lui-même, toute médiation discursive[41] est modulée selon

---

39. Claude Duchet (dir.), *Sociocritique*, Paris, Fernand Nathan, coll. «Nathan-Université», 1979, p. 4.

40. Le terme est revendiqué par Alain Viala («Effets de champs et effets de prisme», *Littérature*, 70, mai 1988, p. 64-71), qui l'utilise sans spécification générique.

41. L'expression «médiation discursive» s'emploie ici en un sens plus général que ne le fait le groupe µ, incluant les médiations référentielle et rhétorique.

l'horizon social. De la sorte, les néo-rhétoriciens montrent que l'isotopie «*logos*», fréquente dans la tradition poétique française, perd sa fonction conciliante lorsqu'elle devient, avec la modernité, l'objet d'une thématisation forcenée, comme dans «Salut» de Mallarmé. L'illusion médiatrice ainsi exhibée entraîne dans le doute et l'indétermination les autres opérations rhétoriques (dont l'efficace repose sur leur caractère voilé): «Ce qui jusque-là apparaissait comme mise en avant, ou éloge de l'harmonie du monde, de la réconciliation de l'homme et du cosmos, bascule vers un effet de rupture par rapport à ce monde[42].» En ce sens, un trope comme la métaphore surréaliste reçoit une certaine signification sociale: en privilégiant les relations entre des isotopies aussi éloignées que possible, cette métaphore sape d'une part le procès médiateur du sens (d'où son illisibilité apparente) et compromet, d'autre part, le rôle sécurisant de la *coincidentia oppositorum* dans le langage (poétique *et* social).

Bien qu'elle identifie certaines figures types à de grands vecteurs idéologiques (l'antithèse hugolienne, par exemple, est associée au manichéisme et à un humanitarisme conciliateur), l'analyse rhétorique ne dépasse guère toutefois, en précision, la «grande temporalité» dans laquelle Bakhtine situait la poésie. On peut d'ailleurs lui adjoindre l'étude des structures plus stables telles que la métrique ou le modèle sémantique fondamental qui sert de point d'appui à la néo-rhétorique. En définitive, ces éléments s'inscrivent donc sur un axe diachronique où se combinent la tradition littéraire et «les processus sociaux plus durables». Pour ancrer socialement le texte poétique dans un moment donné de l'histoire, la dimension rhétorique ne suffit donc pas: il faut tenir compte non seulement des énoncés, mais aussi des marques de l'énonciation.

Il n'existe pas une science de l'énonciation, mais plusieurs modèles théoriques se sont emparés d'un aspect particulier de ce que Benveniste appelle la «mise en fonctionnement de la lan-

---

42. Groupe μ, *Rhétorique de la poésie. Lecture linéaire, lecture tabulaire*, Bruxelles, Complexe, 1977, p. 213.

gue par un acte individuel d'utilisation[43]». Ainsi, la pragmatique s'est employée à caractériser des classes d'énoncés (constatifs, performatifs, etc.) en fonction de leur aptitude à effectuer une action. Ailleurs et plus vigoureusement, la théorie de la réception littéraire s'est intéressée au phénomène de l'énonciation du point de vue du destinataire, de l'horizon d'attente (Hans R. Jauss), du lecteur implicite (Wolfgang Iser) ou empirique (Norbert Grœben et Siegfried J. Schmidt). Elle supposait déjà, avec Múkarovský, que l'objet littéraire est destiné à une fonction esthétique qui lui est entièrement extérieure et qui est définie selon des critères de normes dominantes à partir d'un contexte social déterminé[44]. Le mouvement simultané d'appropriation de la langue et de destination de la parole, accompli à chaque énonciation, sous-tend à la fois «un certain rapport au monde» et «l'accentuation de la relation discursive au partenaire[45]». Nous sommes bien ici dans la structure du dialogue telle que Bakhtine la concevait, même si le «monde» et le «partenaire» sont effacés de l'énoncé (donc du référent explicite).

L'exemple le plus connu d'une lecture de poèmes qui s'appuie sur le concept d'énonciation en regard de l'attente sociale se trouve chez Jauss. Se reconnaissant partiellement dans les travaux de stylistique structurale menés par Michael Riffaterre, le théoricien de l'École de Constance analyse la légitimité sociale qui produit et que produisent certaines expériences esthétiques, en l'occurrence le lyrisme et plus particulièrement l'image idéale de la société véhiculée dans certains poèmes et

---

43. Émile Benveniste, *Problèmes de linguistique générale 2*, Paris, Gallimard, coll. «Tel», 1974, p. 80.

44. On trouvera une présentation succincte des travaux de Múkarovský en rapport avec la réception littéraire dans Elrud Ibsch, «La réception littéraire», Marc Angenot, Jean Bessière, Douwe Fokkema et Eva Kushner (dir.), *Théorie littéraire*, Paris, PUF, coll. «Fondamental», 1989, p. 255-257. Méconnu du public français, Múkarovský a aussi écrit quelques pages qui intéressent directement une sociocritique de la poésie, notamment sur la façon dont la poésie désigne la société, pages qu'on peut lire en traduction anglaise sous le titre «Two Studies of Poetic Designation», *The Word and Verbal Art* (éd. John Burbank et Peter Steiner), New Haven, London, Yale University Press, 1977, p. 65-80.

45. Émile Benveniste, *op. cit.*, p. 82, 85.

dont l'énoncé paradigmatique serait «la douceur du foyer[46]».
L'étude synchronique de la pertinence de ce motif dans divers
textes lyriques de l'année 1857 conduit Jauss à montrer que le
modèle d'interaction sociale privilégié par ces textes présente
comme des valeurs universelles des éléments de sens faisant
nettement le jeu de la bourgeoisie. L'image de «la douceur du
foyer» inverse en effet dans l'ordre du poème la hiérarchie réelle de la famille au milieu du XIXe siècle, le père y tenant un
rôle subordonné à celui de la mère. Le lyrisme opère donc, sauf
exceptions notables (chez Baudelaire, «le soir charmant, ami du
criminel» inocule un *éthos* dysphorique contraire à l'attente des
lecteurs), un renversement (étranger au roman de l'époque,
selon Jauss) par lequel le poète scotomise l'Autorité au profit
d'une vision adoucie, plus maternelle et plus sécurisante des
rapports sociaux. La théorie de la réception attribue ainsi à la
poésie une fonction décisive dans la transmission d'une norme
sociale fondée sur une vision euphorique de l'intériorité domestique qui rend «invisibles» l'inconfort et la dysharmonie.

L'analyse de l'énonciation doit cependant éviter d'enfermer le texte dans un système de normes et d'écarts posés à
partir de la seule idée d'acceptabilité. Dans son étude sur les
débuts du modernisme littéraire en France, Ross Chambers
propose une lecture sociale des œuvres de Gautier, Hugo,
Baudelaire, Nerval et Flaubert en postulant que tout texte,
aussi fermé soit-il sur lui-même, fait ressortir les traces de son
énonciation — et, dans le cas de l'art pour l'art, cherche à dégager les contraintes extérieures qui forcent le texte à se
retrancher hors du débat social. «J'affirmerai donc, écrit-il,
que la figuration autoréflexive est toujours lisible comme un
indice d'historicité, et que sa lisibilité fonctionne comme une
invitation à saisir historiquement — en rapport avec une situation sociale — l'énonciation textuelle[47].» La question sar-

---

46. Hans Robert Jauss, «La douceur du foyer. La poésie lyrique en 1857
comme exemple de transmission de normes sociales par la littérature»,
Pour une esthétique de la réception, Paris, Gallimard, NRF, coll. «Bibliothèque
des idées», 1978, p. 263-297.
47. Ross Chambers, *Mélancolie et opposition. Les débuts du modernisme en
France*, Paris, José Corti, 1987, p. 28.

trienne de l'engagement n'étant plus pertinente, le critique s'approche du texte poétique en formulant une question différente, qu'on pourrait libeller ainsi: comment le texte poétique donne-t-il à lire sa propre situation d'énonciation étant donné les conditions sociales de son émergence et de sa réception? Comme Benjamin, Chambers aborde le texte poétique sous l'angle de figures, mais le retiennent plutôt les figures du texte que du poète. Cette démarche a l'avantage de restituer une dimension sociohistorique à *l'autotélicité*, en reconnaissant dans chaque œuvre une «fonction textuelle» représentant l'acte de lecture dans l'économie même du poème.

D'aucuns reprocheraient sans doute à ce dernier type de lecture sociale de faire de la sociologie à bon compte, c'est-à-dire de piquer çà et là des éléments de la société au gré d'une interprétation par trop arbitraire. À l'inverse, la théorie du discours social court le risque de «noyer» l'objet littéraire dans un «océan» discursif. Il est vrai que l'ambition de cette dernière n'a pas de commune mesure avec celle de Chambers: elle considère «tout ce qui se dit et s'écrit dans un état de société; tout ce qui s'imprime, tout ce qui se parle publiquement ou se représente aujourd'hui dans les médias électroniques. Tout ce qui narre et argumente[48] [...]». Marc Angenot, à qui l'on doit une application systématique de cette théorie pour l'année 1889 en France et en Belgique, ne consacre à la poésie qu'une trentaine de pages sur plus de mille cent. Mais l'objection ne tient plus si l'on admet qu'il s'agit de développer une théorie générale dont le principe directeur peut ensuite être orienté plus spécifiquement vers tel ou tel corpus, dont le poétique. Récemment, Pierre Popovic s'est ainsi inspiré de la théorie du discours social aux fins d'une analyse en profondeur du discours poétique québécois entre 1948 et 1953[49]. Les travaux issus de cette approche théorique mettent en évidence la relation synchronique entre différentes sphères de production discursive et présentent le

48. Marc Angenot, *1889. Un état du discours social,* Longueuil, Le Préambule, coll. «L'univers du discours», 1989, p. 13.
49. Pierre Popovic, *La contradiction du poème. Discours social et poésie au Québec de 1948 à 1953,* Thèse Ph. D., Université de Montréal, 1990, 551 f.

poétique dans sa relation de coïntelligibilité avec le littéraire, le politique, le philosophique, le scientifique, etc. Il appert notamment qu'en 1889 la poésie réagit à la déchéance du langage causée par la prédominance du journalisme dans la production sociodiscursive en se dotant de marques raffinées ou mystérieuses qui n'ont qu'une fonction: empêcher qu'on la confonde avec le discours commun. D'où, selon Angenot, les connexions soudaines entre «ces nouveaux langages de rupture et d'isolement» et «les deux autres secteurs de dissidence avec l'Hégémonie: le secteur catholique [...] et le socialiste-anarchiste[50]».

Toute lecture sociale de la poésie s'élabore sur les ruines des grandes dichotomies traditionnelles entre le poétique et le prosaïque, l'esthétique et l'idéologique, l'autonomie et l'hétéronomie ou la forme et le contenu. Par le concept de médiation (du discours, du texte), une sociocritique de la poésie se situe donc dans un entre-deux, au point de jonction de formes hétérogènes d'où elle va et vient en ayant toujours la sensation du courant d'air qui porte les mots du poème au monde et du monde au poème. Elle est aujourd'hui à pied d'œuvre pour mettre à l'épreuve des textes les premiers instruments d'analyse dégagés par la néo-rhétorique, l'analyse de l'énonciation et la théorie du discours social.

---

50. Marc Angenot, *op. cit.*, p. 817.

Pour une théorie du discours social: problématique d'une recherche en cours*

par Marc Angenot

> En songeant à ce qu'on disait dans leur village et
> qu'il y avait jusqu'aux antipodes d'autres Coulon,
> d'autres Marescot, d'autres Foureau, ils sentaient
> peser sur eux comme la lourdeur de toute la Terre.
>
> FLAUBERT,
> *Bouvard et Pécuchet*, chap. VIII

Je voudrais esquisser dans les pages qui suivent le cadre
d'une recherche qui porte sur l'analyse du discours social
propre à un état de société. J'essaierai de fournir quelques arguments de nature à montrer l'intérêt, la fécondité poten-
tielle, le «bien-fondé» d'une approche de ce genre[1]. Il s'agit
donc de décrire la problématique de travaux en cours, qui ont
fourni déjà de nombreuses publications et vont aboutir à un

---

* Publié dans *Littérature*, n° 70, mai 1988.
1. Peut-être faut-il insister d'emblée sur le fait que cette description ne sera
qu'une esquisse qui laisse bien des problèmes en suspens, et qu'elle ne
peut être autre chose en une vingtaine de pages.

ouvrage de synthèse sur «Mil huit cent quatre-vingt-neuf: un état du discours social[2]». Cette recherche résulte en effet de l'examen d'un échantillonnage raisonné de toute la «chose imprimée» produite en français au cours d'une année, 1889, échantillonnage englobant le livre comme le quotidien, le périodique, l'affiche; elle cherche à décrire et à rendre raison de tous les domaines discursifs, ceux traditionnellement investigués, comme la littérature ou les écrits scientifiques, et ceux que l'érudition néglige ou ignore. L'analyse systématique de ce «matériau» ne vise pas seulement à produire un tableau des genres, des thèmes, des «idéologies», des styles d'une époque. Elle appelle la construction d'une théorie et de propositions de synthèse, que la mise en forme du matériau récolté est censée venir illustrer et justifier.

En se mettant à l'écoute de toute la rumeur sociale de 1889, le chercheur espère donc parvenir à donner une consistance théorique à cette notion de «discours social» évoquée plus haut[3].

Le discours social

Le discours social: tout ce qui se dit et s'écrit dans un état de société; tout ce qui s'imprime, tout ce qui se parle pu-

---

2. L'auteur de cet article a publié à ce jour un cahier de recherche, *Ce que l'on dit des juifs en 1889* (Montréal, CIEE, 1984), un livre, *Le cru et le faisandé: sexe, discours social et littérature à la Belle époque* (Bruxelles, Labor, 1986) et une douzaine d'articles dont, dans la présente revue: «On est toujours le disciple de quelqu'un, ou le mystère du pousse au crime», *Littérature*, 49, 1983, p. 50-62.
3. L'expression de *discours social* est apparue d'abord comme titre d'une revue de sociologie littéraire lancée par R. Escarpit et l'ILTAM de Bordeaux en 1970, revue dont le titre ne se trouve à ma connaissance ni expliqué ni commenté. La locution se rencontre depuis quinze ans au détour de telle et telle analyse comme si elle n'appelait pas de précision (on verra par exemple l'index du *Bulletin signalétique* du CNRS). Dans un ouvrage paru en 1983, *Les structures idéologiques*, Robert Fossaert inscrit le concept de «discours social total» dans un système cohérent et rigoureux. Ma présente stratégie de recherche ne me permet pas d'adhérer à sa définition large — toute la signifiance culturelle, *sémiosis* et *hystérésis* — et les dimensions de cet article ne me permettent que d'indiquer implicitement mes raisons pour cela (voir la note 10).

bliquement ou se représente aujourd'hui dans les médias électroniques. Tout ce qui narre et argumente, si l'on pose que narrer et argumenter sont les deux grands modes de mise en discours. Ou plutôt, appelons «discours social» non pas ce *tout* empirique, à la fois cacophonique et redondant, mais les systèmes génériques, les répertoires topiques, les règles d'enchaînement d'énoncés qui, dans une société donnée, organisent le *dicible* — le narrable et l'opinable — et assurent la division du travail discursif. Il s'agit alors de faire apparaître un système régulateur global dont la nature n'est pas donnée d'emblée à l'observation, des règles de production et de circulation, autant qu'un tableau des produits.

Ce que je propose est de prendre *en totalité* la production sociale du sens et de la représentation du monde, production qui présuppose le «système complet des intérêts dont une société est chargée» (Fossaert, 1983, 331). J'envisage de prendre à bras-le-corps, si l'on peut dire, l'énorme masse des discours qui viennent à l'oreille de l'homme en société. Je pense qu'il faut parcourir et baliser le tout de cette vaste rumeur où il y a les lieux communs de la conversation et les blagues du Café du Commerce, les espaces triviaux du journalisme, des doxographes de «l'opinion publique», aussi bien que les formes éthérées de la recherche esthétique, de la spéculation philosophique, de la formalisation scientifique; où il y a aussi bien les slogans et les doctrines politiques qui s'affrontent en tonitruant, que les murmures périphériques de groupuscules dissidents. Tous ces discours sont pourvus en un moment donné d'acceptabilités et de charmes: ils ont une efficace sociale et des publics captifs, dont l'habitus doxique comporte une perméabilité particulière à ces influences, une capacité de les goûter et d'en renouveler le besoin.

Parler de discours social, c'est aborder les discours qui se tiennent comme des faits sociaux et dès lors des faits historiques. C'est voir, dans ce qui s'écrit et se dit dans une société des faits qui «fonctionnent indépendamment» des usages que chaque individu leur attribue, qui existent «en dehors des consciences individuelles» et qui sont doués d'une «puissance» en vertu de laquelle ils s'imposent. Dans ce projet d'une analyse des discours comme produits sociaux, le lecteur aura reconnu un écho des principes de Durkheim.

1. *Une interaction généralisée*

À première vue, la vaste rumeur des discours sociaux donne l'impression du tohu-bohu, de la cacophonie, d'une extrême diversité de thèmes, d'opinions, de langages, de jargons et de styles; c'est à cette multiplicité, cette «hétéroglossie» ou «hétérologie» que la pensée de M. Bakhtine s'est surtout arrêtée. Bakhtine accentue unilatéralement la fluidité, la dérive créatrice en une représentation du social comme lieu où des consciences — «responsoriales», dialogisées — sont en interaction constante, un lieu où les légitimités, les hiérarchies, les contraintes et les dominantes ne sont prises en considération que dans la mesure où elles fournissent matière à l'hétéroglossie et, dans l'ordre esthétique, au texte polyphonique. Nous ne pouvons suivre Bakhtine dans ce «mythe démocratique» (J. Bessière). Le discours social n'est ni un espace indéterminé où des thématisations diverses se produisent aléatoirement, ni une juxtaposition de sociolectes, de genres et de styles renfermés sur leurs traditions propres et évoluant selon leurs seuls enjeux locaux. Parler du discours social, ce sera donc décrire un objet *composé,* formé d'une série de sous-ensembles interactifs, d'éléments migrants, où opèrent des tendances hégémoniques et des lois tacites[4].

Nous retiendrons de Bakhtine cependant la thèse d'une *interaction* généralisée. Les genres et les discours ne forment pas des complexes imperméables les uns aux autres. Les énoncés ne sont pas à traiter comme des monades, mais comme des «maillons» de chaînes dialogiques; ils ne se suffisent pas à eux-mêmes, ils sont les reflets les uns des autres, «pleins d'échos et de rappels», pénétrés des visions du monde, tendances, théories d'une époque. On devrait reprendre et développer ici les notions d'intertextualité (comme circula-

---

4. On reconnaîtra dans ces remarques une référence à l'axiome de Bakhtine et Volochinov, *Le marxisme et la philosophie du langage* (1929).

tion et transformation d'idéologèmes, c'est-à-dire de petites unités signifiantes dotées d'acceptabilité diffuse dans une doxa donnée) et d'interdiscursivité (comme interaction et influence des axiomatiques des discours). Ces notions appellent la recherche de règles ou de tendances, aucunement universelles, mais susceptibles de définir, d'identifier un état donné du discours social. Elles invitent à voir comment, par exemple, certains idéologèmes reçoivent leur acceptabilité d'une grande capacité de mutation et de relance passant de la presse d'actualité au roman, au discours médical et scientifique, à l'essai de «philosophie sociale», etc.

Ce qui s'énonce dans la vie sociale accuse d'autre part des *stratégies* par quoi l'énoncé «reconnaît» son positionnement dans l'économie discursive et opère selon cette reconnaissance; *le* discours social, comme unité globale, est la résultante de ces stratégies divergentes, mais non aléatoires.

2. *Allégorèse, interlisibilité*

L'effet de «masse synchronique» du discours social surdétermine la lisibilité (le mode de lecture) des textes particuliers qui forment cette masse. À la lecture d'un texte donné, se surimposent vaguement d'autres textes occupant le même espace, par un phénomène analogue à celui de la rémanence rétinienne. Cette surimposition s'appelle dans les discours sociaux antiques et classiques *allégorèse* — rabattement centripète des textes du réseau sur un texte-tuteur ou un corpus fétichisé (P. Zumthor; D. Suvin).

L'interlisibilité assure une entropie herméneutique qui fait lire les textes d'un temps (et ceux de la mémoire culturelle) avec une certaine étroitesse monosémique; celle-ci scotomise la nature hétérologique de certains écrits, elle aveugle l'ordinaire à l'inattendu et réduit le nouveau au prévisible.

3. *Formes, contenus et fonctions*

Notre approche a pour première conséquence de ne dissocier jamais le «contenu» de la «forme», ce qui se dit et la manière adéquate de le dire. Le discours social unit des «idées» et des «façons de parler», de sorte qu'il suffit souvent de s'abandonner à une phraséologie pour se laisser absorber par l'idéologie qui lui est immanente. Si tout énoncé, oral ou écrit, communique un «message», la forme de l'énoncé est encore moyen ou réalisation partielle de ce message. On songe à ces phraséologies des langages canoniques, ces clichés euphoriques («Tous les Français ayant souci de la dignité et de l'honneur du pays seront d'accord pour...»). Les traits spécifiques d'un énoncé sont des marques d'une condition de production, d'un effet et d'une fonction. L'usage en vue duquel un texte est élaboré doit être reconnu dans son organisation même et dans ses choix langagiers.

4. *Tout est idéologie*

«Tout ce qui s'analyse comme signe, langage et discours est idéologique» veut dire que tout ce qui peut s'y repérer, comme types d'énoncés, verbalisation de thèmes, modes de structuration ou de composition des énoncés, gnoséologie sous-jacente à une forme signifiante, tout cela porte la marque de manières de connaître et de re-présenter le connu qui ne vont pas de soi, qui ne sont pas nécessaires ni universelles, qui comportent des enjeux sociaux, expriment des intérêts sociaux, occupent une position (dominante ou dominée, dit-on, mais la topologie à décrire est plus complexe) dans l'économie des discours sociaux. Tout ce qui se dit dans une société réalise et altère des modèles, des préconstruits — tout un déjà-là qui est un produit social cumulé. Tout paradoxe s'inscrit dans la mouvance d'une *doxa*. Tout débat ne se développe qu'en s'appuyant sur une topique commune aux argumentateurs opposés. Dans toute société, la masse des discours — divergents et antagonistes — engendre donc un *dicible global* au-delà duquel il n'est possible que par anachronisme de percevoir le «noch-nicht Gesagtes», le pas-encore dit (pour transposer Ernst Bloch).

5. *Hégémonie*

Le seul fait de parler *du* discours social au singulier (de ne pas évoquer simplement l'ensemble contingent *des* discours sociaux) implique qu'au-delà de la diversité des langages, de la variété des pratiques signifiantes, des styles et des opinions, le chercheur doit pouvoir identifier dans tout état de société des dominances interdiscursives, des manières de connaître et de signifier le connu qui sont le *propre* de cette société et qui transcendent la division des discours sociaux: ce que depuis Antonio Gramsci on appelle une *hégémonie*. En rapport dialectique avec les diversifications des discours, selon leurs destinataires, leurs degrés de distinction, leur position topologique liée à tel ou tel appareil — on est conduit à poser que les pratiques signifiantes qui coexistent dans une société ne sont pas juxtaposées, qu'elles forment un tout «organique», qu'elles sont coïntelligibles, non seulement parce que s'y produisent et s'y imposent des thèmes récurrents, des idées à la mode, des lieux communs, des effets d'évidence et de «cela va de soi», mais encore parce que, de façon plus dissimulée, au-delà des thématiques apparentes et en les intégrant, le chercheur pourra reconstituer des règles générales du dicible et du scriptible, une topique, une gnoséologie, déterminant avec ensemble l'acceptable discursif d'une époque[5].

L'hégémonie ce n'est pas seulement ce qui, dans la vaste rumeur des discours sociaux, s'exprime le plus haut, le plus fort, ou se dit en plus d'endroits. Ce n'est même pas du tout cette dominance quantitative, laquelle rendrait plus «audibles»

---

5. L'hégémonie dont nous traitons est celle qui s'établit dans le *discours* social, c'est-à-dire dans la manière dont une société donnée s'objective dans des textes, des écrits (et aussi des genres oraux). Nous ne l'envisageons pas comme un mécanisme qui porterait sur toute la culture, qui porterait non seulement sur ses discours et ses mythes, mais encore sur ses «rituels» (au sens le plus large), sur la sémantisation des usages et les valeurs immanentes aux diverses pratiques matérielles et aux «croyances» qui les meut. L'hégémonie discursive n'est sans doute qu'un élément d'une hégémonie culturelle plus englobante, laquelle établit la légitimité et la valeur des divers «styles de vie», des mœurs, des attitudes et des «mentalités» qu'elles paraissent manifester.

les poncifs du café-concert ou la grosse blague des revues populaires que les subtils débats de la *Revue des Deux Mondes*. Certes, l'hégémonie est fondamentalement un ensemble de mécanismes qui assurent à la fois la division du travail discursif et un degré d'homogénéisation des rhétoriques, de topiques et des *doxa* transdiscursives. Ces mécanismes, cependant, imposent sur ce qui se dit et s'écrit de l'acceptabilité et stratifient des degrés et des formes de légitimité. L'hégémonie se compose donc des règles canoniques des genres et des discours (y compris la marge des variances et déviances acceptables), des préséances et des statuts des différents discours eux-mêmes, des normes du bon langage (y compris, encore, le contrôle des degrés de distinction langagière — du haut style littéraire au tout-venant de l'écriture journalistique «populaire»), des formes acceptables de la narration, de l'argumentation et plus généralement de la cognition discursive et un répertoire de thèmes qui s'«imposent» à tous les esprits, mais de telle sorte que leur traitement ouvre le champ de débats et de dissensions eux-mêmes régulés par des conventions de forme et de contenu.

L'hégémonie est donc à décrire, formellement, comme un canon de règles et d'impositions légitimantes et, socialement, comme un instrument de contrôle, comme une *vaste synergie* de pouvoirs, de contraintes, de moyens d'exclusion, liés à des arbitraires formels et thématiques. Si l'hégémonie est formée des régularités qui rendent acceptable et efficace, qui confèrent un statut déterminé à ce qui se dit, elle apparaît comme un système qui se régule lui-même sans qu'il y ait *derrière* un *Geist,* un chef d'orchestre, un *deus in machina,* un poste de commandement, ni même une série de relais pourvus d'une identité, d'un visage[6].

---

6. Inscrite dans le temps, l'hégémonie discursive propre à une conjoncture donnée se compose de mécanismes régulateurs qui se sont établis dans des durées bien différentes — lente élaboration au cours des siècles de la langue «nationale», de ses phraséologies et de ses rhétoriques de prestiges; réaménagements insensibles ou soudains de la vision des champs, genres et discours canoniques; apparition et obsolescence rapides de thèmes et d'idées «à la mode» et de récits d'actualité, interprétés en «signes des temps». Ces différences de temporalités sont elles-mêmes relativement harmonisées et régulées, de sorte que l'ensemble évolue en un tout composé et non comme une simple coexistence de normes sectorielles.

L'équilibre relatif des thèmes imposés, des normes et divisions de tâches ne résulte pas d'une absence de contradictions: il est la résultante des rapports de force et d'intérêts de tous les entreparleurs sociaux. Les «purs» littérateurs se satisferaient volontiers d'une société où, comme dans le *Voyage au pays des Articoles* de Maurois, seule la littérature aurait droit de cité, où la parole littéraire serait le seul langage permis. Les «purs» médecins, s'il en est, rêvent peut-être, comme dans *Les morticoles* de Léon Daudet, à une société entièrement médicalisée où le discours médical aurait toute autorité et tiendrait lieu de religion, d'art et de politique. Les utopies satiriques de Daudet et de Maurois sont là pour rappeler que tout grand secteur discursif (pas seulement le religieux) a un potentiel «totalitaire», que seules les conditions sociales lui interdisent de persister dans son essence vers une extension maximale. Ensemble de règles et d'incitations, canon de légitimités et instrument de contrôle, l'hégémonie qui «vise» certes à l'homogénéité, à l'homéostase, se présente comme un assemblage de contradictions partielles, de tensions entre forces centrifuges et centripètes.

À travers un mouvement constant, où de la *doxa* s'engendre le paradoxe, où l'originalité se fabrique avec du lieu commun, où les querelles politiques, scientifiques, esthétiques ne se développent que par des enjeux communs et en s'appuyant sur une topique occultée par la vivacité même des débats; à travers aussi les fonctions «locales» de chaque discours, fonctions d'interpellation, de légitimation, charmes et psychagogies diverses — à travers ces diversifications et ce «bougé», c'est encore la régulation hégémonique qui opère. C'est ce qui fait que pour nous, avec ce qu'on nomme le «recul du temps», la psychopathologie de l'hystérie chez Charcot, la littérature boulevardière de René Maizeroy, l'esprit d'Henri Rochefort ou celui d'Aurélien Scholl, les romans d'Émile Zola et ceux de Paul Bourget, les factums antisémites d'Édouard Drumont et les chansons du café-concert de Paulus nous semblent, tant par leur forme que par leur contenu appartenir à la *même* époque. Dire que telle entité cognitive ou discursive est dominante à une époque donnée ne revient pas à nier qu'elle entre en composition avec de multiples stratégies qui la contestent, l'antagonisent, en altèrent les éléments. Ainsi — exemple banal —, il y a en 1889 une certaine censure sur le sexe et sa représentation (je n'en esquisserai pas les caractères en quelques lignes). C'est cette censure même qui permet au libertinage «bien écrit» de Catulle Mendès, à l'apologie boulevardière des cocottes et du Paris des plaisirs, aux audaces sombrement sublimées du roman naturaliste ou moderniste de s'exprimer, d'acquérir du prestige et de thématiser d'une certaine manière leurs transgressions. L'hégémonie c'est à la fois le sexe victorien «refoulé» *et* son cortège de «transgressions» et d'«audaces». Parce qu'à l'hégémonie, s'attachent la lisibilité, l'intérêt-de-lecture, Catulle Mendès et Rachilde, tout audacieux qu'ils fussent, ne sont pas moins illisibles aujourd'hui que ne sont les travaux pleins d'autorité du Dr Garnier sur les «aberrations de l'instinct génésique».

Composantes

Il convient d'énumérer (on ne pourra guère faire plus) les éléments qui composent le fait hégémonique ou plutôt, comme ces éléments ne sont pas dissociables, les différents points de vue sous lesquels ce fait peut être abordé.

1. La langue légitime

Le langage n'est pas pris ici comme code, comme système de règles abstraites. Ce dont il faut parler c'est de ce «français littéraire» qui se désigne aussi comme «langue *nationale*». Cette langue est totalement inséparable des savoirs d'apparat, idiomatismes, phraséologies et tropes légitimants (et de leurs modes d'emploi). La langue officielle-littéraire, si naturellement acquise par les rejetons de la classe dominante, est faite de ces forces qui transcendent le plurilinguisme (l'hétéroglossie) d'une société de classe et «unifient et centralisent la pensée littéraire-idéologique» (Bakhtine).

2. *Topique et gnoséologie*

Il faut remonter à Aristote et appeler *topique* l'ensemble des «lieux» (*topoi*) ou présupposés irréductibles du vraisemblable social tels que tous les intervenants des débats s'y réfèrent pour fonder leurs divergences et désaccords parfois violents *inpraesentia*, c'est-à-dire tout le présupposé-collectif des discours argumentatifs et narratifs. La topique produit l'opinable, le plausible, mais elle est aussi présupposée dans toute séquence narrative, elle forme l'ordre de véridiction consensuelle qui est condition de toute discursivité, qui sous-entend la dynamique d'*enchaînement* des énoncés de tous ordres. Certes, cette topique comporte des «lieux» transhistoriques: «il faut traiter de même façon des faits semblables» (règle de justice), «qui veut la fin veut les moyens» (*topos* proaïrétique)… Il n'y a pas de rupture de continuité entre tous les préconstruits argumentatifs quasi universels qui forment le répertoire du probable et que nous nommerons la *doxa*. La *doxa* c'est ce qui va de soi, ce qui ne prêche que des convertis, mais des convertis ignorants des fondements de leur croyance, ce qui est impersonnel mais cependant nécessaire pour pouvoir penser ce qu'on pense et dire ce qu'on a à dire. Cette doxa forme un système malléable où un *topos* peut «en cacher un autre», de sorte que les faiseurs de paradoxes sont encore retenus dans la doxologie de leur temps.

Si tout acte de connaissance est aussi nécessairement acte de discours, il faut poursuivre au-delà d'un répertoire topique pour aborder la *gnoséologie*, c'est-à-dire un ensemble de règles fondamentales qui décident de la fonction cognitive des discours, qui modèlent les discours comme opérations cognitives. Cette gnoséologie correspond aux manières dont le «monde» peut être schématisé sur un support langagier (manières dont le fond est la «logique naturelle»), ces *schématisations* formant la précondition des jugements (de valeur, de choix). Cette gnoséologie que nous posons comme un fait de discours, indissociable de la topique, correspond à ce qui s'est appelé parfois les «structures mentales» de telle époque, ou encore de façon plus floue des «pensées» (pensée sauvage, pensée animiste, pensée mythico-analogique…).

3. Fétiches et tabous

La configuration des discours sociaux est marquée par la présence particulièrement repérable (à la façon d'une nova au milieu d'une galaxie) d'objets thématiques marqués par les deux formes du *sacer*, de l'intouchable: les fétiches et les tabous. Ces intouchables sont connus comme tels: ils tentent donc les transgresseurs et les iconoclastes, mais un mana les habite dont témoignent toutes sortes de vibrations rhétoriques à leur abord. La Patrie, l'Armée, la Science sont du côté des fétiches; le sexe, la folie, la perversion sont du côté des tabous: un grand nombre d'audacieux soulèvent ici le voile d'Isis et s'attirent par leur courage novateur l'approbation des *happy few*. Ici encore, il faut voir qu'un tabou peut en cacher un autre et, aux libertins littéraires notamment, on a envie de dire souvent: encore un effort si vous voulez être *vraiment* audacieux. Il importe d'autant plus d'analyser ces fétiches et tabous et leur degré d'intangibilité qu'ils ne sont pas seulement représentés dans le discours social, ils sont essentiellement *produits* par lui.

4. Égocentrisme/ethnocentrisme

L'hégémonie peut encore s'aborder comme une *norme pragmatique*, définissant en son centre un énonciateur légitime s'arrogeant le droit de parler sur des «altérités», déterminées par rapport à lui — français, adulte, mâle, lettré, urbanisé, en pleine entente complice avec le jeu des thématiques dominantes. Les genres canoniques du discours social parlent à un destinataire implicite, lui aussi légitimé, et il n'est de meilleur moyen de le légitimer que de lui donner «droit de regard» sur ceux qui n'ont pas droit à la parole, «sur le dos» desquels cela parle: les fous, les criminels, les enfants, les femmes, les plèbes paysannes et urbaines, les sauvages et autres primitifs. Du point de vue de cette pragmatique, on peut voir comment l'hégémonie offre à la fois un discours universel, *de omni re scibili*, et une allocution distinctive, identitaire, sélective, produisant les moyens de la discrimination, de la légitimité et de l'illégitimité.

5. *Thématiques et vision du monde*

Tout débat en un secteur donné, si âpres que soient les désaccords, suppose un accord préalable sur le fait que le sujet «existe», qu'il mérite d'être débattu, qu'un commun dénominateur sert d'assise aux polémiques. Ce qu'on appelle une «culture» est composé de mots de *passe* et de sujets de *mise*, de thèmes dont il y a lieu de disserter, sur lesquels il faut s'informer et qui s'offrent à la littérature et aux sciences comme dignes de méditation et d'examen. L'hégémonie se présente ici comme une thématique, avec des savoirs d'apparats, des «problèmes» préconstruits, des intérêts attachés à des objets dont l'existence et la consistance ne semblent pas faire de doute puisque tout le monde en parle. On touche ici à ce qui est le plus perceptible dans une conjoncture, à ce qui étonne ou agace le plus le lecteur d'une autre époque: de tous ces «objets» que l'on nomme, que l'on valorise, que l'on décrit et commente, combien n'apparaissent plus comme étant des objets connaissables et déterminés mais avec le recul du temps sont réduits au statut d'«abolis bibelots d'inanités sonores».

Il se dégage de la multiplicité des discours autorisés, malgré les compartimentations, les genres, les tendances, une *Weltanschauung,* une vision du monde, une herméneutique de la conjoncture avec un système de valeurs et des impératifs d'action (et de réaction). On verra émerger une série de *prédicats* censés caractériser tous les aspects de la vie sociale et qui se diffusent avec insistance, autant dans les «lieux communs» du journalisme que dans les aires distinguées de la parole artistique, philosophique ou savante, prédicats qui se construisent les uns par rapport aux autres comme coïntelligibles, partiellement redondants, isotopiques, c'est-à-dire qu'ils forment masse comme «vision du monde». On décrira donc ces axiomes explicatifs permettant de disserter de toutes choses et dominant en «basse continue» la rumeur sociale.

6. Dominantes de pathos

La traditionnelle histoire des idées tend volontiers à transformer le *pathos* dominant des discours d'un temps en des «tempéraments» et des «états d'âme» soudain advenus collectivement aux grands penseurs et artistes et à leur «génération». Revenons-en à Aristote et à sa théorie des «pathé» dans la *Rhétorique*. «Phobos» — la crainte — est défini comme cet effet de discours qui engendre «un sentiment douloureux diffus, causé par la figuration d'un danger imminent qui causerait destruction ou malheur». Nous restons aristotélicien (ou weberien, aussi bien) en voyant dans l'*angoisse* le grand effet pathétique de la vision du monde fin-de-siècle, dispositif qui a eu sa fonctionnalité et qui n'est pas sans rapport avec le concept (de portée historique plus large) d'*Entzauberung* — désenchantement. L'angoisse peut être propédeutique, un moyen partiellement adéquat d'adaptation au changement, et elle n'est pas sans offrir, en 1889, divers «bénéfices secondaires»…

7. Système topologique

À l'encontre de tous ces aspects unificateurs, l'hégémonie s'appréhende enfin, par dissimilation, comme un *système de division des tâches discursives*, c'est-à-dire la production d'un ensemble de discours spécifiques, de genres, sous-genres, styles et «idéologies», regroupés en «régions», entre lesquels des dispositifs interdiscursifs assurent la migration d'idéologèmes variés. Une théorie est à développer ici qui parlerait de répartitions, secteurs discursifs, genres, discours, idéologies, rôles et emplois de la «scène» discursive, dispositifs interdiscursifs, synergies, idéologèmes et «sociogrammes» (C. Duchet), dissidences et contre-discours. Je suis forcé de laisser un «blanc» et de passer.

Fonctions du discours social:
saturation et monopole

«*In eo movemur et sumus*», dit saint Paul: en lui nous évoluons et nous sommes. Le discours social est le médium obligé de la communication et de la rationalité historique, de même qu'il est instrument du prestige social pour certains, au même rang que la fortune et le pouvoir. La variété même des discours et des positions doxiques permises semble saturer le champ du dicible. Le discours social a «réponse à tout», il semble permettre de parler de tout, constituant du fait même le non-dicible en impensable (absurde, infâme ou chimérique). Pour quiconque ouvre la bouche ou prend la plume, le discours social est *toujours déjà là* avec ses codes et ses préconstruits. Il va falloir se faire entendre à travers ces voix, ce donné, cette facticité omniprésente. Nul ne peut se flatter de parler dans un vide, mais toujours en réponse à quelque chose. On songera à cet «*et ego...*», moi aussi j'ai quelque chose à dire, si perceptible chez les «jeunes poëtes», résolus à produire coûte que coûte de l'inouï. Les désaccords, les mises en question, les recherches d'originalité et de paradoxe s'inscrivent encore en référence aux éléments dominants, en confirmant la dominance alors même qu'ils cherchent à s'en dissocier ou à s'y opposer. Dans l'hégémonie tout fait ventre.

Le discours social a le «monopole de la représentation de la réalité» (Fossaert, 1983, 336), cette représentation de la réalité qui contribue largement à *faire* la réalité... et l'histoire. C'est justement parce que c'est affaire de «monopole» que le discours social semble *adéquat* comme reflet du réel puisque «tout le monde» voit le réel et le moment historique à travers lui plus ou moins de la même façon. Représenter le réel, c'est l'ordonner et l'homogénéiser. Le réel ne saurait être un kaléidoscope. L'unité relative de la vision du monde qui se dégage du discours social résulte de cette coopération fatale dans l'ordonnancement des images et des données.

Le discours social est aussi un conservatoire mémoriel, c'est même largement cette mémoire-là qu'on nomme la culture. «Mémoire» — il faut se méfier de toute analogie avec le psychisme humain: les discours *commémorent* (de même que le font les images, les monuments), mais cette «mémoire» sélective et inerte n'est que le pendant d'un immense et fatal oubli[7].

1. Légitimer et contrôler

La fonction majeure des discours sociaux, concomitante à leur monopole de représentation, est de produire et de fixer des légitimités, des validations, des publicités (rendre publics des goûts, des opinions, des informations). Tout discours légitime contribue à légitimer aussi des pratiques, des statuts, à assurer des profits symboliques (et il n'est pas de profits ni de pouvoirs sociaux qui ne soient accompagnés de symbolique). La chose imprimée même est un instrument de légitimation en un temps où les simples croient encore sans réserve à ce qui est «écrit sur le journal». Le pouvoir légitimant du discours social est lui aussi la résultante d'une infinité de micro-pouvoirs, d'arbitraires formels et thématiques. L'hégémonie fonctionne comme censure et autocensure: elle dit qui peut parler, de quoi et comment. On se rappelle un propos fameux de Roland Barthes:

> La vraie censure ne consiste pas à interdire [...] mais à nourrir indûment, à maintenir, à retenir, à étouffer, à engluer dans les stéréotypes [...] L'instrument véritable de la censure, ce n'est pas la police, c'est *l'endoxa...* La censure sociale [...] est [...] là où on contraint de parler[8].

---

7. On peut parler d'une *doxa* comme commun dénominateur social, répertoire topique ordinaire d'un état de société, mais on peut aussi aborder la *doxa* comme stratifiée, d'après les savoirs et les implicites propres à telle ou telle quantité et composition de capital culturel. Il y a une *doxa* de haute distinction pour les «aristocrates de l'esprit» comme il y a une doxa concierge pour le journal à un sou, et encore plus bas de la doxa pour «pauvres d'esprit» mêlée de dictons et de proverbes. On peut encore (c'est un autre ordre de stratification) appeler *doxa* le présuppositionnel des discours exotériques (de l'opinion «publique», du journalisme) par opposition aux fondements systématisés du probable ésotérique (sciences, philosophie).

8. «La censure et le censurable», *Communication*, 9, 1967.

Michel Foucault a systématisé de façon parfois hyperbolique cette réflexion sur le *pouvoir des discours,* sur la fonction de contrôle, le rôle d'«incarcération» du corps et de ses désirs par les discours de savoir et d'autorité. Avec une sorte d'euphorie pessimiste, Foucault en est venu à voir toute la communication sociale comme n'étant rien d'autre jamais qu'un épicycle de la Machine de Pouvoir. J. Habermas avec son modèle «contrefactuel» (posé comme chimérique) du «dialogue démocratique participatoire» (droit donné à tous d'entrer dans les discours, d'en discuter les règles, de laisser réguler les discours par l'expérience pratique) propose une alternative volontariste, avec un même pessimisme face à l'omnipotence normalisatrice et contrôlante de la raison instrumentale. Certes, les discours de contrôle sont indispensables pour que le social marche, c'est-à-dire que marchent l'exploitation et la domination. La coercition matérielle la plus nue s'accompagne encore de symboles, de slogans et de justifications. D'un point de vue inverse, les discours ne sont pourtant pas le tout de la reproduction sociale! Les discours sociaux, par-delà la multiplicité de leurs fonctions, *représentent* le monde social, ils l'*objectivent* et, en permettant de communiquer ces représentations, déterminent cette convivialité culturelle qui est un facteur essentiel de la cohésion sociale. Ce faisant, ils *routinisent* et *naturalisent* les processus sociaux. Notamment, la *doxa* établie sert à routiniser la nouveauté; grèves ouvrières, femmes en bicyclette ou suicides à deux… Elle fonctionne comme un enzyme glouton chargé de phagocyter le *novum* pour le rendre intelligible, fût-ce avec l'angoisse de le déclarer pathologique. Les discours font leur part dans la société panoptique: surveiller les ouvriers (de peur de la folie socialiste), les collégiens (de peur de la névrose onaniste), les femmes (de peur de «détraquements» et d'hystéries émancipatoires). Il ne faut pas cependant attribuer aux discours toute la «magie» de la servitude volontaire et de la répression sociale. En lui-même, aucun discours n'est performatif. Le discours social agit dans sa masse pour conformer les esprits et détourner le regard de certaines «choses», étendre le manteau de Noé. Le discours social est toujours là, comme médiation, interposition du collectif-inerte, dans les rapports entre les humains. C'est bien ce que Flaubert a voulu montrer en narrant la première rencontre d'Emma Bovary et de Léon à l'auberge d'Youville: l'immersion totale des «sentiments», des idées et des désirs dans l'aliénation de la *doxa,* du cliché et des «idées chics». Émile Durkheim ne suggère pas autre chose en écrivant:

> Dites si ce n'est pas Édouard Drumont ou Paul de Cassagnac qui parlent par la bouche de tel bon bourgeois ou de tel excellent prêtre[9]...

Il nous faudra donc placer au centre de nos analyses la question de cette conformation/information du sujet social.

2. *Production des individualités et des identités*

En parlant du discours social, on n'entend pas seulement des communs dénominateurs, des thèmes répandus, des faits collectifs; le discours social, c'est aussi la production sociale de l'individualité, de la spécialisation, de la compétence, du talent, de l'originalité; c'est la production sociale de l'opinion dite «personnelle» et de la créativité dite «individuelle». Ce qu'on rappelle ici c'est le renversement de point de vue classique des démarches historico-dialectiques: ce ne sont pas les écrivains, les publicistes qui «font des discours», ce sont les discours qui les font, jusque dans leur identité, laquelle résulte de leur rôle sur la scène discursive. Les individus, leurs talents, leurs dispositions ne sont pas contingents dans une hégémonie anonyme; ils sont spécifiquement produits comme ailleurs se produit de la platitude, du poncif, de la trivialité. Le discours social «in-forme» les sujets (au sens de la philosophie scolastique, en proportion inverse de la façon dont il les informe, au sens de la théorie de l'information!). Des émotions identitaires sont charriées par les discours divers. Ceux qui furent émus par «La France aux Fran-

---

9. *Les règles de la méthode sociologique,* Alcan, 1927, II.

çais!» pouvaient éprouver *aussi* une émotion bien vive à se remémorer des vers d'Albert Samain. Un Maurice Barrès a pu être un exemple de cette émotion à la fois cocardière et symboliste.

3. Suggérer et faire agir

Les historiosophies, les sociogonies, les sociomachies et les démagogies diverses en pourvoyant les groupes humains d'exégèses «totales» de la conjoncture, d'objets de valeur, de mandats et d'espoirs contribuent à faire l'histoire en la faisant connaître d'une certaine façon. Le discours social peut s'aborder de cette manière comme étant vectoriellement: — ontique (représenter et identifier) — axiologique (valoriser et légitimer) — et pragmatique ou proaïrétique (suggérer, faire agir). Aristote est ici d'accord avec Marx: l'idéologie ne fournit pas seulement des «représentations», mais aussi des indications de pratiques et de comportements. La manière dont les dominances discursives, les idéologies opèrent comme *self-fulfilling prophecies*, de sorte que le fantasme discursif finit par s'incarner dans le réel, a fasciné les historiens, ceux notamment de l'antisémitisme et du fascisme. Une part de l'œuvre de J.-P. Faye consiste à montrer cet engendrement de l'action par le récit qu'il nomme «l'effet-Mably».

4. Produire la société

Au bout du compte, le discours social dans l'unité relative de son hégémonie, renferme un «principe de communion» (Fossaert) et de «convivialité». Il re-présente la société comme unité, comme *convivium* doxique, et même les affrontements, les dissensions y contribuent. Le discours social et les grandes «idéologies» qu'il génère sont des dispositifs d'intégration alors que l'économie, les institutions, la vie civile répartit, divise, isole. Le discours social construit une coexistence et il lie même dans un acquiescement muet ceux-là à qui il refuse le droit à la parole. La logique de l'hégémonie doxique c'est le consensus, le sens *commun*, l'opinion *publique*, l'esprit *civique.* Les grands idéologèmes politiques — le progrès, la patrie, l'ennemi extérieur — réalisent de façon éclatante cet unanimisme. Le discours social produit une certaine interprétation commune de la *conjoncture,* il lui confère un sens dont débattent les doxographes. Il crée l'illusion des *générations* littéraires ou philosophiques. Cette production de la société comme un *tout* visible est dialectiquement compatible avec les distinctions, les hiérarchies, les prestiges que les différents discours légitiment.

5. Bloquer l'indicible

L'ensemble des fonctions accomplies par le discours social peut être abordé selon leur contrepartie négative:

> À tout ce qu'un homme laisse devenir visible, on peut demander: Que veut-il cacher? De quoi veut-il détourner le regard? Quel préjugé veut-il évoquer? (Nietzsche, *Aurore.*)

On ne peut énoncer cette proposition qu'en lui donnant un air finaliste qui prête à l'hégémonie une sorte d'intention mystificatrice. C'est que, rétroactivement, l'observateur est d'abord frappé par le fait que ce qui pour sa génération est devenu probable ou évident semble littéralement informulable aux «meilleurs esprits» de la génération passée, lesquels devant certains problèmes semblent collectivement faire preuve d'un aveuglement burlesque. L'observateur est pris ici dans l'illusion d'un «progrès idéologique» dont les idées reçues du temps passé apparaissent comme les obstacles objectifs.

Pour une pragmatique sociohistorique

Il règne depuis quelque vingt ans dans la recherche un fétichisme du texte, une sorte de solipsisme textuel: *verba et voces praetereaque nihil.* Les sophismes ne manquent pas pour justifier ce logocentrisme, ce pandiscursivisme. Sans doute le chercheur est-il d'abord affronté à des textes (ou à des artefacts sémiotiques). Les formalistes en concluent un peu vite qu'il convient de s'enfermer dans leur immanence. Le seul fait de prendre les textes, ici, dans le réseau global de leur *intertextualité* détourne de cette illusion d'immanence.

On ne peut dissocier *ce* qui est dit, la *façon* dont c'est dit, le *lieu* d'où cela est dit, les *fins* diverses que cela sert, les *publics* à qui cela s'adresse. Étudier les discours sociaux, c'est chercher aussitôt à connaître les dispositions (actives) et les goûts (réceptifs) face à ces discours. C'est chercher à mesurer l'énergie investie et les enjeux, l'«à-propos» de chaque texte. C'est donc parler non seulement de grammaires, de typologies, d'organisations thématiques, mais évaluer du même coup *l'acceptabilité* des éléments. Tout discours, tout énoncé, élisent un destinataire socialement identifiable, ils confortent ses «mentalités» et ses savoirs; ce qui se dit dans une société n'a pas seulement du sens (sens qui peut être enjeu de partis ou d'interprétations antagonistes), mais aussi des *charmes;* une efficace autre qu'informative ou que communicationnelle — dans le sens des axiomatiques exsangues, pseudo-logiques de «la» communication.

La critique du discours social englobe donc les dispositions actives et les goûts réceptifs face au texte de Mallarmé comme à celui de François Coppée, à la propagande anticléricale de *La lanterne* ou aux pamphlets de Drumont. Parler du «charme» des discours, c'est chercher à théoriser une intuition de tout chercheur qui travaille avec une certaine rétrospection historique. Le sens littéral des textes ne lui échappe pas, mais leurs charmes se sont curieusement éventés: les «blagues» des journaux ne font plus rire, alors que les grandes scènes pathétiques du cinquième acte des drames à succès font plutôt sourire. Les grandes tirades argumentées des doctrinaires, des penseurs, des philosophes semblent s'appuyer sur des arguments sophistiques, pauvres, spécieux — on en voit bien la structure démonstrative, mais elles ont cessé de *convaincre.* Les passages de roman dont on devine qu'ils étaient censés procurer une impression de réalisme audacieux, ne laissent voir que leur trame idéologique et l'artifice de leurs procédés. Autrement dit, avec le recul d'une ou deux générations, le discours social dans son ensemble ne *marche* plus; son efficace doxique, esthétique, éthique semble s'être largement éventée. Le lecteur actuel se perçoit comme une sorte de mauvais esprit, qui n'est pas ému par ce qui est censé pathétique, pas émoustillé par ce qui est censé libertin, pas amusé par ce qui a pour fonction de désopiler. Ce lecteur voit bien que ce n'est pas dans l'immanence d'un texte ou d'un passage que peut s'expliquer cette curieuse perte d'efficacité perlocutoire.

Je voudrais conclure cet exposé en revenant sur les perspectives heuristiques et les questions de méthode implicites dans les pages qui précèdent. Il y a au départ de cette recherche quelque chose qui a à voir avec l'«accablement» de Bouvard et de Pécuchet — cité en exergue —, avec une volonté de «s'interdire même les derniers vestiges de candeur à l'égard des habitudes et des tendances de l'esprit de l'époque», comme Adorno et Horkheimer le posent en principe éthique et heuristique dans leur *Dialectique de la raison*. Toute recherche suppose une certaine «conversion du regard», cherchant à voir des choses qui crevaient les yeux, qui aveuglaient et aussi des choses réellement cachées, non pas en profondeur mais souvent en étendue, en mutabilité, en «caméléonismes». Voici donc le principe heuristique: penser historiquement le discours social et l'apercevoir en totalité, «faire des dénombrements si entiers et des revues si générales que je fusse assuré de ne rien omettre». Percevoir le pouvoir des discours dans son omniprésence et son omnipotence, diffracté en tous lieux, avec pourtant ici et là des dysfonctionnements, des déséquilibres, des brèches que des forces homéostatiques cherchent perpétuellement à colmater. Mettre en connexion les champs littéraires, les champs scientifiques, le champ philosophique, les discours politiques, la presse et la publicistique, tout ce qui s'inscrit et se diffuse dans des lieux particuliers. Et sans négliger les enjeux et les contraintes de ces champs, examiner les frontières reconnues ou contestées, les points d'échange, les vecteurs interdiscursifs qui y pénètrent, les règles de transformation qui mettent en connexion ces divers secteurs et en organisent la topologie globale[10].

En travaillant sur l'année 1889, je me donne un recul d'un siècle: ce recul est d'abord une commodité dont j'espère qu'elle n'incite pas à l'anachronisme et au sophisme rétroactif (la réinterprétation du passé par l'avenir[11]). Il est permis d'avouer cependant que ce travail sur la fin du siècle passé,

---

10. L'extension de la notion de «discours social» peut varier: nous avons choisi de l'identifier au fait langagier, à la chose imprimée (et à ce qui peut s'y transcrire de l'oralité, des rhétoriques de l'interaction verbale). On pourrait cependant (c'est ce que fait Robert Fossaert) appeler «discours social» la totalité de la signifiance culturelle: non seulement les discours mais aussi les monuments, les images, les objets plastiques, les spectacles (défilés militaires, banquets électoraux, kermesses et ducasses) et *surtout* la sémantisation des usages, les pratiques en ce qu'elles sont socialement différenciées (kinésique, proxémique, vêtement) et donc signifiantes. Dans la mesure même où les pratiques, les coutumes ne sont pas homogènes — qu'il y a plusieurs manières de se vêtir, de s'asseoir, de boire, de déambuler — elles produisent des paradigmes sémiotiques où un anthropologue culturel verrait l'essentiel de la signifiance sociale. Les discours, oraux ou écrits, sont environnés de ces pratiques signifiantes, de cette «sémantisation des usages» (Prieto). De Medvedev et Bakhtine (*Formalnyi Metod)* à Robert Fossaert, divers chercheurs ont formulé le programme d'une prise en totalité des discours, des gestuelles, du vêtement, de tous les «échanges symboliques». À titre programmatique, cette suggestion est séduisante. Cependant, il me semble que le rapport qui peut s'établir entre la signification objectivée dans des textes (des monuments, des œuvres plastiques, des simulacres) et la signification inscrite *sur le corps* de l'homme social, dans ses gestes, ses «manières d'être», son *habitus corporis*, son vêtement, ce rapport est un des plus problématiques qui soit à penser et à interpréter théoriquement. Entre ce qu'on dit des femmes et la production de la femme comme corps habillé (ou non), maniérismes gestuels, positionnement proxémique, sémantisation des espaces féminins et des interactions sociales, il y a à la fois un rapport évident et un abîme.

11. L'objet-année, d'un 1er janvier à un 31 décembre, n'est qu'une entité arbitraire, une coupe dans un flux continu. L'année 1889 constitue déjà un échantillonnage qui vaut *mutatis mutandis* pour les quelques années qui la précèdent et qui la suivent. D'un point de vue moins arbitraire, l'année correspond à une *conjoncture*, une configuration de tendances et d'émergences renforcée par des modes de courte durée, des événements d'actualité dont la sensation s'épuise vite, mais ces divers aspects sont «hétérochroniques»; on ne saurait du reste *dater* l'émergence ou le changement. Même les crises conjoncturelles, que ce soit 1789 ou 1968, ne produisent dans le discours social que des effets «révélateurs» largement anticipés, et avec des rémanences persistantes après coup.

qui correspond au moment d'émergence de certaines «modernités», journalistiques, politiques, esthétiques, me semble valoir pour rappeler au lecteur, «mon semblable, mon frère», qu'il est *aussi* immergé dans l'hégémonie omniprésente de sa rumeur sociale avec son marché de la nouveauté idéologique. Le lecteur pourra donc à l'occasion lire, dans ces analyses d'un état déjà ancien du système discursif, un *De te fabula narratur*[12].

---

12. Ce seraient toutes les traditions du matérialisme historique, de l'épistémologie, de la sociologie de la connaissance, de l'analyse de discours, de la sociolinguistique, de la sémiotique textuelle, de la rhétorique, dont il faudrait déverser l'énumération pour signaler les références de cette esquisse. Et Flaubert et Proust et Musil... Utilisateur éclectique, mais critique je l'espère, de tant de «lectures», je ne prétends pas dominer avec plénitude ces multiples traditions érudites et littéraires. Le chercheur ne peut que dissimuler ici ses insuffisances derrière un bien kantien «Tu dois, donc tu peux»! Puisqu'il faut mettre cartes sur table, je me bornerai à signaler les dettes les plus évidentes (qui n'impliquent pas totale fidélité) à A. Gramsci, W. Benjamin et l'*Ideologiekritik* de Francfort, à Mikhaïl Bakhtine, à Michel Foucault, à la tradition française d'analyse du discours (Pêcheux, Robin, Veròn...) et à la pensée sociologique de Pierre Bourdieu.

Le plurilinguisme dans le roman*

par Mikhaïl Bakhtine

Les formes compositionnelles d'introduction et d'organisation du plurilinguisme dans le roman, formes élaborées
au cours du développement historique du genre romanesque
sous ses divers aspects, sont fort variées. Chacune d'elles,
rapportée à des possibilités stylistiques précises, exige une
juste élaboration littéraire des différents «langages». Nous ne
nous arrêterons ici que sur les formes fondamentales et typiques pour la plupart des variantes du roman.

Le plurilinguisme s'est organisé sous sa forme la plus
évidente, et en même temps la plus importante historiquement, dans ce qu'on a nommé le roman humoristique. Ses représentants classiques sont Fielding, Smollett, Sterne, Dickens, Thackeray en Angleterre, Hippel[1] et Jean-Paul Richter
en Allemagne.

Dans le roman humoristique anglais, nous trouvons une
évocation parodique de presque toutes les couches du langage littéraire parlé et écrit de son temps. Il n'y a guère un
seul roman de ces auteurs classiques qui ne constitue une
encyclopédie de toutes les veines et formes du langage litté-

---

* Extrait de *Esthétique et théorie du roman*, Paris, Gallimard, coll. «Bibliothèque des idées» (traduction Daria Oliver), 1978.
1. Theodor-Gottlieb von Hippel (1743-1796), romancier allemand que l'on
peut situer entre Sterne et Jean-Paul.

raire. Selon l'objet représenté, le récit évoque parodiquement, tantôt l'éloquence parlementaire ou juridique, tantôt la forme particulière des comptes rendus des séances du Parlement et leurs procès-verbaux, les reportages des gazettes, des journaux, le vocabulaire aride des hommes d'affaires de la *City*, les commérages des pécores, les pédantes élucubrations des savants, le noble style épique ou biblique, le ton bigot du prêche moralisateur, enfin la manière de parler de tel personnage concrètement et socialement défini.

Cette stylisation, habituellement parodique, du langage propre aux genres, aux professions et autres strates du langage est parfois coupée par un discours direct de l'auteur (généralement pathétique, sentimental, ou idyllique), qui traduit directement (sans réfraction) sa vision du monde et ses jugements de valeur. Mais le fondement du roman humoristique, c'est le mode tout à fait spécifique du recours au «langage commun». Celui-ci, communément parlé et écrit par la moyenne des gens d'un certain milieu, est traité par l'auteur comme *l'opinion publique*, l'attitude verbale normale d'un certain milieu social à l'égard des êtres et des choses, *le point de vue et le jugement courants*. L'auteur s'écarte plus ou moins de ce langage, il l'objectivise en se plaçant en dehors, en réfractant ses intentions au travers de l'opinion publique (toujours superficielle, et souvent hypocrite), incarnée dans son langage.

Cette relation de l'auteur au langage pris comme «opinion publique» n'est pas immuable; elle connaît continuellement un état mouvementé et vif, une oscillation parfois rythmique: l'auteur peut exagérer parodiquement, plus ou moins vigoureusement, tels ou tels traits du «langage courant», ou révéler brutalement son inadéquation à son objet. Parfois, au contraire, il se solidarise presque avec lui, s'en éloigne à peine, et quelquefois y fait même résonner directement sa «vérité», autrement dit, confond totalement sa voix avec lui. En même temps, les éléments du langage courant, parodiquement outrés ou légèrement objectivés, se modifient de façon logique. Le style humoristique exige ce mouvement de va-et-vient entre l'auteur et son langage, cette continuelle modification des distances, ces passages successifs entre l'ombre et la lumière tantôt de tel aspect du langage, tantôt de tel autre. S'il n'en était pas ainsi, le style serait monotone ou exigerait une individualisation du narrateur, c'est-à-dire une toute autre manière d'introduire et d'organiser le «plurilinguisme».

C'est de ce fond initial du *langage courant*, de l'opinion générale, anonyme, que se dégagent, dans le roman humoristique, ces stylisations parodiques des langages propres à un genre, à une profession, etc. dont nous avons parlé, ainsi que les masses compactes du discours direct, pathétique, moral et didactique, sentimental, élégiaque, ou idyllique, de l'auteur. Ce discours se réalise ainsi dans les stylisations directes, inconditionnelles, des genres poétiques (idylliques, élégiaques) ou rhétoriques (pathos, morale didactique). Les transitions du langage courant à la parodisation des langages des genres et autres, et au discours direct de l'auteur, peuvent être plus ou moins progressives ou, au contraire, brusques. Tel est le système du langage dans le roman humoristique.

Abordons l'analyse de quelques exemples, tirés du roman de Dickens, *La petite Dorrit*[2].

> 1) ... Ce colloque avait eu lieu vers quatre ou cinq heures de l'après-midi, alors que tout le quartier de Harley Street, Cavendish Square, retentissait du roulement des voitures et des doubles coups de marteau des visiteurs aux portes d'entrée. L'entrevue en était là lorsque *M. Merdle rentra chez lui, après avoir accompli sa tâche quotidienne qui consistait à faire respecter de plus en plus le nom britannique dans toutes les parties du monde civilisé, capables d'apprécier les entreprises commerciales d'envergure mondiale et les gigantesques combinaisons de capitaux et de savoir-faire.* Car, bien que personne ne sût quelle était exactement l'occupation réelle de M. Merdle, à ceci près qu'elle produisait de l'argent, c'est en ces termes que tout le monde la définissait dans toutes les cérémonies officielles, et

2. *La petite Dorrit*, tome VI des *Œuvres complètes* de Charles Dickens, Bibliothèque de la Pléiade, Gallimard, 1970, sous la direction de Pierre Leyris; traduit de l'anglais par Jeanne Mérigen-Bejean.

que la glose la plus moderne de la parabole du chameau et du trou de l'aiguille l'acceptait aveuglément (I-33).

Les italiques font ressortir la stylisation parodique des harangues solennelles du Parlement et des banquets[3]. Le passage à ce style a été préparé par la structure de la phrase, soutenue dès le début sur le ton épique et quelque peu cérémonieux. Puis, cette fois dans le langage de l'auteur (par conséquent dans un style différent), nous est révélé le sens parodique de la définition solennelle des occupations de M. Merdle, définition qui se découvre comme «la parole d'autrui» et pourrait être placée entre guillemets: «C'est en ces termes que tout le monde... définissait... (cette occupation) dans toutes les cérémonies officielles...»

Ainsi, les paroles «d'un autre», *sous une forme dissimulée* (c'est-à-dire sans indication formelle de leur appartenance à «autrui», directe ou indirecte), s'introduisent dans le discours (la narration) de l'auteur. Mais ce n'est pas seulement la parole d'autrui dans la même «langue», c'est un énoncé dans un «langage» étranger à l'auteur: le langage archaïsant des genres oratoires officiels, hypocrites et pompeux.

> 2) Deux ou trois jours plus tard, toute la ville fut informée qu'Edmond Sparkler, Esquire, beau-fils de M. Merdle, l'éminent financier de réputation mondiale, venait d'être élevé au rang de Lord du Ministère des Circonlocutions, et proclamation fut lancée à l'adresse de tous les vrais croyants, pour intimer que *cette admirable nomination devait être considérée comme un gracieux hommage rendu par le non moins gracieux Decimus à ces intérêts commerciaux qui doivent toujours dans un grand pays commercial, etc. le tout suivi d'une fanfare de trompettes.* Ainsi soutenue par ce respectueux hommage du Gouvernement, *la merveilleuse Banque et toutes les merveilleuses entreprises* qui s'y rattachaient prospérèrent de plus belle, et tous les badauds se rendirent en foule à Harley Street, Cavendish Square, rien que pour contempler la maison qu'habitait cette merveille cousue d'or... (I-II)

---

3. Dans les textes cités, les *italiques* sont de M. Bakhtine.

Ici, dégagé par les italiques, le discours d'autrui en un langage étranger (officiel et solennel) est introduit sous une forme avouée (discours indirect). Mais ce discours est environné par la forme cachée *des paroles frivoles d'autrui* (dans le même langage pompeux et ampoulé), qui préparent l'introduction de la forme franche et lui permettent de résonner. Cette préparation se fait grâce au terme «Esquire», apposé, comme il en va du langage officiel, au nom de «Sparkler», et s'achève avec l'épithète «merveilleuses». Celle-ci n'appartient pas à l'auteur, c'est évident, mais à *l'opinion publique*, qui fait tout ce battage autour des entreprises à l'esbroufe de Merdle.

> 3) C'était un repas qui lui eût donné de l'appétit même s'il n'en avait pas eu du tout. Les plats les plus délicats, somptueusement préparés et somptueusement servis; les fruits les plus rares; les vins les plus exquis; des chefs-d'œuvre d'orfèvrerie et d'argenterie, de porcelaine et de cristaux; d'innombrables objets destinés à flatter le goût, l'odorat et la vue, faisaient partie de sa composition. *Oh! quel homme merveilleux que ce Merdle, quel grand homme, quel maître homme, comblé des dons les plus précieux et les plus enviables de la fortune, en un mot quel riche homme!* (II-XII)

Le début est un pastiche stylisé du noble style épique. Vient ensuite l'éloge extasié de Merdle par le chœur des adulateurs: discours «étranger» caché. (*Italiques*.) La «*pointe*», la révélation du véritable motif de ces louanges, dénonce l'hypocrisie du chœur: les termes «merveilleux», «grand», «comblé de dons», «maître homme», peuvent être remplacés par un seul mot: «riche»! Cette révélation de l'auteur, faite dans les limites immédiates d'une seule proposition simple, fusionne avec l'énoncé révélateur d'autrui. L'accent des louanges enthousiastes se complique d'un autre langage, ironiquement indigné, qui domine dans les paroles révélatrices terminant la proposition.

Nous avons là *une construction hybride* typique, pourvue de deux accents et de deux styles.

Nous qualifions de construction hybride un énoncé qui, d'après ses indices grammaticaux (syntaxiques) et compositionnels, appartient au seul locuteur, mais où se confondent, en réalité, deux énoncés, deux manières de parler, deux styles, deux «langues», deux perspectives sémantiques et sociologiques. Il faut le répéter: entre ces énoncés, ces styles, ces langages et ces perspectives, il n'existe, du point de vue de la composition ou de la syntaxe, aucune frontière formelle. Le partage des voix et des langages se fait dans les limites d'un seul ensemble syntaxique, souvent dans une proposition simple. Fréquemment aussi, un même discours appartient simultanément à deux langages, deux perspectives, qui s'entrecroisent dans cette structure hybride; il a, par conséquent, deux sens divergents et deux accents. (Nous en donnons des exemples ci-dessous.) Les constructions hybrides ont une importance capitale pour le style du roman[4].

> 4) ... Mais M. Tite Bernicle était un homme boutonné jusqu'au menton et, *en conséquence,* un homme de poids... (11-12)

Voici un exemple de *motivation pseudo-objective*, qui apparaît comme l'un des aspects des paroles cachées «d'autrui», dans le cas présent, de «l'opinion publique». Tous les signes formels indiquent que cette motivation est celle de l'auteur, et qu'il en est formellement solidaire, mais en fait, elle se place dans la perspective subjective des personnages ou de l'opinion publique.

La motivation pseudo-objective est, de façon générale, caractéristique du style romanesque[5], se présentant comme une variante de la construction hybride, sous forme de discours «étrangers» cachés. Les conjonctions subordonnées et les conjonctions de coordination (puisque, car, à cause de, malgré, etc.) et les mots d'introduction logiques (ainsi, par conséquent, etc.) se dépouillent de l'intention directe de l'au-

---

4. Nous traitons en détail de ces constructions hybrides et de leur signification au chapitre IV de la présente étude (N. D. A.).
5. Ce qui est impossible dans l'épopée (N. D. A.).

teur, ont un son étranger, deviennent réfractants, ou même s'objectivent totalement. Cette motivation est particulièrement caractéristique du style humoristique, où prédomine la forme du discours d'autrui (celui de personnages concrets ou, plus souvent, celui d'un milieu[6]).

> 5) ... De même qu'un immense incendie répand au loin son grondement, de même la flamme sacrée sur laquelle venaient de souffler les puissants Bernicle faisait retentir de plus en plus fort le nom de Merdle. Il était sur toutes les lèvres et pénétrait dans toutes les oreilles. Il n'y avait jamais eu, il n'y aurait jamais un homme comme M. Merdle. Personne, nous l'avons déjà dit, ne savait ce qu'il avait fait pour cela, *mais tout le monde savait que c'était le plus grand homme qui eût jamais vu le jour* (II-XIII).

Il s'agit d'une introduction épique, «homérique» (et, bien entendu, parodique), dans laquelle s'enchâsse l'éloge de Merdle par la foule: discours caché, langage d'autrui... Puis l'auteur parle, mais à sa manière d'exprimer ce que chacun sait *(italiques)* il prête un caractère objectif, on dirait que lui-même n'a aucun doute au sujet de ce qu'il affirme!

> 6) ... Cet homme illustre, ce grand ornement de son pays, M. Merdle, continuait sa course resplendissante. Il commença à devenir évident pour tout le monde qu'un homme qui avait rendu à la société *l'admirable service de gagner tant d'argent à ses dépens,* ne pouvait rester plus longtemps roturier. On parlait avec confiance de le faire baronnet, et l'on faisait fréquemment mention de la mairie (II-XXlV).

Ici aussi l'auteur paraît, fictivement, se solidariser avec l'opinion publique qui encense M. Merdle avec une ferveur hypocrite. Dans la première proposition, toutes les épithètes le concernant sont celles de l'opinion publique, donc le discours caché d'autrui. La deuxième proposition — *on commença*

---

6. *Cf.* les motivations pseudo-objectives grotesques chez Gogol *(N. D. A.).*

à comprendre — est traitée avec insistance, dans un style objectif, non comme une opinion subjective, mais comme l'admission d'un fait objectif et tout à fait indiscutable. L'épithète *qui avait rendu à la société l'admirable service...* est placée tout entière au plan de l'opinion publique, qui fait écho aux louanges officielles, mais la proposition subordonnée: *de gagner tant d'argent à ses dépens* — (celles de la société) —, est de l'auteur lui-même (comme s'il mettait une citation entre parenthèses). La proposition principale reprend sur le plan de l'opinion publique. Ainsi les paroles démystificatrices de l'auteur se présentent comme une enclave dans une citation de «l'opinion publique». C'est une structure hybride type, où le discours de l'auteur est placé dans la proposition subordonnée, celui d'autrui dans la proposition principale, l'une et l'autre étant construites dans des perspectives sémantiques et axiologiques différentes.

Toute l'action qui se joue autour de Merdle et de ses proches est donnée dans le langage (ou, plutôt, *les* langages) hypocritement flatteur de l'opinion publique: parodie stylisée, tantôt du langage usuel des verbeuses flagorneries mondaines, tantôt des solennelles déclarations officielles, des discours de banquet, tantôt de la grande manière épique, ou encore du style biblique. Le climat créé autour de Merdle, l'opinion qu'on a de lui et de ses entreprises, contaminent même les personnages positifs, en particulier le lucide Panks, en le contraignant à engager tout son avoir (et celui de la petite Dorrit) dans les affaires mirifiques de Merdle.

7) ... Le médecin s'était engagé à avertir Harley Street. Barreau *ne pouvait retourner immédiatement aux traquenards qu'il préparait pour le jury le plus remarquable et le plus éclairé qu'il eût jamais vu siéger, jury auprès duquel (il pouvait bien l'affirmer à son docte ami) aucun sophisme creux n'aurait le moindre poids, aucun talent professionnel employé à mauvaise fin ne pourrait prévaloir* (c'est ainsi qu'il comptait commencer); il déclara donc au médecin qu'il l'accompagnerait jusqu'à la maison et qu'il se promènerait aux alentours, tandis que son ami entrerait pour remplir sa triste mission (II-XXV).

C'est une construction hybride, amenée avec vigueur: dans le cadre du discours (informatif) de l'auteur — («Barreau ne pouvait retourner immédiatement aux traquenards... le jury... déclara au médecin qu'il l'accompagnerait...») — est encastré le début du plaidoyer préparé par l'avocat, traité ici comme une épithète déployée pour compléter directement le discours de l'auteur sur le «jury». Ce terme, «jury», entre dans le contexte du discours informatif de l'auteur (en qualité de complément indispensable au mot «traquenard»), et, en même temps, dans le contexte du plaidoyer de l'avocat, pastiche stylisé. Le terme même de *traquenard*, qui vient de l'auteur, souligne le côté parodique du plaidoyer, dont le sens trompeur aboutit, précisément, à montrer qu'il n'y a pas de traquenards pour un jury aussi «remarquable».

> 8) ... il s'ensuivit que Mme Merdle, femme du monde d'éducation raffinée, *sacrifiée à la fourberie d'un homme grossier et vulgaire* (car on le jugea tel de la tête aux pieds dès qu'on eût découvert l'état de son portefeuille) devait être activement défendue par la classe à laquelle elle appartenait, dans l'intérêt même de cette classe (II-XXXIII).

C'est encore une structure hybride, où la définition de l'avis unanime du «beau monde» («sacrifiée à la fourberie d'un homme grossier...») se confond avec le discours de l'auteur, qui dénonce la fausseté et le caractère intéressé de ce milieu.

Tel est ce roman de Dickens. En somme, nous pourrions en émailler tout le texte de guillemets, qui feraient ressortir les «îlets» du discours direct et pur de l'auteur, baignés de tous côtés par les flots de la polyphonie. Or, ce n'est pas faisable, car souvent, comme nous l'avons vu, un seul et même mot pénètre à la fois dans le discours d'autrui et dans celui de l'auteur. Les paroles d'autrui, narrées, caricaturées, présentées sous un certain éclairage, tantôt disposées en masses compactes, tantôt disséminées çà et là, bien souvent impersonnelles («opinion publique», langages d'une profession, d'un genre), ne se distinguent pas de façon tranchée des paroles de l'auteur: les frontières sont intentionnellement mouvantes et ambivalentes, passant fréquemment à l'intérieur d'un ensemble syntaxique ou d'une simple proposition, parfois même partageant les principaux membres d'une même proposition. Ce jeu multiforme des *frontières des discours, des langages et des perspectives* est l'un des traits essentiels du style humoristique.

Ce style humoristique (de type anglais) se fonde donc sur la stratification du langage courant, et sur les possibilités qu'il a de séparer, dans une certaine mesure, ses intentions de ces strates, de ne pas être solidaire de bout en bout. *C'est précisément la diversité des langages, et non l'unité d'un langage commun normatif, qui apparaît comme la base du style.* Il est vrai qu'ici le plurilinguisme ne dépasse pas les limites de l'unité linguistique du langage littéraire (selon les signes verbaux abstraits); il ne devient pas une véritable *discordance,* et il est fixé sur une conception linguistique abstraite, au plan d'un langage unique (c'est-à-dire n'exigeant pas la connaissance de différents dialectes ou langues). Mais la compréhension linguistique c'est l'élément abstrait d'une compréhension concrète et active (avec participation du dialogue) du polylinguisme vivant, introduit dans le roman et organisé littérairement en lui.

Chez les prédécesseurs de Dickens: Fielding, Smollett, Sterne, initiateurs du roman humoristique anglais, nous trouvons la même stylisation parodique des divers strates et genres du langage littéraire. Toutefois, ils prennent leurs distances de façon plus brutale, ils vont plus loin dans l'outrance que Dickens (Sterne en particulier). Leur perception parodiquement objectivée des divers modes du langage littéraire, pénètre chez eux (surtout chez Sterne) dans les couches très profondes de la pensée littéraire et idéologique, se muant en parodie de la structure logique expressive de tout discours idéologique en tant que tel (scientifique, éthico-rhétorique, poétique), avec presque autant d'intransigeance que chez Rabelais.

Le pastiche littéraire (au sens étroit du terme) du roman richardsonien chez Fielding et Smollett, de toutes les variantes du roman de son temps chez Sterne, joua un rôle essentiel dans la structure de leur langage. La parodie littéraire écarte plus encore l'auteur de son langage, complique davantage son attitude à l'égard des langages littéraires de son époque, sur le territoire même du roman. Le mode romanesque prédominant à telle époque s'objectivise et devient un milieu de réfraction des nouvelles intentions de l'auteur.

Ce rôle du pastiche littéraire dans les variations romanesques prédominantes de l'histoire du roman européen, fut très grand. On peut dire que ses principaux modèles et variantes virent le jour au cours d'un processus de destruction parodique des anciens mondes romanesques. Ainsi firent Cervantès, Mendoza, Grimmelshausen, Rabelais, Le Sage et d'autres.

Rabelais, qui exerça une influence immense sur toute la prose romanesque, et surtout sur le roman humoristique, traite parodiquement presque toutes les formes du discours idéologique (philosophique, éthique, savant, rhétorique, poétique), et surtout ses formes pathétiques (pour lui, pathos et mensonge sont presque toujours équivalents); et il va jusqu'à parodier la pensée linguistique. Raillant la menteuse parole humaine, il détruit, en les parodiant, (entre autres) certaines structures syntaxiques, en réduisant à l'absurde certains de leurs éléments logiques, expressifs et appuyés, (par exemple les prédications, les gloses, etc.). La prose de Rabelais atteint presque à sa plus grande pureté quand il prend ses distances avec la langue, (par ses méthodes propres) discrédite ce qui est directement et franchement «voulu» et expressif (le sérieux «pompeux») dans le discours idéologique, qu'il tient pour conventionnel et faux, pour une réalité fabriquée et inadéquate. Mais la vérité confrontée au mensonge n'est ici dotée quasiment d'aucune expression verbale directe intentionnelle, d'aucun *mot propre*; elle ne trouve sa résonance que dans la révélation parodiquement accentuée du mensonge. La vérité est rétablie par la réduction à l'absurde du mensonge, mais elle-même ne cherche pas ses mots craignant de s'y empêtrer, de s'embourber dans le pathétique verbal.

Pour marquer l'énorme influence de la «philosophie du discours» de Rabelais sur la prose romanesque postérieure, et principalement sur les grands modèles du roman humoristique («philosophie» exprimée non pas tant dans les énoncés directs, que dans la pratique de son style verbal), il faut citer la confession purement rabelaisienne du *Yorick*, de Sterne, qui peut servir d'épigraphe à l'histoire de la ligne stylistique la plus importante du roman européen:

> ... Je me demande même si sa malheureuse tendance à l'humour n'était pas en partie à l'origine de tels *fracas*[7], car en vérité Yorick nourrissait un dégoût insurmontable et congénital pour le sérieux: non point le sérieux véritable qui connaît son prix: quand celui-là lui était nécessaire, il devenait le plus sérieux homme au monde, pendant des jours, et même des semaines, mais il s'agit du sérieux affecté, qui sert à dissimuler l'ignorance et la sottise et avec celui-là, il se trouvait toujours en guerre ouverte et ne lui faisait pas grâce, si bien protégé et défendu fût-il.

> Parfois, entraîné par quelque entretien, il affirmait que le sérieux est un vrai fainéant, et de l'espèce la plus dangereuse, de surcroît, un rusé, et il était profondément convaincu qu'en une année le sérieux avait ruiné et jeté à la rue beaucoup plus de gens honnêtes et bien-pensants, que ne l'avaient fait en sept ans tous les voleurs à la tire et pilleurs de boutiques. La bonhomie d'un cœur joyeux, aimait-il à dire, n'est un danger pour personne et ne peut guère faire de mal qu'à elle-même. Alors que l'essence même du sérieux consiste en un certain dessein, donc en une tromperie.

> C'est une façon avérée de se faire dans le monde la réputation d'un homme plus intelligent et savant qu'il ne l'est en réalité; voilà pourquoi, en dépit de toutes ses prétentions, le sérieux n'a jamais été meilleur, et souvent s'est même montré pire que ne l'a défini autrefois un Français, homme d'esprit: «Le sérieux, c'est un mystérieux comportement du corps qui sert à cacher les défauts de l'esprit.» Cette définition, Yorick la commentait étourdiment et hardiment, en affirmant qu'elle était digne d'être gravée en lettres d'or[8]...

---

7. En français dans le texte.
8. L. Sterne: *Tristram Shandy*.

Cervantès se dresse aux côtés de Rabelais, et même, en un certain sens, le dépasse sur le plan de son influence déterminante sur tout le roman en prose. Le roman humoristique anglais est profondément pénétré de son esprit. Ce n'est pas un hasard si le même Yorick cite Sancho Pança sur son lit de mort!

Chez les humoristes allemands, surtout Hippel et Jean-Paul, le traitement du langage et de ses stratifications en genres, professions, etc., étant dans l'ensemble «sternien», pénètre comme chez Sterne, en profondeur dans la problématique purement philosophique de l'énoncé littéraire et idéologique, en tant que tel. Le côté philosophique et psychologique de la relation de l'auteur à son discours, repousse souvent à l'arrière-plan le jeu des intentions avec les couches concrètes, essentiellement celles des genres et des idéologies, du langage littéraire. (Cela se reflète dans les théories esthétiques de Jean-Paul[9].)

L'indispensable postulat du style humoristique est donc la stratification du langage littéraire et sa diversité, plurilinguisme dont les éléments doivent se projeter sur différents plans linguistiques; en outre, les intentions de l'auteur se réfractant au travers de tous ces plans, peuvent ne s'attacher complètement à aucun d'eux. C'est comme si l'auteur ne possédait pas de langage propre, mais avait son style, sa règle unique et organique d'un jeu avec les langages et d'une réfraction en eux de ses intentions sémantiques et expressives. Ce jeu avec les langages, et souvent une absence complète de tout *discours direct totalement personnel à l'auteur*, n'atténue d'aucune façon, s'entend, l'intentionnalité générale profonde, autrement dit, la signification idéologique de toute l'œuvre.

❏

---

9. Selon lui, la raison incarnée dans les formes et les méthodes de la pensée littéraire et idéologique, autrement dit, l'horizon linguistique de la raison humaine normale devient infiniment réduit et comique, éclairé par la raison. L'humour est un jeu avec la raison et ses formes *(N. D. A.)*.

Deux particularités caractérisent l'introduction et l'élaboration du plurilinguisme dans le roman humoristique:

1. On introduit les «langues» et les perspectives littéraires et idéologiques multiformes — des genres, des professions, des groupes sociaux (langage du noble, du fermier, du marchand, du paysan), on introduit les langages orientés, familiers (commérages, bavardage mondain, parler des domestiques) et ainsi de suite. Il est vrai que c'est surtout dans les limites des langages littéraires écrits et parlés, et à ce propos il faut dire qu'ils ne sont pas rapportés à tels personnages définis (aux héros, aux narrateurs) mais introduits sous une forme anonyme «de la part de l'auteur», alternant (sans tenir compte des frontières précises) en même temps avec le discours direct de l'auteur.

2. Les langages introduits et les perspectives socio-idéologiques, tout en étant naturellement utilisés dans le but de réfracter les intentions de l'auteur, sont révélés et détruits comme étant des réalités fausses, hypocrites, intéressées, bornées, de jugement étriqué, inadéquates. Dans la plupart des cas, tous ces langages déjà constitués, officiellement reconnus, prééminents, faisant autorité, réactionnaires, sont voués à la mort et à la relève. C'est pourquoi prédominent de multiples formes et degrés de *stylisation parodique* des langages introduits, qui, chez les représentants les plus radicaux, les plus «rabelaisiens[10]» de cette variété de roman (Sterne et Jean-Paul) confine à une récusation de presque tout ce qui est directement et spontanément sérieux (le vrai sérieux consiste à détruire tout faux sérieux, tant pathétique que sentimental[11]), et se place à la limite d'une critique radicale du mot en tant que tel.

Cette forme humoristique d'introduction et d'organisation de plurilinguisme dans le roman, est essentiellement différente du groupe des formes définies par l'introduction d'un

---

10. De toute évidence, on ne peut rattacher Rabelais aux auteurs du roman humoristique au sens strict, ni chronologiquement, ni par son essence même. *(N. D. A.).*

11. Néanmoins, le sérieux sentimental n'est jamais dépassé totalement, en particulier chez Jean-Paul *(N. D. A.).*

auteur supposé, personnifié et concret (parole écrite) ou d'un narrateur (parole orale).

Le jeu de l'auteur supposé, également caractéristique du roman humoristique (Sterne, Hippel, Jean-Paul) est un héritage de *Don Quichotte*. Or, le jeu est ici un pur procédé de composition, qui corrobore la relativisation et l'objectivation générales, et la parodisation des formes et des genres littéraires.

L'auteur et le narrateur supposés prennent un sens tout à fait autre lorsqu'ils sont introduits comme vecteurs d'une perspective linguistique, d'une vision particulière du monde et des événements, d'appréciations et d'intonations particulières — particulières tant par rapport à l'auteur, à son discours direct réel, que par rapport à la narration et aux langages littéraires «normaux».

Cette particularité, ces distances prises par l'auteur ou le narrateur supposés à l'égard de l'auteur réel et de sa perspective littéraire «normale», peuvent présenter des degrés et des caractères différents. Mais, quoi qu'il en soit, cette perspective, cette vision du monde particulières à autrui, sont amenées par l'auteur à cause de leur productivité, de leur capacité de montrer, d'une part, l'objet à représenter sous un jour nouveau (découvrir des côtés et des aspects nouveaux) et, d'autre part, d'éclairer aussi de façon neuve cet horizon littéraire «normal» sur le fond duquel sont perçues les singularités du récit du narrateur.

Par exemple Bielkine est choisi (plus exactement: créé) par Pouchkine en tant que point de vue particulier, «non poétique», sur des objets et des sujets traditionnellement poétiques. (Particulièrement caractéristiques et intentionnelles sont l'histoire de Roméo et Juliette dans *La demoiselle-paysanne* ou la romantique «danse macabre» dans *Le fabricant de cercueils*[12].) Bielkine, tout comme les conteurs de troisième ordre de qui il tient ses récits, est un homme «prosaïque», sans aucun pathos poétique. Les conclusions heureuses, pro-

---

12. *Les récits d'Ivan Petrovitch Bielkine*, de Pouchkine (1830): *Le coup de pistolet, Le chasse-neige, Le fabricant de cercueils, Le maître de poste, La demoiselle-paysanne.*

saïques, de ses histoires, le déroulement même du récit, contreviennent à l'attente des effets «poétiques» traditionnels. C'est dans cette incompréhension du pathos poétique que réside la productivité prosaïque des points de vue de Bielkine.

Maxime Maximovitch, dans *Un héros de notre temps, Panko le rouge*, le narrateur du *Manteau* et du *Nez*, les chroniqueurs de Dostoïevski, les conteurs folkloriques et les personnages-narrateurs de Melnikov-Petcherski ou de Mamine-Sibiriak, comme les conteurs traditionnels de Leskov[13], les «récitants» de la littérature populiste, enfin les narrateurs dans la prose des symbolistes et des post-symbolistes russes (Rémizov, Zamiatine[14]), en dépit de toute la différence des formes mêmes des narrations (orales et écrites, littéraires, professionnelles, sociales, régionales, idiomatiques, dialectales), tous ces personnages sont partout introduits comme des êtres à part et bornés; or, ils sont productifs dans cette limitation, dans cette particularité mêmes de leurs points de vue qui traduisent leur idéologie, leurs perspectives singulières étant opposées aux points de vue et aux perspectives littéraires sur le fond desquels ils sont appréhendés.

Le discours de narrateurs de cette espèce est toujours le *discours d'autrui* (par rapport au discours direct de l'auteur, qu'il soit réel ou supposé), et il est dans *une langue étrangère* (par rapport à la variante du langage littéraire auquel se trouve opposé le langage du narrateur).

---

13. *Un héros de notre temps*, roman de Lermontov (1840). *Panko le rouge:* narrateur supposé des *Soirées du hameau*, de Gogol. *Le manteau, Le nez*, récits de Gogol. Paul Melnikov-Petcherski (1819-1883), écrivain régionaliste, qui évoque la vie et les mœurs de la Volga centrale. Mamine, dit Mamine-Sibiriak, Dmitri (1852-1912), écrivain de la région de l'Oural, traitant de thèmes populaires et sociaux. Nicolas Leskov (1831-1895) consacra son œuvre féconde à la vie russe des villes et des campagnes et au milieu clérical. M. Bakhtine fait allusion ici aux «récits directs» *(shazy)* des conteurs populaires et des récitants.
14. Alexis Rémizov (1877-1957), écrivain d'une haute originalité de pensée et de langage, dont l'art échappe à toute classification traditionnelle. Eugène Zamiatine (1884-1937), écrivain satirique d'esprit original et très sensible, utopiste et visionnaire. Avec son roman *Nous autres (My)* il précéda A. Huxley et G. Orwell.

Et dans ce cas, nous avons sous les yeux un «parler indirect», non dans un langage, mais *au travers* d'un langage, au travers d'un milieu linguistique «étranger»; par conséquent, nous voyons également une réfraction des intentions de l'auteur.

L'auteur se réalise et réalise son point de vue non seulement dans le narrateur, dans son discours, dans son langage (qui sont, à des degrés plus ou moins grands, objectivés, *montrés)*, mais aussi dans l'objet du récit, d'après un point de vue qui diffère de celui du narrateur. Par-delà le récit du narrateur, nous en lisons un second: celui de l'auteur, qui narre la même chose que le narrateur et qui, de surcroît, se réfère au narrateur lui-même. Chacun des moments du récit est perçu nettement sur deux plans: au plan du narrateur, selon sa perspective objectale, sémantique et expressive, puis celui de l'auteur, qui s'exprime de manière réfractée dans ce récit, et à travers lui. Le narrateur lui-même, son discours, et tout ce qui est narré, entrent ensemble dans la perspective de l'auteur. Nous devinons les accents de celui-ci, placés sur l'objet du récit comme sur le récit lui-même et sur l'image du narrateur, révélée à mesure que se déploie le récit. Ne pas percevoir ce second plan de l'auteur, intentionnel, accentué, c'est ne rien comprendre à l'œuvre.

Comme nous l'avons noté, le récit du narrateur ou de l'auteur présumé se construit sur le fond du langage littéraire normal, de la perspective littéraire habituelle. Chaque moment du récit est corrélaté à ce langage et à cette perspective, il leur est confronté et, au surplus, *dialogiquement*: point de vue contre point de vue, accent contre accent, appréciation contre appréciation (et non comme deux phénomènes abstraitement linguistiques). Cette corrélation, cette jonction dialogique entre deux langages, deux perspectives, permet à l'intention de l'auteur de se réaliser de telle sorte, que nous la sentions distinctement dans chaque moment de l'œuvre. L'auteur n'est ni dans le langage du narrateur, ni dans le langage littéraire «normal» auquel est corrélaté le récit (encore qu'il puisse se trouver plus proche de l'un, ou de l'autre), mais il recourt aux deux langages pour ne pas remettre entièrement ses intentions à aucun des deux. Il se sert, à tout moment de son œuvre, de cette interpellation, de ce dialogue des langages, afin de rester, sur le plan linguistique, comme neutre, comme «troisième homme» dans la dispute des deux autres (même si ce troisième est peut-être partial). Toutes les formes introduisant un narrateur ou un auteur présumé montrent, d'une façon ou d'une autre, que l'auteur est libéré d'un langage unique, libération liée à la relativisation des systèmes littéraires et linguistiques; elles indiquent aussi qu'il lui est possible de ne pas se définir sur le plan du langage, de transférer ses intentions d'un système linguistique à un autre, de mêler le «langage de la vérité» au «langage commun», de parler *pour soi* dans le langage d'autrui, *pour l'autre*, dans son langage à soi. De même que dans toutes ces formes (récit du narrateur, de l'auteur supposé, d'un personnage) a lieu une réfraction des intentions de l'auteur, de même en elles, comme dans le roman humoristique, sont possibles les distances variées entre des éléments isolés du langage du narrateur et l'auteur: la réfraction peut être plus forte ou plus faible, et à certains moments il peut y avoir une fusion presque totale des voix.

Une autre forme d'introduction dans le roman, et d'organisation du polylinguisme est utilisée dans chaque roman, sans exception: il s'agit des paroles des personnages. Les paroles des personnages, disposant à divers degrés d'indépendance littéraire et sémantique et d'une perspective propre, sont des paroles d'autrui dans un langage étranger, et peuvent également réfracter les intentions de l'auteur, lui servant, jusqu'à un certain point, de second langage. De plus, les paroles d'un personnage exercent presque toujours une influence (parfois puissante) sur le discours de l'auteur, le parsèment de mots étrangers (discours caché du personnage), le stratifient, et donc y introduisent le polylinguisme. C'est pourquoi, même quand il n'y a ni humour, ni parodie, ni ironie, ni narrateur, ni auteur supposé, ni personnage-conteur, la diversité et la stratification du langage servent de base au style du roman. Même là où, au premier coup d'œil, le langage de l'auteur nous paraît unique et uniforme, lourd d'intentions directes et immédiates, nous découvrons, par-delà ce plan lisse, unilingual, une prose tridimensionnelle, profondément plurilinguistique, qui répond aux impératifs du style, et le définit. Ainsi, des romans de Tourguéniev: langue et style sont, semble-t-il, à langage unique et pur. Pourtant, chez lui aussi ce «langage unique» est fort loin de tout absolutisme poétique. Dans sa masse initiale, il est intégré, attiré dans un conflit de points de vue, de jugements, d'accents, introduits par les personnages; contaminé par leurs desseins et leurs divisions contradictoires, il est parsemé de mots grands et petits, d'expressions, définitions et épithètes, imprégnés d'intentions «étrangères», dont l'auteur n'est pas totalement solidaire et au travers desquels il réfracte les siennes. Nous percevons clairement les diverses distances entre l'auteur et certains éléments de son langage, suggérant des milieux sociaux ou des horizons qui lui sont étrangers. Nous percevons clairement, à divers degrés, la présence de l'auteur, et de son *ultime dessein sémantique,* dans différentes parties de son langage. La diversité et la stratification du langage sont pour Tourguéniev un facteur stylistique essentiel; il orchestre sa vérité d'auteur et sa conscience linguistique est celle d'un prosateur, relativisée. Chez Tourguéniev, la diversité des langages d'une société est introduite principalement par les discours directs des personnages, dans leurs dialogues. Mais, comme nous l'avons dit, ce polylinguisme social est épars aussi dans le discours de l'auteur autour des personnages, créant ainsi *leurs zones particulières.* Celles-ci sont constituées avec les demi-discours des personnages, avec diverses formes de transmission cachée de la parole d'autrui, avec les énoncés, importants ou non, du discours d'autrui éparpillés çà et là, avec l'intrusion, dans le discours de l'auteur, d'éléments expressifs qui ne lui sont pas propres (points de suspension ou d'interrogation, interjections). Cette zone, c'est le rayon d'action de la voix du personnage, mêlée d'une façon ou d'une autre à celle de l'auteur.

Toutefois, répétons que chez Tourguéniev l'orchestration du thème romanesque est concentrée sur les dialogues directs; ses personnages ne créent pas autour d'eux de zones vastes et saturées; chez lui, les hybrides stylistiques complexes sont assez rares.

Nous nous arrêterons sur quelques exemples du polylinguisme disséminé dans ses œuvres.

> 1. ... On l'appelle Nicolas Petrovitch Kirsanov. Il a, à une quinzaine de verstes de la petite auberge, une belle propriété de deux cents âmes, ou comme il aime à le dire depuis qu'il a alloué des terres à ses paysans, une «ferme» de *deux mille déciatines (Pères et fils,* chap. I).

Les expressions nouvelles, caractéristiques de cette époque et du style libéral, sont mises entre guillemets, ou comportent une réserve[15].

> 2. ... Il commençait à sentir une sourde irritation. Sa nature aristocratique ne pouvait supporter l'aplomb de Bazarov. *Non seulement ce fils de médecin ne se montrait pas embarrassé, mais il lui répondait brusquement et de mauvaise grâce, et le son de sa voix avait quelque chose de grossier, qui frisait l'insolence (Pères et fils,* chap. VI).

La troisième proposition de cet extrait étant, selon ses indices syntaxiques formels, une partie du discours de l'auteur, se présente en même temps, d'après le choix des expressions *(ce fils de médecin)* et sa structure expressive, comme le discours caché d'un autre (de Paul Petrovitch).

> 3. ... Paul Petrovitch s'assit à sa table. Il portait un élégant costume du matin, dans le goût anglais; un petit fez ornait sa tête. Cette coiffure, et une cravate nouée avec négligence étaient comme un indice de la liberté qu'autorise la campagne, mais le col empesé de la chemise, qui était de couleur, *comme la mode le prescrit pour la toilette du matin,* comprimait avec l'inflexibilité ordinaire le menton bien rasé *(Pères et fils,* chap. V).

---

15. Dans les textes cités de Tourguéniev (comme dans ceux de Dickens), les italiques sont de M. Bakhtine. La traduction de *Pères et fils* est de Tourguéniev et Viardot, ancienne mais bonne (Charpentier, 1893).

Cette évocation ironique de la toilette matinale de Paul Petrovitch est précisément maintenue dans le ton d'un gentleman de son style. «Comme la mode le prescrit pour la toilette du matin», n'est pas une simple affirmation de l'auteur, mais le vocabulaire normal d'un gentleman du milieu de Paul Petrovitch, rendu sur le mode ironique. Il pourrait presque être placé entre guillemets. C'est une motivation pseudo-objective.

> 4. .... *L'affabilité de Matvéï Illitch ne portait aucun préjudice à la majesté de ses manières.* Il flattait tout le monde, les uns avec une nuance de dédain, les autres avec une nuance de considération; il accablait les femmes de prévenances, en vrai *chevalier français*, et riait continuellement d'un gros rire sans écho, *comme il convient à un grand personnage (Pères et fils,* chap. XIV).

Caractéristique ironique similaire, donnée du point de vue du dignitaire lui-même. «Comme il convient à un grand personnage»: encore une motivation pseudo-objective.

> 5. ... Le lendemain matin, Nejdanov se dirigea vers la demeure de Sipiaguine, et là, dans un superbe cabinet plein de meubles d'un style sévère *tout à fait d'accord avec la dignité de l'homme d'État libéral et du gentleman...* (*Terres vierges,* chap. IV[16])

Construction analogue, pseudo-objective.

> 6. ... (Siméon Petrovitch) servait au ministère de la Cour, avec le titre de gentilhomme de la Chambre; *le patriotisme l'avait empêché d'entrer dans la diplomatie,* où tout semblait devoir le porter: son éducation, son habitude du monde, ses succès auprès des femmes, et sa tournure... «Mais, quitter la Russie... Jamais!» (*Terres vierges,* chap. V)

---

16. *Terres vierges,* traduction Tourguéniev-Viardot. Introduction de Boris de Schloezer (Librairie Stock, 1930).

Cette motivation du refus d'une carrière diplomatique est pseudo-objective. Toute la caractéristique de Kalloméïtzev est donnée dans la tonalité du personnage lui-même, à son point de vue personnel; elle s'achève sur un discours direct, qui, d'après sa syntaxe, apparaît comme une proposition subordonnée au discours de l'auteur. (... *Tout semblait devoir le porter... mais quitter la Russie...* etc.)

> 7. ... (Kalloméïtzev) était venu passer deux mois de congé dans le gouvernement de S... pour s'occuper de la gestion de ses biens, c'est-à-dire pour faire peur à l'un et serrer les pouces à l'autre. *Sans ces procédés-là, rien pourrait-il marcher?* (*Terres vierges,* chap. V)

La fin de cette citation est une affirmation pseudo-objective typique. C'est précisément pour lui donner l'apparence d'un jugement objectif de l'auteur qu'elle n'a pas été mise entre guillemets comme les paroles précédentes de Kalloméïtzev lui-même, incluses dans le discours de l'auteur, et qu'elle suit directement à dessein.

> 8. ... Kalloméïtzev, sans se presser, insinua son monocle rond dans son arcade sourcilière, et se mit à examiner *ce petit étudiant, qui se permettait de ne pas partager ses «inquiétudes»*... (*Terres vierges,* chap. VII)

Construction hybride typique. Tant la proposition subordonnée que le complément d'objet direct (*ce petit étudiant*) de la proposition principale de l'auteur, sont présentés dans les tons de Kalloméïtzev. Le choix des mots (*petit étudiant... se permettait de ne pas partager...*) est dicté par les accents indignés de Kalloméïtzev; en même temps, dans le contexte de son discours, ces paroles sont traversées par les accents ironiques de l'auteur. D'où une construction doublement appuyée: retransmission ironique de l'auteur et pastiche de l'indignation du personnage.

Enfin, voici des exemples de l'intrusion dans le système syntaxique du discours de l'auteur d'éléments expressifs du discours d'autrui. (Points de suspension, d'interrogation, interjections.)

9. ... Nejdanov était dans une étrange situation d'esprit. Depuis deux jours, que de nouvelles impressions et de nouveaux visages!... Pour la première fois de sa vie, il s'était lié à une jeune fille que, *selon toute vraisemblance*, il aimait d'amour; il avait assisté aux premiers débuts d'une œuvre à laquelle, aussi selon toute vraisemblance, il avait consacré toutes ses forces... et en somme, était-il content? Non! Était-il hésitant, avait-il peur? Se sentait-il troublé? — Oh, certes non!

Éprouvait-il, au moins, cette tension de tout l'être, cet élan qui vous emporte dans les premiers rangs des combattants quand la lutte est imminente? — Pas davantage! Mais croyait-il à cette œuvre, enfin? Croyait-il à son amour? Oh! maudit faiseur d'esthétique! Sceptique! murmuraient tout bas ses lèvres. Pourquoi cette fatigue, pourquoi cette répugnance à parler, sauf les moments où il se mettait à crier, où il devenait furieux? — Quelle était cette voix intérieure qu'il essayait d'étouffer par ses cris? (*Terres vierges*, chap. XVIII)

En fait, nous voyons ici une forme de discours direct d'un personnage. D'après sa syntaxe, c'est celui de l'auteur, mais d'après toute sa structure expressive, c'est celui de Nejdanov, c'est sa parole intérieure, mais dans la transmission de l'auteur, *avec ses questions provocantes et ses réserves ironiquement révélatrices* («selon toute vraisemblance»). Toutefois, la couleur expressive de Nejdanov demeure.

Telle est la forme habituelle de la transmission des monologues intérieurs chez Tourguéniev (en général, c'est l'une des plus usitées). Elle introduit dans le cours désordonné et saccadé du monologue intérieur, un ordre et une harmonie stylistiques (sinon, on serait contraint de reproduire ce désordre, ces saccades, en recourant au discours direct). En outre, d'après ses principaux indices syntaxiques (troisième personne), et stylistiques (lexicologiques et autres), cette norme permet de combiner organiquement et harmonieusement le monologue intérieur d'un autre avec le contexte de l'auteur. Et elle permet de conserver au monologue intérieur des personnages sa structure expressive et le caractère inachevé et mouvant qui est le sien, ce qui est impossible dans la forme sèche et logique du discours indirect. Grâce à ces particularités, cette forme est la mieux appropriée aux monologues intérieurs des personnages. Évidemment elle est hybride, et la voix de l'auteur peut avoir différents degrés d'activité, et peut introduire dans le discours transmis un second accent: ironique, indigné, etc.

On obtient la même hybridation, la même confusion des accents, le même effacement des frontières entre le discours de l'auteur et celui d'autrui, grâce à d'autres formes de transmission des discours des personnages. Avec seulement trois modèles de transmission (discours direct, discours indirect, discours direct d'autrui), avec leurs multiples combinaisons, et surtout avec divers procédés de leur réplique enchâssée et de leur stratification au moyen du contexte de l'auteur, on parvient au jeu multiple des discours, avec leurs interférences et leurs influences réciproques.

Les exemples tirés de Tourguéniev définissent suffisamment le rôle du personnage comme facteur de stratification du langage du roman et d'introduction de la plurivocalité. Un personnage de roman, nous l'avons dit, a toujours sa zone, sa sphère d'influence sur le contexte de l'auteur qui l'entoure; souvent on peut aller bien au-delà des limites du discours direct réservé à ce personnage. En tout état de cause, le rayon d'action de la voix de tel personnage important doit porter plus loin que son discours direct authentique. Cette zone qui environne les personnages principaux est, stylistiquement, profondément originale: y prédominent les formes des structures hybrides les plus diverses, et toujours plus ou moins dialogisées; en elle se déploie le dialogue entre l'auteur et ses personnages, non point un dialogue dramatique, articulé en répliques, mais un dialogue particulier au roman, réalisé à l'intérieur des structures d'apparence monologique. La possibilité d'un tel dialogue, l'un des privilèges remarquables de la prose romanesque, est inaccessible aux genres tant dramatiques que poétiques purs.

Les zones des personnages offrent un objectif des plus intéressants aux analyses stylistiques et linguistiques: on peut y découvrir des constructions qui projettent une lumière tout à fait nouvelle sur les problèmes de la syntaxe et de la stylistique.

Enfin, nous allons nous arrêter sur l'une des formes les plus fondamentales et les plus importantes de l'introduction et de l'organisation du plurilinguisme dans le roman: les genres intercalaires.

Le roman permet d'introduire dans son entité toutes espèces de genres tant littéraires (nouvelles, poésies, poèmes, saynètes) qu'extralittéraires (études de mœurs, textes rhétoriques, scientifiques, religieux, etc.). En principe, n'importe quel genre peut s'introduire dans la structure d'un roman, et il n'est guère facile de découvrir un seul genre qui n'ait pas été, un jour ou l'autre, incorporé par un auteur ou un autre. Ces genres conservent habituellement leur élasticité, leur indépendance, leur originalité linguistique et stylistique.

Bien plus, il existe un groupe de genres spéciaux qui jouent un rôle constructif très important dans les romans, et parfois déterminent même la structure de l'ensemble, créant ainsi des variantes du genre romanesque. Tels sont la confession, le journal intime, le récit de voyage, la biographie, les lettres, etc. Non seulement peuvent-ils tous entrer dans le roman comme élément constitutif majeur, mais aussi déterminer la forme du roman tout entier (roman-confession, roman-journal, roman épistolaire…). Chacun de ces genres possède ses formes verbales et sémantiques d'assimilation des divers aspects de la réalité. Aussi le roman recourt-il à eux, précisément, comme étant des formes élaborées de la réalité. Le rôle de ces genres intercalaires est si grand que le roman pourrait paraître comme démuni de sa possibilité première d'approche verbale de la réalité, et nécessitant une élaboration préalable de cette réalité par l'intermédiaire d'autres genres, lui-même n'étant que l'unification syncrétique, au second degré, de ces genres verbaux premiers.

Tous ces genres qui entrent dans le roman y introduisent leurs langages propres, stratifiant donc son unité linguistique, et approfondissant de façon nouvelle la diversité de ses langages. Les langages des genres extralittéraires incorporés dans le roman prennent souvent une telle importance que leur introduction (par exemple celle du genre épistolaire) fait époque non seulement dans l'histoire du roman, mais dans celle du langage littéraire en général.

Les genres intercalaires peuvent être directement intentionnels ou complètement objectivés, c'est-à-dire dépouillés entièrement des intentions de l'auteur, non pas «dits», mais seulement «montrés», comme une chose, par le discours; mais, le plus souvent, ils réfractent, à divers degrés, les intentions de l'auteur, et certains de leurs éléments peuvent s'écarter de différente manière de l'instance sémantique dernière de l'œuvre.

Ainsi, les genres poétiques en vers (lyriques, par exemple), intercalés dans un roman, pourraient se révéler poétiquement et directement intentionnels, sans arrière-pensée. Telles sont, par exemple, les poésies que Goethe introduit dans son *Wilhelm Meister*. Les romantiques insérèrent des vers dans leur prose: on sait qu'ils jugeaient la présence des vers dans le roman (en tant qu'expressions directes des intentions de l'auteur) comme un indice constitutif du genre. Dans d'autres cas, les poèmes intégrés réfractent les intentions de l'auteur; par exemple, le poème de Lenski, dans *Eugène Onéguine*: «Où vous êtes-vous envolés...» Et s'il est possible (comme on le fait) d'attribuer directement à Goethe les vers cités dans *Wilhelm Meister*, ceux de Lenski ne peuvent se rattacher en rien à la poésie de Pouchkine, à moins de les classer dans la catégorie à part des «stylisations parodiques» (où il faut placer également les vers de Griniov, dans *La fille du capitaine*[17]). Enfin, les vers intercalés dans le roman peuvent être presque entièrement objectifs, telle la poésie du capitaine Lébiadkine, dans *Les démons*, de Dostoïevski.

Un cas analogue se présente avec l'introduction de toutes sortes de sentences et aphorismes: ils peuvent également balancer entre les formes purement objectales (le «mot montré») ou directement intentionnelles, c'est-à-dire celles qui se présentent comme les maximes philosophiques pleinement signifiantes de l'auteur lui-même (parole exprimée de façon

---

17. Roman en prose, de Pouchkine (1836).

absolue, sans restrictions ni distance). Ainsi, dans les romans de Jean-Paul, si riches en aphorismes, nous avons entre eux toute une longue échelle de valeurs, depuis ceux qui sont purement objectaux, jusqu'à ceux qui sont directement intentionnels, en passant par les degrés les plus différents de réfraction des intentions de l'auteur.

Dans *Eugène Onéguine*, aphorismes et sentences apparaissent au plan de la parodie ou à celui de l'ironie, autrement dit, les intentions de l'auteur s'y trouvent plus ou moins réfractées. Voyons par exemple, cette sentence:

> À qui pense et vit, l'impossible
> Est sans mépris de voir les gens,
> Et vient troubler un cœur sensible
> Le spectre sans retour des temps.
> Celui-là plus rien ne l'enchante,
> Des serpents sa mémoire hantent,
> Le repentir est son enfer[18]...

Elle est traitée comme un pastiche léger, bien que l'on en perçoive continuellement la proximité, voire la fusion, avec les intentions de l'auteur. Mais déjà les vers suivants (de l'auteur supposé et d'Onéguine) renforcent les accents parodiquement ironiques et jettent une nuance d'objectivation sur cette sentence:

> Mais tout cela souvent confère
> Du charme aux choses que l'on dit... (I-46)

Nous voyons qu'elle est construite dans le rayon d'action de la voix d'Eugène Onéguine, dans sa perspective personnelle, avec ses accents à lui. Mais ici la réfraction des intentions de l'auteur, dans le rayon des résonances de la voix d'Onéguine, dans la zone d'«Onéguine», est autre que dans la zone de Lenski par exemple. (*Cf.* le pastiche presque objectivé des vers de ce dernier[19].)

---

18. Traduction de Louis Aragon, dans *La poésie russe*, anthologie publiée sous la direction d'Elsa Triolet (Éd. Seghers, Paris, 1965).
19. À la fin de cette étude.

Cet exemple peut également illustrer cette influence, que nous avons analysée plus haut, des discours des personnages sur ceux de l'auteur. L'aphorisme cité est pénétré par les intentions («byroniennes», selon la mode) d'Onéguine, aussi l'auteur n'en est-il pas totalement solidaire, et garde-t-il, jusqu'à un certain point, ses distances.

L'affaire se complique sérieusement lorsqu'on intercale des genres essentiels pour le genre romanesque (confessions, journaux intimes, etc.). Eux aussi introduisent leurs langages, mais ceux-ci comptent avant tout comme points de vue interprétatifs et «productifs», dépourvus de conventions littéraires, qui élargissent l'horizon littéraire et linguistique, aidant la littérature à conquérir des nouveaux mondes de conceptions verbales, déjà pressentis et partiellement conquis dans d'autres sphères de la vie du langage — sphères extralittéraires.

Un jeu humoristique avec les langages, une narration qui «ne vient pas de l'auteur» (du narrateur, de l'auteur convenu, du personnage), discours et zones des héros, genres intercalaires ou «enchâssants» enfin, telles sont les formes fondamentales qui permettent d'introduire et d'organiser le polylinguisme dans le roman. Toutes elles permettent de réaliser le mode d'utilisation indirect, restrictif, distancié, des langages. Toutes elles indiquent la relativisation de la conscience linguistique, donnent à celle-ci la sensation, qui lui est propre, de l'objectivation du langage, de ses frontières historiques, sociales, voire radicales (celle du langage en tant que tel). Cette relativisation ne commande nullement celle des intentions sémantiques elles-mêmes: les intentions peuvent être absolues même sur le terrain de la conscience linguistique de la prose. Mais précisément parce que l'idée d'un langage unique (comme langage irréfutable et sans réserve) est étrangère à la prose romanesque, la conscience prosaïque doit orchestrer ses intentions sémantiques propres, fussent-elles absolues. C'est seulement dans un seul langage, au sein des langages nombreux du plurilinguisme, que la conscience prosaïque se trouve à l'étroit; une sonorité linguistique unique ne peut lui suffire...

Nous n'avons abordé que les formes fondamentales, caractéristiques, des variétés les plus importantes du roman européen, mais naturellement, avec elles ne s'épuisent pas tous les moyens possibles d'introduire et d'organiser le plurilinguisme dans le roman. Au surplus, est possible la combinaison de toutes ces formes dans des romans concrets, et par conséquent, dans des variantes du genre créées par de tels romans. *Don Quichotte,* de Cervantès, modèle classique et infiniment pur du genre romanesque, réalise de manière extraordinairement profonde et vaste toutes les possibilités littéraires du discours romanesque à langages divers et à dialogue intérieur.

Le polylinguisme introduit dans le roman (quelles que soient les formes de son introduction), c'est le *discours d'autrui dans le langage d'autrui,* servant à réfracter l'expression des intentions de l'auteur. Ce discours offre la singularité d'être *bivocal.* Il sert simultanément à deux locuteurs et exprime deux intentions différentes: celle — directe — du personnage qui parle, et celle — réfractée — de l'auteur. Pareil discours contient deux voix, deux sens, deux expressions. En outre, les deux voix sont dialogiquement corrélatées, comme si elles se connaissaient l'une l'autre (comme deux répliques d'un dialogue se connaissent et se construisent dans cette connaissance mutuelle), comme si elles conversaient ensemble. Le discours bivocal est toujours à dialogue intérieur. Tels sont les discours humoristique, ironique, parodique, le discours réfractant du narrateur, des personnages, enfin le discours des genres intercalaires: tout cela, ce sont des discours bivocaux, intérieurement dialogisés. En eux tous se trouve en germe un dialogue potentiel, non déployé, concentré sur lui-même, un dialogue de deux voix, deux conceptions du monde, deux langages.

Naturellement, le discours bivocal à dialogue interne est également possible dans un système clos, pur, à langage unique, étranger au relativisme linguistique de la conscience prosaïque, il est donc possible dans les genres purement poétiques. Toutefois, il est privé de terrain favorable à quelque développement notable et substantiel que ce soit. Le discours bivocal est très répandu dans les genres rhétoriques, mais là aussi, demeurant dans les limites d'un système linguistique unique, il n'est pas fécondé par un lien profond avec les forces du devenir historique qui stratifient la langue, et au meilleur cas, il n'est que l'écho lointain et réduit à une polémique individuelle de ce devenir.

Une bivocalité poétique et rhétorique de cet ordre, arrachée au processus de la stratification du langage, peut être déployée de manière appropriée dans un dialogue individuel, une dispute individuelle ou une causerie entre deux individus; dans ce cas, les répliques de ce dialogue seront immanentes à un langage unique: elles peuvent être en désaccord, contradictoires, mais ni plurilinguales, ni plurivocales. Pareille bivocalité, qui se maintient dans les limites d'un seul et même système linguistique clos, sans vraie et substantielle orchestration sociolinguistique, ne peut être que le corollaire stylistique secondaire du dialogue et des formes polémiques[20]. Le dualisme interne (la bivocalité) d'un discours qui suffit à un langage seul et unique et à un style à monologue soutenu, ne peut jamais se révéler important: c'est un jeu, une tempête dans un verre d'eau!

Tout autre est la bivocalité dans la prose. Là, à partir de la prose romanesque, elle ne puise pas son énergie, ou l'ambiguïté de sa dialogisation, dans les dissonances, les malentendus, les contradictions individuelles (fussent-elles aussi bien tragiques que profondément motivées dans les destinées individuelles[21]): dans le roman, cette bivocalité a des racines qui plongent très profond dans la diversité des discours, la diversité des langages essentiellement sociolinguistique. Assurément, dans le roman aussi le plurilinguisme est toujours personnifié, incarné, dans les figures des êtres humains aux désaccords et aux contradictions individualisés. Mais là, ces contradictions des volontés et des intelligences personnelles

---

20. Cette bivocalité ne prend de l'importance dans le néo-classicisme que dans les genres inférieurs, particulièrement dans la satire *(N. D. A.)*.
21. Dans les limites d'un monde poétique et d'un seul langage, tout ce qui est essentiel dans ces discordances et ces contradictions peut et doit se déployer dans un pur et direct dialogue dramatique *(N. D. A.)*.

sont immergées dans un plurilinguisme social et réinterprétées par lui. Les contradictions des individus ne sont ici que la crête des vagues d'un océan de plurilinguisme social, qui s'agite et les rend puissamment contradictoires, saturant leur conscience et leurs discours de son plurilinguisme fondamental.

C'est la raison pour laquelle la dialogisation intérieure du discours bivocal littéraire en prose ne peut jamais être thématiquement épuisée (pas plus que ne peut l'être l'énergie métaphorique du langage); il n'est pas possible qu'elle se déploie entièrement dans un dialogue direct à sujet ou à problème, qui actualiserait totalement la potentialité intérieurement dialogique contenue dans le plurilinguisme linguistique. La dialogisation intérieure du discours véritablement prosaïque, organiquement issue d'un langage stratifié et plurivocal, ne peut être vraiment dramatisée de façon importante et dramatiquement parachevée (réellement terminée); elle n'entre pas tout entière dans les cadres d'un dialogue direct, d'une causerie entre individus, elle n'est pas entièrement divisible en répliques nettement délimitées[22]. Cette bivocalité prosaïque est préformée dans le langage lui-même (comme aussi la vraie métaphore, comme le mythe), dans le langage en tant que phénomène en évolution historique, socialement stratifié et déchiré au cours de cette évolution.

La relativisation de la conscience linguistique, sa participation essentielle à la multiplicité et à la diversité sociales des langages en devenir, les tâtonnements des intentions et desseins sémantiques et expressifs de cette conscience parmi les langages (également interprétés, également objectifs), l'inéluctabilité pour elle d'un parler indirect, restrictif, réfracté, voilà quels sont les indispensables postulats de la bivocalité authentique du discours littéraire en prose. Cette bivocalité est prédécouverte par le romancier dans le plurilinguisme et la plurivocalité qui l'embrassent et nourrissent sa conscience, elle ne se crée pas dans une polémique superficielle, individuelle, rhétorique avec des individus.

---

22. Qui, de façon générale, sont d'autant plus aiguës, plus dramatiques et plus achevées, que le langage est plus soutenu et unique (N. D. A.).

Si le romancier perd le terrain linguistique du style de la prose, s'il ne sait se placer sur la hauteur d'une conscience du langage relativisée, galiléenne, s'il n'entend pas la bivocalité organique et le dialogue interne du mot vivant en devenir, il ne comprendra ni ne réalisera jamais les possibilités et les problèmes réels du genre romanesque. Il peut, bien sûr, créer une œuvre ressemblant beaucoup à un roman par sa composition et ses thèmes, «fabriquée» tout à fait comme un roman, mais il n'aura pas créé un roman. Il sera toujours trahi par son style. Nous verrons l'ensemble d'un langage uni, pur, univoque, naïvement ou bêtement présomptueux (ou doté d'une bivocalité fictive, élémentaire, artificielle). Nous verrons qu'un tel auteur n'a guère eu de mal à se débarrasser de la plurivocalité: tout simplement, il n'entend pas la diversité essentielle du vrai langage; il prend les harmoniques sociales, engendrant le timbre des mots pour des bruits importuns, à supprimer! Arraché à l'authentique plurilinguisme du langage, le roman dégénère, le plus souvent, en drame (très mauvais drame, s'entend), fait pour être lu avec des commentaires amples et «artistement élaborés». Le langage de l'auteur, dans un roman ainsi démuni, bascule inévitablement dans la position difficile et absurde du langage des indications scéniques[23].

Le discours bivocal est ambigu. Mais le discours poétique, au sens étroit, est également ambigu et polysémique. C'est en cela que réside sa différence fondamentale avec le discours-concept, le discours-terme. Le discours poétique est un trope, qui exige que l'on perçoive clairement en lui ses deux sens.

Mais quelle que soit la manière dont on comprend la relation réciproque des sens dans un symbole poétique (un trope) cette relation n'est pas, en tout état de cause, de nature dialogique, et jamais, sous aucun prétexte, on ne peut imaginer un trope (une métaphore, par exemple) déployé en deux répliques de dialogue, c'est-à-dire avec ses deux sens parta-

---

23. Spielhagen, dans ses ouvrages réputés sur la théorie et la technique du roman, s'oriente justement sur cette sorte de roman qui n'est pas un roman, ignorant précisément les possibilités particulières du genre. Comme théoricien, Spielhagen était sourd au plurilinguisme et à son produit spécifique: le discours bivocal (N. D. A.).

gés entre deux voix différentes. C'est pourquoi le double sens (ou les sens multiples) du symbole n'entraîne jamais une double accentuation. Au contraire, le double sens poétique suffit à une seule voix, à un seul système d'accentuations. On peut interpréter les relations mutuelles des sens et des symboles selon la logique (comme une relation du particulier ou de l'individu au général, par exemple, un nom propre devenu symbole; comme une relation du concret à l'abstrait, etc.); on peut l'interpréter de façon philosophico-ontologique, comme une relation particulière de la représentation, ou comme une relation entre phénomène et réalité; on peut aussi placer au premier plan le côté émotionnel et axiologique de cette interrelation, mais tous ces types de rapports mutuels entre les sens ne sortent pas, et ne peuvent sortir des limites de la relation du discours à son objet et aux divers aspects de cet objet. Entre le discours et son objet se jouent tous les événements, tout le jeu du symbole poétique. Le symbole ne peut présumer une relation essentielle à la parole d'autrui, à la voix d'autrui. La polysémie du symbole poétique présuppose l'unité et l'identité de la voix par rapport à lui, et sa pleine solitude dans sa parole. Dès qu'une voix étrangère, un accent étranger, un éventuel point de vue différent font irruption dans ce jeu du symbole, le plan poétique est détruit et le symbole transféré au plan de la prose.

Pour bien comprendre la distinction entre bisémie poétique et bivocalité prosaïque, il suffit de comprendre n'importe quel symbole et de l'accentuer de bout en bout de manière ironique (naturellement, dans un contexte important correspondant), autrement dit, d'y introduire sa propre voix, d'y réfracter son intention nouvelle[24]. De ce fait, le symbole

---

24. Alexis Alexandrovitch Karénine avait l'habitude de prendre ses distances avec certains mots et expressions liées à ces mots. Il se livrait à des constructions bivocales, sans aucun contexte, uniquement sur le plan des intentions: «Oui, comme tu vois, ton cher époux, aussi tendre qu'au bout d'un an de mariage, brûlait du désir de te voir, dit-il de sa voix traînante et fluette, et sur le ton qu'il employait presque toujours avec elle, le ton de qui se moquerait d'un homme qui parlerait vraiment de cette manière-là.» (*Anna Karénine*, première partie, chap. 30) (*N. D. A.*).

poétique (tout en restant symbole, s'entend) est transféré en même temps au plan de la prose, devient discours bivocal: entre le discours et son objet s'insère un discours, un accent étranger, et sur le symbole tombe une ombre d'objectivation (naturellement, la structure bivocale se révélera primitive et simple).

Un exemple de cette très simple prosaïsation du symbole poétique, c'est la strophe à propos de Lenski, dans *Eugène Onéguine*:

> Docile à l'amour, il chantait l'amour,
> Et son chant était clair,
> Comme les pensées d'une vierge ingénue,
> Comme le sommeil d'un petit enfant,
> Comme la lune...

Les symboles poétiques de cette strophe sont orientés tout à la fois sur deux plans: sur le plan du chant lui-même de Lenski, dans la perspective sémantique et expressive de son «âme à la Göttingen[25]», et sur le plan du discours de Pouchkine, pour qui une «âme à la Göttingen», avec son langage et sa poétique propres, est un phénomène du plurilinguisme littéraire de son époque, nouveau, mais déjà en passe de devenir typique: ton nouveau, voix nouvelle au sein des voix multiples du langage littéraire, des conceptions du monde littéraire, et de l'existence régie par ces conceptions. Il y a d'autres voix dans cet ensemble de la vie des lettres: le langage d'Onéguine à la Byron, à la Chateaubriand, le langage et l'univers «richardsoniens» de Tatiana à la campagne; le parler provincial, familier, du manoir des Larine; le langage et l'univers de Tatiana à Pétersbourg, et encore d'autres langages, parmi eux, les langages indirects de l'auteur, divers et se transformant tout au long du roman. Tout ce plurilinguisme (*Eugène Onéguine* est une encyclopédie de styles et de langages du temps) orchestre les intentions de l'auteur et crée le style authentique romanesque de cette œuvre.

---

25. Göttingen: cette université allemande joua un important rôle formateur pour la jeunesse russe cultivée de l'époque romantique.

Ainsi donc, les images de la strophe que nous venons de citer, se trouvant être des symboles poétiques dans la perspective intentionnelle de Lenski, deviennent, dans le système des discours de Pouchkine, des symboles prosaïques à deux voix. Ce sont, bien entendu, d'authentiques symboles de l'art littéraire en prose, issus du plurilinguisme du langage littéraire qui évolue à cette époque, et nullement une parodie rhétorique superficielle, ou une plaisanterie.

Telle est la différence entre la bivocité littérairement pragmatique et l'univocité de la bi ou plurisémie du symbole poétique. La bisémie du discours bivoque, intérieurement dialogisé, est grosse d'un dialogue, et peut, en effet, faire naître des dialogues de voix réellement séparées (non pas dramatiques, mais désespérées en prose). En dépit de cela, la bivocalité poétique ne se tarit jamais dans ces dialogues, elle ne peut pas être totalement évacuée du discours, ni par le moyen d'une désarticulation logique et d'une redistribution entre les membres d'une période monologiquement unique (comme en rhétorique), ni par la voie d'une rupture dramatique entre les répliques d'un dialogue à parfaire. En donnant naissance à des dialogues romanesques en prose, la véritable bivocalité ne se tarit pas en eux et demeure dans le discours, dans le langage, comme une source intarissable de dialogisation; car la dialogisation intérieure du discours est l'indispensable corollaire de la stratification de la langue, la conséquence de son «trop-plein» d'intentions plurilinguales. Or, cette stratification, et le trop-plein, comme l'alourdissement intentionnel de tous les mots, de toutes les formes qui s'y rapportent, est le corollaire inévitable du développement historique, socialement contradictoire, du langage.

Si le problème central de la théorie de la poésie est un problème de symbole poétique, le problème central de la théorie de la prose littéraire est un problème de discours à deux voix, intérieurement dialogisé, dans tous ses types et variantes multiples.

Pour le romancier-prosateur, l'objet est empêtré dans le discours d'autrui à son propos, il est remis en question, contesté, diversement interprété, diversement apprécié, il est inséparable d'une prise de conscience sociale plurivocale. De ce monde «remis en question» inséparable d'une prise de conscience sociale plurivocale, le romancier parle dans un langage diversifié et intérieurement dialogisé. De cette manière, langage et objet se révèlent à lui sous leur aspect historique, dans leur devenir social plurivoque. Pour lui, il n'existe pas de monde en dehors de sa prise de conscience sociale plurivoque, et il n'existe pas de langage hors des intentions plurivoques qui le stratifient. C'est pourquoi, dans le roman comme dans la poésie, il est possible que le langage (plus exactement: *les* langages), s'unissent de façon profonde mais originale avec leur objet et leur univers. De même que l'image poétique semble née et organiquement issue du langage lui-même, préformée en lui, de même les images romanesques semblent organiquement soudées à leur langage plurivocal, préformé, en quelque sorte, en lui, dans les profondeurs de son propre plurilinguisme organique. La «distanciation» du monde et la «surdistanciation» du langage s'entremêlent dans le roman en un seul événement du développement polylingual du monde, dans la prise de conscience et dans le discours social.

Le discours poétique, au sens étroit du terme, doit lui aussi se faufiler jusqu'à son objet au travers du discours d'autrui qui l'empêtre; il trouve comme déjà existant un langage plurilingual, il doit parvenir jusqu'à son unité créée (*créée* et non *donnée),* et toute prête, et jusqu'à son intentionalité pure. Mais ce cheminement du discours poétique vers son objet et vers l'unité du langage, cheminement au cours duquel il rencontre lui aussi, continuellement, le discours d'autrui et s'oriente mutuellement avec lui, demeure dans les scories du processus de création, et s'enlève comme s'enlèvent les échafaudages d'un bâtiment terminé; alors l'œuvre parachevée s'élève, tel un discours unique et concentré sur un objet, un discours, sur un monde «vierge». Cette pureté univoque, cette franchise intentionnelle, sans restriction, du discours poétique parachevé, s'achète au prix d'une certaine conventionnalité du langage poétique.

Si l'idée d'un langage proprement poétique, hors de la vie courante, hors de l'Histoire, un «langage des dieux», naît à partir de la poésie comme une philosophie utopique des genres, en revanche, l'idée d'une existence vivante et historiquement concrète des langages, est une idée qui est proche et chère à la prose. La prose de l'art littéraire présuppose une sensibilité à la concrétion et à la relativité historiques et sociales de la parole vivante, de sa participation au devenir historique et à la lutte sociale. Et cette prose littéraire s'empare du mot, chaud encore de sa lutte, de son hostilité, du mot point résolu encore, déchiré entre les intonations et les accents hostiles, et, tel quel, le soumet à l'unité dynamique de son style.

Les traces d'un meurtre*

par Patricia Smart

Il se peut que tout projet d'écriture naisse dans une image qui nous hante, nous appelant à déchiffrer ce qu'elle contient de sens cachés. Pour moi l'image était scandaleuse, obscène même: c'était celle d'un cadavre enseveli sous les fondations d'un édifice mais qui, résistant à la violence qu'on lui avait faite, refusait de garder le silence. Je l'ai rencontrée d'abord, comme il se doit, dans un roman de type policier. Dans *Trou de mémoire* d'Hubert Aquin, le narrateur, obsédé du début à la fin de son récit par le souvenir de Joan Ruskin, la femme qu'il a tuée, identifie son cadavre comme le «foyer invérifiable d'un récit qui ne fait que se désintégrer autour de sa dépouille[1]», et il décrit son propre livre comme «une accumulation de vanités qui ne sont que des masques multiples de l'atroce vérité qu'un simple déplacement de point de vue permet de désigner comme meurtre[2]». Sous la plume d'une femme, la perspective sur cette même réalité de meurtre se déplace vers la femme elle-même, «enterrée vive» depuis des siècles par une société érigée sur la crainte de son pouvoir. L'image de la «femme noire» qui surgit à la fin de *Kamouraska* — significativement, au moment précis où Élisabeth d'Aul-

---

* Extrait de: *Écrire dans la maison du père*, Montréal, Éditions Québec/Amérique, 1990.
1. *Trou de mémoire*, Montréal, Le Cercle du Livre de France, 1968, p. 143.
2. *Loc. cit.*

nières réintègre son rôle d'«épouse modèle[3]» — recèle une puissance énorme, mais retenue, celle de l'énergie féminine réprimée par la culture patriarcale, et prête à éclater:

> Dans un champ aride, sous les pierres, on a déterré une femme noire, vivante, datant d'une époque reculée et sauvage. Étrangement conservée. On l'a lâchée dans la petite ville. Puis on s'est barricadé, chacun chez soi. Tant la peur qu'on a de cette femme est grande et profonde. Chacun se dit que la faim de vivre de cette femme, enterrée vive, il y a si longtemps, doit être si féroce et entière, accumulée sous la terre, depuis des siècles! On n'en a sans doute jamais connu de semblable. Lorsque la femme se présente dans la ville, courant et implorant, le tocsin se met à sonner. Elle ne trouve que des portes fermées et le désert de terre battue dont sont faites les rues. Il ne lui reste plus qu'à mourir de faim et de solitude[4].

De la perspective de l'homme à celle de la femme le déplacement a été significatif, en ce sens littéral qu'il est «générateur de sens nouveaux». Tout dépend en effet de l'angle de vision, comme l'écrira quelques années plus tard Nicole Brossard à propos de son propre cheminement vers le féminisme: «Je parle ici d'un certain angle de vision. Pour y arriver, il a fallu que je me déplace de manière à ce que le corps opaque du patriarcat n'empêche ma vision... Ce déplacement occasionne tous les autres[5].» Pour moi comme pour Brossard, le déplacement de point de vue décisif fut celui qui m'amena peu à peu à enlever le masque de «lecteur universel» dont m'avait affublée la culture, pour commencer à lire en tant que femme. Et, abordant les textes familiers de la littérature québécoise selon ce nouvel angle de vision, ce fut dans un premier temps toute une triste cohorte de femmes tuées qui m'apparut, sœurs de Joan Ruskin et d'Élisabeth d'Aulnières par-delà les générations littéraires, et résistantes comme elle. Toutes les mères mortes du roman de la terre — la mère

---

3. *Kamouraska*, Paris, Éditions du Seuil, 1970, p. 250.
4. *Loc. cit.*
5. *La lettre aérienne*, Montréal, Éditions du Remue-ménage, 1985, p. 57.

d'Angéline de Montbrun, Laura Chapdelaine, l'épouse de Menaud, Alphonsine Moisan, Mathilde Beauchemin et bien d'autres — se rejoignaient dans ce premier stade de la lecture comme autant de sœurs-victimes, leurs voix tues faisant irruption dans le texte culturel québécois à travers le cri délirant proféré par l'épouse parfaite, Donalda Poudrier, au moment de sa mort: «J'ai soif! Je brûle... On m'a tuée... M'man M'man[6]!»

Cette voix féminine, qui remonte toujours aux origines maternelles, traverse les textes d'hommes et les textes de femmes, mais autrement. Dans l'écriture des hommes, elle est presque toujours repoussée loin dans le subconscient du texte; mais de ces profondeurs elle insiste, souvent contre l'intention apparente de l'auteur, se mêlant à la voix de la nature, s'imprimant dans les gestes des personnages féminins idéalisés ou méprisés (mais toujours silencieux), parlant à travers toute «l'altérité» que les écrivains masculins semblent sentir le besoin de dompter afin de s'assurer de leur propre identité scripturaire. Dans l'écriture des femmes, où elle est écoutée comme la voix du Même et non pas comme celle d'une Autre qu'il faut réduire au silence, la voix du féminin-maternel meurtri est plus proche, plus *subversive* dans le bouleversement qu'elle opère sur le texte. Ainsi, par exemple, pour prendre un autre exemple dans l'écriture d'Anne Hébert, la «petite morte» littéralement campée sur le seuil de la maison troublée où se déroule l'aventure poétique de celle-ci ne cesse de déranger l'occupante de la maison jusqu'à ce que sa poésie éclate et que parle le refoulé:

Nous menons une vie si minuscule et tranquille
Que pas un de nos mouvements lents
Ne dépasse l'envers de ce miroir limpide
Où cette sœur que nous avons
Se baigne bleue sous la lune
Tandis que croît son odeur capiteuse[7].

6. Claude-Henri Grignon, *Un homme et son péché* (1933), réédition Stanké, coll. «10/10», p. 100.
7. *Poèmes*, Paris, Éditions du Seuil, 1960, p. 48.

Le déplacement de perspective qu'est la prise de conscience féministe commence peut-être nécessairement par un sentiment de colère, d'indignation, ou d'horreur devant la découverte de ce meurtre fondateur sur lequel s'érige l'édifice de la culture occidentale. Reprenant l'image policière d'Aquin, Louky Bersianik écrit que «[l]'histoire de l'humanité qu'on nous a donnée pour *vraie* est un grand roman de science-fiction plein de monstres fabuleux et de beautés extraterrestres: un grand roman policier aussi, plein de meurtres anonymes où *l'on a fait disparaître les corps*, où l'on a parfaitement fait disparaître les taches de sang, de sorte que les gens ne croient plus à la *réalité* de ces *meurtres*[8].» Mais à mesure que s'ajoute à la colère initiale la curiosité «policière» de l'enquêteuse — ou plutôt de tout ce réseau d'enquêteuses formé par les critiques, les écrivaines et les lectrices féministes de nos jours — c'est tout le système de la représentation traditionnelle qui commence à dévoiler sa parenté avec les structures de la culture patriarcale, et à révéler du même coup ce qu'il a d'emprisonnant pour les hommes aussi bien que pour les femmes. Écrire est bien une activité qui se poursuit dans la Maison du Père; cette maison étant évidemment une métaphore de la culture et de ses structures de représentation idéologiques, artistiques et langagières, dont nous comprenons de plus en plus clairement depuis l'émergence du féminisme qu'elles sont la projection d'une subjectivité et d'une autorité masculines. Les écrits de Luce Irigaray et d'Hélène Cixous ont été parmi les premiers à démontrer que cette maison s'érige sur le fondement d'une Autre réifiée, une femme-objet construite pour servir de reflet et de support à la subjectivité masculine. Selon Cixous,

> ... si l'on interroge l'histoire littéraire, c'est toujours la même histoire. Tout revient à l'homme, à son tourment à lui, son désir d'être (à) l'origine. Au père... Le philosophique se construit à partir de l'abaissement de la femme. Subordination du féminin à l'ordre masculin qui apparaît comme la condition du fonctionnement de la machine[9].

8. *Le pique-nique sur l'Acropole*, Montréal, VLB éditeur, 1978, p. 75.
9. *La jeune née* (avec C. Clément), Paris, coll. «10/18» (série Féminin Futur), 1975, p. 118-119.

Nous sommes tellement habitués à l'immensité, à l'altérité du féminin-maternel dans la littérature que nous ne nous
en apercevons guère. C'est l'abîme dans lequel sombre le
poète Émile Nelligan après son bref voyage sur la mer du
langage, l'océan sans fond qui engouffre son successeur
Saint-Denys Garneau et qui avale ses mots, et le vide qui
sous-tend les structures langagières compliquées de ces autres successeurs ou petits-fils du poète, Hubert Aquin et Réjean Ducharme. Quand elle n'est pas fantasmée comme immense et menaçante dans la littérature, la femme se trouve
immobilisée et réduite au silence dans les rôles féminins res-
trictifs du roman traditionnel: emprisonnement qui n'est que
l'autre face et le résultat de l'immensité maternelle terrifiante
qu'elle représente pour ses fils. Mais dans chacune de ces
deux manifestations — immense ou emprisonnée — la femme-
objet a été le fondement immuable qui a assuré la solidité de
la Maison. Prenant la parole dans cette même maison du
langage et de la culture, il n'est point surprenant que les
hommes et les femmes écrivent différemment. Devenir auteur — comme le suggère l'étymologie du mot — signifie accéder à *l'autorité*; et dans une tradition où celle-ci est réservée
aux pères, il ne peut s'agir de la même expérience pour
l'homme et pour la femme que de s'emparer de l'autorité par
la parole écrite[10]. Dans ce sens l'écriture des femmes — ces
«voleuses de langue[11]» — constitue par définition même un
acte subversif dans la Maison du Père. Car dès que «l'objet»
commence à se percevoir comme un sujet, ce sont les fondements mêmes de la maison qui sont ébranlés. Ayant un rapport différent à la Loi du Père et à l'origine maternelle que
leurs frères littéraires, les femmes — qu'elles le veuillent ou
non — sont une présence qui dérange l'ordre de la maison
paternelle.

---

10. Voir Sandra M. Gilbert et Susan Gubar, *The Madwoman in the Attic: The
Woman Writer and the Nineteenth-Century Literary Imagination* pour une excellente analyse des images associées à la création artistique et l'autorité
masculine dans la tradition anglaise.
11. Expression de Claudine Hermann (*Les voleuses de langue*, Paris, Éditions
des Femmes, 1976).

Une texture subversive

Mais comment lire les inscriptions différentes que sont les écritures des femmes et des hommes sans retomber dans les stéréotypes qui ont de tout temps emprisonné la femme? Dire que les femmes ont tendance à écrire autobiographiquement ou par fragments plutôt que de se sentir à l'aise derrière l'œil distanciateur d'un narrateur omniscient, ou que le corps parle à travers leur écriture, ou encore que se profile dans leurs textes une raison moins hiérarchisante, plus proche de l'émotion que celle des hommes, correspond à l'évidence fournie par les textes. Mais la question de la spécificité sexuelle de l'écriture soulève des problèmes, autant pour la critique féministe qui craint d'emprisonner la femme dans encore une autre catégorie ou «essence» dictée par la vieille hiérarchie binaire, que pour les critiques à tendance «universelle» qui peuvent toujours citer une exception ou deux pour démentir toute affirmation d'une spécificité sexuelle dans les textes littéraires. La critique féministe, tout comme l'écriture féminine dont elle s'inspire, est en évolution constante et ne se définit que par son mouvement et son ouverture. Ainsi, le féminisme de la «différence» (Cixous, Irigaray, Gagnon, Brossard *et al.*), qui a transformé le champ de nos perceptions en osant affirmer avec jouissance et fierté ce que cela pouvait être d'écrire en tant que femme, s'est déjà déplacé vers autre chose, comme s'il pressentait le danger que ces caractéristiques du «féminin» qu'il mettait en valeur soient figées en un carcan emprisonnant pour les femmes. N'est propre au féminin, écrit Françoise Collin, que cette absence d'un territoire et cette impossibilité de trancher entre ce que nous «sommes» et ce que la culture a fait de nous:

> Aussi ce que les femmes revendiquent comme leur propre ressemble-t-il souvent à ce que les hommes leur ont imposé, le féminin à la féminité traditionnelle. Est-ce en effet d'un mouvement contraint ou autonome que relèvent l'indifférence au pouvoir, l'écriture fluide, la non-violence, le goût de certaines matières, la sensualité polymorphe, toutes ces dimensions récemment réhabili-

tées par un certain courant féministe? Il n'est sans doute pas nécessaire de trancher, le négatif pouvant se retourner en positif. Le danger consisterait cependant à limiter l'affirmation des femmes à une simple inversion de valeur[12].

Toutefois, après vingt années de pensée féministe, après la critique du phallocentrisme dans le discours et dans l'ordre symbolique qui a eu lieu du côté français et les nombreuses lectures attentives des textes de femmes qui se sont produites du côté anglo-américain-canadien, la critique féministe s'est forgé des outils pour lire *autrement*, et dans leur contexte historique et social, les textes majeurs d'une tradition littéraire. Une telle lecture, située et comparée, de la production littéraire des hommes et des femmes devrait nous permettre d'arriver à des généralisations sur la différence sexuelle dans l'écriture tout en respectant les différences à l'intérieur du groupe «femmes» ou du groupe «hommes». Alliant une critique de la représentation à une écoute de la voix individuelle de l'écrivain ou de l'écrivaine qui parle à travers ces structures communes de la représentation privilégiées par la culture, elle devrait être en mesure de porter un regard neuf sur l'ensemble des textes qui constitue une littérature nationale. La sémioticienne et critique cinématographique Teresa De Lauretis définit la portée politique d'une telle critique féministe, qui situerait la spécificité des productions culturelles des femmes

> ... non pas dans une féminité conçue comme une proximité privilégiée de la nature, du corps, ou de l'inconscient, une essence inhérente aux femmes mais dont les hommes de nos jours voudraient s'emparer; non pas dans une tradition féminine comprise simplement comme privée, marginale et malgré tout intacte, en dehors de l'histoire mais pleinement présente à celles qui chercheraient à la redécouvrir; non pas, enfin, dans les brèches

---

12. «Il n'y a pas de cogito-femme», dans *L'émergence d'une culture au féminin* (sous la direction de Marisa Zavalloni), Montréal, Les Éditions Saint-Martin, 1987, p. 108-109.

de la masculinité, les fissures de l'identité mâle ou le refoulé du discours phallocrate; mais plutôt dans cette pratique politique, théorique et autoanalytique par laquelle les relations du sujet dans la réalité sociale peuvent s'articuler à neuf à partir de l'expérience historique des femmes[13].

Cherchant à préciser les contours de cette différence entre l'écriture des hommes et celle des femmes, on en vient à remarquer dans les textes littéraires la récurrence d'un dialogue — ou d'une tension dialectique — entre deux «pôles» dans le texte qu'on pourrait appeler «la Loi» et «la texture». L'écriture des hommes a tendance à privilégier la linéarité, la logique et une conception de l'identité qui est close, distanciée, et rassurée par la présence de frontières, c'est-à-dire qu'elle se déploie dans un rapport de proximité (de Même) avec la Loi. Dans l'écriture des femmes, c'est davantage la texture qui domine — la densité de ce qui résiste à la clôture à l'intérieur du signe; les gestes, les rythmes et les silences qui sous-tendent le langage et qui parlent dans les brèches entre les mots. S'éloignant du corpus québécois, on pense immédiatement à l'écriture floue et sans frontières d'une Virginia Woolf, ou à la sensualité drue de la phrase d'une Colette. Insaisissable par définition même, en ceci qu'elle est précisément ce qui résiste à la codification, la texture féminine échappe à une lecture critique axée uniquement sur la signification. Au contraire, elle ne se laisse approcher que lorsqu'on se met à l'écoute de ce qui ne semble pas signifier dans le texte: l'échange d'«une foule de riens féminins[14]» permis par la forme épistolaire dans *Angéline de Montbrun*, par exemple, ou les déviations de l'intrigue de *Marie-Didace* par rapport aux critères traditionnels de la narration. Il se peut que la «texture» soit la manifestation littéraire de la façon qu'ont toujours eue les femmes de parler entre elles — cette tendance à «bavarder»

13. *Alice Doesn't: Feminism, Semiotics, Cinema*, Bloomington, Indiana University Press, 1982, p. 186 (je traduis).
14. Laure Conan, *Angéline de Montbrun* (1884), réédition Fides (Bibliothèque québécoise), 1980, p. 42.

(à prendre plaisir dans l'échange des mots sans que cela mène nécessairement à un but défini) dont Suzanne Lamy a fait un éloge éloquent[15]. Dans l'écriture, la texture correspond à l'Éros: non pas tellement *opposée* au Logos que circulant autour de lui, subvertissant la Loi en la ramenant et en l'ouvrant aux possibilités vivifiantes du plaisir. Séduction du Père par la fille? Qui dans les textes masculins apparaîtrait plutôt sous sa forme inverse — comme une réduction de la fille au silence par l'autorité du Père? Nous verrons que dans l'écriture romanesque cette lutte éminemment *textuelle* entre la texture et la Loi se répercute en effet sur l'instance narrative et se traduit dans les rapports entre les personnages masculins et féminins.

Réalisme et réel

Les explorations linguistiques, psychanalytiques et textuelles menées par la pensée française depuis bientôt trente ans ont transformé irréversiblement notre compréhension de la façon dont les codes idéologiques traversent le langage, sont présents dans sa texture même — de sorte que l'écrivain(e), par l'acte même d'écrire, se trouve situé(e) et doit *se* situer par rapport à ces codes. Pour prendre un exemple très simple, tout homme et toute femme écrivant une phrase dans la langue française doit nécessairement confronter la loi selon laquelle le féminin est codé par le «e» muet, une terminaison silencieuse qu'on peut enlever à la phrase sans que la syntaxe en soit le moindrement modifiée[16]. Le féminin dans la grammaire française est un élément accessoire, l'embellissement silencieux d'une structure signifiante axée sur le masculin. À l'intérieur de la langue, il ne s'agit pas d'une symétrie, mais plutôt d'une a-symétrie, entre masculin et féminin. Et c'est dans cette «maison» du langage, comme on le sait, qu'a lieu l'aventure littéraire.

---

15. *D'elles*, Montréal, l'Hexagone, 1979, p. 15-35.
16. Exemple que je dois à Normand de Bellefeuille et Hugues Corriveau dans *À double sens: échanges sur quelques pratiques modernes*, Montréal, Les Herbes rouges, 1986, p. 40-50.

Moins immédiatement apparente, mais existant dans un rapport analogique avec ces structures langagières, est l'asymétrie entre le masculin et le féminin dans les formes littéraires. Entrant dans le langage littéraire, tout homme et toute femme rencontre les lois non écrites qui régissent les codes de la représentation et de la narrativité, lois qui comme celles de la langue privilégient la subjectivité masculine, évincent la subjectivité féminine. Barthes l'a pressenti, lui qui a décelé la structure de l'identité masculine (l'Œdipe) au cœur même du récit:

> La mort du Père enlèvera à la littérature beaucoup de ses plaisirs. S'il n'y a plus de Père, à quoi bon raconter des histoires? Tout récit ne se ramène-t-il pas à l'Œdipe? Raconter, n'est-ce pas toujours chercher son origine, dire ses démêlés avec la Loi, entrer dans la dialectique de l'attendrissement et de la haine[17]?

Structure non «innocente», puisqu'elle repose sur une violence perpétrée par le sujet masculin contre cette altérité qui est à la fois langue, corps maternel et nature:

> Nul objet n'est dans un rapport constant avec le plaisir... Cependant, pour l'écrivain, cet objet existe; ce n'est pas le langage, c'est la langue, *la langue maternelle*. L'écrivain est quelqu'un qui joue avec le corps de sa mère... pour le glorifier, l'embellir, ou pour le dépecer, le porter à la limite de ce qui, du corps, peut être reconnu: j'irai jusqu'à jouir d'une *défiguration* de la langue, et l'opinion poussera les hauts cris, car elle ne veut pas qu'on «défigure la nature[18]».

Ce que notre culture a toujours nommé le «roman traditionnel» (le réalisme) est en fait une manifestation littéraire de la Maison du Père: une solide construction de langage grâce à laquelle, nous a-t-on toujours dit, l'écrivain «capte» le réel et «transcende» le temporel par les formes éternelles de l'art. Là-dedans, l'écrivain s'assure de son emprise sur l'altérité en se

---

17. *Le plaisir du texte*, Paris, Éditions du Seuil, 1973, p. 75-76.
18. *Ibid.*, p. 60-61.

revêtant de l'autorité d'un narrateur omniscient, doté de par le pouvoir de son regard de la capacité de réduire la multiplicité du réel à la cohérence rassurante d'une vision unie. Depuis Derrida, on connaît la correspondance entre cette vision et celle du sujet cartésien, qui se coupe de l'altérité qu'il désire posséder en la réduisant au statut d'un objet dans l'œil de l'observateur. On a moins remarqué cependant à quel point il s'agit dans les deux cas d'une épistémologie «au masculin». En suivant le fil de nos lectures, nous aurons l'occasion de voir comment non seulement le positionnement du narrateur et les rôles assignés aux personnages dans la représentation réaliste, mais aussi le «pacte» par lequel le texte-objet est échangé entre deux sujets (l'auteur et le lecteur) correspondent aux modalités de la domination ou de la rivalité entre deux sujets masculins. Si les femmes en écrivant ont eu tendance à fragmenter la forme romanesque par l'emploi de la forme épistolaire, des journaux intimes ou de l'autobiographie, il se peut que ce ne soit pas (comme on l'a longtemps prétendu) parce qu'il leur manque la confiance, l'expérience ou l'autorité pour écrire comme les hommes, mais plutôt parce que leur écriture présente une façon *autre* de re-présenter, d'écouter, et de toucher la texture du réel. Entre le «réalisme» consacré par la culture patriarcale et le «réel» tel qu'il se présente dans l'écriture des femmes il y a un monde, et une distinction qui vaut la peine d'être explorée.

Témoignant de la possibilité — et de la nécessité — d'un rapport au réel qui soit autre que celui de la domination, l'écriture des femmes propose en effet une nouvelle épistémologie, un autre synonyme au verbe «connaître» que celui du mot «posséder» qui y a été rattaché de tout temps par la culture patriarcale. Ne serait-il pas plus intéressant, semblent demander leurs textes, de prendre le mot «connaître» au pied de la lettre, dans le sens évoqué par son étymologie? «Connaître»: c'est-à-dire naître ensemble, être en relation avec, écrire de façon à ce que l'altérité, le réel et le temporel parlent à travers la texture désordonnée du texte, s'ouvrir au lecteur ou à la lectrice dans une invitation à l'échange et au partage[19].

---

19. Je dois le mot «co-naître» à Claire Lejeune, qui a lu une première version de ce manuscrit.

Le Québec: un patriarcat déguisé

Si la langue et les formes littéraires sont a-symétriques et axées sur la subjectivité masculine, qu'en est-il des idéologies? Quelles significations se rattachent aux symboles du Père et de la Mère que chaque écrivain(e) rencontre et intériorise dans une configuration particulière à sa propre culture? Au Québec, l'idéologie de la survivance nationale qui a présidé à la littérature depuis ses débuts dépendait entièrement pour sa cohérence de l'adhérence des femmes à leur rôle traditionnel de reproductrices, car c'était seulement par la «revanche des berceaux», disaient les dirigeants cléricaux et laïques, que le Canada français pouvait espérer retrouver son ancienne puissance en Amérique du Nord. On a souvent appelé la société traditionnelle canadienne-française un «matriarcat», et la mère mythique évoquée par Jean Le Moyne correspond bien à cette image dans la mentalité collective:

> ... la mère canadienne-française se dresse en calicot, sur son «prélart», devant un poêle et une marmite, un petit sur la hanche gauche, une grande cuiller à la main droite, une grappe de petits aux jambes et un autre petit dans le ber de la revanche, là, à côté de la boîte à bois... Notre image a beau ne correspondre à rien d'actuel ou à peu près, elle s'impose avec insistance, elle est familière à tous et constitue une référence valable pour tous. Nous avons affaire à un mythe[20].

En réalité, cependant, cette figure maternelle solitaire et puissante était une construction idéologique créée par une hiérarchie mâle rattachée à l'Église catholique et modelée sur la France prérévolutionnaire: hiérarchie dans laquelle le pouvoir se transmettait en lignée directe de Dieu le Père au roi de France au père de famille, et ensuite au fils aîné — l'épouse et les plus jeunes enfants de la famille étaient relégués au statut d'«autres[21]».

---

20. *Convergences*, Montréal, HMH, 1961, p. 71.
21. Vision du monde parfaitement illustrée dans *Il n'y a pas de pays sans grand-père* de Roch Carrier (voir chap. 2, note 18).

On n'a qu'à lire les discours, homélies, articles et éditoriaux consacrés au rôle de la femme et aux dangers du féminisme pendant les premières décennies du vingtième siècle pour voir à quel point l'idéalisation de la mère était une création d'hommes. Henri Bourassa note avec beaucoup de perspicacité (et un tantinet de racisme) que le rôle traditionnel de la mère est le fondement même de la société canadienne-française, et que le féminisme, une importation des pays anglo-saxons, fera basculer tout le système dans l'anarchie si on lui permet un pied dans la porte:

> Eh! bien, qu'on ne s'y trompe pas: l'esprit social de la province de Québec ne se maintiendra que... par le maintien intégral, j'ose dire la restauration, de la famille catholique, source et fondement de notre vie sociale. Le jour où cet organe vital sera entamé, tout le corps se gâtera rapidement... ce jour-là, nous serons bien près de devenir des révolutionnaires dangereux, ou tout au moins une non-valeur sociale: car nous n'avons pas, pour nous garder contre nos propres excès ou nous préserver de la décadence, cet instinct de cohésion politique et de conservatisme matériel qui a si longtemps retenu les Anglo-Saxons[22].

Saint Thomas d'Aquin et saint Paul à l'appui, des dirigeants cléricaux comme Mgr L.-A. Paquet n'eurent pas de difficulté à démontrer que «l'homme, en vertu de sa constitution, et par un effet des propriétés de son intelligence et de sa raison, se montre, d'ordinaire, plus apte que la femme à tenir, dans la famille, les rênes du commandement[23]», et que «ce ne sont pas les femmes frottées de grec et d'hébreu qui répareront les brèches faites à la famille[24]». «Le poème de la mère», écrit par un homme et publié dans La Revue moderne en juillet

---

22. *Femmes-hommes ou hommes et femmes?* Études à bâtons rompus sur le féminisme, Montréal, Imprimerie du Devoir, 1925, p. 69-70.
23. «Le féminisme (second article)», *Le Canada français* II, 1 (février 1919), p. 8.
24. «Le féminisme (premier article)», *Le Canada français* I, 4 (décembre 1918), p. 241.

1924, montre comment cette idéologie fut communiquée aux femmes dans la presse populaire. Son idéalisation de la mère se relie à l'idée que la créativité féminine se réalise non seulement à travers l'enfant, mais à travers l'enfant *mâle*. Ce pouvoir qu'a la femme de «créer un homme futur» est explicitement présenté comme la version féminine de la créativité masculine dans l'art:

> Nul poète, si grand qu'il soit, fût-il Homère,
> N'a jamais fait briller au jour
> Un poème si beau que celui de la mère:
> L'enfant, pur chef-d'œuvre d'amour.
> Sa vie et sa beauté qui passe, elle les donne
> Aux fils qui lui ressembleront...
> Faire parler, marcher l'enfant, — créer un homme!
> Que fera l'homme de plus grand?...
>
> Si bien que dans son fils, sa gloire et son poème,
> La mère avec bonheur plus tard
> Tout entière parfois se retrouvant soi-même
> Dit: C'est ma voix, c'est mon regard[25]!

Si de telles idées contribuèrent à emprisonner les femmes dans le rôle maternel et les découragèrent d'oser se lancer elles-mêmes dans l'écriture, elles jettent aussi une lumière intéressante sur le type de mère — la Claudine d'Anne Hébert[26] et la mère du Mathieu de Françoise Loranger[27] en sont des exemples littéraires — qui, définissant son identité entièrement en fonction de celle de son fils, deviendra la «mère monstrueuse» contre laquelle le fils devra lutter à son tour pour exorciser ses propres démons psychiques. C'est sur une telle toile de fond historique et idéologique qu'il faut interpréter la violence déchaînée contre la femme dans le roman masculin contemporain du Québec.

---

25. Jean Aicard, «Le poème de la mère», *La Revue moderne* (juillet 1924), p. 56.
26. *Le torrent*, Montréal, Beauchemin, 1950.
27. *Mathieu* (1949), réédition CLF Poche, 1967.

Le triangle patriarcal: échapper à Œdipe et Électre

Quelle est donc la structure qui sous-tend cette asymétrie entre le masculin et le féminin, et qui en assure la perpétuation de génération en génération? Car la pérennité de la Loi du Père doit dépendre de la complicité (ou de la défaite) des fils et des filles, de leur acceptation des rôles qui leur sont assignés dans le texte culturel. De l'écriture de Laure Conan à celle d'Hubert Aquin et de France Théoret, nous verrons en effet se dégager une structure commune: un triangle que j'appelle «patriarcal» ou «œdipien», et qui se révèle comme la structure de base de la Maison du Père.

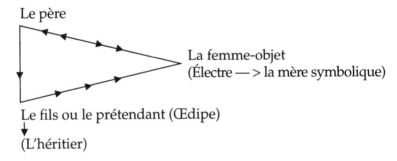

Le père

La femme-objet
(Électre — > la mère symbolique)

Le fils ou le prétendant (Œdipe)

(L'héritier)

Constitué par les figures du père, du fils ou du prétendant et de la femme-objet qui forment ses trois pointes, ce triangle correspond à la configuration familiale et culturelle dont hérite chaque écrivain et écrivaine, et représente la structure de base que la femme doit faire éclater afin d'inscrire sa propre subjectivité dans l'espace de l'écriture. Apparaissant sous sa forme la plus «pure» dans les romans de la terre écrits par des hommes, il est aussi la structure de départ d'*Angéline de Montbrun* et la structure cachée vers laquelle mène tout le suspense policier de *Neige noire*. Ce triangle a des résonances spécifiquement québécoises (la transmission de l'héritage national en dépend, par exemple), mais derrière elles on décèle une structure plus universelle — celle de l'échange d'une femme entre deux hommes que Lévi-Strauss a identifiée comme la marque du passage d'un groupe de l'état de la «nature» à celui de la «culture[28]». Structure millénaire par laquelle se transmet le nom du Père et la division sociale entre les sexes, et qui sur le plan individuel est intériorisée sous la forme de l'Œdipe: «son histoire à lui» devant nécessairement passer par la possession de la femme-objet et donc par l'impossibilité de «son histoire à elle». Structure que subvertit donc chaque femme qui écrit, par le simple fait de poser l'existence dans le langage littéraire de *sujets* féminins en relation avec d'autres *sujets* féminins. Relisant les textes des femmes des générations passées, on découvre que le projet politique du féminisme — que les femmes se reconnaissent entre elles en tant que sœurs, que les filles retrouvent leurs mères en les libérant de la «statue» de la Mère symbolique[29] — a déjà été entrepris dans leurs écrits, avec des résultats textuels que nous ne faisons que commencer à décanter.

«Œdipe et «Électre» apparaîtront donc dans les chapitres qui suivent comme les mythes universels qui appellent le fils et la fille, le frère et la sœur dans cette Maison du Père, à la complicité dans la perpétuation d'une Histoire écrite à l'avance. Mythes qui dans leur version québécoise donnent lieu, comme nous le verrons, à une tradition masculine *tragique* (celle du «fils impuissant», qu'on pourrait tracer de Crémazie et Nelligan jusqu'à nos jours), et à une écriture féminine *subversive*. Car, comme l'écriture ambivalente de Laure Conan le démontre clairement, la position d'Électre (la femme-objet complice du Père) n'est pas une option pour la femme qui écrit. Dans une maison où le Père est tout-puissant, la position du fils-Œdipe est certes frustrante, mais du moins y a-t-il une place pour lui dans la Maison — un coin où il peut s'asseoir pendant qu'il continue de tourner le fer dans les plaies. Pour la fille au contraire, il n'y a aucune place dans la maison

---

28. *Les Structures élémentaires de la parenté*, Paris, Presses universitaires de France, 1949, p. 80.
29. La statue de la Vierge Marie dans *Les fées ont soif* de Denise Boucher et celles des Caryatides dans *Le pique-nique sur l'Acropole* de Louky Bersianik sont deux images très concrètes de cet emprisonnement des femmes du passé dans l'ordre symbolique patriarcal.

à part celle de l'objet silencieux et immobile qui soutient l'édifice. Écrire, pour elle, dans un premier temps du moins, c'est sortir du silence, rompre avec Électre… et faire éclater le triangle patriarcal.

Son histoire à lui/Son histoire à elle

Lire les textes québécois selon une optique qui privilégie la différence sexuelle, c'est donc porter une attention particulière à la façon dont la voix de chaque écrivain et écrivaine s'inscrit dans cette maison paternelle qu'est l'ordre symbolique (québécois). Les œuvres d'art ne sont pas des messages idéologiques, mais des explorations de la contradiction; et ce que j'ai essayé de faire apparaître dans cette lecture d'ouvrages majeurs de la littérature québécoise c'est la façon dont ce qui est peut-être la contradiction majeure de l'histoire du Québec — son attitude devant le féminin — émerge dans les textes littéraires, les faisant souvent dévier de leur parcours prévu pour devenir des constats d'une double impasse: celle de «son histoire à lui» et de «son histoire à elle».

La forme que j'ai adoptée est aussi asymétrique que celle de la Maison du Père, mais ici l'asymétrie penche du côté du féminin. Tout en proposant une comparaison de l'écriture des hommes et des femmes, je privilégie celle des femmes, accordant des chapitres entiers à trois femmes (Laure Conan, Germaine Guèvremont, et Gabrielle Roy) dont les œuvres ont été couronnées dans l'histoire littéraire québécoise, mais selon des critères qui faisaient taire la voix féminine très subversive qu'elles contiennent. S'il y a une «sainte patronne» qui a présidé à l'écriture du livre, c'est Laure Conan, dont le magnifique et solitaire *Angéline de Montbrun* contient en une vision archétypale toute la dynamique de la Maison du Père: non seulement ce qu'il y a d'insoutenable dans la situation de la femme (Angéline) là-dedans, mais aussi le danger de complicité et de silence qui y guette l'homme (Maurice Darville). Le premier et le plus long chapitre se penche sur l'ambivalence par rapport à son sexe qui traverse la vie et l'œuvre de

Conan, et suit de façon attentive le déroulement de son *Angéline de Montbrun*, en dégageant la présence d'une série de «voix de la résistance» qui luttent contre la parole toute-puissante du Père avant d'être réduites au silence. Les chapitres 2 et 3 traitent du roman de la terre, genre masculin et paternaliste par sa forme réaliste et sa vision désincarnée (chap. 2), jusqu'aux transformations qu'y amènent les deux romans de Germaine Guèvremont (chap. 3). Le chapitre 4 pousse plus loin l'exploration des différences sexuelles dans l'écriture en contrastant l'œuvre de deux poètes proches non seulement par le sang et le milieu social, mais aussi par les images et symboles clés de leur écriture: Saint-Denys Garneau et Anne Hébert. Le chapitre 5 aborde le paradoxe que le chef-d'œuvre du réalisme au Québec — *Bonheur d'occasion* de Gabrielle Roy — soit l'œuvre d'une femme, et montre comment en assumant une position d'autorité dans la «maison paternelle» de la représentation réaliste Roy parvient non seulement à transformer le réalisme, mais à rendre explicite le message politique de l'écriture féminine. Dans le chapitre 6 je reviens à l'image du cadavre sous les fondations de la maison, en analysant la violence faite à la femme dans le roman contemporain comme le symptôme de l'impasse de «son histoire à lui». Impasse d'une culture et de ses représentations, lucidement analysée au «masculin» et au «féminin» par deux écrivains aussi consciemment québécois que modernes: Hubert Aquin et France Théoret. Le chapitre 7 propose une analyse féministe de *Neige noire*, roman final où Aquin explore l'impasse de la représentation et de la culture à travers une intrigue policière axée sur le meurtre rituel d'une femme. Enfin le chapitre 8 trace l'émergence douloureuse d'une voix féminine contre le «roc patriarcal» du langage et des représentations dans l'écriture de Théoret, et montre comment, en appropriant non seulement le réalisme mais aussi la figure d'Électre pour les femmes, Théoret déconstruit tous les dualismes sur lesquels était érigé l'édifice de la culture patriarcale.

Par cette asymétrie des chapitres, et par la lecture parfois tout en «méandres» que j'ai adoptée, ce livre reflète peut-être son sujet. Comme les écrivaines qui m'ont inspirée, j'ai préféré écouter les textes, suivre la direction dans laquelle ils m'emmenaient plutôt que d'imposer sur eux une grille restrictive. Ainsi, bien que la question du «triangle patriarcal» revienne comme un leitmotiv dans chaque chapitre, j'ai préféré laisser parler chaque ouvrage selon ce qui me semblait être sa propre cohérence interne plutôt que de l'analyser uniquement en fonction de cette structure récurrente. D'autres fils conducteurs aussi traversent tous les chapitres et apparaissent comme des lieux où se dessinent des différences entre l'écriture des hommes et celle des femmes: une tendance à privilégier des thèmes et des structures reliés au *regard* (l'œil du Père?) dans l'écriture masculine, et à la *voix* (trace du corps et de la présence maternelle?) dans l'écriture féminine; un rapport différent à la nature (surtout à l'eau «maternelle») chez les hommes et les femmes. Finalement, pour moi — Canadienne anglaise amoureuse de la culture québécoise — une des dimensions les plus fascinantes de cette étude a été de voir se dessiner au fil de mes lectures un rapport différent au pays et à la «question nationale» chez les écrivains et les écrivaines. Car c'est à la voix du pays bafoué, à n'en pas douter, que les hommes croient obéir quand ils s'accrochent à un rêve de la pérennité vieux comme l'identité masculine, érigé comme une Maison-forteresse contre tout ce qui est perçu comme «autre», y compris et surtout la femme. Reléguées elles-mêmes au statut d'«autres», les femmes semblent au contraire capables d'imaginer un pays en mouvement et aux frontières expansives, une Maison ouverte à la diversité et à la solidarité de tous ceux et de toutes celles qui luttent pour la justice.

Table

CET OUVRAGE
COMPOSÉ EN PALATINO 11 POINTS SUR 13
A ÉTÉ ACHEVÉ D'IMPRIMER
LE DIX-SEPT FÉVRIER
MIL NEUF CENT QUATRE-VINGT-QUATORZE
PAR LES TRAVAILLEURS ET TRAVAILLEUSES DES PRESSES
DE L'IMPRIMERIE GAGNÉ
À LOUISEVILLE
POUR LE COMPTE DE
VLB ÉDITEUR.

IMPRIMÉ AU QUÉBEC (CANADA)